Beck'sche Elementarbücher

In derselben Reihe liegen vor:

Lessing
Von Wilfried Barner, Gunter Grimm,
Helmuth Kiesel, Martin Kramer

Heinrich Heine
Herausgegeben von Jürgen Brummack

Grimmelshausen
Von Volker Meid

Gerhart Hauptmann
Von Peter Sprengel

Hartmann von Aue
Von Christoph Cormeau und Wilhelm Störmer

Bertolt Brecht
Von Jörg-Wilhelm Joost, Klaus-Detlef Müller
und Michael Voges

Thomas Mann
Von Hermann Kurzke

Verlag C. H. Beck München

E.T.A. Hoffmann
Epoche – Werk – Wirkung

Von
Brigitte Feldges und Ulrich Stadler
mit je einem Beitrag von
Ernst Lichtenhahn und Wolfgang Nehring

Verlag C.H.Beck München

Arbeitsbücher zur Literaturgeschichte
Herausgegeben von Wilfried Barner und Gunter Grimm
unter Mitwirkung von
Hans-Werner Ludwig (Anglistik) und
Siegfried Jüttner (Romanistik)

CIP-Kurztitelaufnahme der Deutschen Bibliothek

Feldges, Brigitte:
E.T.A. Hoffmann : Epoche – Werk – Wirkung /
von Brigitte Feldges u. Ulrich Stadler. Mit je e. Beitr.
von Ernst Lichtenhahn u. Wolfgang Nehring. –
München : Beck, 1986.
(Beck'sche Elementarbücher)
(Arbeitsbücher zur Literaturgeschichte)
ISBN 3 406 31241 1
NE: Stadler, Ulrich:

ISBN 3 406 31241 1

Umschlagentwurf von Walter Kraus, München
Umschlagbild: Frontispiz der Biographie von Julius Eduard Hitzig:
Aus Hoffmann's Leben und Nachlaß (mit freundlicher Genehmigung der
Zentralbibliothek Solothurn)

Satz und Druck: C.H. Beck'sche Buchdruckerei, Nördlingen
Printed in Germany

Inhalt

Vorwort 11

I. Zeitgeschichtliches und Biographisches

A. Staat und Gesellschaft um 1800 13
Bibliographie 18

B. Wissenschaft und Kultur 19

1. Erfahrungsseelenkunde und Psychologie 19
2. Psychiatrie 21
3. Pädagogik 22
4. Traumlehre (Die Traumtheorie Schuberts) 24
5. Animalischer Magnetismus 27
6. Akustik 30
7. Elektrizitätslehre 31

Bibliographie 32

C. Zur Biographie Hoffmanns 35

1. Prägende Momente der Lebensgeschichte 35
2. Hoffmanns künstlerische Tätigkeiten 40
3. Hoffmanns Lektüren 42
4. Hoffmann und die Romantik 44

Bibliographie 44

II. Sprache, Stil, Poetik

A. Zu Sprache und Stil Hoffmanns 46

B. Zur Poetik Hoffmanns 49

1. Die einheitskonstituierenden Momente in Hoffmanns Werk 49
1.1. Die Callot'sche Manier 50
1.2. Die Manier der ‚*Nachtstücke*' 52

1.3. Das Serapiontische Prinzip ... 54
Bibliographie ... 59

III. Märchen

A. Der goldne Topf ... 64

1. Einführende Informationen ... 64
1.1. Texte und Materialien ... 65
1.2. Forschungsliteratur ... 65
1.3. Voraussetzungen und Entstehung ... 70
2. Textanalyse ... 74
2.1. Gattungstheoretische Einordnung ... 74
2.2. Die Funktion des mythologischen Berichts in der Erzählung ... 76
2.3. Anselmus als ‚Mittelwesen'; das Spiegelmotiv ... 81
2.4. Zur Utopie des Märchenschlusses; Trinken und Schreiben ... 83

B. Das fremde Kind ... 85

1. Einführende Informationen ... 85
1.1. Texte und Materialien ... 87
1.2. Forschungsliteratur ... 87
1.3. Voraussetzungen und Entstehung ... 88
2. Textanalyse ... 90
2.1. Rousseau-Rezeption ... 90
2.2. Die Gegenwelt zum Alltag ... 93
2.3. Dreiteilung und Symmetrie; zur Funktion der Struktur ... 96

C. Klein Zaches ... 98

1. Einführende Informationen ... 98
1.1. Texte und Materialien ... 100
1.2. Forschungsliteratur ... 100
1.3. Voraussetzungen und Entstehung ... 101
2. Textanalyse ... 103
2.1. ‚*Klein Zaches*', ein Wendepunkt in Hoffmanns Schaffen? ... 103
2.1.1. Verhältnis von Phantasie und Wirklichkeit ... 103
2.1.2. Indizien für Zweifel an der Erlösungskraft der Poesie ... 106
2.2. Zur Bedeutung der Satire ... 110

D. Prinzessin Brambilla ... 115

1. Einführende Informationen ... 115
1.1. Texte und Materialien ... 117
1.2. Forschungsliteratur ... 118

1.3. Voraussetzungen und Entstehung ... 121
2. Textanalyse ... 123
2.1. Gattungstheoretische Einordnung ... 123
2.2. Aufbau und Handlungsstruktur ... 125
2.3. Die Funktion der eingeschobenen Geschichte von Urdargarten ... 127
2.4. Der Kern des Capriccios: Ironie und echter Humor ... 129
2.5. Der satirische Gehalt des Capriccios ... 132

IV. Erzählungen

A. Der Sandmann ... 135

1. Einführende Informationen ... 135
1.1. Texte und Materialien ... 135
1.2. Forschungsliteratur ... 136
1.3. Voraussetzungen und Entstehung ... 139
2. Textanalyse ... 142
2.1. Das Augenmotiv ... 142
2.2. Das Verhältnis Aufklärung – Romantik als Personenkonstellation .. 144
2.3. Die Position des Erzählers und die Poetik der Erzählung ... 148
2.4. Die Verschlingung von Wahnsinn und Vernunft ... 151

B. Das Fräulein von Scuderi ... 152

1. Einführende Informationen ... 152
1.1. Texte und Materialien ... 154
1.2. Forschungsliteratur ... 155
1.3. Voraussetzungen und Entstehung ... 158
2. Textanalyse ... 158
2.1. *Das Fräulein von Scuderi* – eine Detektivgeschichte? ... 158
2.2. Zur weltanschaulich-politischen Position der Erzählung ... 161
2.3. Zur Kunst und zur weltanschaulich-religiösen Position der Erzählung ... 164

C. Meister Martin der Küfner und seine Gesellen ... 168

1. Einführende Informationen ... 168
1.1. Texte und Materialien ... 169
1.2. Forschungsliteratur ... 170
1.3. Voraussetzungen und Entstehung ... 170
2. Textanalyse ... 171
2.1. Die Darstellung einer vergangenen Zeit ... 171
2.1.1. Erzähltechnik ... 171
2.1.2. *Meister Martin* – eine rückwärts gewandte Utopie? ... 175
2.2. Relativierung des Ideals ... 177

D. Die Bergwerke zu Falun ... 179

1. Einführende Informationen ... 179
1.1. Texte und Materialien ... 180
1.2. Forschungsliteratur ... 180
1.3. Voraussetzungen und Entstehung ... 182
2. Textanalyse ... 183
2.1. Abgrenzung gegen zeitgenössische Bearbeitungen des Stoffes ... 183
2.2. Die Bedrohung durch das Weibliche ... 185
2.3. Erzgrube und Wunschproduktion ... 189

V. Romane

A. Die Elixiere des Teufels ... 194

1. Einführende Informationen ... 194
1.1. Texte und Materialien ... 196
1.2. Forschungsliteratur ... 196
1.3. Voraussetzungen und Entstehung ... 199
2. Textanalyse ... 201
2.1. Fatalismus – Problematisierung einer Zuordnung ... 201
2.2. Zur Konzeption des Doppelgängers ... 206
2.2.1 Narzißmus und bürgerlicher Eskapismus ... 214

B. Lebensansichten des Katers Murr ... 216

1. Einführende Informationen ... 216
1.1. Texte und Materialien ... 217
1.2. Forschungsliteratur ... 218
1.3. Voraussetzungen und Entstehung ... 220
1.3.1. Biographische Voraussetzungen ... 220
1.3.2. Herkunft der Figuren ... 221
1.3.3. Romantradition ... 222
1.3.4. Entstehung ... 223
2. Textanalyse ... 224
2.1. Die Komposition des Doppelromans ... 224
2.1.1. Der Zusammenhang der beiden Lebensgeschichten ... 224
2.1.2. Die Struktur und ihre Bedeutung ... 227
2.2. Parodie eines Bildungsromans ... 229
2.2.0. Vorbemerkung: Kater und Interpreten ... 229
2.2.1. Literatur- und Gesellschaftssatire ... 229
2.2.2. Murrs ironischer Anteil ... 231
2.3. Der romantische Künstlerroman ... 233
2.3.1. Künstler und Gesellschaft ... 233
2.3.2. Idealität und Dämonie der Kunst ... 235

2.4. Der Geheimnisroman 236
2.5. Die Synthese des Humors 238

VI. Schriften zur Musik

1. Einführende Informationen 241
1.1. Texte und Materialien 243
1.2. Forschungsliteratur 243
2. Textanalysen 244
2.1. Rezension der fünften Sinfonie von Ludwig van Beethoven 244
2.2. ‚*Alte und neue Kirchenmusik*' 251

VII. Zur Rezeption Hoffmanns

1. Deutschland 258
1.1. Exkurs: Hoffmann in der marxistischen Literaturwissenschaft 267
2. Rußland und die Sowjetunion 268
3. Frankreich 273
4. England und USA 279
4.1. Exkurs: Hoffmann in der bildenden Kunst 281
Bibliographie 283

Synoptische Tabelle zu Hoffmann und seiner Zeit 291

Gesamtbibliographie 299

Personenregister 306

Vorwort

E. T. A. Hoffmann hat mit seinem Werk immer wieder kontroverse Meinungen hervorgerufen. Während er in Frankreich als einer der bedeutendsten Autoren deutscher Sprache gefeiert wurde, galt und gilt er noch vielerorts in Deutschland als ein nur mittelmäßiger Schriftsteller. Man rechnete seine Erzählungen zur sogenannten Trivialliteratur oder suchte ihn mit dem Etikett ‚Gespensterhoffmann' abzustempeln. Das vorliegende Buch versucht Materialien zu einer differenzierteren Betrachtungsweise vorzulegen. Eine Ausrichtung auf eine einzige wissenschaftliche Forschungsrichtung war indes nicht angestrebt und bei der unterschiedlichen Herkunft der Autoren bzw. der Autorin auch nicht zu erwarten.

Brigitte Feldges hat AB I (mit Ausnahme von B.4.), AB III B., C. und AB IV C., D. sowie AB V A. und AB VII 4. verfaßt; Ernst Lichtenhahn AB VI; Wolfgang Nehring AB V B. und Ulrich Stadler AB I B.4.; AB II; AB III A., D.; AB IV A., B. und AB VII (mit Ausnahme von 4.) [AB = Arbeitsbereich]. Für die einzelnen Beiträge übernehmen die Genannten jeweils allein die Verantwortung.

Die Vielzahl der Werke Hoffmanns wie auch die ungeheure Fülle der Sekundärliteratur zwangen uns von vorneherein, den Anspruch auf eine vollständige Darstellung des Gegenstandes und auf eine Erfassung aller Arbeiten über Hoffmann aufzugeben. Der begrenzte Raum, der uns zur Verfügung stand, nötigte uns überdies zu manchem Verzicht, der uns schwerfiel. Unsere Absicht war es, neben den populären auch weniger bekannte Werke Hoffmanns zu berücksichtigen. Unerläßlich schien uns die Einbeziehung der musikkritischen Schriften – und zwar nicht nur, weil Hoffmanns literarische Werke in einem engen genetischen Zusammenhang mit seinen Rezensionen für die ‚Allgemeine Musikalische Zeitung' zu sehen sind, sondern auch weil im musikhistorischen Bereich die – zumeist rein literaturwissenschaftliche – Ausbildung vieler Leser in aller Regel eine empfindliche Informationslücke aufweist.

Zusätzlich zu den Bibliographien der einzelnen Arbeitsbereiche haben wir das Arbeitsbuch mit einer Gesamtbibliographie versehen, die eine Auswahl der u. E. wirklich wichtigen Titel enthält. Bei der Kommentierung der dort und in den Teilbibliographien, bzw. Forschungsliteratur-Kapiteln, aufgeführten Literatur sind wir nicht streng systematisch verfahren. Manche Titel wurden mehrfach kommentiert, bei manchen hingegen fehlt eine Würdigung als Klammerzusatz. Dies ist in aller Regel dann der Fall, wenn die Arbeit im Haupttext besprochen wird oder wenn der Titel des jeweiligen Forschungsbeitrags dem Leser bereits eine gewisse inhaltliche Mindestinformation gewährt.

Brigitte Feldges/Ulrich Stadler

I. Zeitgeschichtliches und Biographisches

A. Staat und Gesellschaft um 1800*

Die Zeit E. T. A. Hoffmanns war vor allem gekennzeichnet durch die revolutionären Ereignisse in Frankreich, die Stein-Hardenbergschen Reformen, die Auseinandersetzung mit Napoleon und die restaurativen Bestrebungen nach dem Wiener Kongreß von 1815. Sozialgeschichtliche Aspekte in Hoffmanns Werk reflektieren vielfältig Notwendigkeit und Problematik des Umbruchs in Politik und Gesellschaft, wovon insbesondere die Künstler zentral betroffen waren (vgl. AB V B.2.3.1.). Der ausgeklügelte Modellstaat Friedrich des Großen hörte am Ende des 18. Jahrhunderts auf zu funktionieren. Was sich einst als vorbildliche Ordnung unter der Führung eines aufgeklärten Monarchen präsentiert hatte, wurde zusehends als rigides System einer übertriebenen bürokratischen Verwaltung empfunden. Eine Neuordnung bestehender Besitzverhältnisse schien überfällig. (Vgl. etwa die Darstellung dieses Sachverhaltes im *Majorat.*) Das Beispiel Frankreich jagte jedoch Schrecken ein, die verheerenden Auswirkungen einer Revolution wollte man in Preußen vermeiden.

Was die Franzosen schließlich als Errungenschaft der Revolution preisen konnten, versuchte Preußen über eine Reform innerhalb der Monarchie des Aufgeklärten Absolutismus zu erringen. In der Tat wurde die Autorität des Königs nie prinzipiell in Frage gestellt, wenn auch die Niederlage gegen Napoleon (1806) als Bankrott überlebter Ideen und Institutionen erkannt wurde. Die Besetzung weiter Teile Preußens (Brandenburg, Schlesien, Pommern) durch die napoleonischen Truppen wurde zu einer der entscheidenden Triebfedern, durch die die Umwälzungen vorangetrieben wurden. Die Gestalter der neuen politischen Strukturen rekrutierten sich vorwiegend aus Vertretern des Adels und vereinzelt des gehobenen Bürgertums, Offizieren, Gutsbesitzern etwa. Sie hielten, wie der Freiherr vom Stein, am aufgeklärten Königtum fest, sahen aber die

* Die historischen Prämissen zum Werk E. T. A. Hoffmanns sind weitgehend dieselben, die für das Schaffen Heinrich Heines gelten. Der Band über Heine in der Reihe der Beck'schen Elementarbücher diskutiert ausführlich die uns heute zugänglichen Fakten über Ereignisse und Probleme dieser Epoche. Wir fassen uns hier daher kurz und verweisen im übrigen auf diese Arbeit (s. Kap. „Heines Zeit" in: Brummack, Jürgen [Hrsg.]: *Heinrich Heine, Epoche – Werk – Wirkung*, München 1980, S. 15–79).

Dringlichkeit der Veränderungen nicht zuletzt auch aus eigenem Interesse ein. Die Reformen in Preußen erfolgten von oben. Bürgerliche Intellektuelle wurden insofern einbezogen, als sie sich nützlich erwiesen und für Beamtenschaft, Armee und Bildungswesen fähige Vertreter stellten. Andererseits fehlte weitgehend ein entwickeltes bürgerliches Bewußtsein. Unter der Leitung der absolutistischen Bürokratie hatte sich ein solches nie bilden können, und die Ausprägung staatspolitischer Fähigkeiten blieb nur Wenigen vorbehalten.

Die deutschen Fürsten, mit denen Hoffmann tatsächlich konfrontiert wurde, zeichneten sich allerdings nicht durch Stärke aus. In Bamberg residierte ab 1806 der kleine Hof von Herzog Wilhelm (v. Birkenfeld), nachdem Bamberg 1802 von Bayern annektiert und der fürstliche Bischofshof entmachtet worden war. Diese Residenz ohne Befugnisse stellte keineswegs eine Ausnahme dar. Der oft auch geistig verkümmerte Adel der kleinen Höfe war vielerorts in den deutschen Ländern zu finden (vgl. Schulz, S. 27ff.). Das Duodezfürstentum wurde vor allem wegen dieser politischen Unfähigkeit und Ohnmacht Ziel bissiger Satiren im Werk unseres Autors (vgl. *Nußknacker und Mausekönig, Die Königsbraut, Prinzessin Brambilla* und *Kater Murr*). Über Friedrich Wilhelm II. äußerte sich selbst vom Stein vernichtend: „Man muß ihn führen, das was geschehen soll, selbst vorschlagen, sich ein wenig geltend machen und alles mit einer Sauce von Ehrfurcht und Ergebenheit verdünnen, nicht aber erst Befehle erwarten.“ (Stein an den preußischen Minister Friedrich Wilhelm Graf von Reden, 3. 8. 1788, in: Hubatsch, Walther [Hrsg.]: Briefe und amtliche Schriften, Bd. I, Stuttgart, Berlin u.a. 1972, S. 285.) Auch Friedrich Wilhelm III. (1797–1840) ließ sich in politischen Auseinandersetzungen von schwachen oder lediglich machthungrigen Gewährsleuten leiten. Besonders im Konflikt mit Napoleon zeigte er sich zu zahllosen Kompromissen bereit. Unter anderem legte er auf Druck des Imperators dem Freiherrn vom Stein 1808 den Abschied nahe, womit Preußen bereits nach einem Jahr seinen fortschrittlichsten Staatsminister und langjährigen Staatsdiener verlor.

Unter den preußischen Reformen hatte die allgemeine Landreform vorrangige Bedeutung. Nachdem viele Landadlige schon am Ende des 18. Jahrhunderts aus Gründen der Produktionssteigerung auf ihren Besitztümern zur Lohnarbeit übergegangen waren und das Feudalsystem von innen her aufgebrochen worden war, erfolgte unter vom Stein die gesetzliche Abschaffung der Leibeigenschaft durch das Oktoberedikt von 1807. Damit verbunden war die allgemeine Freigabe des vorher dem Adel vorbehaltenen Rechts auf Bodenbesitz. Von da an konnten Bürger und Bauern adlige Güter durch Kauf erwerben, umgekehrt gestattete das Edikt jedem Adligen, ein bürgerliches Gewerbe zu ergreifen. Vom Martini-Tag 1810 an war jeder Bauer zum Wegzug vom Gutsbesitz berechtigt.

Er konnte als freier Mann den Wohnort wählen und ohne Auflagen eine Ehe eingehen.

Die Verwirklichung dieser Freiheit gestaltete sich allerdings problematisch. Während vom Stein die Dienste und Pflichten des Adels gegenüber den Bauern noch beibehalten wollte, machte Karl August v. Hardenberg, sein Nachfolger, mehr und mehr Konzessionen an den Adel. Landkauf und Abgaben ruinierten viele Bauern finanziell. Besonders hartnäckig gebärdeten sich in diesen Belangen die Junker in Ostpreußen. Durch Landabtretung, Ankauf und Bauernlegen wurde dort Großgrundbesitz mit all seinen Tendenzen zur Ausbeutung geschaffen. Die Beseitigung der Erbuntertänigkeit führte „im Endeffekt weniger zur Selbstverantwortung der Bauern [...] als vielmehr zu einer erneuten Standessicherung des Adels, des Grund- und des Gutsbesitzers auf Kosten der Bauern" (Böhme, S. 29). Ausdruck unverminderter adliger Machtausübung war unter anderem etwa die über die Reformen hinausdauernde Beibehaltung der Patrimonialgerichtsbarkeit auf dem Lande (vgl. Koselleck 1967, S. 91). In die Reihen der adligen Gutsherren mischten sich nach und nach bürgerliche Gutsunternehmer. Als solche waren Bürger der adligen Gerichtsbarkeit zwar entzogen, sie zeichneten sich aber gerade dadurch als Vertreter einer dünnen Oberschicht aus. In ihrem Verhalten glichen sie sich als Privilegierte dem Adel eher an, als daß sie diesen als Stand in Frage stellten (vgl. ebda., S. 87–91).

Im Allgemeinen Landrecht von Preußen repräsentierte das Bürgertum überhaupt „weder sozial noch gar politisch eine Einheit" (ebda., S. 146, vgl. auch S. 88). Einem Teil der geistigen Oberschicht (Beamte, Ärzte, Gymnasiallehrer, Militär) wurde „erhöhte Staatsunmittelbarkeit" zuerkannt (ebda., S. 146, s. auch S. 267); daneben schuf die Verwaltung aufgrund von Monopolen und Privilegien „wirtschaftliche Sonderklassen", denen sowohl in der „Unternehmer- wie in der Arbeiterschicht spezifisch staatsbezogene Aufgaben zukamen" (ebda.). Damit wurden die Stände nicht beseitigt, sondern es wurden lediglich die „geburtsrechtlichen Schranken" geöffnet (ebda., S. 147). Kommunale Rechte wurden nur den Stadtbürgern zugesprochen (ebda., S. 339, 147f., 560–566).

Große reformerische Bemühungen galten der Förderung des Handels. Das in Entstehung begriffene Unternehmertum war diejenige Domäne, in der Vertretern der bürgerlichen Schichten noch am ehesten mehr und mehr Handlungsspielraum zugestanden wurde. Nachdem vom Stein die Städteordnung am 15. Nov. 1808 eingeführt hatte, lockerte Hardenberg den „ständischen Rahmen [...] zugunsten einer freien Wirtschaftsgesellschaft" (Koselleck 1967, S. 560). Die erzwungene Gewerbefreiheit hatte allerdings auch nachteilige Auswirkungen. Die Zünfte hatten vordem auch Schutzfunktionen für die Gewerbetreibenden innegehabt (ebda., S. 588), außerdem erschwerten Hindernisse wie die innerdeutschen Zollschranken den Handel enorm. Die Beseitigung des Binnenzolls in Preußen erfolgte zum Beispiel erst durch das Zollgesetz vom 16. 5. 1818, und der deutsche Zollverein (handelspolitischer Zusammenschluß der dt. Bundesstaaten) wurde noch später, ab 1834, wirksam (s. *Wörterbuch zur Geschichte,* hrsg. Erich Bayer, Kröner Taschenbuch Nr. 289, Stuttgart 1965, S. 543, und Herzfeld, S. 104f.). Im übrigen fehlten Konsumbedürfnis und Kaufkraft großer Bevölkerungsgruppen. Auch damit entbehrte Preußen der Basis zu einer raschen industriellen Entwicklung, wie sie in England zu beobachten war. Noch herrschte am Ende des 18. Jahrhunderts das von den Reformern aufzulösende Hausvaterprinzip. Nicht die „Gewinnmaximierung" bestimmte die wirtschaftlichen Verhältnisse und das individuelle Bewußtsein, sondern das Prinzip der „Versorgung" (vgl. Böhme, S. 13, Koselleck 1967, S. 62–70).

Die Bezwingung Napoleons und Preußens wachsender Führungsanspruch unter den deutschen Ländern machten eine Heeresreform erforderlich. Die Neuorganisation der Armee wurde parallel zur Stein-Hardenbergschen Reform des Staatswesens durch Scharnhorst, Gneisenau und Boyen zwischen 1807 und 1814 ausgeführt. Sie basierte auf der Einführung der allgemeinen Wehrpflicht und ging einher mit einer allgemeinen Modernisierung der Armee. Mit dem Gutsherrenprivileg des Adels fiel dessen Vorrecht, die Offiziersstellen zu besetzen. Nicht immer jedoch erfolgte fortan die Beförderung nach Bildung, Dienstalter und Verdienst.

Als letztes Element der großen Umstrukturierung wurde in Preußen die Bildungsreform eingeleitet, auf die wir in AB I B.3. (Pädagogik) näher eingehen.

Über die Zeit nach dem Wiener Kongreß herrschen kontroverse Ansichten. Auch wenn die mit „Restauration" bezeichnete Epoche nicht gleichbedeutend ist mit der Wiedereinführung feudaler Verhältnisse, so ist sie doch geprägt von restriktiven Regelungen, die sich nicht nur im Staatswesen, sondern auch in Kultur und Gesellschaft einschneidend bemerkbar machten. Der Adel blieb auch nach dem Sieg über Napoleon Garant für die Beibehaltung der Monarchie, denn bis 1848 sollte der von ihm verteidigte Grundbesitz über den politischen Einfluß und die gesellschaftliche Macht bestimmen (vgl. Koselleck 1967, S. 347). Die nicht über Grundbesitz verfügende ‚Intelligenz', d.h. Gelehrte, Anwälte z.B., wurden auch in den Städten vom politischen Mitspracherecht weitgehend ferngehalten (ebda., S. 341f.). Die Karlsbader Beschlüsse von 1819 waren deutliches Zeichen für das Klima der Repression. Sie verboten die nur ein Jahr zuvor gegründete Deutsche Burschenschaft, verstärkten die Staatsaufsicht über die Universitäten, erwirkten eine präventive Zensur und führten zur Einsetzung einer zentralen Untersuchungskommission gegen ‚revolutionäre Umtriebe' und ‚demagogische' Verbindungen (s.

Fischer Weltgeschichte, Bd. 26, S. 221, vgl. auch Herzfeld, S. 104, 117). Sie betrafen E. T. A. Hoffmann ganz direkt (s. AB I C.1.).

Die Etablierung eines eigentlichen Bildungsbürgertums zeitigte spezifische Folgen im kulturellen Bereich. Neben den Fürstenhöfen und Residenztheatern, wo Kunst in den deutschen Ländern bis dahin stattgefunden hatte, gewannen bürgerliche Institutionen zur Pflege der Kultur immer mehr an Bedeutung. Um 1800 und später entstanden zahlreiche Theater, Opernhäuser, Konzertsäle und Museen. Die Funktion der Kunst an diesen Stätten unterschied sich wesentlich von derjenigen der vergangenen Repräsentationskunst an den fürstlichen Höfen. Kunst wurde immer weniger als schmückendes Beiwerk begriffen, sondern wurde vom einzelnen als Orientierungshilfe zur Analyse der Wirklichkeit in Anspruch genommen. Dies schloß allerdings nicht aus, daß Kunst auch unreflektiert konsumiert wurde als Mittel zur Versöhnung mit einem unbefriedigenden Alltag. Das zeigte sich vor allem bei der Pflege der Kultur in privaten Zirkeln, die E. T. A. Hoffmann mit Vorliebe thematisierte.

Während die öffentlich gepflegte Kunst Debatten und Kritiken auslöste, die Theater, und bisweilen auch Museen, sich zu Diskussionsforen und Bildungstempeln entwickelten, veranstaltete man privat – neben Salons nach französischen Vorbildern – gerne anspruchslosere Zusammenkünfte. Die Salons der Rahel Varnhagen und der Henriette Herz etwa, oder auch Gesprächszirkel wie derjenige der Serapionsbrüder, wirkten zumindest inspirierend auf die literarisch-musikalischen Teegesellschaften und Abendunterhaltungen, wo sich die bürgerliche Prominenz und deren Bewunderer einfanden. Veranstalter waren vor allem wohlhabende Kaufleute, Gymnasiallehrer, Juristen. Traten bei diesen Anlässen Künstler auf, so empfanden sich diese oft als Unterhalter einer mehr oder weniger desinteressierten Philisterwelt. Das Publikum suchte lieber Zerstreuung als eine ernsthafte Auseinandersetzung mit der Kunst (s. auch AB V B.2.3.1.). – Hier trat die Kehrseite der Autonomie der Kunst offen zutage. Im frühen 19. Jahrhundert, als der ‚freie Künstler' zum Ideal wurde und dieser sich keinem Mäzen mehr verpflichtet fühlen mußte, entstand auch seine Rolle als Außenseiter. Anders als am Hof eines feudalen Fürsten vergangener Zeit, wo der Künstler durch seinen Auftrag zwar gebunden gewesen war, aber auch Ansehen genossen hatte, stand er nun, je nachdem, einer völlig gleichgültigen oder bornierten Gesellschaft gegenüber.

Gerne benützten Dilettanten private Geselligkeit, um ihr Können als Amateur-Musiker oder -Dichter unter Beweis zu stellen (vgl. *Kreisleriana* und *Nachricht von den neuesten Schicksalen des Hundes Berganza*). Die Darbietungen erwiesen sich dabei wohl als Ausweis über genossenen Unterricht, nicht oft zeugten sie jedoch von Talent und Kreativität. Gerade die private Musikpflege war ja ein Postulat bürgerlicher Erziehung, das galt besonders für die ‚höheren Töchter' (s. die Figur Candida in *Klein Zaches*). – Ähnlich wie Musik und Dichtung benützte man die Tableaux, um einerseits Gäste zu unterhalten, andererseits aber auch, um den Nachweis eigener Bildung zu erbringen. Man formierte dabei vor einem Publikum ‚lebende Bilder', die auf der Lektüre literarischer oder historischer Texte basierten (vgl. Nipperdey, besonders S. 533–587).

Zum kulturellen Leben der Epoche Hoffmanns gehört auch die Weinstubenkultur. Hoffmanns Abende in der Bamberger „Rose" und bei „Lutter und Wegner" in Berlin wurden legendär. In Berlin pflegte der Autor – mit dem Schauspieler Devrient etwa – ein zusammengewürfeltes Publikum mit Anekdoten und Karikaturen oder Streitgesprächen zu unterhalten. – Zum außerhäuslichen nicht institutionalisierten Kulturbereich gehörte schließlich die Beschäftigung mit Automaten. Musik-, Spiel- und allerlei Zauberautomaten kamen in dieser Zeit auf und übten eine ungeheure Faszination aus. Diese Anziehung manifestierte einerseits Lust am Umgang mit der Maschine im Vorfeld der Industrialisierung, andererseits trugen die Automaten das Stigma des Dämonischen als Ausdruck der Angst vor der Mechanisierung. Man versammelte sich zum Beispiel um den berühmten schachspielenden Türken des Mechanikers Wolfgang von Kempelen (1734–1804) und andere seiner automatischen Figuren (vgl. *Kater Murr,* II/445 und die Anmerkung hierzu, 710). Der ‚Türke' wurde später als Fälschung entlarvt, in der Figur befand sich ein Mensch. Ein oft umhergereichtes Zauberstück war „Das unsichtbare Mädchen", eine Art Orakel, das aus einem Glaskasten heraus zu vernehmen war (vgl. *Kater Murr,* II/330 und Anmerkung 701). Automaten stellen im Werk E. T. A. Hoffmanns ein zentrales Motiv dar, vgl. etwa *Die Automate* (III/328 ff.) und *Der Sandmann* (I/331 ff. sowie AB IV A.1.3.).

Bibliographie zu Arbeitsbereich I A

Bergeron, Louis; Furet, François; Koselleck, Reinhart: Das Zeitalter der europäischen Revolution 1780–1848. Fischer Weltgeschichte, Bd. 26, Frankfurt/M. 1969. [Prägnante Übersicht übers Zeitgeschehen.]

Böhme, Helmut: Prolegomena zu einer Sozial- und Wirtschaftsgeschichte Deutschlands im 19. und 20. Jahrhundert. Frankfurt/M. 1981, edition suhrkamp 253. [Darstellung der Grundlinien des technisch-wirtschaftlichen Wandels und dessen Verflechtung mit gesellschaftlich-staatlichen Veränderungen.]

Herzfeld, Hans: Die moderne Welt 1789–1945. I. Teil: Die Epoche der bürgerlichen Nationalstaaten. Braunschweig 1969. [Nützlich vor allem zum Nachschlagen von Fakten und Daten.]

Koselleck, Reinhart: Preußen zwischen Reform und Revolution. Stuttgart 1967. [Ausführliche Habilitationsschrift, Schwerpunkt Politik.]

Nipperdey, Thomas: Deutsche Geschichte 1800–1866. Bürgerwelt und starker Staat. München 1983. [Gut lesbare Überblicksdarstellung, die neben politischen und wirtschaftlichen Problemen auch Religion, Bildungswesen, Wissenschaft und Kunst jener Jahre erörtert. Brauchbar als Einführung in die Lebensbedingungen Hoffmanns sind besonders die Kapitel I–IV.]

Preußische Reformen – Wirkungen und Grenzen. Aus Anlaß des 150. Todestages des Freiherrn vom und zum Stein. Berlin 1982, Sitzungsberichte der Akademie der Wissenschaften der DDR, 1 G, Jahrgang 1982. [Würdigt vom Stein und die preußischen Reformen im Anschluß an Aussagen von Engels als epochemachend in der Geschichte des Bürgertums.]

Schulz, Gerhard: Die deutsche Literatur zwischen Französischer Revolution und Restauration. Erster Teil 1789–1806. München 1983, Geschichte der deutschen Literatur, Bd. VII/1, s. besonders Kap. I und IV.3., sowie die Hinweise auf Hoffmann im Register, S. 747. [Wichtig für Informationen zu Künstler und Kunstleben in der Epoche Hoffmanns.]

Weitere Titel bei Jürgen Brummack (Hrsg.): *Heinrich Heine, Epoche – Werk – Wirkung,* München 1980, S. 70–79.

B. Wissenschaft und Kultur

1. *Erfahrungsseelenkunde und Psychologie*

Die Genese der professionellen Beschäftigung mit der Seele ist im Pietismus zu suchen, jener vor allem von Jacob Spener ins Leben gerufenen vielgestaltigen Bewegung des deutschen Protestantismus, die aus dem Protest gegen die Orthodoxie der Kirche erwuchs. Der subjektiven Herzensfrömmigkeit verpflichtet, widmeten sich die Pietisten mit Vorliebe seelischen Vorgängen. Man lauschte den inneren Gotteserlebnissen, oft nicht allein, sondern im Freundschaftskreise, der auch den Mitteilungsdrang nährte. Es entstand eine reiche Erbauungsliteratur in Form von Autobiographien, Briefen, Tagebüchern (vgl. z.B. Goethes ‚Bekenntnisse einer schönen Seele' in *Wilhelm Meisters Lehrjahre*). Die religiöse Selbstbeobachtung zeitigte Folgen, die sich in ihrer säkularisierten Form in der Kultur des Bürgertums niederschlugen.

In diesen Kontext gehört der Roman *Anton Reiser* von Karl Philipp Moritz. Wie viele seiner schreibenden Zeitgenossen verdankte Moritz seine Bildung weitgehend einer religiös-pietistischen Erziehung; sein autobiographischer Roman ist überdies als realistisches Zeugnis einer unterprivilegierten Kindheit und Jugend bekannt geworden. Das Werk zeichnet sich durch einen Hang zur Introspektion aus, ein Element, das zuvor der pietistischen Frömmigkeit eigen war. Der Roman von Karl Philipp Moritz bleibt in der Geschichte der Psychologie gewöhnlich unerwähnt, da er in der Regel der Belletristik zugeordnet wird. Psychologie und schöne Literatur voneinander zu trennen, ist aber bei Werken jener Zeit ein fragwürdiges Unternehmen, wie Obermeit erläutert. Das Fehlen einer etablierten Wissenschaft von der Psyche erlaubte Interessenten verschiedener Provenienz, sich mit dieser Materie auseinanderzusetzen. Dichter beteiligten sich an dem Diskurs ebenso wie Mediziner, oder, anders ausgedrückt: Die Diskussion um die Psyche entfachte sich unter anderem in der Literatur.

Ein wichtiges Forum bot Karl Philipp Moritz mit dem von ihm herausgegebenen ‚Gnõthi sautón oder Magazin zur Erfahrungsseelenkunde' (vgl. Faksimile-Ausgabe in 10 Bänden. Lindau 1978). Es gilt als Wegbereiter einer Wissenschaft über die menschliche Psyche und erschien von 1783–1793. Es verwirklichte, was vorher von englischen Schriftstellern postuliert und von Ärzten wie Pinel weitergeführt wurde: die Erschaffung der Psychologie als einer eigenständigen Disziplin. Das Magazin befaßte sich nicht nur mit den ausgesprochenen Formen des Wahnsinns, sondern auch mit der Wahrnehmung unauffälligerer Tatbestände. Diskutiert wurden obendrein Grenzüberschreitungen zwischen Gesundheit und Krankheit sowie Beobachtungen über Kriminalität.

Das Magazin vereinigt eine reichhaltige Sammlung empirischer Berichte aus dem subjektiven Bereich des Privaten. Tagebuchaufzeichnungen reihen sich an Kindheitserinnerungen und Träume zum Beispiel. Unter seinen Verfassern tauchen neben Moritz auch andere bekannte Namen auf wie Goethe oder Lavater. Generell wurde das Magazin aber von nicht professionellen Autoren getragen, die sich beruflich oder privat mit der Seele abgaben. Darunter sind etwa Erzieher zu zählen. „Die Autoren [... waren] die Betroffenen selbst" (Obermeit, S. 67). Das Verfahren bewegte sich zwischen „Selbstentblößung und Selbstfindung" (ebda., S. 64). Das heißt nun aber nicht, daß mit diesem Prozedere Nabelschau betrieben wurde. Die Erkenntnis des Selbst diente ebenso einem gesellschaftlichen Ziel.

Nicht zufällig rückte die menschliche Seele gegen Ende des 18. Jahrhunderts ins Zentrum der Aufmerksamkeit. Das Interesse an der Psyche entsprang dem Bedürfnis einer sozialen Schicht nach Ortung. Die Darstellung psychischer Inhalte vor einem Publikum kam unter anderem dem Wunsch nach Selbstdarstellung nach. Die Privatsphäre gewann „öffentliche Relevanz im Rahmen der Loslösung der bürgerlichen Gesellschaft von feudalen Öffentlichkeitsstrukturen" (Obermeit, S. 61 f.). Der Bürger begann sich als „Subjekt schlechthin" zu begreifen, „dessen Ich verallgemeinerbar" war (ebda., S. 62). Da das Konzept auf der Prämisse beruhte, jedes Ich sei Teil der Allgemeinheit, fügten sich die Selbsterfahrungsberichte zu einem Gebilde, dessen „Substrat [...] mit dem individuellen Ich nicht mehr identisch" war (ebda., S. 65). „Individuelles Selbst erforschend", überschritt das ‚Magazin zur Erfahrungsseelenkunde' die Grenzen des persönlichen Ichs und wies auf das „Individuum an sich" (ebda.). Moritz markierte einen Wendepunkt im ausgehenden 18. Jahrhundert in der Entstehungsphase einer wissenschaftlichen Psychologie. Sein Magazin war Hoffmann vertraut (vgl. den Registerband der Ausgabe Ellingers, S. 140, s. Bibliographie zu AB I C.).

2. *Psychiatrie*

Ende des 18. Jahrhunderts begann man auch über Sinn und Effizienz der Irrenanstalten nachzudenken. Lange Zeit hatten sie in erster Linie der Verwahrung psychisch Kranker gedient. Mit dieser Art der Betreuung ging eine Stigmatisierung der Betroffenen einher, die sich als Extremfall in den Hexenverfolgungen äußerte. Hexenprozessen fielen mitunter psychisch kranke Frauen zum Opfer. Ähnliches galt für den Alkoholmißbrauch. Man begnügte sich mit der Zeichnung und Bestrafung der Alkoholiker, ohne sich über die Ursachen dieses Übels Gedanken zu machen. Man war vor allem unwissend, was soziale Hintergründe betraf. Eine bahnbrechende Kontroverse über diese Probleme entspann sich in England zwischen William Battie und John Monro. Während Battie um eine neuartige Annäherung an den Wahnsinn bemüht war, postulierte Monro, das Hospital sei als Verwahranstalt für Wahnsinnige aufrechtzuerhalten (vgl. ihre Schriften von 1758 bzw. 1751). Die Entwicklung bestätigte dann Battie; mehr und mehr begannen die Kliniken, sich zu Stätten der empirischen Beobachtung zu wandeln. Das bedeutete, daß man von der Ansicht, Wahnsinn sei unheilbar, abrückte. Wie Obermeit ausführt, vollzog sich „mit der Durchsetzung Batties gegen Monro [... der am ‚Magazin zur Erfahrungsseelenkunde' konstatierbare] Übergang vom Schweigen zum Sprechen über den Wahnsinn" (S. 33). Dieser Wandel schließlich führte die Psychopathologie aus dem Bereich der Magie heraus zur Wissenschaft. Batties gesellschaftskritisch-aufklärerischer Ansatz wurde von John Aikin weiterentwickelt, für ihn wurde das alte Tollhaus zur medizinischen Reflexionsstätte (1771: *Thoughts on Hospitals*). Er beobachtete an den Klinikinsassen bereits eine Art Hospitalismus, d. h. negative Einwirkungen durch die medizinische Institution selbst. Aikin verdanken wir die Bezeichnung der Irrenanstalten als „Asylum".

Philipp Pinel in Frankreich betrachtete die Wahnsinnigen als Teil der menschlichen Gesellschaft, als eine von zahlreichen Minderheiten. Er billigte ihnen Rechte zu, die sich von denen der sogenannten Normalbevölkerung nicht wesentlich unterschieden. Dem Arzt ordnete er dabei die Rolle des Vermittlers zu. Pinel erkannte als einer der ersten an, daß Wahnsinn sich von Normalität nicht grundsätzlich abhebt, daß es sich eher um Stadien des Bewußtseins handelt, zwischen denen vielfältige

Relationen bestehen. Elemente des Wahnsinns seien oft zu beobachten, wo Menschen zusammenkommen.

In Deutschland soll nach 1800 Johann Christian Reil der bekannteste Arzt gewesen sein (Obermeit, S. 41). Neben seiner Tätigkeit als oberster Leiter deutscher Lazarette nach 1813 kam ihm an der medizinischen Fakultät eine bedeutende Rolle zu. Überdies wird über ihn berichtet, er hätte den Anspruch erhoben, der erste Psychiater der Medizingeschichte zu sein. In seinen *Rhapsodien* reflektierte er allerdings mehr über seine wissenschaftliche Lektüre als über eigene empirische Forschung.

E. T. A. Hoffmann eignete sich psychiatriebezogene Informationen durch die Lektüre der Werke von Cox, Pinel und Reil an (vgl. AB I C.3.). Daneben fehlte ihm aber bekanntlich auch nicht der Bezug zur Praxis (s. AB I C.1.). Psychischen Krankheitsbildern war er bereits in seiner Jugend begegnet, bei seiner Mutter, dann auch bei der im selben Haus wohnenden Mutter des Dichters Zacharias Werner. Frau Werner galt als an religiösem Wahnsinn erkrankt. Wie groß Hoffmanns Kenntnisse gewesen sind, verdeutlicht etwa das Urteil Baudelaires über ihn:

> Man könnte glauben, daß man es mit einem Physiologen oder einem ganz profunden Irrenarzt zu tun habe, der sich damit unterhält, diese tiefgründige Wissenschaft mit dichterischen Formen zu bekleiden, wie ein Gelehrter, der in Lehrfabeln und Gleichnissen reden mag.
> (Charles Baudelaire: *De l'essence du rire,* Oeuvres complètes, II, Paris 1976, Bibliothèque de la Pléiade, S. 542; Übersetzung B. F.)

3. Pädagogik

Das *Fremde Kind* etwa reflektiert unter anderem die breite Auseinandersetzung um Kindererziehung und Schule des ausgehenden 18. und beginnenden 19. Jahrhunderts, die sich auf dem Hintergrund der Rousseau-Rezeption entfaltete. – Die Reform des Bildungswesens und die Gründung der Berliner Universität bildeten unter Wilhelm von Humboldt konstitutive Elemente der Stein-Hardenbergschen Verfassungsreform in Preußen (vgl. Ernst Rudolf Huber und Eduard Spranger). 1809/10 trat an die Stelle der ständischen Bildungsanstalten die allgemeine Volksschule, nach dem Vorbild Pestalozzis, und das neuhumanistische Gymnasium. Nach Spranger hat „der soziale Geist des neuen Zeitalters [...] auf dem Gebiet der Schulverwaltung gesiegt wie nirgendwo anders" (S. 9). Das hat seine Gründe, denn das neue Erziehungsideal stand nicht zuletzt im Dienste des sich emanzipierenden Bürgertums. Unter Ausschluß der Revolution konnte Emanzipation von den repressiven Verhältnissen nur auf dem Weg größtmöglicher Flexibilität und gleichzeitiger Anpassung an die in Entstehung begriffenen Neuerungen errungen werden (vgl. den Beitrag von Hermann bei Scheurl).

In der Pädagogik der Neuzeit bedeutet bekanntlich Rousseaus *Emile* eine kopernikanische Wende, da sich hier das Erziehungsdenken, entgegen früheren Tendenzen, nicht primär auf Stände und Traditionen bezog, sondern sich erstmals ganz auf das Kind und dessen Eigenart und Bedürfnisse konzentrierte. Nicht der zukünftige Standesvertreter stand im Zentrum des Interesses, sondern der Erzieher wandte sich dem Individuum in seinem Zögling zu. Die Ausrichtung auf ein neues Erziehungsideal brachte auch veränderte Erziehungsnormen hervor. Fortan galt das Bemühen nicht in erster Linie dem Ziel des Erwachsenseins, sondern dem Prozeß der kindlichen Entwicklung selbst. Resultat einer solchen Erziehung sollte das reife, das vollkommene Kind, „l'enfant fait", sein. Eine solche pädagogische Ausrichtung versucht beim Kind ihre Ziele möglichst ohne Einbuße der Lust am Lernen zu verfolgen. In der Praxis vertrat Rousseau eine Methode, die Lerninhalte und -schritte so setzt, daß sie das kindliche Auffassungsvermögen niemals überschreiten. Anstelle des abstrakten Faktenwissens steht die sinnliche Aneignung der Welt im Zentrum, verbunden mit der Entwicklung der eigenen Kräfte im praktischen Leben. Neben der geistigen spielt die körperliche Ertüchtigung eine bedeutsame Rolle, hinzu kommt die Begegnung mit der Natur (vgl. Rang).

Rousseaus Konzept bildete unter anderem einen wichtigen Schritt auf dem Weg der Verinnerlichung der moralischen Normen der Gesellschaft. Es ist zu verstehen im Sinne der Theorie von Norbert Elias, der den Zivilisationsprozeß als schrittweise Internalisierung eines gesellschaftlich gesetzten Über-Ichs beschreibt. Bei Rousseaus Erben in Deutschland, den Philanthropen Basedow (von Hoffmann erwähnt in I/669), Campe und Salzmann zum Beispiel, wurden dessen Ideen Grundlage eines Erziehungssystems. Basedows Philanthropinum in Dessau, eine „Werkstätte der Menschenfreundschaft" (Wissenschaftliche Beiträge der Martin-Luther-Universität, 1970, S. 31), widersetzte sich den Lern- und Paukschulen alten Stils. Das Hauptgewicht des Unterrichts verlagerte sich auf Anschauung und Aktivität. Inhaltlich wirkte sich dies in deutlicher Höherbewertung der Realienfächer gegenüber dem Sprachunterricht aus. Vor allem das Latein verlor seine vorrangige Bedeutung. Verbale Kenntnis sollte allgemein zugunsten fundierter Sachkenntnis zurücktreten. In der Praxis sollten zum Beispiel Handwerk und Gartenbau gleichrangig neben theoretischen Fächern fungieren. Zur Pflege der Kameradschaft bildeten Ausflüge und Feste Bestandteile des Programms. Erstmals wurden Unterrichtsgegenstände nicht isoliert, sondern als Teile eines Ganzen betrachtet. Hier machten sich eindeutig Zusammenhänge mit dem Ganzheitsdenken der Epoche bemerkbar, mit den philosophischen Ansätzen Kants, Fichtes und Schellings bis hin zur Naturphilosophie Gotthilf Heinrich Schuberts. – Basedow und dessen Nachfolger in Dessau gemeinsam war eine Orientierung am Nützlichkeits- und kühlen Verstandesdenken. Der Phantasie wurde in ihrem Konzept nur ein kleiner Spielraum zugestanden. Gemeinsam war ihnen auch das Festhalten an der ständischen Ordnung. Die starke pragmatische Ausrichtung der philanthropischen Theorie und Praxis war, wie in der Kritik hervorgehoben wird, vor allem an den Bedürfnissen des gehobenen Bürgertums orientiert (vgl. etwa Scheurl, S. 143/149).

Der durch Männer wie Basedow, Campe und auch Pestalozzi vertretenen Pädagogik stand in Hoffmanns Epoche eine noch ältere Tradition gegenüber. Im *Fremden Kind* etwa lassen sich Züge der zu Hoffmanns Lebzeiten noch immer gebräuchlichen Schule des Adels wiedererkennen. Die Erziehung des Adels vollzog sich im Zeitalter des Absolutismus entweder in „Pädagogien" oder „Ritterakademien" oder zu Hause unter der Aufsicht eines Hofmeisters (Spranger). Im Zentrum der höfischen Erziehung stand das Leitbild des ‚gentil homme'. Im Bereich des Wissens galt noch im frühen 18. Jahrhundert das enzyklopädische Ideal, das sich in bloßer Aufspeicherung von Kenntnissen manifestierte. Die Ausprägung des Verstandes stand im Vordergrund, wobei auf die Fundiertheit des Wissens kein sehr großer Wert gelegt wurde.

4. *Traumlehre (Die Traumtheorie Schuberts)*

Von den Autoren, die gemeinhin zur Romantik gezählt werden, hat keiner sich systematisch und zusammenhängend mit dem Traum beschäftigt. Obwohl dieses Phänomen eine außerordentliche Rolle in ihren Gedanken und in ihren Werken spielte, wie die groß angelegte Untersuchung Albert Beguins gezeigt hat, gibt es zumeist nur verstreute Äußerungen zu diesem Thema, etwa bei Novalis in dessen *Heinrich von Ofterdingen* und in den Fragmenten. Eine Ausnahme bildet die 1814 zum erstenmal erschienene *Symbolik des Traumes* von Gotthilf Heinrich Schubert. Hier sind Gedanken und Aperçus aus dem Kreis der Jenaer Frühromantiker aufgegriffen, ausgebaut und – in einer allerdings keineswegs konsistenten Weise – zu einer Abhandlung zusammengefaßt worden.

Schubert, der Sohn eines sächsischen Pfarrers, stand zunächst stark unter dem Einfluß Herders, bis er sich den Autoritäten des Jenaer Kreises zuwandte: Novalis und Friedrich Schlegel, dem Philosophen Schelling und dem Physiker Johann Wilhelm Ritter. Grundlegend ist für ihn, wie für seine Lehrmeister, jenes berühmte triadische geschichtsphilosophische Modell, das von der Annahme ausgeht, es habe eine Urzeit gegeben, wo der Mensch im Einklang mit sich selbst und mit der Natur gestanden habe. Diesem Goldenen Zeitalter sei eine – noch bis in die Gegenwart andauernde – Zeit der Entzweiung gefolgt, in der die ursprüngliche Harmonie verloren gegangen sei und die solange anhalte, bis es zu einer

Wiederherstellung, einer Wiedergewinnung der ersten Zeit käme. Kunde von jenem vergangenen und wiederzuerlangenden Goldenen Zeitalter erhalte der Mensch gegenwärtig vor allem – wenn auch nicht ausschließlich – durch den Traum (s. hierzu Dahmen, S. 327).

Die traditionellen Traumbücher, die nach Art eines Lexikons die Bedeutung einzelner Traumbilder aufschlüsseln, werden in der *Symbolik des Traumes* keineswegs rundweg verworfen. Sie enthielten vielmehr – so meint Schubert – überraschende Einsichten. So sei aus manchen Bedeutungszuweisungen dieser Lexika erkennbar, daß die Sprache des Traumes in ironischer Weise die herkömmlichen Werte und Verhältnisse „der Region des alltäglichen, gemeineren Bestrebens und Bedürfnisses" (Faksimiledruck, S. 16) verkehre. (Mit dieser Auffassung, die noch in Hoffmanns spätem Capriccio *Prinzessin Brambilla* ihren Nachhall findet [s. AB III D.2.3.], lehnt er sich an die Resultate der Erfahrungsseelenkunde des 18. Jahrhunderts, insbesondere an die Lehre der Ideenassoziationen und die dort aufgestellte Regel vom Gegensatz an.) Der Verlauf der Traumereignisse weise überhaupt eine überraschende Ähnlichkeit mit dem Verlauf des Schicksals auf (S. 2). Diese Behauptung, die dem Traum und seiner Sprache eine höhere Weihe und eine größere Wahrheit zuerkennt als unserer Sprache des Wachens, wird noch unterstrichen durch eine Reihe weiterer Analogisierungen und Gleichsetzungen.

Die Sprache des Traumes sei zugleich die ursprüngliche Sprache der Natur. Gott habe sich in dieser Sprache offenbart, und er offenbare sich noch immer in ihr. Den alten, schon von dem ‚Vorpietisten' Johann Arndt in dessen Schrift *Sämtliche Geistreiche Bücher vom wahren Christenthum* (1. Aufl. 1606) entwickelten Gedanken von der Offenbarung Gottes durch die Natur aufgreifend, spricht Schubert von den Hieroglyphen der „Naturbibel" (S. 51), die „eine auffallende Verwandtschaft mit der Traumbildersprache" besäßen (S. 23). Diese, also nicht aus Begriffen, sondern aus Bildern bestehende, offenbarende Sprache des Traums entspräche weitgehend auch der Sprache des Gefühls, der Liebe und – was Hoffmann besonders angesprochen haben dürfte – der Sprache der Poesie. Auch bei den Somnambulen im Zustand der Clairvoyance und im Wahnsinn könne sich jene Sprache äußern. Ihr sei eigentümlich, daß sie von allen Menschen gleichermaßen verstanden werden könne.

Nach diesen Ausführungen, die der Traumbildersprache eine Eigenschaft zusprechen, die in unserem Jahrhundert C. G. Jung dem ‚kollektiven Unbewußten' eingeräumt hat, wendet sich Schubert dem Verhältnis zwischen der Traumsprache und der undeutlich und wirr gewordenen Sprache des Wachens zu. Die Behauptung, daß erstere die Sprache der noch nicht gefallenen Natur sei, versucht er durch physiologische Argumente zu untermauern. Hatte er sich bei seinen Erörterungen über die Bedeutung der Natursprache auf die Frühromantiker und die Mythologen Georg Friedrich Creutzer und Johann Arnold Kanne gestützt, so ist im physiologischen Teil seiner Schrift Johann Christian Reil sein wichtigster Gewährsmann. Unter Berufung auf diese damals berühmteste Autorität auf dem Gebiete der Geisteskrankheiten in Deutschland beschreibt Schubert den Bau des menschlichen Körpers. Dem Gangliensystem, das für die Bildung und Erhaltung des materiellen Organismus zuständig sei und zu dem auch das vegetative Nervensystem gehöre, stehe das Cerebralsystem gegenüber. Während in jenem die Bewegungen unwillkürlich vonstatten gehen, unterstehen in diesem die Nerven dem menschlichen Willen. Zwischen beide Systeme sei das sympathische Nervensystem gesetzt, das zwar mit dem Gangliensystem in Verbindung stehe, vom Cerebralsystem jedoch getrennt sei. Darum nennt Schubert es einen ‚Halbleiter'. Das sympathische System, das mit den Stimmnerven eine Einheit bilde, isoliere das Gangliensystem vom Cerebralsystem. Diese Isolation funktioniere jedoch nicht immer; sie sei vielmehr in ganz bestimmten Situationen außer Kraft gesetzt. Zu diesen Situationen gehöre der Schlaf und der Traum, der somnambule Zustand, der Wahnsinn, die Epilepsie, die Begeisterung sowie eine Reihe heftiger Gemütsbewegungen und Leidenschaften wie Liebe, Zorn, Haß, Neid und Hochmut. In all diesen außerordentlichen Situationen funktioniere der Halbleiter als Leiter: Cerebralsystem und Gangliensystem stünden in Verbindung miteinander, ohne daß sich das Moment des Willentlichen geltend machen könne. Darum sei der Mensch momentan von seiner Beeinträchtigung befreit und könne jene Natur-, Traum- oder Ursprache sprechen und verstehen.

Schubert selber hat in seiner Autobiographie *Der Erwerb aus einem vergangenen und die Erwartung von einem zukünftigen Leben* (2. Bd. 2. Abt., Erlangen 1855, S. 482) bekannt, daß er sich „bei der Betrachtung des Nervensystems der vegetativen Region unseres Leibes, in ein physiologisches Gespinnste hineinbegeben, ohne die verschlungenen Fäden desselben zu lösen". Wenn man von der Annahme ausgeht, daß es für den gläubigen Christen Schubert der Sündenfall war, der die menschliche Konstitution verändert und die ursprüngliche Harmonie zwischen Ganglien- und Cerebralsystem wie auch zwischen Ich und Welt zerstört habe, so bleibt es obendrein unverständlich, warum die Natur als gefallene noch offenbarend wirken könne und warum ausgerechnet dasjenige, was wir heute das Unbewußte nennen – im Unterschied zum Bewußtsein –, die Verbindung mit dem Cerebralsystem aufrecht erhalten könne. Derartige Widersprüchlichkeiten hat Schubert nirgends ausgeräumt, sondern lediglich durch einen dunklen, bilderreichen, dem Mystizismus Saint-Martins nacheifernden Stil verdeckt.

Hoffmann hat aus dem mit Ungeduld erwarteten Werk (s. den Brief an Kunz vom 24. März 1814; Br I/461) die Auffassung übernommen, wonach das Unwillkürliche, das nicht vom menschlichen Willen Beherrschte, den Zusammenhang mit einer noch nicht gefallenen, harmonischen Natur bewahrt haben soll. Die Instanz, die sich in dieser unwillkürlichen Rede zu Wort melde, hatte Schubert den „versteckten Poeten" genannt (S. 3, 8f., 56f.). Während der Verfasser der *Symbolik des Traumes* im Laufe seines Lebens immer skeptischer wurde, ob dieser „versteckte Poet" eine offenbarende Sprache habe, die allen Menschen gemeinsam sei und auf deren gemeinsame Herkunft aus einem verschwundenen Goldenen Zeitalter verweise (s. hierzu Sauder, S. XVIIf.), hat Hoffmann die Redeweise vom „versteckten Poeten" sich ganz zu eigen gemacht (s. etwa I/322 und 638; Br I/483; II/100 und Tb 254). Wenn er wohl auch gegenüber Schuberts physiologischen Erklärungen eine nüchterne Skepsis bewahrte, was man etwa aus der Satire auf den medizinischen Diskurs im *Klein Zaches* (IV/94f.) schließen könnte, so verraten doch viele Bemerkungen in seinem Werk die Nähe zu Stellen aus der *Symbolik des Traumes* (s. z.B. I/50; II/8, 259; III/335ff., 373, 635).

Das Werk Schuberts mußte Hoffmann überdies als eine ideale Möglichkeit erschienen sein, die neuesten Entdeckungen in den verschiedensten Wissenschaftsbereichen unter einem einheitlichen Gesichtspunkt betrachten zu können. Die aufsehenerregenden Disziplinen wie die Psychologie und die Psychiatrie, der animalische Magnetismus, die Akustik und die Elektrizitätslehre beschäftigten sich mit Kräften, die vom Walten jenes „versteckten Poeten" zu künden schienen, den Hoffmann zuweilen auch in sich selber zu spüren meinte und dem er in seinen Dichtungen Ausdruck zu verleihen hoffte.

5. *Animalischer Magnetismus*

Der animalische Magnetismus ist gleichbedeutend mit dem ‚Mesmerismus', der Theorie, die nach ihrem Begründer Franz Anton Mesmer (1734–1815), dem Theologen und späteren Arzt, benannt wurde. Mesmer wirkte als Heiler zuerst in Wien, darauf in Paris, später im Bodenseeraum. Sein letzter Wohnsitz war Frauenfeld in der Schweiz. Nach der Beschäftigung mit Mesmers Gedankengut in Bamberg erlebte Hoffmann in Berlin die zweite Blüte des Mesmerismus im deutschen Sprachgebiet. In Hoffmanns entscheidenden Berliner Jahren nach 1814 war der Magnetismus ein vieldiskutierter Gegenstand in Wissenschaft und Gesellschaft.

Unter dem Mesmerismus wurde vorwiegend eine Revolutionierung der Heilmethoden in der Medizin verstanden, umfaßte er doch eine ganze Reihe geheimnisvoller Verrichtungen, die zum Teil ohne direkte Berührung des Körpers Gesundung verhießen. Grundmuster dieser Handlungen waren das Bestreichen der kranken Körperstellen mit einem magnetisierten Stab aus Glas oder Eisen, ferner Massage oder bloßes Handauflegen, häufig erzielte allein der konzentrierte Blick und die damit verbundene Übertragung des festen Willens die gewünschte Wirkung. Oft stand im Zentrum der magnetischen Behandlung die Séance um das ‚Baquet'. Unter ‚Baquet' verstand man einen Bottich, der mit einer ausgeklügelten Schicht von magnetisierten Glasplatten, Glasstücken, Eisenschlacke, Wolle und schließlich magnetisiertem Wasser gefüllt war. Eiserne Abflußstäbe ermöglichten es, die magnetische Kraft zielgerichtet auf die kranken Stellen einwirken zu lassen.

Mesmer bot von Anfang an Stoff zu erbitterten Kontroversen. Die medizinischen Fakultäten bekämpften ihn zunächst als Scharlatan, ein Umstand, der ihn zwang, vorerst Wien, dann Paris zu verlassen. In Preußen wurde Mesmer von den medizinischen Kapazitäten, allen voran von Albrecht von Haller, angefochten. Mesmer stattete letzterem zweimal (1776/77) einen erfolglosen Besuch ab. 1812 wurde dann in Berlin eine „Kommission zur Prüfung des Magnetismus" einberufen. Sie tagte unter dem Vorsitz des einst erklärten Feindes der neuen Theorie, C. W. Hufeland, und zählte den Seelenarzt Johann Christian Reil und Karl Christian Wolfart zu ihren Mitgliedern. Wolfart war bekannt als Herausgeber des dem Magnetismus verschriebenen medizinischen Wochenblattes ‚Askläpieion' (1811–14). Die Tatsache, daß Mesmer im aufgeklärten Preußen überhaupt populär werden konnte, wird dem veränderten politisch-kulturellen Klima nach dem Tode Friedrichs II. zugeschrieben, das von einer antiaufklärerischen Grundtendenz geprägt war.

Mesmer selbst trug nicht wenig zu seiner wiederholten Ablehnung durch die Fachwelt bei, denn sein Vorgehen war eher intuitiv als analytisch. In Mesmer verbanden sich elementares Naturgefühl und Charisma. Er glaubte sich in direkter Beziehung zu den innersten Kräften der Natur stehend, verstand den Magnetismus aber gleichzeitig als physikalischen Prozeß. Seine Gedanken legte er in verschiedenen Schriften dar, die er immer wieder abwandelte und ergänzte in der Absicht, sich als Naturwissenschaftler auszuweisen. Sein geistiges Testament wurde aufgrund eines französischen Manuskripts von Wolfart veröffentlicht unter dem Titel *Mesmerismus. Oder System der Wechselwirkungen, Theorie und Anwendung des Thierischen Magnetismus als die allgemeine Heilkunde zur Erhaltung des Menschen von Friedrich Anton Mesmer*. Die Hauptgedanken formieren sich darin zur vagen Theorie, die wir im folgenden kurz wiedergeben wollen:

Mesmer etabliert ein umfassendes Natursystem, das auf dem Weltprinzip der Harmonie beruht. Dieses Universum sei verbunden durch ein völlig unsichtbares fein physisches Fluidum, das sich zwischen Gestirnen und Erde, zwischen belebter und unbelebter Natur ausbreite. Dieses Fluidum sei einer harmonischen Bewegung, einer Art Ebbe und Flut, unterworfen, die sich im Körper durch Reaktionen auszeichne, welche jenen ähnelten, die der Magnet auslöse. Die Eigenschaften nun, die den lebenden Körper für diesen Einfluß empfänglich machen sollen, werden animalischer (im Gegensatz zum mineralischen) Magnetismus genannt. Krankheit definiert Mesmer als Disharmonie der fluidalen Bewegung. Einzelnen gesteht Mesmer die Fähigkeit zu, diesen gestörten Prozeß zu beeinflussen. Nach ihm besitzt jeder Mensch ein zwar unterschiedliches Maß an animalischem Magnetismus; im Fall des Heilers ist es so beschaffen, daß es sich therapeutisch einsetzen läßt. Ziel der magnetischen Behandlung ist, im Patienten das Hindernis zu beseitigen, das dem Fluidum im Wege steht, was unter Umständen mit Konvulsionen verbunden sein kann.

Mesmer erachtete sein Prinzip als geeignet zur unmittelbaren Heilung von Nervenkrankheiten und zur mittelbaren Heilung der übrigen Krankheiten. Er bediente sich Methoden, die später als Hypnose bekannt werden sollten, denn er versetzte Menschen in Zustände, die weder als Schlaf noch als Wachen bezeichnet werden können (magnetischer Somnambulismus). Mesmers Verdienst wird heute weniger in der uneingestandenen Entdeckung der Hypnose gesehen als im Aufzeigen der fließenden Grenzen zwischen Gesundheit und Krankheit, ferner in der Praxis der Übertragung. Damit sind zwei Phänomene angesprochen, die erst bei Freud zum Durchbruch gelangen sollten.

Im deutschen Sprachraum wurde die Theorie des animalischen (fälschlicherweise als „tierisch" übersetzten, vgl. Kappeler, S. 16) Magnetismus vor allem durch Carl Alexander Ferdinand Kluges *Versuch einer Darstellung des animalischen Magnetismus* und Ernst Daniel August Bartels' *Physiologie und Physik des Magnetismus* verbreitet. Als berühmter und umstrittener Praktiker wirkte im nachnapoleonischen Zeitalter der Arzt Koreff in Berlin, der, wie bereits erwähnt, als Serapionsbruder und Freund Hoffmanns in die Literaturgeschichte eingegangen ist. Koreff verdankte sein uneingeschränktes Wirkungsfeld unter anderem auch seiner Stellung als Leibarzt und Vertrautem des Fürsten Hardenberg.

Um Mesmer in seiner geistesgeschichtlichen Bedeutung angemessen einzustufen, darf man ihn nicht als isolierten Naturheiler betrachten. Der animalische Magnetismus gehört einer geistigen Strömung an, die weitreichende Impulse in der Medizin, in der Naturphilosophie, der Anthropologie und der Religionsphilosophie auslöste. Hinsichtlich dieses Traditionszusammenhanges müssen wir uns allerdings auf einige wenige Hinweise beschränken: Den Magneten erprobte schon Paracelsus. Im 17. Jahrhundert legte Athanasius Kircher eine mehr religionsphilosophische Schrift über den Magnetismus vor (*Magnes, sive de Arte Magnetica*, Rom 1641, Köln 1643). Mesmer trat unter anderem auch das Erbe des Brownianismus an, jener Lehre des schottischen Arztes John Brown (1735–88), die Krankheit als Mißverhältnis von Reiz und Reizempfänglichkeit definierte. Bereits auch im 18. Jahrhundert wurde anstelle von Aderlassen und Purganzen die „medicina electrica" propagiert.

Unter den Dichtern und Philosophen der Romantik und ihren Zeitgenossen fühlten sich nicht wenige von Mesmers Ideen fasziniert und ließen sie auch in ihren Werken anklingen. Neben E. T. A. Hoffmann sind Schelling und Brentano zu nennen, dann Lavater, Kleist und Schopenhauer. Während für das mechanistische Weltbild der strikten Aufklärung der animalische Magnetismus einen Skandal bedeutete, öffnete oder bestätigte er der romantischen Bewegung den Blick auf eine die empirisch verifizierbaren Vorstellungen übergreifende Sehweise. Die Hinwendung zum Übersinnlichen entsprach allerdings nicht der Intention Mesmers, im Gegenteil, er versuchte sich zeit seines Lebens gegen die Schwärmer und die Unwissenschaftlichkeit abzugrenzen.

Hoffmann stand dem Magnetismus mit wissenschaftlicher Neugier, jedoch nicht ohne Skepsis gegenüber. Wenn er den Magnetismus thematisierte, so nicht unbedingt zu dessen Verteidigung, sondern zur Verbildlichung der um ihn wogenden Polemik. Während der Serapionsbruder Cyprian die neue Heilmethode rühmt, warnt Lothar z.B. vor ihr als einem gefährlichen Instrument (III/261 ff.; vgl. auch *Der Magnetiseur, Der unheimliche Gast, Das steinerne Herz, Seltsame Leiden eines Theater-Direktors)*. Wie an der Figur Alban *(Magnetiseur)* und an den Beispielen des Serapionsbruders Theodor erkennbar wird, ist Hoffmann nicht entgangen, daß mit dieser neuen Heilpraxis gelegentlich Unfug getrieben wurde. Davon zeugen unter anderem auch zeitgenössische Karikaturen oder Rapporte, die von sexuellen Übergriffen des Magnetiseurs auf dessen Patientinnen berichten (vgl. Darnton oder McGlathery in Bibliographien zu AB I B. und C.).

6. *Akustik*

Von der zeitgenössischen Akustik gingen in erster Linie die Hypothesen Gotthilf Heinrich Schuberts in Hoffmanns Werk ein (*Ansichten von der Nachtseite der Naturwissenschaft,* S. 65 z.B.). Nach Schubert soll die Sage von der Sphärenmusik einen Nachhall des Goldenen Zeitalters darstellen, und diese geheimnisvollen Laute versuchte man in Hoffmanns Epoche wieder aufzufinden. Von einer derartigen „Luftmusik" berichtet der Serapionsbruder Theodor in der *Automate* (III/349). Der Erzähler schreibt den in der Nähe des Kurischen Haffs vernommenen Tönen eine „tiefe Wirkung auf das menschliche Gemüt" zu. Man versuchte, die Stimme der Natur, da sie sich so selten vernehmen ließ, künstlich zu erzeugen. Hinter diesem Bemühen stand der Wunsch, mit Hilfe der Akustik die Erinnerung an die einstige Harmonie des Menschen mit der Natur wiederzuerwecken. Man erhoffte sich viel von den Physikern und

Mechanikern und traute ihnen zu, „in das heilige Geheimnis der Natur" vorzudringen (ebda., 351). Im *Unheimlichen Gast* werden die als Naturlaute vernommenen Töne von den Soldaten als Jammer der leidenden Kreatur interpretiert (ebda., 603f.). In der *Automate,* in *Klein Zaches* und im *Kater Murr* ist von seltsamen, uns heute unvertrauten Musikinstrumenten, mit deren Hilfe im Freien Naturlaute reproduziert wurden, die Rede. Es sind dies Harmonika, Harmonichord, dann Äolsharfe und Wetterharfe. Die Harmonika hat mit der heutigen Handharmonika nichts zu tun, die Töne wurden durch Bestreichen von Glasstäbchen oder -glocken erzeugt und brachten gedehnte, in der Lautstärke sehr variable Töne hervor. Das Harmonichord war ein Mittelding zwischen Harmonika und Bogenklavier. Die Äolsharfe war ein beliebtes, auch von andern Dichtern der Epoche erwähntes Saiteninstrument, dem nicht die menschliche Hand, sondern der Wind die Töne entlockte. Auf einem ähnlichen Prinzip beruhte die Wetterharfe, nur daß sie viel größer war (vgl. Beschreibung im *Kater Murr,* II/438).

7. *Elektrizitätslehre*

Die Entdeckung der Elektrizität fiel ins 18. Jahrhundert, das gelegentlich ganz eigentlich das elektrische genannt wird. Bedeutende Fortschritte machte die Forschung um die Mitte des Jahrhunderts. 1729 erkannte Stephen Gray den Unterschied zwischen elektrischen Leitern und Nichtleitern, 1733 gelang es Charles François Dufay, den Gegensatz zwischen positiver und negativer Elektrizität zu beweisen, wobei die Terminologie Benjamin Franklin zu verdanken ist. 1745 wurde an zwei verschiedenen Orten gleichzeitig die Leidener Flasche, eine Vorform des Kondensators, entwickelt. – Überschneidungen dieser Art sollte es noch mehrere geben, denn die Ausarbeitung neuer Theorien und deren Ausführung in der Praxis wurden fieberhaft vorangetrieben. – 1752 wies Benjamin Franklin die Identität des Blitzes mit dem elektrischen Funken nach und erfand darauf den Blitzableiter. Im übrigen systematisierte Franklin die Elektrizitätslehre und ersetzte unter anderem auch die umständliche Zwei-Fluida-Lehre von einer glasigen und einer harzigen Elektrizität durch das Gegensatzpaar „Mangel" und „Fülle". Anfangs der achtziger Jahre desselben Jahrhunderts beobachtete Galvani die Kontraktion präparierter Froschschenkel beim Überschlag elektrischer Funken. Die korrekte Erklärung des Versuchs gelang dann aber mehr als 10 Jahre später seinem Landsmann und Zeitgenossen Volta. Dieser zog die richtige Schlußfolgerung, daß die Kontraktionen aus dem Kontakt zwischen dem elektrisch geladenen Metall und dem feuchten Körper resultieren. Der Froschschenkelversuch beschreibt Erscheinungen, die auf elektrische Entladungen zurückzuführen sind. Er bedeutete in der Elektrizitätslehre eine Sensation und leitete in der Geschichte der Elektrizität ein neues Kapitel ein. Mit Galvanismus wurde in Zukunft die Gesamtheit der elektrochemischen Erscheinungen bezeichnet, die auftreten, wenn sich verschiedenartige Stoffe berühren, unter anderem die Bildung galvanischer Ketten bzw. elektrischer Potentialdifferenzen an den Phasenflächen. Aus dem Galvanismus hat sich die moderne Elektrochemie entwickelt. In etwa die gleiche Zeit gehören des weitern Coulombs Forschungen über die Gesetze der elektrischen und magnetischen Abstoßung, ferner Voltas Konstruktion des Plattenkondensators. Um 1800 gelang Volta der Bau der nach ihm benannten Säule, die eine Weiterführung der aus dem Froschschenkelversuch gewonnenen Erkenntnis darstellt.

Hoffmann dürfte am meisten vom Galvanismus, daneben von der Gewitterelektrizität fasziniert gewesen sein. Er benützt elektrische Phänomene häufig in der Liebesmetaphorik, wobei die Liebenden jeweils Funken empfangen oder sich buchstäblich vom Blitz gerührt fühlen. Das illustrieren etwa Theodor und Seraphine im *Majorat,* Giulietta und Erasmus in *Abenteuer der Silvester-Nacht,* Ulla und Elis in den *Bergwerken zu Falun* oder George Pepusch im *Meister Floh.* Über „das elektrische Prinzip beim Verliebtsein" läßt sich in der *Brautwahl* nachlesen (III/568f.). Im *Meister Martin* verströmt Reinhold funkelnde Blitze. Im *Artushof* schließlich hält sich der Erzähler ausführlich über eine Elektrisiermaschine auf und erklärt sich eine telepathische Übertragung mit der geheimnisvollen Wirkung eines solchen Apparates (III/150).

Aus diesen Beispielen geht hervor, daß Hoffmann die Elektrizitätslehre wie auch die Akustik als Fundus für Motive und Metaphern benutzte. Seine Beschäftigung mit diesen naturwissenschaftlichen Disziplinen bleibt hier oberflächlicher als die mit dem animalischen Magnetismus, mit dem er sich intensiver auseinandersetzte. Ganz allgemein gilt für seine Auffassung der Naturwissenschaften, daß er ihnen äußerst kritisch gegenüberstand, sobald sie zu einer Entmystifizierung des Naturwunders führten (vgl. *Klein Zaches, Meister Floh).*

Bibliographie zu Arbeitsbereich I B.

Artelt, Walter: Der Mesmerismus in Berlin. Akademie der Wissenschaften und der Literatur. Mainz 1965, Nr. 6.

Béguin, Albert: Traumwelt und Romantik. Versuch über die romantische Seele in Deutschland und in der Dichtung Frankreichs. Bern, München 1972. [Die gekürzte Fassung des 1937 französisch erschienenen Buches bringt im Schubert-Kapitel (S. 129–154) eine Zusammenfassung der *Symbolik des Traumes;* im Hoffmann-Kapitel (S. 357–374) wird der Autor als psychologisch kundiger, aber v.a. metaphysisch interessierter Liebhaber des Traumes vorgestellt.]

Benz, Ernst: Franz Anton Mesmer und die philosophischen Grundlagen des ,animalischen Magnetismus'. Akademie der Wissenschaften und der Literatur. Mainz 1977, Nr. 4.

Bousquet, Jacques: Les thèmes du rêve dans la littérature romantique (France, Angleterre, Allemagne). Essai sur la naissance et l'évolution des images. Paris 1964. [Als motivgeschichtliches Nachschlagwerk brauchbar; die Fülle des nach inhaltlichen Gesichtspunkten geordneten Materials erlaubt nicht viel mehr als eine Nennung der Träume und deren thematischer Ausrichtung.]

Busch, Ernst: Die Stellung Gotthilf Heinrich Schuberts in der deutschen Naturmystik und in der Romantik. In: Deutsche Vierteljahrsschrift für Literaturwissenschaft und Geistesgeschichte 20 (1942), S. 305–339. [Betont vor allem den Einfluß Herders, arbeitet das Motiv der Steigerung als Kern der Naturphilosophie Schuberts heraus und erörtert dessen Einstellung zum Somnambulismus und Wahnsinn.]

Dahmen, Hans: Die Kultur- und Kunstphilosophie Gotthilf Heinrich Schuberts. In: Zeitschrift für Ästhetik und allgemeine Kunstwissenschaft 20 (1926), S. 325–332. [Von Schuberts Kunstphilosophie ist nicht die Rede; stellt Verbindungen zu Nietzsche und zum George-Kreis her.]

Darnton, Robert: Der Mesmerismus und das Ende der Aufklärung in Frankreich. München 1983. [Hierin: Blankenburg, Martin: Der ‚thierische Magnetismus' in Deutschland. Nachrichten aus dem Zwischenreich.]

Elias, Norbert: Über den Prozeß der Zivilisation. Soziogenetische und psychogenetische Untersuchungen. Bern 1969. [Kulturgeschichtliches Grundlagenwerk über die langfristigen Veränderungen von Gesellschafts- und Persönlichkeitsstrukturen.]

Engelhardt, Dietrich von: Bibliographie der Sekundärliteratur zur romantischen Naturforschung und Medizin 1950–1975. In: Brinkmann, (s. Gesamtbibliographie), S. 307–330. [Reichhaltige Liste zum weiteren Studium.]

Foucault, Michel: Die Geburt der Klinik. München 1973. [Über den Ausschluß psychisch Kranker aus der Gesellschaft.]

Huber, Ernst Rudolf: Deutsche Verfassungsgeschichte seit 1789. Bd. I, Stuttgart 1957.

Kluge, Carl Alexander Ferdinand: Versuch einer Darstellung des animalischen Magnetismus, als Heilmittel. Berlin 1811.

Koselleck, Reinhart: Preußen zwischen Reform und Revolution, (s. Bibliographie zu AB I A.).

Lechner, Wilhelm: Gotthilf Heinrich Schuberts Einfluß auf Kleist, Justinus Kerner und E.T.A. Hoffmann. Phil. Diss. Münster 1911, Borna-Leipzig 1911. [Läßt die *Symbolik des Traumes* nur als poetisches, nicht als wissenschaftliches Werk gelten. Schuberts Einfluß auf Hoffmann wird nur kurz im Anhang am Beispiel des *Gelübdes* und des *Sanctus* erörtert.]

Lenk, Elisabeth: Die unbewußte Gesellschaft. Über die mimetische Grundstruktur in der Literatur und im Traum. München 1983, Batterien 19, S. 218–234. [Geht auf Hoffmanns Traum-Auffassung gar nicht, auf die von Schubert nur flüchtig ein, wobei sie sich an die 3. Auflage der *Symbolik des Traumes* hält. Die Euphorie der Romantiker habe nur für den vernünftigen Traum existiert, dem Traum als einer Sprache des Unbewußten sei mit deutlichem Mißtrauen begegnet worden.]

Lersch, Philipp: Der Traum in der deutschen Romantik. München 1923. [Geht nicht auf Hoffmann, wohl aber auf Schubert ein; nicht empfehlenswert, da allzu sehr in antithetischen Schablonen argumentierend.]

Merkel, Franz Rudolf: Der Naturphilosoph Gotthilf Heinrich Schubert und die deutsche Romantik. Phil. Diss. Straßburg 1912, München 1912. [Stark biographisch orientierte Arbeit, die unkritisch Schuberts Autobiographie nachzeichnet.]

Obermeit, Werner: Das unsichtbare Ding, das Seele heißt. Die Entdeckung der Psyche im bürgerlichen Zeitalter. Frankfurt/Main 1980. [Reflektiert die Beziehungen zwischen literarischer, vorwissenschaftlicher und wissenschaftlicher Psychologie von den Vorstufen dieser Disziplin bis hin zur Antipsychiatrie. Sehr empfehlenswert.]

Osthus, Gustav: G. H. Schuberts philosophische Anfänge unter besonderer Berücksichtigung von Schellings Einfluß. Phil. Diss. Erlangen 1929, Borna-Leipzig 1929. [Intellektuelle Biographie des jungen Schubert und zugleich gute Zusammenfassung der frühen Arbeiten bis zur *Symbolik des Traumes*.]

Rang, Martin: Rousseaus Lehre vom Menschen. Göttingen 1959.

Ritzler, Paula: Der Traum in der Dichtung der deutschen Romantik. Phil. Diss. Zürich, Bern 1943, S. 19–29. [Betont die Differenz zwischen dem Traum als Erfahrung einer höheren Welt und dem Traum als Schlaftraum im Werk Hoffmanns.]

Sauder, Gerhard: Nachwort [zu:] Gotthilf Heinrich Schubert: *Die Symbolik des Traumes*. Faks.druck der Ausgabe von 1814. Heidelberg 1968, Deutsche Neudrucke. Reihe Goethezeit, S. I–XXXI. [Betont v. a. die Abkehr Schuberts in den späteren Auflagen der *Symbolik des Traumes* von der These, daß das Unbewußte das noch nicht Gefallene bzw. das schon Erlöste sei.]

Scheurl, Hans (Hrsg.): Klassiker der Pädagogik. Bd. I, München 1979. [Einzeldarstellungen durch verschiedene Autoren.]

Segebrecht, Wulf: Krankheit und Gesellschaft. Zu E. T. A. Hoffmanns Rezeption der Bamberger Medizin. In: Brinkmann, (s. Gesamtbibliographie), S. 267–290.

Spranger, Eduard: Wilhelm v. Humboldt und die Reform des Bildungswesens. Berlin 1910. Die großen Erzieher, Bd. 4.

Stegmann, Inge: Deutung und Funktion des Traumes bei E. T. A. Hoffmann. Phil. Diss. Bonn 1973, (s. AB III A.1.2.).

Studien über den Philanthropismus und die Dessauer Aufklärung. Wissenschaftl. Beiträge der Martin-Luther-Universität, Halle, Wittenberg 1970.

Weidekampf, Ilse: Traum und Wirklichkeit in der Romantik und bei Heine. Leipzig 1932, Palaestra 182. [Stellt den Traum bei den Romantikern nicht so sehr als eine Sache des Unbewußten, sondern als eine des Metaphysischen dar. In den Hoffmann gewidmeten Teilen wird dessen Verhältnis zum Traum mit dem zum Wunderbaren identifiziert; gleichzeitig wird die Gebrochenheit der Hoffnungen auf ein neues Goldenes Zeitalter bei dem Autor registriert.]

C. Zur Biographie Hoffmanns

Direkte Quellen zu Hoffmanns Biographie sind relativ zahlreich, allein schon die Tagebücher und Briefe des Dichters geben ausführlich Auskunft über sein Leben. Überdies existieren drei mehr oder weniger sorgfältig abgefaßte Schriften aus dem Kreis von Hoffmanns Zeitgenossen. Sie unterscheiden sich allerdings beträchtlich in der Art der respektvollen Annäherung, tragen aber alle grundlegend zu dem facettenreichen Bild bei, das man sich inzwischen von dem Dichter macht. Der unmittelbarste Eindruck ist wohl über Theodor Gottlieb von Hippel, Hoffmanns Jugendfreund, zu gewinnen. Julius Eduard Hitzig, ein späterer Freund Hoffmanns, rückte vieles in ein moralisierendes Licht, was nicht wenig zu den späteren Vorurteilen gegen den Dichter beigetragen hat. Hitzig zeichnete Hoffmann unter anderem als einen – wenn auch liebenswürdigen – Phantasten, der sich ungebührlich ausgiebig in die psychische Arzneikunde vertieft habe. Carl Friedrich Kunz, der Wein- und Buchhändler und Hoffmanns Verleger, verfaßte postum ein Lebensbild des Dichters, und zwar unter dem Pseudonym Z. Funck. Er vermittelte eine Sammlung von Begebenheiten aus Hoffmanns Leben in Bamberg, zum Teil anekdotischen Inhalts. Das „Charakterbild", das er lieferte (S. 130), ist allerdings geprägt von einem übertriebenen Wunsch nach Eigendarstellung, wobei er auch vor offensichtlichen Fälschungen nicht zurückschreckte. Authentische Zeugnisse von Hoffmanns Zeitgenossen haben schließlich noch Hans v. Müller und später Friedrich Schnapp in gesammelten Aufzeichnungen von Hoffmanns Freunden zusammengetragen.

1. Prägende Momente der Lebensgeschichte

Ernst Theodor Wilhelm Hoffmann, geboren am 24. Januar 1776 in Königsberg, verlebte keine sehr glückliche Jugend. Einige Fakten zu dieser Ära können den Auskünften der Figur des Kapellmeisters Johannes Kreisler in den *Lebensansichten des Katers Murr* (II/377 ff.) entnommen werden. Wie Hippel am 31. 1. 1823 an Hitzig schrieb, idealisierte Hoffmann „im Kreisler sein humoristisches Ich [...]. Daher in dieser Dichtung wieder viel Wahrheit aus H[offmanns] eignem Leben ist" (Hippel, S. 31). Bei der Erhellung der Biographie durch Daten aus dem fiktionalen Bereich ist zwar grundsätzlich Skepsis angebracht, doch darf in diesem Fall wohl eine Ausnahme von der Regel gemacht werden (vgl. II/704, Anmerkungen zu 377, Z. 22–23). Die Eltern kümmerten sich wenig um ihren jüngeren Sohn, wenige Jahre nach seiner Geburt ließen sie sich scheiden. Der Vater, Christoph Ludwig H. (1736–1797), künstlerisch interessierter, geistreicher Anwalt am preußischen Hofgericht in Königsberg, verließ die Stadt in Begleitung des älteren Knaben Johann Ludwig, mit dem Hoffmann nie in Kontakt treten sollte. Die Mutter, Lovisa Albertine H., geborene Doerffer (1748–1796), war eine zeitlebens menschenscheue und oft depressive Frau. Sie kehrte nach der Scheidung in ihr Elternhaus zu ihrer kränklichen Mutter und ihren Geschwistern zurück. Die Erziehung ihres Sohnes überließ sie hauptsächlich ihrem kauzigen, streng puritanischen Bruder Otto Wilhelm Doerffer (1741–1811). Die Atmosphäre in dessen Haus war gekennzeichnet von pietistischer Frömmigkeit, Nützlichkeitsdenken und einer engstirnigen Moral. Die einzige Person, die sich dem jungen Hoffmann mit Wärme zuwandte, war seine Tante Johanna Sophie Doerffer (1745–1803); nicht zu verwechseln mit der früh verstorbenen „Tante Füßchen", der Hoffmann in zärtlicher Verehrung ein Denkmal im *Kater Murr* gesetzt hat. – Im selben Haus wuchs übrigens auch der um acht Jahre ältere Zacharias Werner auf, dem Hoffmann in Warschau wiederbegegnen sollte und von dem der Autor in den *Serapions-Brüdern* ein kritisches Porträt entwarf (III/850–862). Bis zum Eintritt in die reformierte Burgschule in Königsberg (1782) wurde Hoffmann in klösterlicher Abgeschiedenheit erzogen. In dieser Schule begann die lebenslange Freundschaft mit Theodor Gottlieb von Hippel (1775–1843), dem Neffen des Autors der *Lebensläufe nach aufsteigender Linie.*

Hoffmann verließ seine Geburtsstadt vermutlich wegen einer unglücklichen Liebesgeschichte (1796). Während seiner Studienzeit verliebte er sich leidenschaftlich in seine um neun Jahre ältere Musikschülerin Dora Hatt (Cora), eine verheiratete Frau, die die Liebe erwiderte, an ihren sozialen Kontext wohl aber so gebunden war, daß an einen Weggang nicht zu denken war (vgl. Hans v. Müller: *Die erste Liebe des Ernst Theodor Hoffmann*. Heidelberg 1955).

In Glogau, wohin Hoffmann danach zog, wurde er von einem anderen Bruder der Mutter, dem verehrten Juristen Johann Ludwig Doerffer (1743–1803), in die Gerichtspraxis eingeführt; ihm erwies er später Reverenz im *Majorat*. Von Glogau führte ihn 1798 eine interessante Reise durch einen Teil des schlesischen Riesengebirges nach Dresden. Eine Anspielung auf die Dresdner Gemäldegalerie findet sich im *Sandmann* (I/345). Auf jener Reise versuchte sich Hoffmann erfolgreich ein erstes und letzten Mal im Spiel (s. *Spielerglück*). 1798 folgte er seinem Onkel nach Berlin, in dessen Haus er erstmals die sogenannte ‚feine Gesellschaft' kennenlernte. Hier verkehrten auch Künstler, so zum Beispiel Jean Paul, der Dirigent Bernhard Anselm Weber oder der Schauspieldirektor August Iffland. Wohl mehr aus Verbundenheit mit dem Onkel verlobte sich Hoffmann mit seiner Kusine Minna Doerffer. Diese Verlobung löste er später wieder auf, als er seine zukünftige Frau, Michaelina Rorer-Trzcińska (Mischa), eine gebürtige Polin, kennenlernte.

In der Hauptstadt blieb er zwei Jahre. Nach seinem großen Examen wurde er im Mai 1800, wie viele andere junge Juristen, nach Polen gesandt, zunächst als Assessor bei der Regierung in Posen. Die dortigen Verhältnisse forderten Hoffmanns beißenden Spott heraus. In einer Laune des Übermuts zeichnete er Karikaturen von den Honoratioren des Ortes und versah sie mit witzigen Kommentaren. Einer seiner Freunde verteilte die Blätter im Februar 1802 zum großen Spaß auf einem Maskenball am Karneval, bis die Zeichnungen bei den Betroffenen anlangten und die Heiterkeit jäh endete. Der Fall hatte ein gerichtliches Nachspiel und kostete Hoffmann die Karriere als Regierungsrat von Posen. Darauf folgte die Verbannung nach Płock, wo der Dichter, nach seiner Verheiratung am 26. 7. 1802, ein zurückgezogenes Leben führte. Den biographischen Quellen zufolge beschränkte sich Hoffmanns Ehefrau gänzlich auf die Rolle der Hausfrau.

1804 konnte Hoffmann nach Warschau übersiedeln. Hier weilte er bis 1807 (vgl. Bemerkungen über das Schloß Lazęki in III/528). In jene Zeit fällt die Bekanntschaft mit Hitzig, dem zweiten nahen Freund und juristischen Kollegen Hoffmanns.

Die napoleonischen Kriegszüge setzten der Warschauer Zeit ein Ende. Zuerst traf die Nachricht von der Schlacht bei Jena ein, dann rückten die Franzosen 1806 in Warschau ein. Preußen wurde zum Feind erklärt, und die preußischen Beamten, mit ihnen Regierungsrat Hoffmann, ihres Dienstes enthoben, wenn sie nicht bereit waren, eine Unterwerfungsakte zu unterzeichnen (s. Rüdiger, z.B. S. 93, vgl. auch Anspielungen auf Napoleon im *Kater Murr,* II/397). Hoffmann schickte seine Frau, seine Nichte und sein Töchterchen Cäcilia nach Posen, in Sicherheit. In Warschau zurückgeblieben, versuchte er sich über Wasser zu halten und erkrankte 1807 erstmals schwer an Nervenfieber.

Ein zweiter Aufenthalt in Berlin bescherte ihm ein äußerst unglückliches Jahr voller Not und Hunger. Hier nahm die Erzählung *Ritter Gluck* Gestalt an, das Werk, mit dem sein dichterisches Schaffen seinen gültigen Anfang nehmen sollte. Über ein Zeitungsinserat fand Hoffmann schließlich eine Tätigkeit am Theater in Bamberg (1808–1813). Hier begann eine für den Dichter sehr fruchtbare Zeit. Sie brachte den künstlerischen Durchbruch. Ein trauriges Ereignis war ihr vorangegangen. Hoffmanns Frau reiste ohne Cäcilia nach Bamberg, das einzige Kind der beiden war inzwischen gestorben. Bezüge auf die Bamberger Jahre sind zahlreich in Hoffmanns Werk. In Bamberg erlebte Hoffmann seine zweite große Liebe. Wiederum betraf es eine Gesangsschülerin, ein junges Mädchen namens Julia Mark. Auch sie hatte sich einem anderen Mann versprochen, Johann Gerhard Graepel, den sie aus familienpolitischen Gründen heiratete, wie allgemein vermutet wird. Von der heimlich Angebeteten sprechen zahllose z.T. chiffrierte Tagebuchnotizen aus dieser Zeit. Im Werk gewann die Begegnung exemplarische Bedeutung. Viele Frauenfiguren tragen die Züge Julias; es ist aber falsch, sie mit dem Vorbild einfach identisch zu setzen. Das zentrale Erlebnis ist in die Dichtung E. T. A. Hoffmanns eingegangen als literarische Repräsentanz idolisierter Weiblichkeit. Auf unmittelbare Konflikte dieser Liebesbeziehung nehmen *Die neuesten Schicksale des Hundes Berganza* Bezug. Der *Berganza* liefert im übrigen Anspielungen auf zahlreiche bekannte Personen aus dem kulturellen Leben in Bamberg, unter anderem auf den Schauspieler und späteren Theaterdirektor Franz v. Holbein. Durch die Bekanntschaft mit dem medizinischen Vorsteher der Irrenanstalt ‚St. Getreu', Adalbert Friedrich Marcus (vgl. *Der Einsiedler Serapion*) und dem anderen Bamberger Arzt, Friedrich Speyer, kam der Autor erstmals in Kontakt mit der Psychiatrie seiner Zeit. Die beiden Ärzte waren, wie später Johann Ferdinand Koreff, Hoffmanns Berater in allem, was die Medizin, die Naturwissenschaften und vor allem den animalischen Magnetismus anbelangt. Mit Marcus studierte Hoffmann auch praktische Fälle in der oben erwähnten Anstalt. 1813, nachdem Hoffmann Bamberg mangels Broterwerb wieder verlassen hatte und er mit der Theatertruppe Joseph Secondas zwischen Leipzig und Dresden hin- und herreiste, brach vor Dresden die große Schlacht aus. Hoffmann erlebte die Kriegsgreuel aus nächster Nähe, reflektiert in den *Erscheinungen* und in der 1814 als Flugschrift erschienenen *Vision auf dem Schlachtfeld bei Dresden*.

Das Jahr 1814 brachte erneute Not. Im Februar erfolgte der Bruch mit Seconda, Hoffmann verlor seine Stelle, hinzu kam schwere Krankheit, diesmal ein rheumatisches Leiden. Es ist für Hoffmann bezeichnend, daß er sich durch diese äußerste Unbill nicht von seiner Produktivität abhalten ließ, sondern unbeirrt mit seinem dichterischen Werk fortfuhr. Nachdem er kurz zuvor das Märchen *Der goldne Topf* beendigt hatte, begann er mit der Arbeit an seinem Roman *Die Elixiere des Teufels*. Anfang Mai trat er mit den *Fantasiestücken in Callots Manier* erstmals selbständig als Schriftsteller auf. Sein Verleger war C. F. Kunz, mit dem er im Jahr vorher einen Verlagsvertrag abgeschlossen hatte (komplett abgedruckt bei Harich, Bd. 1, S. 192ff.).

Im September 1814 sah sich Hoffmann dann gezwungen, in den Staatsdienst zurückzukehren. Unter Hippels Protektion gelang die Anstellung am Kammergericht in Berlin. Kurz nach der Ankunft in der Hauptstadt kam es zu einem Wiedersehen mit Hitzig und in dessen Haus zur Bekanntschaft mit Fouqué, Chamisso, Tieck, Bernhardi, Franz Horn, Philipp Veit u.a. Hier sollte Hoffmann seine letzten acht Lebensjahre verbringen, in denen sein Hauptwerk entstand. – In Berlin kam der Dichter mit seinen Freunden zum Gesprächszirkel der „Seraphinenabende" (seit Nov. 1818 „Serapionsabende") zusammen (s. AB II B. 1.3.). Eine andere Diskussionsrunde pflegte Hoffmann von 1817 an. Er war mit dem Schauspieler Devrient Stammgast in der Weinwirtschaft Lutter und Wegner (vgl. AB I A.2.). Der satirische Spott dieser Runde war berühmt und gefürchtet. Berliner Atmosphäre prägt zahlreiche Erzählungen und nicht zuletzt den Roman *Die Lebensansichten des Katers Murr.*

Als Vertreter des Landesgerichtes zeigte Hoffmann eindrucksvoll Zivilcourage. Aus seinem Mut erwuchs ihm ein echter Skandal, der in die Justizgeschichte Preußens eingehen sollte. Ende 1819 begannen die restaurativen Kräfte unter Führung Österreichs und Preußens, die durch die Französische Revolution geschaffenen Errungenschaften und Veränderungen zu liquidieren. Die Studenten stellten sich diesen Bestrebungen entgegen. Die Ermordung des antiliberalen August von Kotzebue lieferte den Anstoß zu den berüchtigten Karlsbader Beschlüssen (vgl. AB I A.). Hoffmann wurde in die „Immediats Kommission zur Ermittlung hochverräterischer Verbindungen und anderer gefährlicher Umtriebe“ beordert. Er arbeitete im Interesse der Unterdrückten, gegen die Erwartung der Regierung und insbesondere gegen die des Direktors des Polizeiministeriums, Karl Albert von Kamptz. Der Kammergerichtsrat schrieb virtuose Gutachten für die Entlassung grundlos inhaftierter Intellektueller (s. den von Friedrich Schnapp hrsg. Bd. über Hoffmanns juristische Arbeiten). Höhepunkt bildete die Affäre um den Turnvater Jahn, den Hoffmann im übrigen nicht besonders schätzte (vgl. V b/68 oder Br II/127 und 263, s. auch *Des Vetters Eckfenster* [IV/620 und 894]). Um so überzeugender sind seine Verfechtung der Gerechtigkeit und die Sorgfalt, mit der er versuchte, Jahns Beleidigungsklage gegen Kamptz zu verteidigen und die Freilassung des Angeklagten zu erwirken (s. bes. Gutachten vom 15. Feb. 1820). Gegen Hoffmann begann bald darauf eine Verleumdungskampagne, besonders aufgrund des vorliegenden Manuskripts zum *Meister Floh* und der Korrespondenz mit dem Verleger Wilmans in Frankfurt. In der „Knarrpanti-Episode“ aus dieser Erzählung sah Kamptz die Demagogenverfolgungen verhöhnt und veranlaßte ein Gerichtsverfahren, dessen Ende Hoffmann nicht mehr erleben sollte. Die Passage fiel lange Zeit der Zensur anheim und wurde erst 1908 durch Ellinger dem Werk wieder eingefügt.

An die Erholungsreise im Sommer 1819 erinnern die *Briefe aus den Bergen Schlesiens.* Todkrank und gelähmt diktierte Hoffmann in den letzten Monaten seines Lebens *Die Genesung* und *Des Vetters Eckfenster.* Am 25. Juni 1822 starb der Dichter an einer Krankheit des zentralen Nervensystems. Ob die Todesursache, die Hitzig als „Rückenmarksdarre“ bzw. „tabes dorsalis“ eingestuft hat (2. Teil, S. 157), eine syphilitische Erkrankung gewesen ist, konnte bisher nicht schlüssig nachgewiesen werden.

2. *Hoffmanns künstlerische Tätigkeiten*

Hoffmanns Talente waren außerordentlich vielseitig. Schon in der Kindheit zog er mit seinen musikalischen und zeichnerischen Fähigkeiten die Aufmerksamkeit auf sich. Als er im März 1792 in Königsberg das Studium der Rechte aufnahm, geschah dies wohl nach familiärem Vorbild. Seine wahren Interessen galten seit jeher der Kunst, insbesondere der Musik, dem Zeichnen und dem Theater. Wiederholt versuchte er sich ganz den Künsten zu widmen, zum Beispiel in Warschau, doch zwang ihn finanzielle Not jeweils stets zurück ans Gericht. Das heißt nun aber keineswegs, daß Hoffmann die Juristerei ohne Engagement betrieb, im Gegenteil, er tat sich als äußerst gewissenhafter Anwalt der Gerechtigkeit hervor, wie seine brillianten juristischen Arbeiten beweisen.

Schon während der Studienzeit begann er Musikunterricht zu erteilen. Er überbrückte damit finanzielle Engpässe. Beim Unterricht lernte er auch den Dilettantismus kennen und die Einstellung des Philisters, die Kunst als Kompensation gegenüber der Realität des politischen Alltags in Anspruch zu nehmen (vgl. Kunz alias Funck, S. 133f.).

Bevor sich Hoffmann ganz dem Schreiben zuwandte, betätigte er sich als Komponist und Kapellmeister. In Glogau und dann vor allem in Bamberg komponierte er Kirchenmusik, zum Teil im Auftrag von Klöstern, daneben entstanden aber etwa auch Klaviersonaten. Zum Beginn seiner Theaterlaufbahn in Bamberg komponierte er eine Oper *Der Trank der Unsterblichkeit,* danach auch andere Bühnenmusik. Sein berühmtestes Werk in dieser Sparte ist die Oper *Undine.* Sie wurde schon in Leipzig vollendet, die Uraufführung erfolgte jedoch erst in Hoffmanns Berliner Zeit im August 1816. In Bamberg amtierte Hoffmann zuerst als Musikdirektor, danach unter der Leitung Franz von Holbeins als Direktionsgehilfe, Regisseur, Dramaturg und Bühnenbildner. Unter Seconda in Leipzig und Dresden wirkte er wieder als Musikdirektor, also Kapellmeister, dies sogar im belagerten Dresden 1813. Mit den Problemen eines Theatermannes setzt sich Hoffmann u.a. in *Der vollkommene Maschinist* und in den *Seltsamen Leiden eines Theaterdirektors* auseinander.

1809 sandte der Dichter den *Ritter Gluck* an Rochlitz, den Herausgeber der ‚Allgemeinen Musikalischen Zeitung‘ und bot sich gleichzeitig als Rezensent an (vgl. AB VI).

Bekannt ist Hoffmann auch als Zeichner, Karikaturist und Illustrator, zum Teil seiner eigenen Bücher (s. Hans v. Müller [Hrsg.]: *Handzeichnungen E. T. A. Hoffmanns,* s. Gesamtbibliographie). Nach der Kündigung durch Seconda verfertigte er antinapoleonische Karikaturen, um sich vor dem Hunger zu bewahren. Für die Oper *Undine* malte er die Bühnendekorationen, die dann allerdings kurze Zeit darauf einem Theaterbrand zum Opfer fielen. Die Ausmalung von Räumen praktizierte er erstmals in Glogau mit dem von ihm verehrten Maler Aloys Molinari. Auf diese Episode verweist *Die Jesuiterkirche in G.* In Warschau beteiligte sich Hoffmann leitend an der Renovierung des Palais Mniszchów, wo er eigenhändig einen Teil der Säle und Zimmer al fresco ausmalte.

Als Dichter wurde Hoffmann mehr und mehr ein beliebter Zeitschriften- und Taschenbuchautor. Das brachte ihm nebenbei viele Vorwürfe, man qualifizierte ihn deswegen, unter Berufung auf die berühmte Äußerung vom „Vizekopf" (Br II/349), gerne als Unterhaltungsschriftsteller ab (s. hierzu jedoch Hans Toggenburger: *Die späten Almanach-Erzählungen E. T. A. Hoffmanns,* Bern 1983). In Berlin rissen sich die Verleger der Almanache förmlich um den dichtenden Kammergerichtsrat. Hoffmann arbeitete für die ‚Urania', für das ‚Taschenbuch – der Liebe und Freundschaft gewidmet', für den ‚Berlinischen Taschenkalender', das ‚Taschenbuch zum geselligen Vergnügen' und für den ‚Zuschauer'. Die Erzählungen der *Serapions-Brüder* zum Beispiel erschienen fast alle erstmals als Almanachbeiträge und wurden erst auf Anregung des Verlegers Reimer, mit einer Rahmenerzählung versehen, in einen einheitlichen Erzählzusammenhang gestellt (s. AB II B. 1.3.). Zwei Werke, deren Autorschaft nicht feststeht, werden gerade in jüngster Zeit wieder gerne E. T. A. Hoffmann zugeschrieben (vgl. MHG 29, 1983, S. 61–66, 87f.). Das eine sind die *Nachtwachen von Bonaventura,* das 1804 erschien. Rosmarie Hunter Lougheed versuchte 1980 die These Jost Schillemeits (1973) zu widerlegen (vgl. Akten des VI. Internationalen Germanisten-Kongresses, Basel 1980, Teil 4, in: Jahrbuch für Internationale Germanistik, Reihe A, Bd. 8, S. 446–452). Ihrer Ansicht nach stammen die *Nachtwachen* nicht aus der Feder August Klingemanns, sondern sind als Ventil des von Hoffmann ausgelösten Karikaturskandals in Posen (1802) zu denken. Ein schlüssiger Beweis zur Lösung dieser Frage steht immer noch aus. Gegen Hoffmann sprechen etwa die zynische Weltverachtung, die Kreuzgangs Erzählung eignet, dann die desillusionierende Sprache und das Fehlen von Märchenmotiven.

Das zweite Werk, als dessen Autor des öfteren Hoffmann vermutet wird, ist der Roman *Schwester Monika erzählt und erfährt* (s. die Faksimile-Ausgabe von 1965 des ersten wortgetreuen Nachdrucks von 1910 der im Jahre 1815 in Posen erschienenen Erstausgabe [1981 bei Rowohlt: rororo 4805]). Schon Gustav Gugitz, der Herausgeber der Ausgabe von 1910, brachte in seinem Vorwort den Roman mit Hoffmanns *Elixieren des Teufels* in Verbindung, ein Gedanke, der von Claudio Magris (s. AB III B.1.2.) 1980 wieder aufgegriffen wurde. Magris schließt die Möglichkeit nicht aus, daß diese Ergüsse sexueller Phantasien dem Werk Hoffmanns zuzurechnen sind. Er stellt sich unter *Schwester Monika* eine apokryphe Schrift des Autors vor, wie er sich auch der Annahme anschließt, ein Teil von Hoffmanns Werk sei nur heimlich publiziert worden und später verloren gegangen. Auch dieser Beweisführung können wir nicht folgen, sie baut zu sehr auf Hypothesen auf. Überdies scheint uns schon aus stilistischen Gründen Hoffmann als Verfasser der *Schwester Monika* nicht in Frage zu kommen.

3. Hoffmanns Lektüren

Schenkt man Carl Friedrich Kunz Glauben, so las Hoffmann „sehr wenig" (Funck, S. 136). Kunz beschreibt den Benützer seiner Bibliothek als einen schwierigen Kunden, der es sich manchmal stundenlang überlegte, bis er etwas Passendes fand. Hatte er sich dann aber einmal entschieden, so zeigte er sich als ein ungewöhnlich rascher Leser. Manche Bücher eignete er sich nur ausschnittweise an, andere las er mehrere Male. Von Rousseaus *Confessions* etwa sagt er selbst, er habe sie in jungen Jahren an die dreißig Male gelesen (Tb 73). Oft fertigte er Auszüge an. Nicht interessiert haben soll sich Hoffmann für politische Blätter, belletristische Zeitschriften und kritische Journale, auch die Rezensionen seiner eigenen Werke hielt er sich vom Leibe. In der schönen Literatur wandte er sich lieber den älteren Werken als Neuerscheinungen zu. Die Bibliothek von Kunz muß eine wichtige Bedeutung in des Dichters Leben eingenommen haben. Hoffmann war nicht nur ihr Benützer, sondern auch Mitarbeiter (vgl. V b/23 ff.; Hoffmanns ‚Vorrede' zur Eröffnung der 1812 eröffneten Leihbibliothek). Hitzig behauptet, Hoffmann habe selbst kaum Bücher angeschafft. Daß Hoffmann aber ein eifriger Bibliotheksbenützer war, belegen nicht allein die zum Teil erst in jüngster Vergangenheit aufgefundenen Benutzerkataloge aus der Leihbibliothek in Bamberg, sondern auch Briefe an den Berliner Leihbibliothekar Friedrich Kralowsky, Tagebuchnotizen und Hoffmanns ebenso zahlreiche wie originelle Quellenangaben zu seinem Werk. Unser Dichter verhielt sich diesbezüglich völlig anders als sein Idol Laurence Sterne. Im Gegensatz zu Hoffmann machte sich Sterne im *Tristram Shandy* ein Vergnügen daraus, den Leser mit Anspielungen und direkten Übernahmen zu irritieren, als ob sie seiner eigenen Feder entstammten.

Zu den Klassikern, die Hoffmann besonders beeindruckten, gehören vor allem Calderon und Shakespeare. Die einem Teil seiner Werke nachgesagte Tendenz zum Fatalismus will Hans von Müller auf die Calderon-Lektüre zurückführen. Auf Shakespeare spielt Hoffmann immer wieder an, er zitiert ihn auch, so vor allem *Hamlet, Heinrich IV., As You Like it, King Lear, A Midsummer Night's Dream* oder *Romeo and Juliet.* Plato und Seneca las Hoffmann, dann *Orlando Furioso* von Ariost, *Gargantua und Pantagruel* von Rabelais. Sehr gern mochte er Gozzi, etwa das Märchen *L'amore delle tre melarance.* Von Diderot gewann *Rameaus Neffe* Bedeutung für ihn. Von Goethes Werken machte Hoffmann sich mit den folgenden besonders vertraut: *Götz, Werther, Wilhelm Meister, Faust* und einzelne Gedichte wie der „Zauberlehrling“. Mehr als Goethe schätzte er, besonders in seiner Jugend, Schiller. Er las *Die Räuber, Don Carlos, Der Geisterseher, Die Braut von Messina, Wallenstein.* Von Iffland, Kotzebue und Zacharias Werner hielt er nicht viel, beschäftigte sich aber dennoch mit ihren Werken. Bewunderung hegte er für Jean Paul und allen voran für Novalis. Die *Lehrlinge zu Sais* war eines von Hoffmanns Lieblingsbüchern. Ebenso las er auch gerne die Werke seiner Zeitgenossen Wackenroder, Tieck, Fouqué, Brentano, Chamisso.

Neben literarischen Werken reflektiert das dichterische Schaffen Hoffmanns ein ausgedehntes Studium verschiedenster historischer, philosophischer und naturwissenschaftlicher Schriften. Eine ernste Bezugnahme auf Kant, der während Hoffmanns Studienzeit in Königsberg lehrte, sucht man allerdings vergeblich. Abgesehen von humoristischen Seitenhieben im *Kater Murr* und in den *Serapions-Brüdern* (II/400 und III/16) schweigt sich der Dichter über den Philosophen aus. Ausgiebig befaßte er sich mit der Naturphilosophie Gotthilf Heinrich Schuberts, dessen *Symbolik des Traumes* und *Ansichten von der Nachtseite der Naturwissenschaft* er gut kannte (vgl. AB I B.4.).

Neben Chroniken (z.B. die von Wagenseil, s. etwa AB IV C.) und Nachschlagewerken aller Art (z.B. Gerbers Tonkünstler Lexikon) studierte der Dichter zeitgenössische Werke über Psychiatrie, den animalischen Magnetismus, Magie und Elektrizitätslehre. Die einschlägige Literatur zu diesen Gebieten holte er sich wiederum häufig aus der Leihbibliothek, manche Bücher ließ er sich zusenden. Zur Medizin und im besonderen zur Seelenheilkunde konsultierte er das von Karl Philipp Moritz herausgegebene ‚Magazin zur Erfahrungsseelenkunde‘, John Browns *System der Heilkunde,* Christoph Wilhelm Hufelands *Kunst, das menschliche Leben zu verlängern,* Carl Ferdinand Alexander Kluges *Versuch einer Darstellung des animalischen Magnetismus als Heilmittel,* Ernst Daniel August Bartels' *Grundzüge einer Physiologie und Physik des Magnetismus,* Johann Christian Reils *Rhapsodien über die Anwendung der psychischen Kurmethode auf Geisteszerrüttung,* Heinrich Nudows *Versuch einer Theorie des Schlafs,* dann Joseph Mason Cox' *Praktische Bemerkungen über Geisteszerrüttung,* schließlich Philippe Pinels *Traité médico-philosophique sur l'aliénation mentale.* Über Magie zog Hoffmann Johann Christian Wieglebs *Unterricht in der natürlichen Magie* zu Rate. Zur Elektrizitätslehre ist Friedrich Wilhelm August Murhards Übersetzung der Darstellung der Theorie der Elektrizität und des Magnetismus zu erwähnen.

4. Hoffmann und die Romantik

Hoffmann trat relativ spät in Kontakt mit den deutschen Romantikern. In Dresden, wo er 1798 die Gemäldegalerie besuchte, hielten sich zwar gleichzeitig einige Vertreter des frühromantischen Kreises auf, eine Begegnung mit ihnen fand jedoch nicht statt. Die Schriften von Tieck, Wackenroder, Novalis, Brentano und den beiden Schlegel lernte Hoffmann erst sechs Jahre später in Warschau kennen, und zwar durch Hitzig. Hitzigs Bibliothek erschloß dem Dichter, wie später diejenige von Kunz, einen weiten Horizont. Hitzig kannte viele Dichter persönlich. Er brachte Hoffmann, kurz nach dessen Ankunft in Berlin, mit Brentano, Tieck, Fouqué, Chamisso in Berührung. Während sich vor allem zu Chamisso und Fouqué eine intensive Beziehung entwickelte (Serapionsbrüder), war das Verhältnis zu Tieck nicht ungetrübt. Tieck gestattete sich nie, Hoffmann als gleichrangigen Autor anzuerkennen, ein Faktum, das sich, wie das Urteil Sir Walter Scotts und Goethes, folgenschwer auf die spätere Einschätzung des Dichters auswirken sollte. Hoffmanns tiefe Bewunderung galt Novalis, doch hat er ihn nachweislich nie persönlich kennengelernt. Als Hoffmann auf das Werk des Frühromantikers aufmerksam wurde, war dieser bereits tot. Hier muß gleich betont werden, daß Hoffmann nie ein Novalis-Adept wurde, so wie er sich auch nie einer Schule anschloß, weder dem Kreise der Jenenser noch der Heidelberger Romantik (zum Verhältnis E. T. A. Hoffmann und Novalis s. das Urteil Heinrich Heines [AB VII 1.]). Dennoch sei nicht bestritten, daß Novalis in Hoffmanns Werk ausführlich rezipiert ist (s. *Nachricht von den neuesten Schicksalen des Hundes Berganza* I/136 u.a., *Der goldne Topf, Der Magnetiseur, Kreisleriana* 2. Teil, *Die Bergwerke zu Falun, Der Kampf der Sänger, Seltsame Leiden eines Theaterdirektors, Das fremde Kind, Der unheimliche Gast, Prinzessin Brambilla*).

Bibliographie zu Arbeitsbereich I C.

Hoffmann, E. T. A.: Briefwechsel, (s. Gesamtbibliographie).

Hoffmann, E. T. A.: Tagebücher, (s. Gesamtbibliographie).

Schnapp, Friedrich: E. T. A. Hoffmann in Aufzeichnungen, (s. Gesamtbibliographie).

Hoffmann, E. T. A.: Juristische Arbeiten, (s. Gesamtbibliographie).

Müller, Hans von (Hrsg.): Handzeichnungen E. T. A. Hoffmanns, (s. Gesamtbibliographie).

Piana, Theo: E. T. A. Hoffmann als bildender Künstler, (s. Gesamtbibliographie).

Ellinger, Georg: E. T. A. Hoffmanns Werke in fünfzehn Teilen, (s. Gesamtbibliographie), Register im 15. Teil, S. 126–143. [Ausführliche Liste von Hoffmanns Lektüren.]

Ettelt, Wilhelm: E. T. A. Hoffmann. Der Künstler und Mensch. Königshausen 1981. [Namen zum Teil ungenau, Inhaltsangaben auch zu weniger bekannten Werken.]

Funck, Z. [d.i. Carl Friedrich Kunz]: Aus dem Leben zweier Dichter (s. Gesamtbibliographie).

Günzel, Klaus: E. T. A. Hoffmann, (s. Gesamtbibliographie).

Harich, Walter: E. T. A. Hoffmann, (s. Gesamtbibliographie).

Helmke, Ulrich: E. T. A. Hoffmann. Lebensbericht in Bildern und Dokumenten. Kassel 1975. [Mit viel Bewunderung für den Autor geschrieben, sehr gutes Bildmaterial.]

Hippel, Theodor Gottlieb von: Erinnerungen an Hoffmann, (s. Gesamtbibliographie).

[Hitzig, Eduard]: Aus Hoffmanns Leben und Nachlaß, (s. Gesamtbibliographie).

Mc Glathery, James: Mysticism and Sexuality, (s. Bibliographie zu AB II). [Abgesehen von der Überbetonung von Sexualität und Sublimation im Werk Hoffmanns wertvolle Erläuterungen zu Zusammenhängen zwischen Leben und Werk. Intensive Auseinandersetzung mit des Autors Quellen und mit der E. T. A. Hoffmann-Forschung.]

Mühlher, Robert: Deutsche Dichter der Klassik und Romantik. Wien 1976, S. 260–524. [S. besonders Kap. „Porträts", S. 260–283. Souveräne und differenzierte Verknüpfung von Leben und Werk des Autors.]

Rüdiger, Horst: Zwischen Staatsraison und Autonomie der Kunst. In: Jonas, Klaus W. (Hrsg.): Deutsche Weltliteratur von Goethe bis Ingeborg Bachmann. Tübingen 1972, S. 89–114. [Befaßt sich mit der Knarrpanti-Episode.]

Safranski, Rüdiger: E. T. A. Hoffmann, (s. Gesamtbibliographie).

Segebrecht, Wulf: Autobiographie und Dichtung, (s. Gesamtbibliographie).

Segebrecht, Wulf: E. T. A. Hoffmanns Auffassung vom Richteramt und vom Dichterberuf. Mit unbekannten Zeugnissen aus Hoffmanns juristischer Tätigkeit. In: Jahrbuch der Deutschen Schillergesellschaft 11 (1967), S. 62–138.

Segebrecht, Wulf: Krankheit und Gesellschaft, (s. Bibliographie zu AB I B.).

Wittkop-Ménardeau, Gabrielle: E. T. A. Hoffmanns Leben und Werk in Daten und Bildern, (s. Gesamtbibliographie).

Wittkop-Ménardeau, Gabrielle: E. T. A. Hoffmann in Selbstzeugnissen und Bilddokumenten. Reinbek bei Hamburg 1983. rororo Bildmonographien rm 113. [Kurz und prägnant, berücksichtigt in der Abhandlung nicht immer den neueren Stand der Forschung. Liste von sämtlichen Werken E. T. A. Hoffmanns mit Erscheinungsdatum, ausführliche Bibliographie. Neue Titel seit der ersten Ausgabe von 1966 nachgetragen.]

II. Sprache, Stil, Poetik

A. Zu Sprache und Stil Hoffmanns

In seinem Forschungsbericht aus dem Jahre 1962 hat Klaus Kanzog darauf aufmerksam gemacht, daß es bislang erstaunlich wenig Arbeiten gegeben habe, die sich mit dem Problem der Sprache bei Hoffmann beschäftigt hätten (S. 15). Diese Feststellung hat trotz einiger neuerer wichtiger Untersuchungen (von Helmut Müller, Thomas Bourke und nicht zuletzt von Klaus Kanzog selber) bis heute ihre Gültigkeit bewahrt. Ein Grund hierfür ist vielleicht in der Tatsache zu suchen, daß sich die Sprache Hoffmanns keiner besonderen Wertschätzung erfreut. Was immer man an dessen Werken bewundert hat, seine Sprache und sein Stil blieben dabei in aller Regel ausgespart. Josef Nadlers berühmtes, wenngleich undifferenziertes und unhaltbares Urteil in der *Literaturgeschichte der deutschen Stämme und Landschaften* (4. Bd., 1928, S. 109): „Hoffmann schreibt unnachahmlich schlecht", bildet nur die radikalste Ausformung einer weit verbreiteten Einstellung gegenüber den handwerklichen Fertigkeiten dieses Schriftstellers.

Die Einwände gegen Hoffmanns Sprachstil lassen sich in zwei Gruppen zusammenfassen. Zum einen wird das Formelhafte, Stereotype in seinen Erzählungen kritisiert. Walter Müller-Seidel z.B. hält – als Kommentar zum *Kater Murr* in der von ihm herausgegebenen Ausgabe – fest:

> In der Tat bedient sich Hoffmann sehr stereotyper Wendungen, besonders dort, wo es über dem Erlebnis der Kunst die Idee der Begeisterung oder die Erfahrung des Leides zu formulieren gilt. Da hören wir denn allzuoft, daß jemand vom Entsetzen erfaßt wird oder daß etwas sein Inneres durchbebt. (II/687)

August Langen meint: „Hoffmanns typischer Wortschatz ist [...] dem Trivialroman und der Almanachsnovelle verhaftet, klein und unoriginell" (Sp. 1253). In der Wahl seiner Bilder greife er immer wieder auf seinen recht begrenzten Formelschatz zurück. Da sei vom „elektrischen Schlag" die Rede, vom „Eisstrom", der durch alle Glieder fröstele, vom „glühenden Dolch", der das Innerste durchbohre, und vom Gespräch, das „mit scharfen Krallen" in die Brust greife. Neben diesen Bildern, die man geradezu als Charakteristikum des ‚Hoffmannesken' hat verstehen wollen, sei auch eine gewisse Undifferenziertheit bei der Gestaltung der Personen, insbesondere der Frauenfiguren feststellbar (Schmerbach, S. 85; v. Schenck, S. 682; s. auch AB IV D.2.2.). Auch der Bereich der konkreten Gegenstände, insbesondere die Natur, sei auf eine Weise schematisiert, die das Fehlen eines unmittelbaren Verhältnisses wahrscheinlich mache (v. Schenck, S. 681 f.).

Zum andern wird an Hoffmanns Sprachstil häufig das Uneinheitliche und Unstimmige kritisiert. Arthur Gloor hat diese Richtung der Kritik in einem Satz pointiert zusammengefaßt: „Hoffmanns ‚Stil' liegt eben in seiner Stillosigkeit" (S. 128). Dieser Befund ist in der Folgezeit zwar weitgehend bestätigt, zugleich aber auch von seiner – schon bei Gloor nicht mehr nur – negativen Bewertung befreit worden. Thomas Bourke versuchte Hoffmann unter dem Stichwort: „Stilbruch als Stilmittel" – so der Haupttitel seiner Dissertation – gerecht zu werden. Damit brachte er freilich nur auf eine Formel, worauf schon sein Lehrer Walter Müller-Seidel in dem erwähnten Nachwort zum *Kater Murr* hingewiesen hatte: Die Brüche, bzw. „Brechungen" seien Ausdruck eines Stilwillens; sie höben „jede Verfestigung auf" (II/687). Müller-Seidel hat damit auch bereits die Richtung gewiesen für ein angemesseneres Verständnis der für Hoffmann so charakteristischen Formelsprache.

Den negativen Urteilen über die stereotypen Bilder und Gestalten dieses Autors liegen zumeist ungeschichtliche Normvorstellungen zugrunde, an denen der Text unausgesprochen gemessen wird. So wenig etwa ein unmittelbares Verhältnis zur Natur in den Werken eines jeden Schriftstellers, ganz gleich welcher Epoche, erwartet werden kann und darf, so wenig ist eine formelhafte Gestaltung, für sich genommen, schon ein Kriterium ästhetischer Minderwertigkeit. Klaus Kanzog hat als einer der ersten versucht, für die Tendenz zum Formelhaften eine inhaltliche Begründung zu geben:

> Je sinngebundener ein Dichter auch mit scheinbarer Hinwendung auf Objekte, an die eigene *Phantasie* und ihre Vorstellungen bleibt, desto abstrakter gestaltet sich seine bildliche und metapherhafte Sprache als System psychischer Spurphänomene; je sinngebundener ein Dichter dagegen an die äußere *Wirklichkeit*, an ihre Erscheinungen und Objekte ist und sich aus seinem unbewußten stilistischen Zwangssystem zu lösen vermag, desto konkreter gestaltet sich seine bildliche und metapherhafte Sprache als Ausdruck des Gegenstandes, der Sache, der Handlung oder der Idee selbst (1951, S. 9; zit. nach 1978, S. 636).

Kanzogs Begründungsversuch ist von Helmut Müller differenziert worden. Müller begreift die Formelhaftigkeit der Hoffmannschen Sprache weder primär als sprachliches Unvermögen, noch will er sie bloß als Ausdruck einer „unkontrollierten Erzähl- und Karikiermotorik" (S. 114) verstehen. Seine eigene Position, die sich stark an Untersuchungen seines Lehrers Werner Kohlschmidt zum Eichendorffschen Sprachstil anlehnt, ist gekennzeichnet durch eine produktionsästhetische Perspektive. Hoffmanns Stil, seine Formelhaftigkeit, sei – so Müller – das Resultat einer für den Autor charakteristischen und immer aufs Neue sich wiederholenden „Grundsituation“ (S. 39). Dieser habe die Wirklichkeit stets als dissonant erleben müssen. Konfliktsituationen und Konflikterlebnisse bildeten das „heftig Motivierende“, die „Formkräfte“, die nicht nur in den Tagebüchern, sondern auch in den Erzählungen immer wieder zur Entstehung von sogenannten „Konfliktformeln“ geführt hätten (S. 114 u.ö.). Der Schematismus entspräche genau der beunruhigend zwanghaften Konstanz, mit der das Entsetzliche nach Hoffmanns Meinung über die alltägliche Welt herrsche.

Müllers Arbeit ist nicht frei von Widersprüchen, dennoch ist sie ein wichtiger Beitrag zum Stil Hoffmanns, weil sie energisch gegen die stereotype Gleichsetzung von mangelnder sprachlicher Differenziertheit und mangelnder literarischer Qualität Einspruch erhebt.

Zu einer ähnlichen Schlußfolgerung gelangt, wenn auch von ganz anderen weltanschaulichen und methodischen Voraussetzungen ausgehend, Hans-Georg Werner in seinem Aufsatz ‚Der romantische Schriftsteller und sein Philister-Publikum‘. Werner, dem überhaupt – neben Hans Mayer und Franz Fühmann – das Verdienst zukommt, innerhalb der DDR-Germanistik ein unbefangeneres Verhältnis zu Hoffmann eingeleitet und durchgesetzt zu haben, argumentiert von einem wirkungsästhetischen Standpunkt aus und kommt auf diese Weise gleichfalls zu einer positiven Würdigung des Sprachstils von Hoffmann. Dieser habe sich im Unterschied zu Schiller und Goethe und auch zu frühromantischen Autoren wie Novalis und Friedrich Schlegel nicht an ideale Leser gewandt; vielmehr seien seine Erzählungen im Hinblick auf ein Publikum konzipiert, das durch eine bornierte Alltagsmentalität, durch ein in philiströsem Geschäftsleben befangenes Bewußtsein gekennzeichnet sei. Hoffmann habe nicht nur einen möglichst großen Leserkreis erreichen wollen, die Wirkungsstrategie der meisten seiner Texte sei obendrein auch darauf angelegt, diese Leserschichten zu provozieren durch „Erschütterung einer ‚normalen‘ Selbstsicherheit“, durch „Verfremdung des Alltags“ und durch „Diskreditierung üblicher Konventionen“ (1978, S. 105). Die Absicht, sich auf die Lebensbedingungen eines nicht privilegierten Publikums einzulassen, um dieses packen und verunsichern zu können, habe den Einsatz kräftigster literarischer Stimulanzien notwendig gemacht. Wenn Hoffmann bei der Wahl seiner formalen und stofflichen Mittel den stärksten Impulsen nachgebe und auf Nuancen verzichte, so dürfe doch nicht übersehen werden, daß diese Mittel eingesetzt würden, um Vorurteile nicht zu verfestigen, sondern aufzulösen. Die technischen Kunstgriffe aus dem „bekannten Repertoire E.T.A. Hoffmanns“ (S. 108) dienten fast immer einer übergreifenden Wirkungsstrategie, nämlich der Funktion, auf Widersprüche und Gefährdungen des Lebens aufmerksam zu machen. Werner beruft sich bei dieser Einschätzung auf die viel zitierte Äußerung Theodors aus den *Serapions-Brüdern:*

> Nichts ist mir mehr zuwider als wenn in einer Erzählung, in einem Roman der Boden, auf dem sich die fantastische Welt bewegt hat, zuletzt mit dem historischen Besen so rein gekehrt wird, daß auch kein Körnchen, kein Stäubchen bleibt, wenn man so ganz abgefunden nach Hause geht, daß man gar keine Sehnsucht empfindet noch einmal hinter die Gardinen zu kucken. (III/355)

Wenn die darstellerischen Mittel in den Hoffmannschen Erzählungen, für sich genommen, auch zuweilen schablonenhaft wirken und nicht eben von Subtilität zeugen, so sind sie – Werner zufolge – doch zumeist in einen Kontext eingebunden, der als Ganzes den Schematismus der Einzelelemente aufhebt. „Zuletzt" verflüchtigt sich die Trivialität zugunsten einer Irritation, die umso nachdrücklicher den Leser befällt, als dieser sich gerade aufgrund jener stereotypen Einzelheiten auf offensichtlich vertrautem Boden zu befinden glaubte. Dieser Wirkungsmechanismus gilt allerdings nicht für alle Erzählungen Hoffmanns in gleichem Maße. Werner zeigt ihn in seinem Aufsatz beispielhaft auf bei seiner Interpretation des *Rat Krespel* und der *Brautwahl,* läßt im übrigen aber offen, bei welchen Werken die von ihm beschriebene Wirkungsstrategie sich nicht entfalten kann. (Als ein solches mißlungenes Werk muß beispielsweise die kurze Prosaskizze *Die Vision auf dem Schlachtfelde bei Dresden* gelten. Hier bleiben die Stereotype bis zum Ende als solche erhalten, und statt einer Irritation gängiger Vorstellungen triumphiert die propagandistisch zugerichtete Affirmation traditioneller Motive und Bildkomplexe.)

B. Zur Poetik Hoffmanns

Es gibt keine längere poetologische Abhandlung von Hoffmann. Die Briefe und Tagebücher sind relativ arm an Mitteilungen über literaturtheoretische Fragen. Hoffmanns poetologische Vorstellungen lassen sich jedoch bis zu einem gewissen Grade aus seinen Erzählungen erschließen. Insbesondere werden sie erkennbar, wenn man die drei Sammelwerke, die der Autor von seinen Erzählungen herausgegeben hat, auf ihren inneren Zusammenhang hin überprüft.

1. Die einheitskonstituierenden Momente in Hoffmanns Werk

Die Tatsache, daß die Erzählungen der drei Sammelwerke, der *Fantasiestücke in Callots Manier,* der *Nachtstücke* und der *Serapions-Brüder,* zum Teil zuerst einzeln veröffentlicht wurden, hat dazu geführt, daß man die kompositorische Einheit, ja gar jeglichen Zusammenhang der in jenen Zyklen zusammengefaßten Erzählungen bestritt. Die Zusammenfassung wurde als rein kommerzielle Maßnahme dargestellt, die dem Verleger und dem Autor eine zusätzliche Verdienstmöglichkeit sichern sollte.

Der Umstand jedoch, daß eine Erzählung für sich genommen Selbständigkeit besitzt und im Vertrauen auf diese Qualität einzeln veröffentlicht wurde, schließt prinzipiell nicht aus, daß sie im Kontext mit anderen Erzählungen zusätzliche Bedeutungsnuancen erhält. Im Gegenteil, es entsteht nun ein Verweisungsgeflecht, das die in jedem Werk angelegten Sinnbezüge differenziert und vertieft. Der Titel des Gesamtwerks und der Charakter der Einzelwerke stehen in einem Verhältnis wechselseitiger Angewiesenheit. Wie jener diesem angemessen sein muß, so stimmt er doch zugleich auch auf sie ein, gibt ihnen einen gemeinsamen Nenner und modifiziert so ihren Sinn. Da die Obertitel in allen drei Fällen von Hoffmann selber stammen oder doch zumindest mit seinem Einverständnis verwendet worden sind, kann man den Akt der Neuprogrammierung als Wiederaufnahme der Arbeit an einem schon einmal abgeschlossenen Werk betrachten. Dieser Vorgang stellt sich bei den drei von Hoffmann herausgegebenen Sammelbänden eigener Werke unterschiedlich dar und läßt sich auch – aufgrund der Tatsache, daß wir über die drei Fälle nicht in gleich umfassender Weise Informationen besitzen – nur unterschiedlich genau rekonstruieren.

1.1. Die Callot'sche Manier

Hoffmanns erster, 1814/1815 in vier Teilen erschienener Erzähl-Sammelband sollte bereits in dem von Carl Friedrich Kunz und dem Autor gemeinsam unterzeichneten Verlagsvertrag vom 18. März 1813 *Fantasiestücke in Callot's Manier* heißen (s. die Einleitung von Maassens in dessen Ausgabe, 1. Bd., S. XIII). Doch war dieser Titel keineswegs der ursprüngliche, unter dem die zumeist schon vorher einzeln (nämlich größtenteils in der von Johann Friedrich Rochlitz herausgegebenen ‚Allgemeinen musikalischen Zeitung') publizierten Erzählungen zusammengefaßt werden sollten. Zunächst hätte er ‚Bilder nach Hogarth' heißen sollen. Die Berufung auf den von Hoffmann geschätzten englischen Kupferstecher im Titel hätte einen irreführenden Eindruck über das Ausmaß des Satirischen in jener ersten Erzählsammlung hervorgerufen (vgl. hierzu Werner, 1971, S. 48).

Was den ursprünglich intendierten Titel mit dem endgültigen verbindet, ist der Umstand, daß in beiden Fällen die Erzählungen in den Bereich der bildenden Kunst eingeordnet erscheinen. Hierin manifestiert sich nicht nur Hoffmanns große Vorliebe und auch Begabung für diesen Kunstzweig, sondern auch seine Bereitschaft, sich als Schriftsteller von

Bildern anregen zu lassen (s. Winter, S. 14), und seine noch im Spätwerk – etwa in *Des Vetters Eckfenster* – nachweisbare Neigung, Ereignisse und Handlungen wie Bilder zu beschreiben. Hogarth und Callot weisen zudem einige Gemeinsamkeiten auf. Beide wählen häufig ihr Sujet aus dem Bereich des Alltäglichen, und beide verzichten zuweilen auf Ausgewogenheit und Objektivität zugunsten einer prägnanten Zuspitzung eines Problems oder einer zu vermittelnden Intention.

Hoffmann hat jedenfalls auf diese Eigentümlichkeit des von ihm schließlich gewählten Gewährsmannes besonderen Nachdruck gelegt. Als Jean Paul in seiner Vorrede zu den *Fantasiestücken* den Zusatz „in Callots Manier" kritisierte und stattdessen den Titel „Kunstnovellen" vorschlug (s. I/8), insistierte Hoffmann in einem Brief vom 8. September 1813 an Kunz auf diesem Zusatz:

> In Eil füge [ich] noch hinzu, daß in dem Aufsatz: Jacques Callot, recht eigentlich der Zusatz auf dem Titel: in Callots Manier, erklärt ist, nehmlich: *die besondere subjektive Art* wie der Verfasser die Gestalten des gemein(en) Lebens anschaut und auffaßt, soll entschuldigt seyn. (Br I/416)

Der in dem Brief genannte Aufsatz über Jacques Callot, der die *Fantasiestücke* einleitet, liefert eine ausführliche Würdigung, aus der auch die besondere Affinität zwischen den Werken dieses lothringischen Künstlers und den Erzählungen Hoffmanns ersichtlich wird.

Der erste, mehrfach hervorgehobene Grundzug der Callotschen Blätter ist für den Verfasser der *Fantasiestücke* die Tendenz zum Phantastischen (‚phantastisch' hier zunächst in einem allgemeinen Sinn als phantasiereich oder phantasiehaltig). Wie wichtig dem Autor diese Eigentümlichkeit war, wird schon aus der Tatsache ersichtlich, daß er seinen Erzählband „*Fantasiestücke*", d.h. „Phantastische Gemälde " (so Wolfgang Kron in den Anmerkungen unserer Ausgabe, I/776) nannte, der damit – zusammen mit dem Zusatz „in Callots Manier"– gleich einen zweifachen Hinweis auf das Moment des Phantastischen im Titel trug, denn Callots Zeichnungen „sind nur Reflexe aller der fantastischen wunderlichen Erscheinungen, die der Zauber seiner überregen Fantasie hervorrief" (I/12).

Wenn Hoffmann an Callot die Ironie hervorhebt, „welche, indem sie das Menschliche mit dem Tier in Konflikt setzt, den Menschen mit seinem ärmlichen Tun und Treiben verhöhnt", so verweist diese „aus Tier und Mensch geschaffene groteske" (12) Darstellungsweise zugleich auch auf Stileigentümlichkeiten, die für die *Nachricht von den neuesten Schicksalen des Hundes Berganza,* den „Grundstein der *Fantasiestücke*" (von Maassen, Einleitung zu Bd. 1, S. XI), den *Goldnen Topf* und die *Nachricht von einem gebildeten jungen Mann* gleichermaßen gelten. Ja, die Callot zugeschriebene Darstellungsweise ist eine treffende Charakterisierung auch des *Kater Murr* und mancher der späteren Erzählungen Hoffmanns. Die „geheimen Andeutungen, die unter dem Schleier der Skurrilität verborgen liegen" (12f.), lassen sich nicht nur bei Callot entdecken; sie verweisen auch auf den Stil der *Fantasiestücke* und auf dasjenige, was man allzu schnell unter dem Schlagwort des ‚Hoffmannesken' zu fassen versucht hat. Selbst der dem Autor immer wieder, und mit Recht, zugewiesene Zug zum Unheimlichen findet sich in jenem Aufsatz als Kennzeichen Callots: Wenn festgehalten wird, daß selbst dessen aus dem Leben genommene Darstellungen noch „etwas fremdartig Bekanntes" auszeichnet (12), so wird damit fast wörtlich die Definition des Unheimlichen von Freud aus dem berühmten Aufsatz von 1919 vorweggenommen.

Der Beitrag über Callot gibt nicht nur eine Begründung und Rechtfertigung für den Titel der *Fantasiestücke,* er stellt auch ein Programm dar, das die unterschiedlichen Beiträge der ganzen Sammlung zu einer Einheit zusammenfügt, zugleich aber auch, wie Sdun (S. 35) mit Recht festhält, „für eine Reihe" von Hoffmanns Werken Gültigkeit besitzt.

1.2. Die Manier der ‚Nachtstücke'

Im Unterschied zu den Erzählungen des vorausgegangenen und auch des nachfolgenden Sammelbandes sind die des mittleren nicht einzeln, sondern sogleich im Verband unter dem endgültigen Titel veröffentlicht worden. Schon aus diesem Grunde lag es nahe, den acht Erzählungen der *Nachtstücke* „eine starke thematische Geschlossenheit" zuzusprechen (Winter, S. 65). Hauptthema dieser Sammlung sei – so Winter (ebda.) – „das Abartige und Dämonische in der menschlichen Natur".

Über die Umstände, die zum Titel des zweiteiligen Werks geführt haben, liegen keine genauen Informationen vor. Nach Thomas Anz (S. 298) stammt die Anregung für den Titel von Jean Paul. Von Maassen weist (in der Einleitung zum 3. Bd. seiner Ausgabe, S. IX) darauf hin, daß ein Teil der Erzählungen, wie etwa *Der Sandmann,* des Nachts geschrieben worden sei. Freilich vermag ein solcher Hinweis allein die Wahl des Titels nicht hinreichend zu klären und zu rechtfertigen. Dieser läßt eine ganze Reihe von Assoziationen zu, die sowohl beim Autor als auch beim zeitgenössischen literarisch versierten und kulturell gebildeten Leser vorausgesetzt werden können.

Zu denken wäre hier an Anklänge an die von Johann Arnold Ebert übersetzten *Klagen oder Nachtgedanken* (1751) Edward Youngs, an die – gleichfalls aus England importierte – Gothic Novel mit ihrem nächtlichen Schauerinventar von Gespenstern, Geistern, Ruinen, Femegerichten und Geheimbünden, an Hardenbergs *Hymnen an die Nacht* (1800) und an Schuberts *Ansichten von der Nachtseite der Naturwissenschaft*

(1808) – ein Werk, das sich zum Ziel setzte, jene Gegenstände und Erscheinungen, „die man zu dem Gebiete des sogenannten Wunderglaubens gezählt hat", nicht mehr aus dem Gesamtgebiet der Naturwissenschaft auszuschließen – auch auf die Gefahr hin, daß dadurch eine neue Konzeption dieser Disziplin notwendig werden würde (S. 2). Sowohl bei Schubert (s. etwa *Ansichten,* S. 9) wie auch bei Novalis erhält die Nacht eine metaphorische Funktion im Zusammenhang mit jenem geschichtsphilosophischen triadischen Modell, das auch für Hoffmann bedeutungsvoll gewesen ist (s. AB III D.2.3. sowie AB I B.4.).

Wichtiger noch als diese Verwandtschaft erscheint die terminologische Herkunft des Titels. ‚Nachtstücke' ist ein Fachausdruck, den der Autor aus dem Bereich der Malerei übernommen hat. Das Wort ‚Stücke' bedeutet, wie schon im Titel der *Fantasiestücke,* soviel wie ‚Gemälde'. Ein Nachtstück ist ein Bild, das Figuren, Gegenstände oder Landschaften in nächtlicher oder künstlicher Beleuchtung zeigt. Meister dieses Genres waren Rembrandt (s. Hoffmanns parodistische Nachahmung als Dosengemälde mit dazugehöriger Bildbeschreibung, V b, nach 32 und 14ff.), Pieter Breughel der Jüngere (sog. ‚Höllenbreughel'), Gerard van Honthorst und vor allem Antonio Correggio. Letzterem, der übrigens in den *Nachtstücken* erwähnt wird (I/425), galt Hoffmanns besondere Verehrung (vgl. I/639 und Br I/135).

Um die Vorstellungen zu verdeutlichen, die Hoffmann und seine Zeitgenossen mit dem Terminus ‚Nachtstücke' verbanden, sei hier die Definition Johann Georg Sulzers zitiert, die dieser in seiner *Allgemeinen Theorie der Schönen Künste* gegeben hat:

> Nachtstük [sind] Gemählde, deren Scene weder Sonne noch Tageslicht empfängt, sondern nur durch Fakeln oder angezündete Lichter unvollkommen erleuchtet wird. In dem Nachtstük werden die Stellen, wo das Licht nicht unmittelbar hinfällt, durch keine merkliche Wiederscheine erleuchtet, es sey denn, daß sie ganz nahe an dem Lichte liegen. Alle eigenthümlichen Farben, deren eigentliche Stimmung von dem natürlichen Tageslicht oder Sonnenschein herkommt, verlieren sich in dem Nachtstük, das alle Farben ändert. Alles nimmt den Ton des künstlichen Lichtes an [...]. Daraus folget, daß das Nachtstük dem Auge durch den so mannichfaltigen Reiz der Farben, nie so schmeicheln werde, als ein anderes Stük; und in der That sind die meisten Nachtstüke so, daß ein nach Schönheit der Farben begieriges Auge wenig Gefallen daran findet.[...] (Artikel: Nachtstük. 2. Theil, Ausgabe Biel 1777, S. 294)

Sulzers Artikel spiegelt deutlich die Vorbehalte, die von aufklärerischer, dem Prinzip der Naturnachahmung verpflichteter Seite gegen dieses Genre erhoben worden sind. Gerade aber die Eigentümlichkeiten, denen Sulzer Skepsis entgegenbrachte, verhalfen dieser Gattung zur Beliebtheit und zu einer Blütezeit im Frühbarock (s. Pikulik, S. 347f.) und sicherten ihr überdies Hoffmanns besondere Zuneigung. Das Antiklassische, Grelle, das den Kontrast statt einer Abstufung der Hell-Dunkel-Werte geradezu sucht und anstelle einer wohlabgewogenen harmonischen Schönheit das Verzerrte und Entstellte zur Darstellung bringt, hat Hoffmann offensichtlich besonders angesprochen. Durch die Künstlichkeit der Beleuchtung wird den Gegenständen, wie Sulzer behauptet, die „eigenthümliche" Farbe genommen; sie erscheinen in einem extrem subjektiven Lichte, also genau in der Weise, die Hoffmann als „Callotsche Manier" entschuldigt wissen wollte.

Damit wäre in etwa das Assoziationsfeld abgesteckt, das mit dem Titel ‚Nachtstücke' gegeben ist. Hoffmann war der Meinung, daß ein solcher Titel zusammen mit den acht Erzählungen des Bandes eine Einheit ergäbe, die jeder einzelnen Geschichte eine zusätzliche Bedeutung verleihen könnte. Das geht aus einem Brief an Kunz hervor, dem der ‚Revierjäger' (endgültiger Titel: *Ignaz Denner)* als separates Werk nicht gefallen hatte. „Lesen Sie doch", so schrieb der Autor seinem Bamberger Verlegerfreunde, „die Nachtstücke, worin sich der von Ihnen verschmähte Revierjäger nicht uneben ausnimmt!" (Br II/121).

Freilich wäre es andererseits falsch anzunehmen, daß die Einheit der *Nachtstücke* gelitten hätte, wenn anstelle einer der acht Erzählungen eine andere, etwa der *Goldne Topf* aus den *Fantasiestücken* in dem Bande Aufnahme gefunden hätte. Auch diese Erzählung ist in gewisser Weise ein ‚Nachtstück' – nicht nur aufgrund ihrer Einteilung in ‚Vigilien', sondern erst recht, weil sich in ihr die deutlichste Anspielung auf den terminus technicus der Malerei findet. Was dort in der 7. Vigilie, und zwar in der großen Leseranrede, unter dem Stichwort „Rembrandt und Höllenbreughel" (I/218 und 221) beschrieben wird, erfüllt jedenfalls genau die Kriterien, die Sulzer als konstitutiv für jenes Genre erachtete. Die Zusammenfassung der acht Erzählungen im Rahmen des Titels der *Nachtstücke* hat demnach vor allem eine integrative Funktion: Sie verhilft den Erzählungen zu einer thematischen und stilistischen Einheit, ohne darum schon eine Abgrenzung gegenüber den beiden anderen Sammelbänden darzustellen.

1.3. Das Serapiontische Prinzip

Komplizierter als bei den *Fantasiestücken* und den *Nachtstücken* stellt sich das Problem bei den *Serapions-Brüdern*. Die Geschichten, die in den vier 1819–1821 erschienenen Bänden zusammengefaßt wurden, sind größtenteils bereits zuvor einzeln publiziert worden. Im Verhältnis zu den Erzählungen der *Fantasiestücke* haben die hier zusammengestellten Beiträge bei ihrer erneuten Veröffentlichung tiefgreifendere Veränderungen erfahren. Nicht nur wurden sie einer gründlichen Redaktion unterzogen, worauf Segebrecht in den Anmerkungen unserer Ausgabe (III/1035) verweist; sie veränderten sich auch durch die Einbettung in Rahmengespräche kunst- und literaturinteressierter Freunde. Die Gespräche dieser Freunde, der Serapionsbrüder Theodor, Ottmar, Lothar, Vinzenz, Cyprian und Sylvester, kommentieren mehr oder weniger ausführlich die einzelnen Geschichten. Das kann jeweils vor oder nach einer Erzählung geschehen, und zwar in einer Weise, die es manchmal schwierig macht, zwischen Unterhaltung und mündlicher Erzählung überhaupt noch zu unterscheiden (vgl. hierzu Goldstein, S. 48 und 92). Daß sich durch solche Verknüpfung von Rede und Erzählung, von Kommentar und Kommentiertem, Modifikationen der zunächst einzeln publizierten Geschichten ergeben, ist Hoffmann selber deutlich gewesen (vgl. Theodors Rede von der schaffenden Kraft der Erinnerung in III/57).

Der Plan zum Abdruck bereits erschienener Erzählungen geht auf einen Vorschlag des Verlegers Georg Reimer zurück. Hoffmanns Antwortbrief vom 17. Februar 1818 scheint die These mancher Interpreten zu bestätigen, welche die Wiederveröffentlichung alter Texte in neuer Form ausschließlich mit kommerziellen Erwägungen des Autors zu begründen versuchen. Der Autor will die Wahl des Titels seinem Verleger überlassen in der Hoffnung, dieser wisse schon, was zu machen sei, „daß das Buch besser geht" (Br II/156). Der Brief zeigt jedoch zugleich, daß Hoffmanns Vorstellungen von jener Sammelausgabe noch sehr vage sind, denn als Überschrift erwägt er den „simplen Titel: Erzählungen". Eine Woche später empfiehlt er dann Reimer, man solle seine gesammelten Erzählungen und Märchen „Die Seraphinen Brüder" nennen (Br II/157).

Mit diesem Namen beruft er sich auf den von ihm so getauften ‚Orden', der am 12. Oktober, dem Namenstag des Heiligen Serafino da Montegranaro, gegründet worden war und in dem er und seine Berliner Freunde Carl Wilhelm Salice Contessa, Julius Eduard Hitzig, Johann Ferdinand Koreff, die Gebrüder Ernst und Friedrich von Pfuel und Georg Seegemund sich zusammengeschlossen hatten. Dieser Orden, zu dem sich zeitweilig noch Adelbert von Chamisso, Joseph von Eichendorff, Friedrich de la Motte Fouqué, Theodor Gottlieb von Hippel, Werner von Haxthausen, August Oetzel und Ludwig Robert gesellten, löste sich 1816 auf und wurde am 14. November 1818, dem Tag des Heiligen Serapion Sindonita, unter dem modifizierten Namen aufs Neue gegründet. Hoffmann hat offenbar die Gespräche und Kommentare der Serapionsrunde für seine Rahmenerzählung verwertet. (Die in den *Serapions-Brüdern* auftretenden Figuren Ottmar, Sylvester und Vinzenz sind nach Schnapp, S. 106, mit Hitzig, Contessa und Koreff identifizierbar.)

Bei der Beantwortung der Frage, was denn die Einheit jener vier Erzählbände ausmache, hat man dem Serapiontischen Prinzip mehr und mehr Bedeutung zugesprochen (s. Winter, S. 9; Toggenburger, S. 39 und

Steinecke, S. 1322f.). Freilich ist auch mit dem Hinweis auf dieses Prinzip als einheitsstiftendes Element noch wenig ausgerichtet. Die Äußerungen darüber in den Rahmengesprächen und auch die programmatischen Einleitungsgeschichten vom Einsiedler Serapion und vom Rat Krespel sind nicht so eindeutig, als daß es nicht zu kontroversen Meinungen gekommen wäre. Bei „den nie fehlenden Besprechungen des serapiontischen Prinzips" (Daemmrich, S. 658, Anm. 1) hat man sich daher gerne – in einer Art Minimalkonsens – an der Verpflichtung orientieren wollen, die bei der Gründung des Serapionsbundes von Theodor aufgestellt wird: Die Mitglieder des Bundes seien übereingekommen, bei ihren wöchentlichen Zusammenkünften ihre poetischen Produkte wechselseitig sich mitzuteilen und dabei „sich durchaus niemals mit schlechtem Machwerk zu quälen" (56). Doch diese Verpflichtung liefert – durch das Fehlen jeglichen inhaltlichen Kriteriums – nur einen sehr vagen Anhaltspunkt bei der Festlegung dessen, was den Zusammenhang und die Einheit des ganzen Erzählzyklus ausmacht. Und sie kann z.B. nicht hinreichend verdeutlichen, warum Leander mit seinen Geschichten im Kreis der Serapionsbrüder keine Aufnahme und kein Gehör findet (100f.) und warum Erzählungen wie der *Fermate* oder *Signor Formica* das Prädikat ‚serapiontisch' verweigert wird (74 und 766).

Wichtiger und als Kriterium für das Serapiontische Prinzip von größerer Bedeutung ist eine andere Verpflichtung, welche die Serapionsbrüder untereinander eingehen:

> Wenigstens strebe jeder recht ernstlich darnach, das Bild, das ihm im Innern aufgegangen recht zu erfassen mit allen seinen Gestalten, Farben, Lichtern und Schatten, und dann, wenn er sich recht entzündet davon fühlt, die Darstellung ins äußere Leben (zu) tragen. (55)

Mit dieser Maxime wird die reine Nachahmung der äußeren Natur verworfen. Ausdrücklich gilt eine Erzählung als unserapiontisch, wenn sie nur „mit leiblichen Augen geschaut" ist (74). Das bedeutet nicht, daß die Außenwelt gleichgültig und unerheblich ist für den poetischen Prozeß. Sie darf und soll das Subjekt „entzünden" können (s. auch 100) oder, wie es häufig heißt: Sie soll als tüchtiger „Hebel" dienen (274, 54f.; vgl. hierzu Winter, S. 13ff. und Schumm, S. 166). Aber es kommt nicht auf ihre Physiognomie an, sondern auf die durch diese ausgelöste anregende Kraft, die das Schauen „mit dem Auge unsers Geistes" ermöglicht (vgl. 255 und 260). Je reiner die „innern Augen" (Vb/100) wirken können, je ungestörter die Imagination zum Zuge kommen kann, desto sicherer „entzündet" das Werk auch den Leser, d.h. desto besser funktioniert auch der Rezeptionsprozeß.

Die als Demonstrationsmodell erzählte Geschichte von Serapion schränkt jedoch die Gültigkeit dieses Funktionszusammenhangs für das

Serapiontische Prinzip deutlich ein. Es gibt – so lehrt diese Erzählung – innere Gesichte, die sich in einer Weise von der Außenwelt abgekoppelt haben, daß deren Eigentümlichkeit, ja selbst deren Existenz geleugnet wird. Dem Einsiedler ist „die Erkenntnis der Duplizität [...], von der eigentlich allein unser irdisches Sein bedingt ist", abhanden gekommen (54). Lothars Ansprache an den „wahnsinnigen Serapion" (55) erläutert und begründet zugleich die Kritik an einer allzu selbstherrlichen Imaginationskraft:

> Aber du, o mein Einsiedler! statuiertest keine Außenwelt, du sahst den versteckten Hebel nicht, die auf dein Inneres einwirkende Kraft; und wenn du mit grauenhaftem Scharfsinn behauptetest, daß es nur der Geist sei, der sehe, höre, fühle, der Tat und Begebenheit fasse, und daß also auch sich wirklich, *das* begeben was er dafür anerkenne, so vergaßest du, daß die Außenwelt den in den Körper gebannten Geist zu jenen Funktionen der Wahrnehmung zwingt nach Willkür. Dein Leben, lieber Anachoret, war ein steter Traum [...]. (54f.)

Serapion ist zwar durchaus ein ernstzunehmender Dichter, wie mehrfach betont wird (26f., 53f.); seine Erzählungen besitzen „Lebendigkeit" (zu diesem Kriterium s. Winter, S. 28ff.) und reißen den Zuhörer unwiderstehlich fort. Sie kennen aber kein „Maß und Ziel" und verwirren „ins Blaue hinein Verstand und Geist" (52, s. auch 994f.). Schreiben kann man zwar nicht nur mit dem Verstand – diese falsche Maxime hat sich Leander zu eigen gemacht, und darum vor allem scheidet er aus dem Kreis der Serapionsbrüder aus –, aber es darf auch nicht ohne Verstand vonstatten gehen (s. 254 und Winter, S. 17).

Analog hierzu darf auch das Wunderbare nicht allein vorherrschen. Es wird erst dann akzeptabel, wenn es in eine – wenn auch unter Umständen angespannte – Beziehung zur Außenwelt gestellt wird. Die mit „magischer Gewalt" (26) erzählten Geschichten brauchen eine sichere formale Grundlage, welche in den *Serapions-Brüdern* durch die kritische Runde der Gesprächsteilnehmer gegeben ist (s. hierzu vor allem Köhn, S. 118 und S. 136). Der „wahnsinnige Serapion" kommt als Patron der Freunde nur darum in Frage, weil der gleichnamige Märtyrer am Tage der Ordensgründung, dem 14. November, *tatsächlich* Namenstag hat. Das Phantastische muß mit dem Geschichtlichen in Beziehung gesetzt sein (709, 531). Theodor erhebt diese Forderung sogar für das Märchen:

> Sonst war es üblich, ja Regel, alles was nur Märchen hieß, ins Morgenland zu verlegen und dabei die Märchen der Dschehezerade zum Muster zu nehmen. Die Sitten des Morgenlandes nur eben berührend, schuf man sich eine Welt, die haltlos in den Lüften schwebte und vor unsern Augen verschwamm. Deshalb gerieten aber jene Märchen meistens frostig, gleichgültig und vermochten nicht den innern Geist zu entzünden und die Fantasie aufzuregen. Ich meine, daß die Basis der Himmelsleiter, auf der man hinaufsteigen will in höhere Regionen, befestigt sein müsse im Leben, so daß jeder nachzusteigen vermag. (599)

Durch die Zusammenfügung zweier sich scheinbar ausschließender Welten, d.h. durch die Betonung der „Duplizität", soll nicht nur das Phantastische gezügelt und „der höchste Serapionismus" (28) verhindert werden, es sollen auch umgekehrt die phantastischen Züge dessen sichtbar gemacht werden, was gemeinhin unsere alltägliche Wirklichkeit genannt wird. Denn, „was sich wirklich begibt, [ist] beinahe immer das Unwahrscheinlichste" (52, ähnlich 700, 743 und 531).

Es dürfte ersichtlich sein, daß eine ganze Reihe der in den *Serapions-Brüdern* zusammengestellten Erzählungen sich der Programmatik einer solchen, das Moment der Duplizität betonenden Ästhetik unterordnen lassen. Doch hätte dieses Programm, wenn es den leitenden Gesichtspunkt innerhalb des Serapiontischen Prinzips bezeichnete, ebenfalls, wie das bei den *Fantasiestücken* und den *Nachtstücken* der Fall war, nur eine integrative, keine ausschließende Funktion. Erzählungen wie *Der goldne Topf* aus der ersten Sammlung oder *Der Sandmann* aus der zweiten oder gar wie die Spätwerke *Prinzessin Brambilla* und *Des Vetters Eckfenster* ließen sich durchaus gleichfalls unter dieser ästhetischen Problemstellung diskutieren und könnten darum ebenfalls in den *Serapions-Brüdern* Aufnahme finden (vgl. hierzu den Brief Hoffmanns an Symanski [V b/99 f.]).

Neben der Betonung der Duplizität von phantastischer Innenwelt und alltäglicher Außenwelt hat man noch andere Kriterien als Elemente des Serapiontischen geltend gemacht, so etwa die „Wohlgerundetheit" des Erzählten (Winter, S. 19 ff.; s. aber dagegen die Argumentation bei der Verweigerung der Aufnahme Leanders, 101), die Vorliebe für die Heterogenität und den Wechsel von Ernst und Scherz (406, 599, 757, 994; s. hierzu bes. Segebrecht, S. 381 ff.), die Wichtigkeit des geselligen, gemütlichen Tons, der über allen serapiontischen Erzählungen ausgebreitet sei (103, 757, 765, 859, 873 f.; s. hierzu Köhn, S. 110, 122 ff., 139, Anm. 40).

Zusätzlich zu diesem letzten Kriterium, das erst kürzlich auch unter soziologischen Gesichtspunkten analysiert worden ist (Toggenburger, S. 57 ff.), wäre noch auf das Phänomen der Mystifikation als wichtige Eigentümlichkeit des serapiontischen Erzählens zu verweisen (s. Winter, S. 54 ff.). Zu denken ist hierbei an die schon in AB II A. zitierte Äußerung Theodors vom „historischen Besen" (355). Die Polemik gegen das satte, selbstzufriedene Gefühl, alles auf „gekehrt" und aufgeklärt zu wissen, macht sich der Autor Hoffmann auf produktive Weise zu eigen, indem er vieles in seinen Erzählungen unentscheidbar beläßt. Es ist ein Wesenszug des serapiontischen Erzählens, der an die Charakterisierung des Unheimlichen erinnert, wie sie fast ein Jahrhundert später Ernst Jentsch unter Berufung auf Hoffmann vorgenommen hat: Das Unheimliche als gefühlsmäßige und vor allem intellektuelle Unsicherheit – diese Definition hat bekanntlich Sigmund Freud zu seiner Studie über *Das Unheimliche* herausgefordert, und zwar wiederum unter Bezugnahme auf das Hoffmannsche Werk. Zuletzt schließlich ist die von Theodor geforderte Beschaffenheit einer Erzählung als Merkmal des Phantastischen verstanden worden. Tzvetan Todorov hat in der Unsicherheit bei der Beurteilung eines Phänomens das entscheidende Kriterium des Phantastischen im engeren Sinne gesehen:

> Die Ambiguität bleibt bis zum Ende des Abenteuers gewahrt: Wirklichkeit oder Traum? Wahrheit oder Illusion? [...] entweder handelt es sich um eine Sinnestäuschung, ein Produkt der Einbildungskraft, und die Gesetze der Welt bleiben, was sie sind, oder das Ereignis hat wirklich stattgefunden, ist integrierender Bestandteil der Realität. Dann aber wird diese Realität von Gesetzen beherrscht, die uns unbekannt sind. [...] Das Fantastische liegt genau im Moment dieser Ungewißheit; sobald man sich für die eine oder die andere Anwort entscheidet, verläßt man das Fantastische [...]"(S. 25f.)

Solche Ungewißheit oder intellektuelle Unsicherheit befällt den Leser etwa, wenn er von Veronika Paulmanns durchnäßtem Mantel erfährt (I/223; s. AB III C.2.1.1.). Doch dieses berühmte und viel zitierte Beispiel stammt nicht aus den *Serapions-Brüdern,* sondern aus den *Fantasiestükken.* Es ist ein Beleg dafür, daß auch die Tendenz zur Mystifikation nicht als eine Eigentümlichkeit verstanden werden darf, die ausschließlich für die letzte der drei Erzählsammlungen Gültigkeit habe. Es ist daher ein essentieller poetologischer Unterschied zwischen den drei Zyklen überhaupt geleugnet worden. Die Callotsche Manier in den *Fantasiestücken* sei identisch mit der Poetik der *Nachtstücke* und mit dem serapiontischen Prinzip, ja sie gelte noch für die Werke der allerletzten Schaffensperiode. Überall herrschten dieselben Mittel und dieselben kunsttheoretischen Ideen vor. In allen Werken dominiere letztlich nur eine Manier, die Hoffmannsche (s. Winter, S. 83 und 87). Diese durchaus akzeptierbare These darf aber nicht dazu führen, Veränderungen der ästhetischen und weltanschaulichen Position Hoffmanns in dessen letzten acht Lebensjahren generell auszuschließen (s. hierzu AB III C.2.).

Bibliographie zu Arbeitsbereich II

Anz, Thomas: Nachwort [zu:] E.T.A. Hoffmann: *Nachtstücke.* München 1984, dtv 2128, S. 297–308. [Sieht in den *Nachtstücken* aufgeklärte und romantische Positionen gegeneinander ausgespielt. Der gesunde Bürger und der kranke Künstler bedürften beide einer wechselseitigen Korrektur.]

Bourke, Thomas: Stilbruch als Stilmittel. Studien zur Literatur der Spät- und Nachromantik. Mit besonderer Berücksichtigung von E.T.A. Hoffmann, Lord Byron und Heinrich Heine. Frankfurt/M., Bern, Cirencester/U.K. 1980, Europäische Hochschulschriften I, 297, S. 51–109. [Zeigt vor allem am Beispiel des *Kater Murr* die Tendenz zum Stilbruch auf und wertet diesen als Stilwillen, als bewußte Abkehr von einem klassischen Stilideal.]

Casper, Bernhard: Der historische Besen, oder über die Geschichtsauffassung in E.T.A. Hoffmanns *Serapionsbrüdern* und in der Katholischen Tübinger Schule. In: Brinkmann, (s. Gesamtbibliographie), S. 490–501. [Trotz mancher Übereinstimmung im Geschichts- und Wirklichkeitsverständnis unterscheide sich Hoffmann von den Tübingern durch den fehlenden Glauben an ein Sinnziel der Geschichte.]

Daemmrich, Horst S.: Zu E.T.A. Hoffmanns Bestimmung ästhetischer Fragen. In: Weimarer Beiträge 14 (1968), Heft 3, S. 640–663. [Skizze der immanenten idealistischen Poetik des Autors, der die poetische Wahrheit der historischen vorgezogen habe. Der gute Überblick ist erkauft durch eine allzu unbekümmerte Loslösung der poetologisch relevanten Aussagen aus dem Kontext der Erzählungen.]

Dahmen, Hans: Der Stil E.T.A. Hoffmanns (1927). In: Prang, (s. Gesamtbibliographie), S. 141–154. [Erklärt die Eigentümlichkeit des Stils von Hoffmann aus dessen Doppelbegabung als Musiker und Zeichner. Für die Kombination von Phantasie und Genauigkeit glaubt er zugleich eine stammesgeschichtlich-völkische Erklärung geltend machen zu können.]

Fischer, Otokar: E.T.A. Hoffmanns Doppelempfindungen. In: Prang, (s. Gesamtbibliographie), S. 28–55. [Betont den Hang zur Diskretion und zur Selbstparodie bei Hoffmann; zeigt an zahlreichen Beispielen, daß dieser einen akustischen Reiz zumeist auch als eine Gesichtsempfindung erfahren habe.]

Freud, Sigmund: Das Unheimliche, (s. Gesamtbibliographie).

Girndt-Dannenberg, Dorothee: Untersuchungen zu Darstellungsabsichten und Darstellungsverfahren in den Werken E.T.A. Hoffmanns. Phil. Diss. Köln 1969. [Ausgehend von den Divergenzen innerhalb der Sekundärliteratur wird auf eine intendierte Vieldeutigkeit der Texte geschlossen, die in Darstellungsformen wie Allegorie, Rätsel, romantischer Ironie und Groteske ihren – wenn auch unvollkommenen – Ausdruck gefunden hätte.]

Gloor, Arthur: E.T.A. Hoffmann, (s. AB III D.1.2.).

Goldstein, Moritz: Die Technik der zyklischen Rahmenerzählungen Deutschlands. Von Goethe bis Hoffmann. Phil. Diss. Berlin 1906. [Vergleichende Darstellung der Behandlung einzelner formaler Elemente in Rahmenerzählungen Boccaccios, Margarethe von Navarras, Chaucers, Goethes, Wielands, Tiecks und Hoffmanns.]

Grahl-Mögelin, Walter: Die Lieblingsbilder im Stil E.T.A. Hoffmanns. Diss. Greifswald 1914. [Versuch einer Gesamterfassung, bei der die Hoffmannschen Lieblingsbilder (Metaphern, Bilder, Vergleiche und Gleichnisse) nach Stoffgebieten geordnet und aufgeführt werden; noch brauchbares Nachschlagewerk!]

Jentsch, Ernst: Zur Psychologie des Unheimlichen. In: Psychiatrisch-Neurologische Wochenschrift 8 (1906/7), Nr. 22 (25. August) und Nr. 23 (1. September), S. 195–198 und 203–205. [Die von Freud kritisierte Studie versucht das Gefühl des Unheimlichen aus einer intellektuellen Unsicherheit heraus zu erklären und verweist dabei auf das Beispiel der *Fantasiestücke*.]

Kanzog, Klaus: Der dichterische Begriff des Gespenstes. Bestimmung einer Motiv-Wort-Funktion. Diss. [Masch.] Berlin, Humboldt-Universität 1951.

Kanzog, Klaus: Formel, Motiv, Requisit und Zeichen bei E.T.A. Hoffmann. In: Brinkmann, (s. Gesamtbibliographie), S. 625–638. [Gibt einen knappen Überblick über den gegenwärtigen Stand der Motiv-Forschung und versucht dann von einem phänomenologischen Ansatz aus einzelne Motive bei Hoffmann zu isolieren und ihre Funktion als Elemente literarischer Konversation deutlich zu machen.]

Köhn, Lothar: Vieldeutige Welt, (s. Gesamtbibliographie).

Kuttner, Margot: Die Gestaltung des Individualitätsproblems bei E.T.A. Hoffmann. Phil. Diss. Hamburg 1935, Düsseldorf 1936. [Sieht als entscheidendes Thema der *Serapions-Brüder* das Verhältnis des Menschen zur Zeit, das in den Gesprächen des ersten Abschnitts auftauche und dann in den einzelnen Erzählungen vielfach abgewandelt werde.]

Langen, August: Hoffmann. In: Deutsche Sprachgeschichte vom Barock bis zur Gegenwart. In: Deutsche Philologie im Aufriß. Hrsg. v. W. Stammler. 2. überarb. Aufl., Bd. 1, Berlin 1957, Sp. 1252–1257. [Komprimierte, sehr informative Darstellung, die den unoriginellen und banalen Wort- und Bilderschatz kritisiert, aber anerkennende Worte für die Musikalität der Hoffmannschen Prosa findet.]

Lockemann, Fritz: Die Bedeutung des Rahmens in der deutschen Novellendichtung. In: Wirkendes Wort 6 (1955/56), Heft 4, S. 208–217. [Bezweifelt die Einheitlichkeit der *Serapions-Brüder* vornehmlich aus ideologischen Gründen: Die „Novelle" sei angeblich gefährdet durch eine Gesellschaft, die den Zustand der Besessenheit als wahre Ordnung anerkenne.]

McGlathery, James M.: Mysticism and Sexuality. E.T.A. Hoffmann. Part One. Hoffmann and His Sources. Las Vegas 1981, American University Studies I, 3. [Als Korrektiv zur Arbeit Rosteutschers zu empfehlen. Mit dieser teilt sie die Annahme der Existenz einer einheitlichen Thematik im Werk Hoffmanns. Der Zusammenhang von mangelnder sexueller Erfüllung, Idolbildung und künstlerischer Produktivität wird hier jedoch sehr viel nüchterner eingeschätzt.]

von Matt, Peter: Die Augen der Automaten, (s. Gesamtbibliographie).

Müller, Helmut: Untersuchungen zum Problem der Formelhaftigkeit bei E.T.A. Hoffmann. Diss. Bern 1960. Bern 1964, Sprache und Dichtung N.F. 11, (s. AB II A.).

Nock, Francis J.: Notes on E.T.A. Hoffmann's Linguistic Usage. In: The Journal of English and Germanic Philology 55 (1956), S. 588–603. [Als Ergänzung zu Schmerbachs ‚Stilstudien' gedacht; untersucht wird der von der linguistischen Norm abweichende Wortgebrauch Hoffmanns, betont wird dessen Vorliebe für archaische und ungewöhnliche Ausdrücke.]

Ohl, Hubert: Der reisende Enthusiast. Studien zur Haltung des Erzählers in den *Fantasiestücken* E.T.A. Hoffmanns. Phil. Diss. [Masch.] Frankfurt/M. 1955. [Voller klassizistischer Vorbehalte gegenüber Hoffmann; der Erzähler der *Fantasiestücke* wird als eine zwischen Hingerissenheit und ironischer Distanznahme schwankende Instanz dargestellt, der es an Besonnenheit fehle.]

Pfotenhauer, Helmut: Exoterische und esoterische Poetik in E.T.A. Hoffmanns Erzählungen. In: Jahrbuch der Jean-Paul-Gesellschaft 17 (1982), S. 129–144. [Das Serapiontische Prinzip liefere keine verbindliche Poetik für Hoffmanns Erzählungen; die Äußerungen seien widersprüchlich, da sie etwas dem Autor Neues in alten Worten auszudrücken versuchten.]

Pikulik, Lothar: Nachwort [zu:] E.T.A. Hoffmann: *Nachtstücke*. Frankfurt/M.

1982, insel taschenbuch 589, S. 346–367. [Gibt neben einer kurzen Charakteristik der einzelnen Erzählungen dieser zweiten Sammelausgabe einen Abriß der Hoffmannschen Poetik, die zugleich eine Ontologie und eine Anthropologie darstelle und die durch das Spannungsverhältnis von Normalität und Anomalität gekennzeichnet sei.]

Prawer, Siegbert S.: Die Farben des Jacques Callot. E.T.A. Hoffmanns „Entschuldigung" seiner Kunst. In: Bormann, Alexander von (Hrsg.): Wissen aus Erfahrungen. Werkbegriff und Interpretation heute. Festschrift f. Herman Meyer, Tübingen 1976, S. 392–401. [Beurteilt den einleitenden Aufsatz der *Fantasiestücke* als unbefriedigend im Hinblick auf Callot, als höchst charakteristisch jedoch für Hoffmanns eigene Kunstauffassung.]

Rosteutscher, Joachim: Das ästhetische Idol im Werke von Winckelmann, Novalis, Hoffmann, Goethe, George und Rilke. Bern 1956. [An C. G. Jung orientierte Studie, die im Kapitel über Hoffmann (S. 102–165) dessen Erzählungen als poetische Verarbeitung des Julia-Erlebnisses interpretiert, das trotz verschiedener Abwandlungen das zentrale, einheitsstiftende Motiv des Gesamtwerks bilde.]

Rotermund, Erwin: Musikalische und dichterische ‚Arabeske' bei E.T.A. Hoffmann. In: Poetica 2 (1968), S. 46–69. [Zeigt an den musikkritischen Schriften und am *Kater Murr* die Nähe Hoffmanns zum frühromantischen Konzept von der „künstlich geordneten Verwirrung"; anregender Aufsatz.]

Schenck, Ernst von: E.T.A. Hoffmann, (s. AB III D.1.2.).

Schmerbach, Hartmut: Stilstudien zu E.T.A. Hoffmann. Diss. Frankfurt/M. 1929, Berlin 1929, Germanische Studien 76. [Beschränkt sich auf eine Untersuchung der Werke bis 1817. Ganz von der Konzeption der Erlebnisdichtung her motiviert, wird hier der Stil als Ausdruck der „seelischen Dynamik" des Menschen Hoffmann gedeutet und als Resultat von dessen musikalischen, zeichnerischen Fähigkeiten und „bürgerlichen Anlagen" begriffen.]

Schnapp, Friedrich: Der Seraphinenorden und die Serapionsbrüder E.T.A. Hoffmanns. In: Literaturwissenschaftliches Jahrbuch im Auftrag der Görres-Gesellschaft N. F. 3 (1962), S. 99–112. [Genaueste Untersuchung über das Verhältnis des Seraphinenordens zum Bund der Serapionsbrüder; problematisch bleibt jedoch der positivistische Versuch, die Abschnitte der *Serapions-Brüder* zu datieren.]

Schütz, Christel: Studien zur Erzählkunst E.T.A. Hoffmanns. E.T.A. Hoffmann als Erzähler. Untersuchungen zu den *Nachtstücken*. Phil. Diss. [Masch.] Göttingen 1955. [Untersucht Erzählverlauf, Erzählerposition und Formen der Lesereinbeziehung und faßt die Sammelausgabe als „Vorwegnahme" der *Serapions-Brüder* auf, bei der wie dort die Erzählhaltung der Geselligkeit das letzte tragende Prinzip darstelle.]

Schumm, Siegfried: Einsicht und Darstellung. Untersuchung zum Kunstverständnis E.T.A. Hoffmanns. Göppingen 1974, Göppinger Arbeiten zur Germanistik 121. [Analysiert das Serapiontische Prinzip als eines der künstlerischen Produktion, der Kunstkritik und der Gemeinschaftskonstitution, und zwar allzu thesenhaft zugespitzt unter dem Gedankenmodell einer Darstellung von Einsicht zur Herstellung von Einsicht.]

Sdun, Winfried: E.T.A. Hoffmanns *Prinzessin Brambilla*, (s. AB III D.1.2.).

Segebrecht, Wulf: Heterogenität und Integration bei E.T.A. Hoffmann. In: Prang, (s. Gesamtbibliographie), S. 381–397. [Weist auf Hoffmanns Beziehung zu Carl Friedrich Flögel und dessen Auffassung vom Komischen als einer Erscheinungsweise der Heterogenität hin. Deren Integration sei das künstlerische Programm des Autors, das auf der Erkenntnis der „Duplizität des Seins“ beruhe.]

Steinecke, Hartmut: Nachwort [zu:] E.T.A.Hoffmann: *Die Serapions-Brüder*. Gesammelte Erzählungen und Märchen. Frankfurt/M. 1983, insel taschenbuch 631[1–4], Bd. 4, S. 1319–1336. [Stellt Hoffmann als großen Unterhaltungsschriftsteller dar, der zugleich ein künstlerisch virtuoser Erzähler gewesen sei.]

Stradal, Marianne: Studien zur Motivgestaltung bei E.T.A. Hoffmann. Diss. Breslau 1928, Borna-Leipzig 1928. [Trotz deutlicher Anlehnung an eine völkisch orientierte Germanistik noch lesenswerte Arbeit, die die Herkunft einzelner Motive aus den literarischen und naturwissenschaftlichen Vorlagen Hoffmanns sowie aus dessen Persönlichkeit und Biographie aufzuzeigen versucht.]

Strohschneider-Kohrs, Ingrid: Die romantische Ironie in Theorie und Gestaltung. 2. durchges. und erw. Aufl. Tübingen 1977, Hermaea N.F.6, S. 352–362. [Hebt als Eigentümlichkeiten von Gehalt und Stil bei Hoffmann den raschen Wechsel von Verrätselung und Enträtselung, die Tendenz zum Allegorischen und die Entdämonisierung des Grotesken hervor.]

Todorov, Tzvetan: Einführung in die fantastische Literatur. München 1972, Literatur als Kunst. [Grundlegende Studie, die an französischen, englischen und deutschen Texten eine begriffliche Klärung und Unterscheidung des Unheimlichen, des Wunderbaren und des Fantastischen vornimmt.]

Toggenburger, Hans: Die späten Almanach-Erzählungen E.T.A. Hoffmanns. Bern, Frankfurt/M., New York 1983, Europäische Hochschulschriften I, 658, S. 38–84. [Stellt das Serapiontische Prinzip als eines der Ausweglosigkeit dar und erklärt die endgültige Ausformung dieses Prinzips aus der gesellschaftlich – politischen Situation in Berlin nach 1815.]

Werner, Hans-Georg: E.T.A. Hoffmann, 1971 (s. Gesamtbibliographie).

Werner, Hans-Georg: Der romantische Schriftsteller, 1978 (s. Gesamtbibliographie).

Winter, Ilse: Untersuchungen zum serapiontischen Prinzip E.T.A. Hoffmanns. The Hague, Paris 1976, De proprietatibus litterarum. Series Practica 111. [Sieht in der geistreichen Konversation der Serapionsbrüder und in der Gemütlichkeit der geschilderten Serapionsabende die den Zyklus einenden Faktoren; allzu rasch in der Be- und Verurteilung der einzelnen Erzählungen.]

III. Märchen

A. Der goldne Topf

1. *Einführende Informationen*

Über den *Goldnen Topf* herrscht Einhelligkeit in der Sekundärliteratur. Es ist „Hoffmanns reinste Dichtung" (Wührl, 1963, S. 3), ein „Gipfelpunkt seines Gesamtschaffens", der alles „bisher von ihm Geleistete weit überragte" (Harich, Bd. 1, S. 228 f.). Robert Mühlher nennt die Erzählung sogar „vielleicht das kühnste Sprachgebäude, das die Romantik hervorgebracht hat" (1942, S. 55).

Diesen enthusiastischen Äußerungen in der Sekundärliteratur ließen sich die Urteile des Autors an die Seite stellen. Auch dieser war davon überzeugt, daß ihm mit dem *Goldnen Topf* ein großer Wurf gelungen sei. Schon während der Arbeit an dem Märchen herrscht bei ihm der Eindruck des Gelingens vor (s. Tb 237, 241 und 247). Mehr als zwei Jahre später schreibt er an seinen Freund Hippel, daß er eine ähnlich gelungene Erzählung wohl niemals mehr zustande bringen werde (Br II/100).

Auch bei den Zeitgenossen fand das Werk überall Zustimmung und begeistertes Lob. Noch zu Lebzeiten des Autors konnte eine zweite Auflage erscheinen. Friedrich Gottlob Wetzel, der Bekannte Hoffmanns und einer der ersten Rezensenten des Werks, zählt das Märchen sogleich zu den „Juwelen unserer Litteratur" und preist es überschwenglich (Text in Wührl, 1982, S. 119–122). Wenig erbaut von der Erzählung war einzig Goethe, der eine englische Übersetzung von Thomas Carlyle erhalten hatte und am 21. Mai 1827 in sein Tagebuch notierte: „Den goldnen Becher [!] angefangen zu lesen. Bekam mir schlecht; ich verwünschte die goldnen Schlänglein" (zit. nach Schnapp, S. 744). Ausschlaggebend für dieses negative Urteil dürfte jedoch nicht die individuelle Beschaffenheit gerade dieser Erzählung im Verhältnis zu den übrigen Werken Hoffmanns gewesen sein, und auch nicht die Ähnlichkeit, die der *Goldne Topf* mit Goethes eigenem *Märchen* hat. Vielmehr handelt es sich hier wohl ganz allgemein um eine Ablehnung der Schreibweise und Weltsicht des romantischen Schriftstellerkollegen durch den Weimarer Klassiker (s. AB VII. 1.). Daß diese Ablehnung auch und gerade den *Goldnen Topf* trifft, bestätigt die in der Folgezeit immer wieder geäußerte Behauptung von dem repräsentativen Charakter dieses Werks im literarischen Schaffen Hoffmanns. Es ist nicht nur der Prototyp aller Märchen dieses Autors (so Thalmann, 1961, S. 88 und Tismar, S. 49), an ihm zeigen sich auch schon modellhaft alle Eigentümlichkeiten des Hoffmannschen Oeuvres (so Miller, S. 362ff. und Nehring). Darum sei der *Goldne Topf* hier als erstes Werk vorgestellt.

1.1. Texte und Materialien

Der goldne Topf. In: E. T. A. Hoffmann: *Fantasie- und Nachtstücke,* Ausgabe des Winkler Verlags (= I/179–255); nach dieser Edition wird im folgenden zitiert unter einfacher Nennung der Seitenzahl.

Der goldne Topf. Stuttgart 1982, Reclam 101. [Text nach der Ausgabe von Ellinger mit modernisierter Orthographie und Interpunktion; knappes Nachwort von Konrad Nußbächer.]

Der goldne Topf. Hrsg. v. J. Schmidt, mit Illustrationen von Karl Thylmann, Frankfurt/M.; insel taschenbuch 570, 1981. [Text nach der 2. Ausgabe der *Fantasiestücke* von 1819 mit modernisierter Orthographie; zum Nachwort s. unter Schmidt in A.1.2.]

Schnapp, Friedrich (Hrsg.): E. T. A. Hoffmann, (s. Gesamtbibliographie), S. 82, 90–99, 109–112. [Führt die Äußerungen Hoffmanns über den *Goldnen Topf* auf.]

Schnapp, Friedrich (Hrsg.): E. T. A. Hoffmann in Aufzeichnungen, (s. Gesamtbibliographie). [Verweist S. 849 auf alle wiedergefundenen, abgedruckten Zeugnisse der Zeitgenossen zum *Goldnen Topf.*]

Wührl, Paul-Wolfgang (Hrsg.): Erläuterungen und Dokumente. E. T. A. Hoffmann, (s. unter Wührl in A.1.2.).

Lindken, Hans Ulrich (Hrsg.): E. T. A. Hoffmann: *Der goldne Topf.* Ein Märchen aus der neuen Zeit mit Materialien. Stuttgart: Ernst Klett Verlag 1983, Editionen für den Literaturunterricht, Klettbuch 35789. [Enthält außer dem Text, der der Winkler-Ausgabe entnommen ist, Materialien zur Entstehungsgeschichte, zum philosophiegeschichtlichen Kontext sowie zur Wirkungs- und Rezeptionsgeschichte.]

Lindken, Hans Ulrich (Hrsg.): Erläuterungen zu E. T. A. Hoffmann *Ritter Gluck. Der goldne Topf. Das Fräulein von Scuderi.* Hollfeld: C. Bange 1977, Königs Erläuterungen und Materialien 314. [Enthält – außer einer tabellarischen Übersicht zu Leben und Werk – Wort- und Sacherklärungen, Überlegungen zum Verhältnis der Erzählungen und Textausschnitte aus der neueren Hoffmann-Forschung; schlichte Einführung mit wenig Verständnis für sozialgeschichtliche Zugänge.]

1.2. Forschungsliteratur

Apel, Friedmar: Die Zaubergärten der Phantasie. Zur Theorie und Geschichte des Kunstmärchens. Heidelberg 1978, Reihe Siegen. Beiträge zur Literatur- und Sprachwissenschaft 13, S. 200–209. [Bestreitet die Zugehörigkeit des *Goldnen Topfs* zur Gruppe der romantischen Kunstmärchen, indem er die Gleichrangigkeit von Wirklichem und Wunderbarem in der Erzählung behauptet.]

Benz, Richard: Märchen-Dichtung der Romantiker. Mit einer Vorgeschichte. Gotha 1908. [Faßt die Hoffmannschen Märchen als „Wirklichkeitsmärchen" und bestimmt ihre Differenz zum Volksmärchen.]

Bollnow, Otto Friedrich: Der *Goldene Topf* [!] und die Naturphilosophie der Romantik. Bemerkungen zum Weltbild E. T. A. Hoffmanns. In: O'F'B': Unruhe und Geborgenheit im Weltbild neuerer Dichter. Acht Essais. Stuttgart 1953, S. 207–226. [Offenbar ohne Kenntnis der für Hoffmann wichtigen romantischen Naturphilosophen geschrieben.]

Bruning, Peter: E. T. A. Hoffmann and the Philistine. In: The German Quarterly 28 (1955), S. 111–121. [Sieht in Hoffmanns Werk drei immer wiederkehrende Typen des Philisters porträtiert: den selbstzufriedenen, den dämonischen und den Bildungsphilister. Der erste sei für den *Goldnen Topf* besonders charakteristisch.]

Daemmrich, Horst S.: Fragwürdige Utopie: E. T. A. Hoffmanns geschichtsphilosophische Position. In: Journal of English and Germanic Philology 75 (1976), S. 503–514. [Formuliert Zweifel an der „inneren Tragkraft" der Atlantis-Vision, da diese das Fortbestehen der Alltagssphäre nicht verhindern könne.]

Dahmen, Hans: E. Th. A. Hoffmann und G. H. Schubert. In: Literaturwissenschaftliches Jahrbuch der Görres-Gesellschaft 1 (1926), S. 62–111. [Weist den Einfluß Schuberts auf den *Goldnen Topf* nach, überschätzt aber insgesamt diesen Einfluß und kommt auch bei der Beurteilung von Hoffmanns Leben zu fragwürdigen Ergebnissen.]

Dahmen, Hans: E. T. A. Hoffmann und Carlo Gozzi. In: Hochland. Monatsschrift für alle Gebiete des Wissens, der Literatur u. Kunst 26 (1928/29), S. 442–446. [Das Gemeinsame beider Autoren wird in der doppelten satirischen Ausrichtung – gegen das Philistertum und gegen übertriebenen Wunderglauben – gesehen.]

Diez, Max: Metapher und Märchengestalt. V: E. T. A. Hoffmann. Der Archivarius Lindhorst und seine Tochter. In: Publications of the Modern Language Association of America 48 (1933), S. 887–894. [Allegorische Interpretation der wunderbaren Gestalten. Diese seien als Verschmelzungsfiguren von Phantasie und Wirklichkeit nicht mehr ernst zu nehmen.]

Egli, Gustav: E. T. A. Hoffmann. Ewigkeit und Endlichkeit in seinem Werk. Zürich, Leipzig, Berlin 1927, Wege zur Dichtung 2, S. 61–92. [Legt die Erzählung allzu sehr auf ein Konzept von Entwicklung und „Tragik der Individuation" fest.]

Fühmann, Franz: Fräulein Veronika Paulmann aus der Pirnaer Vorstadt oder Etwas über das Schauerliche bei E. T. A. Hoffmann. Hamburg 1980, S. 55–115. [Deutet das Schauerliche als Erklärungskalamität, als Unmöglichkeit, die Einheit des Ich als Subjekt, das eine Sache vertritt, und als Objekt, das in eine Sache einbezogen ist, noch erfassen zu können.]

Harich, Walther: E. T. A. Hoffmann, (s. Gesamtbibliographie).

Harper, Anthony; Oliver, Norman: What really happens to Anselmus? ‚Impermissible' and ‚irrelevant' questions about E. T. A. Hoffmann's *Der goldne Topf*. In: New German Studies 11 (1983), Nr. 2, S. 113–122. [Diskutiert – ausgehend von Theorien Roland Barthes' – die These McGlatherys vom Selbstmord des Anselmus.]

Heine, Roland: Transzendentalpoesie. Studien zu Friedrich Schlegel, Novalis und E. T. A. Hoffmann. Bonn 1974, Abhandlungen zur Kunst-, Musik- und Literaturwissenschaft 144. [Behandelt ausführlich nur den Schluß der Erzählung, den er als inhaltlichen Höhepunkt des Märchens und zugleich als Ausdruck der formalen Krise des Erzählens und deren Überwindung begreift.]

Jaffé, Aniela: Bilder und Symbole aus E. T. A. Hoffmanns Märchen *Der Goldne Topf*. In: C. G. Jung: Gestaltungen des Unbewußten. Zürich 1950, S. 237–616. [Keine literarhistorische, sondern eine auf der Lehre Jungs basierende psychologische Untersuchung. Die Erzählung wird zwar als Abbild der äußeren und inneren Ereignisse der Bamberger Zeit gedeutet, zugleich jedoch auf ein angeblich zeitloses Konfliktpotential „der Seele" schlechthin bezogen und dadurch allzu undifferenziert ihrem historischen Kontext entrissen.]

Just, Klaus Günther: Die Blickführung in den Märchennovellen E. T. A. Hoffmanns. In: Prang, (s. Gesamtbibliographie), S. 292–306. [Verweist auf die Bedeutung des mikroskopischen Blicks, der die tiefe Grundharmonie durch alle Dissonanzen der Erscheinungen hindurch erkennen könne.]

Korff, Hermann August: Geist der Goethezeit. Versuch einer ideellen Entwicklung der klassisch-romantischen Literaturgeschichte. 4. Teil. Hochromantik. Leipzig 1958^2, S. 619–625. [Betont die komischen und ironischen Aspekte des *Goldnen Topfs*.]

de Loecker, Armand: Zwischen Atlantis und Frankfurt. Märchendichtung und Goldenes Zeitalter bei E. T. A. Hoffmann. Frankfurt/M., Bern 1983, Europäische Hochschulschriften I/598, S. 26–67. [Sieht die Dualität der beiden Welten nicht durch Synthese gelöst, sondern durch einen Sprung in die höhere Wirklichkeit beseitigt.]

McGlathery, James M.: The Suicide Motif in E. T. A. Hoffmann's *Der Goldne Topf*. In: Monatshefte für deutschen Unterricht, deutsche Sprache und Literatur 58 (1966), S. 115–123. [Interpretiert das Märchen als Bewältigungsversuch der Bamberger Ereignisse wie auch als Auseinandersetzung mit der christlichen Religion und mit okkultistischen Theorien.]

McGlathery, James M.: „Bald Dein Fall ins Ehebett"? A New Reading of E. T. A. Hoffmann's *Goldner Topf*. In: The Germanic Review 53 (1978), S. 106–114. [Interpretiert die Geschichte von Serpentina als eine bloße Projektion des Anselmus, der aus Angst vor einer drohenden Heirat mit Veronika in Halluzination und Tod ausweiche. Die Vieldeutigkeit und Unentscheidbarkeit der Erzählung wird aufgrund einer allzu schlichten Phantasie-Theorie in Eindeutigkeit umgewandelt.]

Martini, Fritz: Die Märchendichtungen E. T. A. Hoffmanns. In: Prang, (s. Gesamtbibliographie), S. 155–184. [Betont das Gemeinsame der Hoffmannschen Märchen, indem er an ihnen den Objektivitätsschwund des Mythischen und die versöhnende Kraft des Humors aufzeigt.]

von Matt, Peter: Die Augen der Automaten, (s. Gesamtbibliographie).

Matzker, Reiner: Der nützliche Idiot. Wahnsinn und Initiation bei Jean Paul und E. T. A. Hoffmann. Frankfurt/M., Bern, New York, Nancy 1984, Berliner Beiträge zur neueren deutschen Literaturgeschichte 6. [Modische Apologie der Hoffmannschen Wahnsinns-Gestalten, die umso bedenklicher ist, als sie deren Genese als einen ahistorischen Vorgang präsentiert.]

Miller, Norbert: E. T. A. Hoffmanns doppelte Wirklichkeit, (s. Bibliographie zu AB VII).

Mühlher, Robert: Leitmotiv und dialektischer Mythos in E. T. A. Hoffmanns Märchen *Der goldne Topf*. In: MHG 2/3 (1940), S. 65–96. [Versucht ein allen Werken Hoffmanns gemeinsames mythisches Modell aufzustellen und betont die Wichtigkeit u.a. des Spiegelmotivs.]

Mühlher, Robert: Liebestod und Spiegelmythe in E. T. A. Hoffmanns Märchen *Der goldne Topf*. In: Zeitschrift für deutsche Philologie 67 (1942), S. 21–56. [Hebt besonders die Übereinstimmungen mit Werken Schuberts und Zacharias Werners hervor.]

Negus, Kenneth: E. T. A. Hoffmann's Other World. The Romantic Author and His ‚New Mythology'. Philadelphia 1965, University of Pennsylvania Studies in Germanic Languages and Literatures, S. 53–66. [Erblickt in der mythologischen Erzählung drei Bereiche – den oberen, den mittleren und den unteren –, aus deren Kräftespiel sich ein immer verwickelteres Spiel im *Goldnen Topf* ergebe.]

Nehring, Wolfgang: E. T. A. Hoffmanns Erzählwerk: Ein Modell und seine Variationen. In: Zeitschrift für deutsche Philologie 95 (1976), Sonderheft E. T. A. Hoffmann, S. 3–24. [Stellt – ausgehend von der These, daß nicht Dualismus, sondern Duplizität, d.h. Zweischichtigkeit des Daseins, Hoffmanns zentrales Thema sei – den *Goldnen Topf* als Modell solcher Duplizität dar und zeigt deren Modifikationen in anderen Erzählungen auf.]

Nygaard, L. C.: Anselmus as Amanuensis: The Motif of Copying in Hoffmann's *Der goldne Topf*. In: Seminar. A Journal of Germanic Studies 19 (1983), S. 79–104. [Zeigt am Thema der Sprache den Verlust an Unmittelbarkeit und Frische frühromantischer utopischer Hoffnungen und stellt den Kampf zwischen dem Archivarius und dem Apfelweib als einen zwischen Geist und Buchstabe dar.]

Ochsner, Karl: E. T. A. Hoffmann als Dichter des Unbewußten. Ein Beitrag zur Geistesgeschichte der Romantik. Frauenfeld, Leipzig 1936, Wege zur Dichtung 23, S. 92–111. [Stellt den Hoffmannschen Märchentypus und insbes. den *Goldnen Topf* als Ergebnis einer Auseinandersetzung mit Hardenbergs Poesiebegriff dar; sieht in der Verlegung des Märchens in die Gegenwart die Differenz zum Volksmärchen.]

Osthus, Gustav: G. H. Schuberts philosophische Anfänge, unter besonderer Berücksichtigung von Schellings Einfluß, (s. Bibliographie zu AB I B.4.).

Pikulik, Lothar: Anselmus in der Flasche. Kontrast und Illusion in E. T. A. Hoffmanns *Der goldne Topf*. In: Euphorion 63 (1969), S. 341–370. [Ausgehend von der Differenz zwischen Kristall und Glas wird hier eine genaue Beschreibung des Verhältnisses von wunderbarer und alltäglicher Welt gegeben.]

Preisendanz, Wolfgang: Humor als dichterische Einbildungskraft, (s. Gesamtbibliographie), S. 85–117. [Verweist auf die zentrale Bedeutung des Wiedererkennens als Bewältigungsform der „Duplizität".]

Reddick, John: E. T. A. Hoffmann's *Der goldne Topf* and Its „durchgehaltene Ironie". In: The Modern Language Review 71 (1976), S. 577–594. [Betont die formale Offenheit und die ironische Brechung aller inhaltlichen Aussagen in der Erzählung.]

Reimann, Olga: Das Märchen bei E. T. A. Hoffmann. Phil. Diss. München 1926. [Hebt die Bedeutung von Hoffmanns Quellen hervor, betont aber zugleich dessen Eigenständigkeit bei der Umformung dieser Quellen.]

Ricci, Jean F.-A.: E. T. A. Hoffmann. L'homme et l'œuvre. Paris 1947. [Allzu sehr allegorisierend verfahrende Interpretation; sieht in der mythologischen Erzählung ein vierstufiges, auf Polarität aufbauendes Entwicklungsmodell realisiert, das zugleich einen ewigen Kreislauf beschreibe.]

Rockenbach, Nikolaus: Bauformen romantischer Kunstmärchen. Eine Studie zur epischen Integration des Wunderbaren bei E. T. A. Hoffmann. Phil. Diss. (Masch.) Bonn 1957. [Morphologisch orientierte Studie, die den *Goldnen Topf* vor allem durch dramatische, theatralische Prinzipien bestimmt sieht.]

Sakheim, Arthur: E. T. A. Hoffmann, (s. Gesamtbibliographie). [Trotz der Verweise auf zahlreiche Motivgleichheiten wird auf dem Unterschied zwischen dem *Goldnen Topf* und den Volksmärchen bestanden.]

Schaukal, Richard von: E. T. A. Hoffmann. Sein Werk aus seinem Leben dargestellt. Zürich, Leipzig, Wien 1923, S. 89–117. [Sieht den *Goldnen Topf* als Produkt einer geteilten Selbstdarstellung des Autors. Anselmus wie Lindhorst hätten Züge Hoffmanns, der sich vor allzu direkter Selbstenthüllung geschützt habe.]

Schmidt, Jochen: *Der goldne Topf* als dichterische Entwicklungsgeschichte. [Nachwort zu:] E. T. A. Hoffmann: *Der goldne Topf.* Hrsg. v. J'Sch', Frankfurt/M. 1981, insel taschenbuch 570, S. 145–176. [Faßt die Geschichte des Anselmus als Prozeß einer dichterischen Entwicklung und interpretiert die Atlantis-Utopie allzu ausschließlich als einen bloß erkenntnistheoretisch bedeutsamen Schlußpunkt dieses Prozesses.]

Schnapp, Friedrich (Hrsg.): E. T. A. Hoffmann in Aufzeichnungen, (s. Gesamtbibliographie).

Schumacher, Hans: Narziß an der Quelle. Das romantische Kunstmärchen: Geschichte und Interpretationen. Wiesbaden 1977, Schwerpunkte Germanistik, S. 115–123. [Versteht das Märchen als Darstellung des entscheidenden Kampfes nicht so sehr für ein neues poetisches Weltalter, sondern für eine neue poetische Weltanschauung und stellt die Künstlerproblematik ins Zentrum.]

Stegmann, Inge: Deutung und Funktion des Traumes bei E. T. A. Hoffmann. Phil. Diss. Bonn 1973. [Weist vor allem auf das Spiegelmotiv hin, mit dessen Hilfe sie sowohl die Bedeutung Serpentinas als auch die des Titelrequisits zu fassen sucht.]

Sucher, Paul: Les Sources du Merveilleux, (s. Gesamtbibliographie).

Tatar, Maria M.: Mesmerism, Madness, and Death in E. T. A. Hoffmann's *Der goldne Topf.* In: Studies in Romanticism 14 (1975), S. 365–389. [Interpretiert die wunderbaren Erlebnisse des Anselmus als Folge hypnotischer Trance-Zustände und weist auf Übereinstimmungen Hoffmannscher Beschreibungen mit den Theorien J. Chr. Reils hin.]

Thalmann, Marianne: E. T. A. Hoffmanns Wirklichkeitsmärchen. In: The Journal of English and Germanic Philology 51 (1952), S. 473–491. [Setzt den *Goldnen Topf* in enge Beziehung zur Wiener Volkskomödie und vor allem zur *Zauberflöte.*]

Thalmann, Marianne: Das E. T. A. Hoffmann-Märchen. In M'T': Das Märchen und die Moderne. Zum Begriff der Surrealität im Märchen der Romantik. Stuttgart 1961, Urban Bücher 53, S. 78–103. [Betont auch hier die Nähe zum Schikanederschen Text der *Zauberflöte* und verweist zugleich auf die Übernahme von Elementen aus der Gattung der Bundesromane.]

Tismar, Jens: Kunstmärchen. Stuttgart 1977, sammlung metzler 155, S. 48–52. [Hebt das ironisch-skeptische Moment am *Goldnen Topf* hervor, das der Aufhebung von Entfremdung durch Poesie – im Unterschied zur Märchenkonstruktion des Novalis – beigegeben sei.]

Vom Hofe, Gerhard: E. T. A. Hoffmanns Zauberreich Atlantis. Zum Thema des dichterischen Enthusiasmus im *Goldnen Topf*. In: Text und Kontext 8,1 (1980), S. 107–126. [Überzeugende Analyse der Atlantis-Vision; nur in Augenblicken eines „Enthusiasmus der Darstellung" werde die Utopie Wirklichkeit, ansonsten bleibe sie als poetische vom Leben ausgeschlossen.]

Willenberg, Knud: Die Kollision verschiedener Realitätsebenen als Gattungsproblem in E. T. A. Hoffmanns *Der goldne Topf*. In: Zeitschrift für deutsche Philologie 95 (1976), Sonderheft E. T. A. Hoffmann, S. 93–113. [Faßt den *Goldnen Topf* als Mischform, die Realität und Wunder gleichermaßen erfassen könne. Letzteres wird vor allem aus der psychischen Disposition des Helden abgeleitet. In der Erziehung zum weltabgewandten Dichter sei die Bildungsidee des Märchens ausgesprochen.]

Wöllner, Günter: E. T. A. Hoffmann und Franz Kafka. Von der „fortgeführten Metapher" zum „sinnlichen Paradox". Bern, Stuttgart 1971, Sprache und Dichtung N. F. 20, S. 69–90. [Klärt überzeugend die Rede vom ‚Allegorischen' im *Goldnen Topf*.]

Wührl, Paul-Wolfgang: Die poetische Wirklichkeit in E. T. A. Hoffmanns Kunstmärchen (Untersuchungen zu den Gestaltungsprinzipien.) Phil. Diss. München 1963. [Stellt den *Goldnen Topf* in den Mittelpunkt der Untersuchung. In Anlehnung an Wolfgang Kaysers *Sprachliches Kunstwerk* werden die drei „Substanzschichten": Raum, Gestalt und Geschehen analysiert. Ähnlich wie bei Rockenbach wird der dramatische Handlungsverlauf und die bühnengerechte Anlage der Erzählung betont. Nützlich ist noch immer der – allerdings von einer werkimmanenten Position aus verfaßte – ausführliche Forschungsbericht.]

Wührl, Paul-Wolfgang (Hrsg.): Erläuterungen und Dokumente E. T. A. Hoffmann. *Der goldne Topf*. Stuttgart 1982, Reclams Universal-Bibliothek 8157. [Gute, weil auf vielerlei Aspekte der Erzählung hinweisende Einführung mit einer Sammlung von Auszügen wichtiger Dokumente zur Rezeptionsgeschichte.]

1.3. Voraussetzungen und Entstehung

Der goldne Topf erschien vor Ende des Jahres 1814 als dritter Band der *Fantasiestücke*. Geschrieben wurde er in der Zeit zwischen dem Sommer 1813 und dem 15. Februar 1814 (vgl. Tb 247). In einem Brief an seinen Verleger Kunz hatte Hoffmann allerdings schon am 17. November 1813 behauptet, daß die Erzählung fertig sei, doch kann sich diese Bemerkung nur auf die Konzeption, nicht aber auf die Niederschrift beziehen (so Schnapp in Br I/420, Anm. 9).

Die Zeit der Beschäftigung mit dem *Goldnen Topf* ist eine der unruhigsten im Leben des Autors (s. AB I C.). Der Aufenthalt in Dresden und Leipzig machte Hoffmann zum unmittelbaren Zeugen der kriegerischen Auseinandersetzungen zwischen den Verbündeten und den Napoleonischen Truppen. Die Tagebuch-Eintragungen aus dieser Zeit, die – überarbeitet unter dem Titel *Drey verhängnißvolle Monathe* (= August, September und Oktober 1813) – zusammen mit der *Vision auf dem Schlachtfelde bei Dresden* herauskommen sollten, verraten ein bei Hoffmann ungewöhnliches Interesse an außen- und weltpolitischen Fragen. Von diesem Interesse ist im *Goldnen Topf* nichts zu spüren. So zutreffend es daher sein mag, wenn man dieses Märchen als Dokument des „Eskapismus" (Wührl, 1982, S. 113) einstuft, so unzweifelhaft ist es, daß Hoffmann der Fluchtbewegung sehr viel besser Ausdruck zu geben verstand als einer unmittelbaren Auseinandersetzung mit den aktuellen Ereignissen jener Monate (s. AB II A.). Sein unbestreitbares politisches Engagement in dieser Zeit ist gleichwohl nicht ohne Einfluß auf die Entstehung des *Goldnen Topfs* geblieben. Wie sein Held Anselmus das Glück nur dem „Kampfe" (217) verdankt, so sieht Hoffmann selber das Gelingen seiner Märchendichtung in einem kausalen Zusammenhang mit der bedrückenden Situation, in der er sich befindet. Zur gleichen Zeit, da er die Kriegsereignisse und ihre Auswirkungen, „HungersNoth und eine Art Pest" registriert (Br I/423), vertraut er seinem Tagebuch an: „fleißig und mit Glück am Mährchen gearbeitet" (Tb 237). Und derselbe Brief, der von Hoffmanns angeschlagener Gesundheit, von Ruhr, Nervenfieber und Tod in Dresden berichtet, enthält zugleich auch das Geständnis, daß die bedrohliche äußerliche Lage erst den Zugang zur Welt des Wunderbaren eröffnet habe:

„In keiner als in dieser düstern verhängnißvollen Zeit, wo man seine Existenz von Tage zu Tage fristet und ihrer froh wird, hat mich das Schreiben so angesprochen – es ist, als schlösse ich mir ein wunderbares Reich auf, das aus mein[em] Innern hervorgehend und sich gestaltend mich dem Drange des Äußern entrückte." (Br I/408)

Im gleichen Brief findet sich auch die erste ausführliche Erwähnung des *Goldnen Topf*-Projekts:

Mich beschäftigt die Fortsetzung [der *Fantasiestücke;* U. St.] ungemein, vorzüglich ein *Mährchen* das beinahe einen Band einnehmen wird – Denken Sie dabey nicht, Bester! an Schehezerade und Tausend und Eine Nacht – der Turban und türkische Hosen sind gänzlich verbannt – Feenhaft und wunderbar aber keck ins gewöhnliche alltägliche Leben tretend und sei[ne] Gestalten ergreifend soll das Ganze werden. So z.B. ist der Geheime Archivarius Lindhorst ein ungemeiner arger Zauberer, dessen drey Töchter in grünem Gold glänzende Schlänglein in Krystallen aufbewahrt werden, aber am H. DreyfaltigkeitsTage dürfen sie sich drey Stunden lang im HollunderBusch an Ampels Garten sonnen, wo alle Kaffee und Biergäste vorübergehn – aber der Jüngling, der im Fest[t]agsRock sei[ne] Buttersemmel im Schatten des Busches verzehren wollte ans morgende Collegium denkend, wird in unendliche wahnsinnige Liebe verstrickt für eine der grünen – er wird aufgeboten – getraut – bekomt zur MitGift einen goldnen Nachttopf mit Juwelen besezt – als er das erstemahl hineinpißt verwandelt er sich in einen MeerKater u. s. w.

An dieser Skizze des Handlungsverlaufs ist immer wieder – nicht zuletzt aufgrund der Verwendung des Titelrequisits als Nachttopf – das oberflächlich Scherzhafte hervorgehoben worden. Eine Vertiefung des Entwurfs bei Hoffmann sei erst durch dessen Bekanntschaft mit den Werken Gotthilf Heinrich Schuberts erfolgt, behauptet Dahmen (1926, S. 67f.), und viele Interpreten (etwa Egli, S. 65; de Loecker, S. 26) sind ihm in dieser Ansicht gefolgt. Die *Ansichten* und ihr Verfasser werden jedoch im selben Briefe schon lobend erwähnt („Das herrliche Buch ... der geniale Mann"; Br I/409).

Der Einfluß freilich der *Ansichten* auf den *Goldnen Topf* ist unbestreitbar und von Dahmen (1926) selber überzeugend nachgewiesen worden. Ebenso wichtig scheint für Hoffmann aber auch die Bekanntschaft mit den Theorien Johann Arnold Kannes gewesen zu sein, die ihm über seinen neuen Freund Adolph Wagner, einen glühenden Anhänger dieses romantischen Mythologen und Sprachforschers, vermittelt worden sein dürften. Neben den Theorien Schuberts und Kannes hat Hoffmann auch einige Werke von Schelling gekannt – vermutlich die *Ideen zu einer Philosophie der Natur* und *Von der Weltseele.* Die Lektüre dieser Werke wie die der Novalisschen Schriften ist durch Tagebuchaufzeichnungen (Tb 150 und 363) sowie durch Briefäußerungen (Br I/403) gerade für die Jahre 1812/13 bezeugt. Gelesen hat Hoffmann auch die anonym erschienene Übersetzung *Graf von Gabalis oder Gespräche über die verborgenen Wissenschaften* (Berlin 1782) von Montfoucon de Villars, der er Materialien über die Elementargeister entnimmt und die er im Text des *Goldnen Topf* ausdrücklich erwähnt (251).

Schließlich ist noch James Beresfords merkwürdiges Dialogbuch *The Miseries of Human Life* als Quelle zu nennen, das 1810 in der Übersetzung Adolph Wagners in Nürnberg erschienen war und das Hoffmann nach dem Zeugnis von Kunz stark beeinflußt haben soll. Da Kunz sich jedoch auf eine von ihm selber begangene Fälschung beruft (s. hierzu Schnapp, S. 196f. und Br I/408, Anm. 11) und da sich überdies keinerlei direkte inhaltliche oder formale Bezugnahmen im *Goldnen Topf* finden lassen – sieht man von dem das Beresfordsche Werk allerdings beherrschenden Thema des Mißgeschicks, der Ausgeliefertheit an die Tücke des

Objekts einmal ab –, sollte man den *Miseries* keine allzu große Bedeutung bei der Entstehung des *Goldnen Topfs* zugestehen.

Von allen genannten mutmaßlichen oder tatsächlichen Einflüssen läßt sich wohl nicht mit Sicherheit sagen, daß sie zur Vertiefung der ursprünglichen Konzeption des Märchens beigetragen hätten. Wahrscheinlicher ist, daß ein anderer Sachverhalt diese Veränderung ausgelöst hat. Die zitierte Brief-Passage vom 19. August 1813 verweist nämlich selber schon auf einen Prozeß, den Hoffmann an sich registriert: den der fortschreitenden Öffnung des Innern. Unter der Maske des Gozzihaften konnte der Autor seine eigenen Probleme und Verwundungen zur Sprache bringen. Daß zu den Gestalten des „gewöhnlichen Lebens" auch die des Dichters selber gehören soll, ist noch nicht ausgesprochen. Mehr und mehr aber wird die Beschäftigung mit diesem Stoff zu einer mit der eigenen Vergangenheit, zum Versuch, die alten Verletzungen zu behandeln, zur Trauerarbeit also. Noch heißt der Held der geplanten Erzählung nicht Anselmus. Mit diesem Namen aus dem katholischen Heiligenkalender wird später auf den 18. März, und damit auf den Geburtstag Julia Marks, verwiesen. Die fertige Erzählung schließlich enthält zahlreiche Anspielungen autobiographischer Art – vom Palmbaum angefangen, dem Siegelwappen Hoffmanns (s. Br II nach 48), bis zu den in der Erzählung genannten Jahrestagen und Daten sowie den Altersangaben der Paulmann-Töchter (vgl. hierzu McGlathery, 1966, S. 115f. und 1978, S. 112). Zunehmend hat sich Hoffmann in diese Erzählung selber hineingeschrieben und damit den Gehalt des ursprünglichen Entwurfs vertieft.

Wegleitend bei diesem Prozeß dürften nicht nur inhaltliche Übereinstimmungen gewesen sein, die zwischen der ersten erhaltenen Skizze und Hoffmanns Zustand in Bamberg von Anfang an bestanden haben. (Die „wahnsinnige Liebe" etwa erinnert an die Tagebucheintragung vom 5. Februar 1812; Tb 139.) Auch die Verquickung von Wunderbarem und Alltäglichem, die als formales Charakteristikum des Märchens gedacht war, weist auf die leidenschaftlichen Bamberger Ereignisse zurück. Die Tagebuch-Notizen dieser Zeit lassen nämlich – trotz ihrer Verschlüsselungen – ein vergleichbar spannungsvolles Nebeneinander von Wunderbarem und Gewöhnlichem, oder, wie Hoffmann es dort nennt: von „exotischen", „exaltirten" Zuständen (Tb 125, 130f., 134, 139, 145, 147) und „dies ordinarii" (Tb 184, 194f.) erkennen.

Abschließend muß noch auf ein Element verwiesen werden, das zur Entstehung des *Goldnen Topfs* nicht unwesentlich beigetragen haben soll: der Alkohol. Zu den verbreiteten Vorstellungen über den Autor Hoffmann gehört die des großen Trinkers. Daß er gerne und häufig getrunken hat, ist unbestreitbar. Georg Ellinger hat dieser Tatsache Rechnung getragen, indem er im 15. Band seiner Edition einen Anhang beigefügt hat, der ein Verzeichnis aller bei Hoffmann erwähnten Weinsorten enthält. Und auch ein Blick in die Tagebücher läßt keine Zweifel darüber zu, daß der Alkohol im Leben des Autors eine gewaltige Rolle gespielt hat. Im Fall des *Goldnen Topfs* hat wohl die Tagebucheintragung vom 15. Februar 1814 (Tb 247) zu der Annahme verführt, daß wir die Existenz dieses Märchens vor allem dem Alkohol verdanken (vgl. etwa Harich, Bd. 1, S. 228).

„Champagner gibt noch keine Poesie" hat Hegel in seinen *Vorlesungen über die Ästhetik* mit Nachdruck betont und auf das Beispiel Marmontels verwiesen, der nach eigenem Zeugnis sechstausend Flaschen im Keller gehabt habe und dem „doch nichts Poetisches zugeflossen" sei (*Werke in zwanzig Bänden.* Bd. 13, Frankfurt/M. 1970, S. 370 f.). Hoffmann war sich dieses Sachverhalts sehr wohl bewußt. Das läßt sich nicht nur den unterschiedlichen symbolischen Zeichen entnehmen, die er in seinem Tagebuch verwendet hat, um den verschiedenen Intensitätsgrad seiner Rauschzustände festzuhalten (s. auch I/55 ff.); es läßt sich obendrein am *Goldnen Topf* ablesen, der, wie zu zeigen sein wird, durchaus auch als eine Poetik des Rausches verstanden werden kann.

2. Textanalyse

2.1. Gattungstheoretische Einordnung

Die Erzählung trägt den Untertitel ‚Ein Märchen aus der neuen Zeit'. Mit dieser Bezeichnung wird eine Gattungszugehörigkeit nahegelegt und zugleich in Frage gestellt. *Der goldne Topf* ist ein Märchen, aber keines der üblichen Art, sondern eines, das in der Gegenwart spielt: Vom Raum und der Zeit her ist die Erzählung in Dresden zu Beginn des 19. Jahrhunderts angesiedelt. Bestimmte topographische Angaben, wie das Schwarze Tor (179), das Linkische Bad (180), der Antonsche Garten (186) und Conradis Laden (191), verweisen auf authentische Örtlichkeiten, die den zeitgenössischen Lesern, vor allem den Dresdnern, vertraut gewesen sein dürften. Gerade in diese wiedererkennbare, durch krude Alltäglichkeit gekennzeichnete Welt ist jedoch eine märchenhafte, wunderbare Sphäre eingefügt. Die Verankerung des Wunderbaren im Prosaischen war eine erklärte Absicht Hoffmanns bei der Niederschrift des *Goldnen Topfs*: „feenhaft und wunderbar, aber keck ins gewöhnliche alltägliche Leben tretend und seine Gestalten ergreifend" – so sollte, wie erwähnt, das Märchen werden (vgl. auch III/599 und AB II B.1.3.). In der Anordnungsweise jener beiden Sphären, der feenhaften, wunderbaren und der gewöhnlichen, alltäglichen, haben Hoffmann selber (Br I/439 und 445) und – nach ihm – seine Interpreten immer wieder die ganz spezifische Leistung dieses Autors gesehen, die eine für die deutschsprachige Literatur neuartige Form der Gattung ‚Märchen' hätte entstehen lassen. Nicht eine Vermischung und damit eine Nivellierung der Unterschiede der beiden Sphären liege hier vor (Dahmen, 1926, S. 103); vielmehr handele es sich – so lautet die immer wieder nahezu wörtlich wiederkehrende Beschreibung jenes berüchtigten Dualismus – um eine wechselseitige Durchdringung (Ricci, S. 310; Bollnow, S. 209; Pikulik, S. 344). In der Einschätzung der Resultate solcher Durchdringung sind sich die Interpreten allerdings keineswegs einig. Gerade aber von dieser Einschätzung hängt weitgehend ab, wie der *Goldne Topf* gattungstheoretisch einzustufen ist.

Hermann August Korff versucht ihn und einige andere Märchen als „Märchenscherze" (S. 619) zu definieren. Dieser Ausdruck erweckt den Anschein, als ginge es in den Erzählungen nur darum, das Märchenhafte in den Scherz zu ziehen oder zumindest zu relativieren. So sehr dies zutrifft, so sehr muß doch betont werden, daß die relativierende, scherzhaft auflösende Tendenz im *Goldnen Topf* auch nach der anderen Richtung hin spürbar ist und die alltägliche, bürgerliche Sphäre gleichfalls nicht verschont wird. Beide Sphären kommentieren und kritisieren sich vielmehr dadurch, daß sie hart aufeinanderstoßen und sich zuweilen überlappen, wechselseitig, was Korff zwar durchaus zugestanden (S. 624), aber in seiner Nomenklatur nicht berücksichtigt hat.

Klaus Günther Just sucht – wie vor ihm schon Sakheim (S. 172) –, den *Goldnen Topf* als „Märchennovelle" zu fassen, wobei er sich in seiner Vorstellung von ‚Novelle' ganz an Goethes berühmte Definition („eine sich ereignete unerhörte Begebenheit"; an Eckermann, 29. Januar 1827) anlehnt. Auch der Begriff der Märchennovelle erfaßt jedoch nicht das Spezifische des Hoffmannschen Kunstmärchens. Das Märchenhafte wird von Just als bloßes Attribut verstanden, welches das Ausmaß an Unerhörtheit bezeichnen soll, mit dem sich die Wirklichkeit hier präsentiert. Die doppelte, gegenläufige Stoßrichtung, die den Hoffmannschen Märchen und insbesondere dem *Goldnen Topf* eigentümlich ist – sowohl Irritation der märchenhaften als auch der alltäglichen Sphäre, und zwar jeweils der einen durch die andere –, diese Bewegung kommt in Justs Bezeichnung nicht zum Ausdruck.

Die am ehesten befriedigende Gattungsdefinition stammt von Richard Benz. Er bezeichnet den *Goldnen Topf* als „Wirklichkeitsmärchen", ein Terminus, der in späteren Arbeiten (Reimann, S. 7; Thalmann, 1952, S. 473; Tismar, S. 49ff. und Wührl, 1982, S. 98f.) wieder aufgegriffen worden ist. Obwohl diese Bezeichnung aus zwei Begriffen besteht, die nicht ganz auf ein und derselben formalen Ebene liegen, verweist sie als ein Oxymoron auf die beiden Bereiche, die im *Goldnen Topf* zusammengezwungen sind und einander doch auszuschließen trachten. Freilich erweist sich damit der Ausdruck ‚Wirklichkeitsmärchen' nur als adäquat, wenn es darum geht, die in jener Erzählung präsentierte Welt rein deskriptiv darzustellen. Will man jedoch diese auch in ihrer diachronen Struktur erfassen, so stellen sich die märchenhafte und die bürgerlich-alltägliche Sphäre nicht als gleichrangig dar. Die zuerst genannte ist überdeckt und unterdrückt durch die letztere, die es nicht von allem Anfang an gegeben hat und die auch wieder verschwinden soll, wenn die Menschen aufgehört haben, einem „entarteten Geschlecht“ (229) anzugehören.

2.2. *Die Funktion des mythologischen Berichts in der Erzählung*

Immer wieder hat man versucht, den Schlüssel zur Interpretation des *Goldnen Topfs* in der mythologischen Einlage zu finden, die in der dritten Vigilie von Archivarius Lindhorst mitgeteilt und in der achten Vigilie von Serpentina weitererzählt wird (vgl. Bollnow, Mühlher, 1942; Negus). Diese Einlage, die wie das Märchen von der Urdarquelle in der *Prinzessin Brambilla* oder die in den *Heinrich von Ofterdingen* des Novalis eingestreuten Erzählungen eine Art ‚Märchen im Märchen‘ darstellt, enthält – der Kapitelüberschrift zufolge – „Nachrichten von der Familie des Archivarius Lindhorst“ (192). Die Nachrichten bilden die Vorgeschichte der Rahmenerzählung, während die Ereignisse um Anselmus und Serpentina die neuesten und zugleich die am ausführlichsten erzählten Nachrichten der Familie Lindhorst sind.

Der Archivarius hat ungewöhnliche Zeitvorstellungen. Darauf verweist seine Trauerkleidung, die er wegen eines Todesfalls „vor ganz kurzer Zeit“, nämlich vor 385 Jahren (194), trägt. Entsprechend ungewöhnlich mutet auch seine Erzählung über seine unmittelbaren Vorfahren an: Sie handelt von der Entstehung der Welt überhaupt.

Der kosmogonische Bericht des Archivarius gibt indes – für sich genommen – eine Menge Rätsel auf, so daß er sich, will man ihn zum Patentschlüssel für die Interpretation der gesamten Erzählung machen, als außerordentlich sperrig erweist. Alle Versuche nämlich, die Gesetzmäßigkeit aufzudecken, welche den Prozeß der genealogischen Abfolge strukturiert, konnten bisher nicht restlos überzeugen. Man hat darum die Ernsthaftigkeit wie auch die inhaltliche Bedeutsamkeit dieser mythologischen Einlage ganz und gar bezweifeln wollen (Reddick). So wenig jedoch diese Binnenerzählung inhaltlich bedeutungslos ist, so sehr ist ihr doch ein Moment des Spielerischen eigen, das insbesondere bei der Verknüpfung der einzelnen Begebenheiten aus der Einlage mit der Rahmenerzählung vorherrscht. Deshalb mag es berechtigt sein, für die Erzählung Lindhorsts und Serpentinas auf die Bezeichnung ‚Mythos‘ zu verzichten, da dieser einen höheren Grad von Verbindlichkeit anstrebt (s. Bollnow, S. 209 und 217). Reddicks Hinweis auf die in der Erzählung „durchgehaltene Ironie“ (nach Br I/445) sollte dennoch nicht dazu führen, die

Rezeptionsanleitungen zu übersehen, die im Text des Märchens selber gegeben werden. Der zweite Teil der Erzählung nämlich beginnt mit der Versicherung, daß Anselmus ihn nur aus seiner „Liebe" zu Serpentina heraus begreifen könne (228). Für diese Liebe, die zugleich Voraussetzung ist für die Vermählung mit der Lindhorst-Tochter, sei etwas erforderlich, für das „man jetzt einen Ausdruck habe, der aber nur zu oft unschicklicherweise gemißbraucht werde; man nenne das nämlich ein kindliches poetisches Gemüt" (230). Kindlichkeit, Poesie und Liebe werden bei Novalis – der hier für Hoffmann vorbildlich ist – als unerläßliche Bedingungen aufgefaßt, wenn eine Annäherung ans Goldene Zeitalter erreicht werden soll. Im Klingsohr-Märchen des *Heinrich von Ofterdingen* sind es die beiden Kinder Fabel und Eros, welche „das Reich der Ewigkeit" aufs Neue begründen (*Schriften.* Hrsg. v. P. Kluckhohn und R. Samuel, 1. Bd., 2. Aufl. Stuttgart 1960, S. 315). Vom Goldenen Zeitalter, das im *Goldnen Topf* in Atlantis fortbesteht, handelt auch Lindhorsts und Serpentinas Erzählung. Wer sie recht verstehen will, muß die gleichen Eigenschaften wie Anselmus besitzen. Nur dann wird er vielleicht etwas dazu beitragen können, daß der verlorengegangene „Einklang mit der ganzen Natur" (230) wiederhergestellt werden kann und aus dem „entarteten Geschlecht der Menschen" (229) jenes wundervolle Reich wieder entsteht, das ehemals die Heimat aller war.

Lindhorsts Erzählung in der dritten Vigilie beginnt als Schöpfungsbericht. Auf die Parallelität dieses Anfangs mit der Genesis des Alten Testaments ist immer wieder hingewiesen worden; dem „Der Geist Gottes schwebte über den Wassern" (1. Mose 1,2) entspricht bei Hoffmann „Der Geist schaute auf das Wasser" (192). Unklar bleibt aber, ob dem Schöpfungsvorgang im *Goldnen Topf* ein einfaches (der Geist), ein zweifaches, polares (der Geist und das Wasser; so Jaffé, S. 477) oder gar ein dreifaches Urprinzip (der Geist, die flüssige und die feste Materie; so Negus, S. 55) zugrundegelegt sei. Bollnow (S. 211) geht von einer Polarität aus, die sich jedoch sogleich zu einer Dreiheit erweitere. Berücksichtigt man Hoffmanns Vertrautheit mit der romantischen Naturphilosophie in der Nachfolge Schellings, insbesondere seine Bekanntschaft mit den Werken Schuberts und den Theorien Kannes, so liegt es näher, von einem einzigen Urprinzip auszugehen, in welchem alles Gegensätzliche zunächst noch ungeschieden existiert. Geist und Wasser wären dann nicht gleich ursprünglich; vielmehr entstünde das letztere erst durch das Schauen des Geistes. Dieses bezeichnete dann keinen Zustand, sondern einen Vorgang, der als Resultat das Wasser hervorbrächte. Durch die Selbstbetrachtung des Geistes nämlich würde sich dieser aus sich ein anderes setzen, das dennoch nicht von ihm gänzlich verschieden wäre. Kanne spricht von jener frühen flüssigen Materie als dem „Lichtwasser" (*Erste Urkunden der Geschichte,* Bd. 1, Bayreuth 1808, S. 17; vgl. auch

Schuberts *Ansichten,* S. 106 und dessen Roman *Die Kirche und die Götter,* Bd. 1, Penig 1804, S. 199). Gemäß der Fichte nachempfundenen Auffassung Kannes wäre der Vorgang folgendermaßen zu verstehen: „Die göttliche Intelligenz hieß das *leuchtende* und *sehende* Auge, das sein eigen Licht sehend sich mit ihm beleuchtet und *sehend das Gesehene geschaffen*" (*Pantheum der ältesten Naturphilosophie* [...]. Tübingen 1811, S. 16). Wenn das Schauen – zumindest im Fall der „göttlichen Intelligenz" oder des „Geistes" – eine produktive Fähigkeit besitzt, so wäre damit zugleich die hohe Bedeutung unterstrichen, die Hoffmann in nahezu all seinen Werken den Augen und dem Sehen eingeräumt hat (s. AB IV A. und die Arbeiten von Just und von Matt; vgl. auch Schuberts Definition des Sehens als „Selberleuchten des Auges"; *Ansichten,* S. 358).

Die Opposition Geist – Wasser bleibt nicht lange bestehen. Jener verändert sich zur Sonne, während dieses – als gestaltlose Materie und zugleich als das Element „der höchsten Lebensempfänglichkeit, Bildungsfähigkeit der Dinge" (Schubert, *Ansichten,* S. 106) – sich in die Abgründe, die Granitfelsen und das Tal differenziert. Die Sonne wird einerseits als befruchtende – also offenbar männliche – Instanz vorgestellt, andererseits wird von ihrem „mütterlichen Schoß" (192) gesprochen. Statt wie Bollnow (S. 212) anzunehmen, daß Hoffmann hier „doch wohl nicht ganz folgerichtig gedacht" habe, ließe sich der Widerspruch auch als ein Hinweis darauf verstehen, daß die Sonne hier noch doppelgeschlechtlicher Natur sei (so auch bei Kanne, *Erste Urkunden,* Bd. 1, S. 15; vgl. Jaffé, S. 495 und 566) und daß der Auseinanderfall in ein männliches und in ein weibliches Geschlecht erst später erfolge.

Von einer kontinuierlichen, allumfassenden Aufwärtsentwicklung der toten Materie über die Pflanzen- und Tierwelt bis zum Menschen kann im *Goldnen Topf* – ebensowenig wie in Schuberts *Ansichten* (s. hierzu Osthus, S. 35) – nicht gesprochen werden. Das zeigt sich etwa an der Feuerlilie. Sie ist die Geliebte des Phosphorus wie auch die des Angehörigen einer jüngeren Generation, nämlich des Salamanders, der später in den Archivarius Lindhorst verwandelt wird. Und sie sprießt aufs Neue hervor als Folge der geglückten Verbindung zwischen der Tochter Lindhorsts, dem Schlänglein Serpentina, mit dem Menschen Anselmus. Von ihr heißt es zudem am Ende des Märchens, daß sie „aus dem Golde, aus der Urkraft der Erde, noch ehe Phosphorus den Gedanken entzündete, entsproß" (254) und daß sie eine Erkenntnis der Harmonie aller Wesen bedeute, die unvergänglich und ewig sei. Die genealogische Kette der Familie Lindhorst umschlingt und enthält demnach auch Elemente, die als Prinzipien unter den verschiedenen Generationen – wenn auch unterschiedlich stark ausgeprägt – immer schon vorgewaltet haben.

Trotz dieser merkwürdigen Verschlingungen stellt sich der Prozeß der

Filiationen keineswegs als eine chaotische Aneinanderreihung von heterogenen Bestandteilen dar. Vielmehr lassen sich einige Eigentümlichkeiten angeben, die sich in der Familiengeschichte des Archivarius immer wieder geltend machen. So bringen etwa die verschiedenen Schöpfungsakte in der Regel keine homogenen Zustände hervor; sie führen stets zu neuen Spannungen und Konflikten. Zumeist sind sie mit Prozessen gänzlicher oder zumindest teilweiser Zerstörung verbunden. Auch hier zeigt sich eine Übereinstimmung mit den Theorien Kannes und Schuberts. Ersterer, der „im Reich des Sinnlichen immer deutlicher eine Herrschaft geistiger Gewalten" heraufkommen sieht, welche solange währt, „bis endlich der Geist die Natur besiegt und seine verlorenen Wundergaben wieder erlangt hat" (*Pantheum,* S. 4), legt diesem Prozeß folgendes Gesetz zugrunde: „Alles entsteht dem Untergang, und stirbt einer Auferstehung zu höherm Seyn entgegen" (ebda.). Ähnlich glaubt auch Schubert an „ein ewiges Naturgesetz", welches darin bestehe,

„daß die vergängliche Form der Dinge untergeht, wenn ein neues, höheres Streben in ihnen erwacht [...]. So wird, wenn die Wesen mit allen Kräften gerungen, daß sie den Geist einer höheren Vollendung ergreifen möchten, der Genuß selber der Tod, und nur das Streben nach jenem höchsten Moment hat das Leben aufrecht erhalten. Jedoch ist jenes Streben nicht vergeblich gewesen, und eben die Gluth jener zerstörenden Augenblicke, für die bisherige Form des Daseyns zu erhaben, erzeugt den Keim eines neuen höheren Lebens in der Asche des untergegangenen vorigen, und das Vergängliche wird (berührt und verzehrt von dem Ewigen) aus diesem von neuen wieder verjüngt." (*Ansichten,* S. 69f.)

In der Kosmogonie des *Goldnen Topfs* erweist sich ebenfalls „die höchste Wonne" (192) zugleich als „der hoffnungslose Schmerz" (193). Hoffnungslos schmerzvoll ist sie, weil sie den sicheren Tod der alten Existenz zur Folge hat. Der Untergang aber wird zur notwendigen Bedingung, „um aufs neue fremdartig emporzukeimen" (193), d.h. zur Voraussetzung einer neuen höheren Existenz.

Wenn es demnach, wie der Antiquarius behauptet, in den Auseinandersetzungen seiner Ahnen eine gute und eine „schlechte Seite" (194) gäbe, so wäre die gute diejenige, welche bereit ist, ihre bisherige Existenz aufs Spiel zu setzen, während die „schlechte" Seite diese Bereitschaft gerade vermissen läßt und in sich selbst verharren möchte. Die Guten wären überdies daran zu erkennen, daß ihre Abkunft vom „Geist" als Urprinzip noch deutlich zutage träte: Sie erwiesen sich stets als feuer-, licht- oder goldhaltig. Das ließe sich sogar noch für den Erzähler der genealogischen Nachrichten behaupten. Dieser ist ein Salamander, d.h. er gehört zu den Elementargeistern, die nach alter paracelsischer Tradition und nach Hoffmanns Quelle, dem *Graf von Gabalis,* die „entflammten Bewohner der Region des Feuers" sind (S. 24). Lindhorsts Feuerstoff ist zwar zeitweilig erloschen, doch schon bevor er zu „einem neuen Wesen" (229) wird, also noch in seiner Existenzform als Archivarius Lindhorst, hat er so viel Feuer im Leibe, daß er durch sein Fingerschnippen die Pfeifen seiner Freunde anzünden kann (232).

Während die gute Seite offenbar zu leuchten vermag, zeichnet sich die Gegenseite zumeist durch die Abwesenheit von Licht, genauer: durch die Farbe ‚Schwarz' aus. Das gilt sowohl für die Abgründe mit ihren „schwarzen Rachen" (192) wie auch für den geflügelten Drachen (193 und 230). Und das gilt in besonderem Maße für die Rauerin, die am „Schwarzen Tor" (179) sitzt, schwarze Haare hat (208), schwarze Kleider trägt und von einem schwarzen Kater als Hausgenossen umgeben ist (208 und 243).

Parallel zur Opposition von Licht und Dunkelheit läßt sich ein Gegensatz von zentrifugalen und zentripetalen Kräften bei der Kennzeichnung der beiden Lager beobachten. Für die gute Seite sind – analog zum Prozeß des Leuchtens – Vorgänge charakteristisch, die eine Bewegung von Innen nach Außen nachzeichnen: emporheben, wärmen, hinaufstrecken, schwellen (192); während bei der Gegenseite die Bewegung umgekehrt verläuft: verschlingen, zusammenballen, verhüllen (ebda.). Dieser Gegensatz bestimmt tatsächlich nicht nur die Ereignisse in der eingeschobenen Erzählung; er prägt auch die Fortsetzung dieser Ereignisse, d.h. den Verlauf der eigentlichen Erzählung, insbesondere die Auseinandersetzung zwischen den beiden Opponenten, dem Archivarius und der Rauerin.

Mit den hier gegebenen Kriterien lassen sich jedoch nicht alle Phänomene aus der Filiationenkette erfassen. Der schwarze Hügel z.B. gehört weder eindeutig zur einen noch zur anderen Seite. Als Hügel, der sich hebt wie eine von glühender Sehnsucht schwellende Brust, wäre er dem guten Lager zuzurechnen. Aufgrund seiner Schwärze und der Tatsache, daß er sich auch „nieder" (192) senkt, wäre er zur „schlechten Seite" zu zählen. Trotz dieser unklaren Zugehörigkeit, oder genauer: trotz der Mitgliedschaft zu beiden Lagern, bildet er ein wichtiges Element in der genealogischen Abfolge. Aus ihm bricht zum ersten Mal „im Übermaß des Entzückens" (192) die Feuerlilie hervor.

Diese Merkwürdigkeit erklärt sich vielleicht am ehesten, wenn man die Theorie Schuberts von den ‚Mittelgliedern' zu Hilfe nimmt. In den *Ansichten* beruht alle Veränderung der Natur und des Geistes auf dem Prinzip der „Wechselwirkung" zwischen einem „höheren Einfluß" und einer „Basis", einem „untergeordneten Material" (S. 178). Das „Mittelglied" (S. 188 und 206), das dem widerstreitenden Kräftespiel beider Extreme ausgesetzt ist, wird in jenen höchsten Augenblicken, den sogenannten „kosmischen Momenten" (S. 179), leuchtend; es verwandelt sich und bildet dadurch zugleich die Voraussetzung für den nächsten höheren, vollkommeneren Gegensatz: „Die Natur", so behauptet Schubert,

> geht überall, ehe die vollkommneren Gegensätze sich ausbilden, von unvollkommenen Mittelwesen aus, welche jedoch von der höchsten Wichtigkeit sind, weil sie die nahe Verwandtschaft der beyden entgegengesetzten Richtungen bezeugen, und hierdurch auf das gemeinschaftliche Eine, welches beyden zu Grunde liegt, hindeuten. (*Ansichten*, S. 256)

In Hoffmanns Kosmogonie bildet der schwarze Hügel ein solches „Mittelwesen", das, im Spannungsfeld zweier Extreme – der Sonne und der finstern Materie – stehend und an beiden partizipierend, ein neues Wesen aus sich hervorbringt. Was für den schwarzen Hügel gilt, das hat auch für die zentrale Figur der ganzen Erzählung Gültigkeit: Auch Anselmus ist ein „Mittelwesen", das sich im Einflußbereich zweier Extreme befindet und beiden zugehörig fühlt. Auch er soll ‚leuchtend' werden und eine höhere Existenzform annehmen. Sein Dichtertum und seine Verbindung mit Serpentina bilden eine notwendige Stufe im Prozeß einer allgemeinen Höherentwicklung der Natur, der möglicherweise alle Menschen zu Bewohnern jenes sagenhaften Atlantis machen wird.

2.3. Anselmus als ‚Mittelwesen'; das Spiegelmotiv

Anselmus ist – gleich zu Beginn der Erzählung wird dies drastisch verdeutlicht – ein Tolpatsch. Aus Versehen stößt er den Korb mit den Äpfeln und den Kuchen um. Alles scheint ihm zu mißraten; er sieht sich selbst unter einem „Unstern" geboren (181). Sein linkisches Verhalten wird auch vom Erzähler immer wieder hervorgehoben (180, 188, 190f.). Durch „alles Ungeschick, sowie den ganz aus dem Gebiete aller Mode liegenden Anzug" (180) weist sich Anselmus als jemand aus, der in der spießbürgerlichen Alltagswelt Dresdens nicht vollständig zuhause ist. Zwar gehört er unstreitig zu dieser Welt und schätzt sie; seine mangelnde Souveränität ist jedoch ein erstes Anzeichen dafür, daß er noch zusätzlichen Einflußbereichen untersteht. Was sich in seiner Tolpatschigkeit ankündigt, macht sich wenig später im Schwanken seiner Neigung zwischen Veronika und Serpentina bemerkbar und entpuppt sich zuletzt als Offenheit gegenüber zwei extremen Instanzen: dem „weise[n] Mann" Lindhorst und der „weise[n] Frau" (210) Liese, dem Äpfelweib oder der Rauerin.

Letztere erscheint, obwohl sie – wie Lindhorst – über magische Mittel verfügt, zuweilen ganz als Sachwalterin der Interessen des Alltags. Als Vertreterin der „schlechten Seite" hat sie sich den zentripetalen Kräften verschrieben, d.h. sie verficht das Prinzip des Verharrens, der Erhaltung des status quo. Daß Veronika in ihr eine Verbündete findet, hat seinen

Grund in dem ausgeprägten Konservativismus der Paulmann-Tochter. Diese tastet ja selbst in ihren Wünschen die bestehende Ordnung nicht an: Auf eine Welt, in der die Menschen fast nur noch als bürokratische Charaktermasken fungieren, reagiert sie, indem sie in ihr Karriere machen möchte – als Gemahlin des Hofrats Anselmus. Wenn die Rauerin über diesen den vielberätselten Fluch ausspricht: „ins Kristall bald dein Fall – ins Kristall!" (179), so gibt sie damit zugleich ihre Absicht zu erkennen, den unsicheren Kantonisten Anselmus ganz in ihre und damit in die verkrustete Welt des auf den Hof ausgerichteten Dresdener Bürgertums hineinzuzwingen.

Freilich gerät sie mit dieser Absicht in eine Art Selbstwiderspruch; denn um wirken und verändern zu können, muß sie ein Kraftpotential einsetzen, das durch sie selber fortwährend negiert wird. Sie muß aus sich herausgehen, oder – in der Metaphorik der dritten Vigilie ausgedrückt: sie muß ‚leuchtend' werden, wenn sie schaffen oder umschaffen möchte. Ihr ist das nur möglich, wenn sie das Leuchten der anderen benützt, d.h. wenn sie Spiegel verwendet, um fremdes Licht als das ihre ausgeben zu können. Darum möchte sie die Liebenden und ‚Leuchtenden' auf ihre Seite bringen; darum vor allem will sie sich den Wundertopf aneignen, der „in tausend schimmernden Reflexen allerlei Gestalten auf dem strahlend polierten Golde" (214) widerspiegelt. Serpentina charakterisiert die Handlungsweise des Äpfelweibs, indem sie sie dem Verhalten ihres Vaters gegenüberstellt:

> sie [die Rauerin; U.St.] bietet alle Mittel auf, von außen hinein ins Innere zu wirken, wogegen sie mein Vater mit den Blitzen, die aus dem Innern des Salamanders [d.h. aus dem noch immer mit Feuerstoff versehenen Inneren Lindhorsts] hervorschießen, bekämpft. (231)

Wie der Vater Serpentinas bei sich auf die Kräfte vertraut, die von Innen nach Außen führen, so verweist er auch – zusammen mit seiner Tochter – den jungen Anselmus auf dessen eigene innere Leuchtkraft. Dieser solle sich im „Glauben", in der „Liebe" und in der Hoffnung üben (vgl. 241 und 226). Die drei geforderten Tugenden haben hier ihre spezifisch christliche Bedeutung eingebüßt und beziehen sich nun auf Serpentina und deren Liebe. Was sie mit den traditionellen ‚Geistlichen Tugenden' einzig noch verbindet, ist ihre zentrifugale Struktur. Alle drei nämlich stellen sie Kräfte des Innern dar, die auf etwas gerichtet sind, was jenseits, außerhalb des Subjekts, zu suchen ist.

Damit jedoch die „innere Kraft" (217), die Anselmus einzig vor dem Verderben retten kann, ihre Wirkung entfalten kann, muß es Bedrohungen und Konflikte geben: „... nur dem Kampfe entsprießt dein Glück im höheren Leben" (217), versichert Lindhorst seinem künftigen Schwiegersohn. Erst in der Herausforderung durch die Gewalt der „schlechten

Seite" kann Anselmus seine schwankende Position zwischen den beiden Lagern überwinden. Und nur weil er das Festgebanntsein in die Sphäre des Alltäglichen als Eingeschlossenheit in eine Glasflasche und als „Höllenqual" (240) empfindet, kann seine Sehnsucht so groß werden, daß sie dem „höheren Einfluß", d.h. der Liebe und Sehnsucht Serpentinas adäquat wird. Der Augenblick, in dem das Glas zerspringt und Anselmus in die Arme seiner Geliebten fällt, ist zu Recht als eine Art Selbsttötung interpretiert worden (vgl. McGlathery, 1966). Er entspricht genau jenen „kosmischen Momenten" Schuberts, in denen ein alter Zustand zu leuchten beginnt und eine höhere Existenzform sich durchsetzt. Der Augenblick der vollständigen Erstarrung, der größten Entfernung von aller Erlösung, wird zu dem der Erlösung selber (vgl. Pikulik, S. 354).

Die „schlechte Seite" wäre demnach nur mit Einschränkung als schlecht zu bezeichnen. In Wahrheit stellt sie zugleich die notwendige Voraussetzung für jede Höherentwicklung dar. Weil sie Veränderung verhindern will, setzt sie sie in Gang. Weil sie Spiegel verwendet, um fremdes Licht auf andere werfen zu können, gibt sie diesen anderen die Möglichkeit der Selbstreflexion: Sie erblicken sich im Spiegel, werden sich ihrer selbst bewußt und können dadurch ihre bisherige Existenzform überwinden.

Der Spiegel nämlich ist nicht nur für die Verfechter des zentripetalen Prinzips bedeutsam, auch das andere Lager benötigt ein solches Gegenüber. Wenn Anselmus am Schluß der Erzählung – nicht ohne die unfreiwillige Hilfe der Rauerin – den goldenen Topf und die Augen seiner Geliebten betrachten darf, so verwandelt er sich vor diesen Spiegeln in ein höheres Wesen, das „die Erkenntnis des heiligen Einklangs aller Wesen" erlangt hat (254). Er sieht sich als anderen und die anderen als mit sich in Übereinstimmung. Sein Schauen wird zum – wenn auch abgeschwächten – Reflex jener ersten Schöpfungstat, bei der der „Geist" sich selbst in seinem anderen erblickte, d.h. sich im Wasser spiegelte und damit den Prozeß der Weltschöpfung in Gang setzte.

2.4 Zur Utopie des Märchenschlusses; Trinken und Schreiben

Man hat häufig die geistesgeschichtliche Differenz zwischen Hoffmanns *Goldnem Topf* und dem *Heinrich von Ofterdingen* des Novalis in der Tatsache sehen wollen, daß Anselmus im Unterschied zu Heinrich nicht die ganze Welt erlösen kann (vgl. etwa von Matt, S. 85, 161 u.ö.). Zwar führen ihn die Proben, die er bestehen muß, am Ende zu einem Leben „in höchster Seligkeit" (254) auf einem Rittergut in Atlantis, aber an seinem Glück können nicht alle in gleicher Weise teilhaben. Es scheint zunächst, als sei diese Auszeichnung nur den Poeten vorbehalten. Doch nicht einmal diese können alle die Seligkeit des Anselmus, des „vormaligen Studenten, jetzigen Dichters" (251), genießen. Das empfindet jedenfalls der Erzähler der Geschichte des Anselmus besonders schmerzlich. Er fühlt sich, statt auf ein Rittergut in Atlantis versetzt zu sein, in seinem Dachstübchen festgehalten und den „Armseligkeiten des bedürftigen Lebens" ausgesetzt (255). Auf seine Klage hin wird er – in einem vieldiskutierten Akt romantischer Ironie (s. Heine, S. 187ff.) – von seiner eigenen Erzählfigur, dem Archivarius Lindhorst, getröstet mit der rhetorischen Frage, ob er – der Erzähler – nicht soeben noch in Atlantis gewesen sei. Der Aufenthalt auf dieser Insel und die Teilhabe an „des Anselmus Seligkeit" (255) werden damit auf jenen Zustand bezogen und zugleich eingegrenzt, der durch den Trank des angezündeten und flammenhaltigen Arraks entsteht und der den Erzähler erst befähigt hat, den eigentlichen „Beschluß" (250) des ganzen Werkes zu schreiben.

Es ist – so ließe sich in Anlehnung an Schuberts *Symbolik des Traumes* sagen – der Zustand, in dem sich der „versteckte Poet" (s. AB I B.4.) zu Wort meldet. Schon Schelling hatte in seinen *Ideen zu einer Philosophie der Natur* von solchen Zuständen gesprochen. Ihm zufolge hätten die Menschen einst in philosophischem Naturstande gelebt. „Damals war der Mensch noch einig mit sich selbst und der ihn umgebenden Welt. In dunklen Rückerinnerungen schwebt dieser Zustand auch dem verirrtesten Denker noch vor" (*Schriften von 1794–1798,* Darmstadt 1967, S. 336). Es ist der Zustand, der auch für den Somnambulen kennzeichnend ist und der diesen – nach der Lehre Carl Alexander Ferdinand Kluges – in die Lage versetzt, Wasser unter bestimmten Umständen leuchten zu sehen (*Versuch einer Darstellung des animalischen Magnetismus, als Heilmittel,* 1811, S. 142f., 145 und 609).

Daß es besonderer Umstände bedarf, um den Blick des Clairvoyant zu haben, wird im *Goldnen Topf* deutlich gemacht. So wenig der Blick in das Elbwasser die Kreuzschüler und Praktikanten über ihre wahre Situation – das Eingesperrtsein in einem erlösungsbedürftigen Zustand – aufklärt, so wenig sichert auch schon die Einverleibung des Feuerwassers, d.h. des Alkohols, das Erlebnis eines „kosmischen Moments". Das zeigt in aller Schärfe die Punschorgie im Hause des Konrektors Paulmann, die in vielerlei Hinsicht eine Antizipation der Entscheidungsschlacht zwischen der guten und der „schlechten Seite" im Bibliothekszimmer des Archivarius darstellt. Der Arrak verfehlt zwar bei keinem der Zecher vollständig seine Wirkung. Paulmann etwa spricht ihm selber unverständliche Wahrheiten aus, die er schon kurze Zeit später als „wahnwitziges Zeug" (236) verwirft, und zusammen mit Anselmus und Heerbrand stößt er Wünsche und Verwünschungen aus, die bald darauf in Erfüllung gehen werden: „Vivat Salamander – pereat – pereat die Alte [...]!" (237). Doch für Paulmann und Heerbrand sind das nur lichte, keine „kosmischen Momente". Sie fallen ins Gewöhnliche zurück, wo sie sich wohlfühlen, während Anselmus diesen Zustand später als Zwang, als Eingeschlossensein in eine Glasflasche empfindet. Wenn seine beiden Zechgenossen ihr Verhalten nachträglich als „Tollheit" einstufen, zu der sie durch den „verstockten innern Wahnsinn" (246) des Anselmus angetrieben worden seien, so offenbaren sie damit unfreiwillig das Geheimnis von der segensreichen Wirkung des Alkohols. Dieser muß nicht unbedingt nur mäßig getrunken werden. Es geht nicht um einen kalkulierten Rauschzustand (Vom Hofe, S. 116 und 122) und auch nicht um die traditionelle „sobria ebrietas", jenen Mittelzustand zwischen Trunkenheit und Nüchternheit, wie Jochen Schmidt (S. 170) meint. Entscheidend ist vielmehr etwas anderes: Das Feuerwasser kann nur wahrhaft wunderbar wirken, wenn es mit einem inneren Feuer im Trinkenden sich verbinden läßt, d.h. wenn es dessen Beschaffenheit zurückspiegeln kann. Wird der Alkohol dagegen als bloß äußeres Mittel verstanden, mit dessen Hilfe man sich mit Feuer versorgen kann, so bleibt er der Verfahrensweise der „schlechten Seite" verpflichtet. Die drei Zechbrüder im Hause Paulmann frönen im Geiste der Rauerin, aber bei einem von ihnen bleibt das Feuer von außen kein fremdes Feuer. Es provoziert vielmehr den Ausbruch des inneren Feuers. Das poetische Gemüt kann der zentripetalen Kraft eine zentrifugale entgegenstellen, wenn es im anderen sich selber erblickt.

Wie beim Trinken verhält es sich auch beim Schreiben. Es bleibt bloßes Kopieren fremder Buchstaben, solange der Schreibende im Geschriebenen nicht eine Darstellung seines Inneren erkennen kann (vgl. vom Hofe, S. 125f.). Anselmus gelingt dies zum Schluß der Erzählung. Wie er sich beim Trinken von Paulmann und Heerbrand unterscheidet, so hebt er sich auch beim Dichten gegenüber dem Erzähler ab. Während es letzterer nur zu vereinzelten lichten Augenblicken bringt, kommt es bei Anselmus wirklich zu „kosmischen Momenten". Am Ende des *Goldnen Topfs* wird damit noch einmal nachdrücklich skandiert, was sich zuweilen zu verwischen schien; die Differenz zwischen dem Alltäglichen und dem Wunderbaren, zwischen der Dresdener Realität und der Utopie.

B. Das fremde Kind

1. *Einführende Informationen*

Das fremde Kind wurde lange Zeit nicht so geschätzt wie Hoffmanns übrige Märchen, die Literaturwissenschaft befaßte sich nur beiläufig mit ihm; ähnlich verfuhr sie übrigens mit der *Königsbraut.* Viele Studien bedenken unser Märchen bestenfalls mit wenigen Bemerkungen, von den älteren Hoffmann-Forschern widmete ihm einzig Hans von Müller ausführlichere Beachtung in seinem Nachwort zu den *Märchen der Sera-*

pions-Brüder (1906). Auch Müller begegnet dem *Fremden Kind* nicht mit ungeteilter Begeisterung, aus Gründen, auf die wir zurückkommen werden. Im übrigen konstatiert er, das Märchen sei „feineren Lesern" immer aufgefallen, so habe Heinrich Voß in einem Brief von 1819 etwa von der einzigartigen Beschreibung der Brummfliege und anderen meisterhaft dargestellten Details geschwärmt. Erst in neuerer Zeit begann man sich dieses Werks eingehender anzunehmen, nicht zuletzt, weil es Aspekte der hochentwickelten Zivilisationsgesellschaft des 20. Jahrhunderts antizipiert. Es besticht außerdem durch eine in Hoffmanns Gesamtwerk seltene Transparenz der Struktur, verbunden mit vielen Topoi unseres Autors, angefangen bei der Verflechtung von Realem und Irrealem bis hin zur Utopie vom Goldenen Zeitalter. Man kann von einer geradezu paradigmatischen Funktion sprechen, die das *Fremde Kind* im Werk Hoffmanns einnimmt, denn manche Charakteristika Hoffmannschen Erzählens werden an diesem vergleichsweise geradlinig aufgebauten Märchen einfacher rezipierbar als etwa an dem ungleich komplexeren *Goldnen Topf*. Damit sei jedoch kein negatives Werturteil gefällt, auch das vorliegende Märchen bietet Stoff für vielfältige Analysen. Das beweist die jüngere Forschung, die mit der ausgiebigen Interpretation Urs Orland von Plantas ihren Ausgang nahm (1958) und die bis heute von divergierenden Standpunkten geprägt ist.

Schon Ellinger und Harich waren sich in der Beurteilung nicht einig. Während der eine den stillen und warmen Ton lobt, spricht der andere von einer „krampfhaft" durchgeführten Allegorie, eine Einschätzung, die später gerne wiederholt wird, wenn auch nicht unbedingt so negativ (vgl. Müller-Seidel, Wöllner, de Loecker). „Allegorisch" ist das Märchen auch für Ellinger. Für Sakheim und später für Olga Reimann gehört das *Fremde Kind* zu den Höhepunkten romantischer Erzählkunst (vgl. auch Negus, S. 128). Ähnliches Lob nun zollt Planta unserem Märchen, er preist die „gedankliche Anschaulichkeit und künstlerische Vollendung" (S. 6). Ihm verdanken wir in erster Linie eine differenzierte Diskussion zu dem in diesem Werk thematisierten Gegensatz vom Goldenen Zeitalter und der frühkapitalistischen Zivilisation. Ein Anstoß in diese Richtung findet sich bei Hans von Müller, mit dem Unterschied, daß dieser es an Objektivität mangeln läßt und dem Erzähler „Gehässigkeit" unterstellt: ein „fahler Unterton des ressentiment" sei nicht zu überhören (S. 120f.). – Was unsere Kritik an Planta betrifft, so irritieren dessen Rückschlüsse auf den Autor, die Schumacher vorbehaltlos übernimmt. Plantas Bemerkungen diesbezüglich gipfeln etwa im Vergleich des Magister Tinte mit Hoffmanns Persönlichkeit und äußerlicher Erscheinung: „... aber in Wahrheit war Hoffmann ein genau so häßlicher, düsterer, unheimlicher, boshafter und andrerseits wieder lächerlicher und alberner Mensch" (S. 42, vgl. auch Schumacher, S. 126).

Über Gesellschaftskritik im *Fremden Kind* äußern sich im übrigen Walter Müller-Seidel und Horst Daemmrich. Auf weitere Schwerpunkte der Literaturkritik werden wir im Kontext der Entstehungsgeschichte zu sprechen kommen.

1.1. Texte und Materialien

Das fremde Kind. In: E. T. A. Hoffmann: *Die Serapions-Brüder.* München 1963. Ausgabe des Winkler Verlags (III/472–511); nach dieser Edition wird im folgenden zitiert unter einfacher Nennung der Seitenzahl.

Das fremde Kind. In: E. T. A. Hoffmann: *Die Serapions-Brüder.* Frankfurt/M. 1983, insel taschenbuch 631, 2. Bd., S. 624–674. [Hrsg. und mit einem Nachwort versehen von Hartmut Steinecke. Illustrationen von Monika Wurmdobler.]

Hoffmann, E. T. A.: *Das fremde Kind.* Hrsg. von Carl Hoffmann. Hanau 1982. Dausien Verlag. [Bibliophile Ausgabe mit Illustrationen.]

Schnapp, Friedrich (Hrsg.): E. T. A. Hoffmann in Aufzeichnungen, (s. Gesamtbibliographie), S. 428, 430, (726), vgl. auch S. 420, 428 f.

Schnapp, Friedrich (Hrsg.): E. T. A. Hoffmann, (s. Gesamtbibliographie), S. 167–171 (173).

1.2. Forschungsliteratur

Beardsley, Christa Maria: E. T. A. Hoffmann. Die Gestalt des Meisters in seinen Märchen. Bonn 1957. [Textimmanente Interpretation, untersucht die Figur Magister Tintes im Zusammenhang mit anderen ‚Meistern‘ in den Märchen Hoffmanns.]

Daemmrich, Horst: The Shattered Self. Hoffmann's Tragic Vision. Detroit 1973. [Gesamtdarstellung. Verficht die These, daß Hoffmann ein Vorläufer der Moderne war und auf sehr komplexe Weise Absurdes, Existentialismus und Psychologisierung der Helden antizipierte.]

Ellinger, Georg: E. T. A. Hoffmann, (s. Gesamtbibliographie).

Hewett-Thayer, Harvey W.: Hoffmann: Author of the Tales. Princeton 1948. [Gesamtdarstellung, positivistisch orientiert, interpretiert nacherzählend.]

Huch, Ricarda: Die Romantik. In: Gesammelte Werke, Bd. 6. Köln, Berlin 1969. [Immer noch lesenswert, besonders über Frauen in der Romantik.]

Jost, Walter: Von Ludwig Tieck zu E. T. A. Hoffmann. Studien zur Entwicklungsgeschichte des romantischen Subjektivismus. Frankfurt/M. 1921. [Betont bei allen nachweisbaren Gemeinsamkeiten Hoffmanns Distanz zu den Dichtern der Romantik, manifestiert in der Immanenz der Ironie und dem engen Bezug zur historischen Wirklichkeit. Reiht Hoffmann unter die sentimentalischen Dichter ein.]

de Loecker, Armand: Zwischen Atlantis und Frankfurt, (s. AB III A.1.2.). [Aufschlußreiche Strukturanalyse, textnah, gibt auch Einblick in die Wirklichkeitskonzeption des Dichters.]

Lüthi, Max: Das europäische Volksmärchen. Bern 1947 (UTB). [Standardwerk.]

Magris, Claudio: Die andere Vernunft. E. T. A. Hoffmann. Meisenheim, Königstein 1980. Literatur in der Geschichte/Geschichte in der Literatur, Bd. I. [Erforscht im 1. Teil Strukturzusammenhang zwischen dem Motiv der Vereinzelung des Individuums und der Erzählstrategie im Werk Hoffmanns unter Mitberücksichtigung des politischen Hintergrundes.]

Müller, Hans von: Gesammelte Aufsätze, (s. Gesamtbibliographie).

Müller-Seidel, Walter: Nachwort zu den *Serapions-Brüdern,* III/1011 ff.

Negus, Kenneth: E. T. A. Hoffmann's Other World, (s. AB III A.1.2.).

Pankalla, Gerhard: K. W. Contessa und E. T. A. Hoffmann. Motiv- und Formbeziehungen im Werk zweier Romantiker. Breslau, Würzburg 1938. [Diskutiert gegenseitige Beeinflussung und kommt zum Schluß, daß nach 1813 eine Annäherung Contessas an Hoffmann zu beobachten sei. Erst dann verwende Contessa satirische Elemente.]

Planta, Urs Orland von: E. T. A. Hoffmanns Märchen *Das fremde Kind.* Bern 1958. [Bisher einzige Monographie; nicht unproblematische Arbeit, da ihr Verfasser zuweilen Autor und Fiktion auf die gleiche Ebene setzt.]

Sakheim, Arthur: E. T. A. Hoffmann, (s. Gesamtbibliographie).

Schnapp, Friedrich: Die Heimat des fremden Kindes. In: MHG 21 (1975), S. 38–41. [Verläßt sich in dieser Frage zu sehr auf die Auskünfte des Autors im Vorwort, ohne auf den impliziten Leser zu achten.]

Schumacher, Hans: Narziß an der Quelle, (s. AB III A.1.2.).

Thalmann, Marianne: Der Trivialroman des 18. Jahrhunderts und der romantische Roman. Ein Beitrag zur Entwicklungsgeschichte der Geheimbundmystik. Berlin 1923. Germanische Studien, Heft 24. [Bahnbrechende Studie, eröffnete die Diskussion um den Trivialroman.]

Thalmann, Marianne: Das Märchen und die Moderne. (1961), (s. AB III A.1.2.).

Thalmann, Marianne [Nachwort zu]: Tieck, Ludwig: Die Märchen aus dem Phantasus, Werke, Bd. II, München: Winkler 1964.

Tismar, Jens: Kunstmärchen, (s. AB III A.1.2.). [Faßt poetische Funktion des romantischen Märchens als eine gesellschaftliche auf.]

Werner, Hans Georg: E. T. A. Hoffmann, (s. Gesamtbibliographie).

Wöllner, Günter: E. T. A. Hoffmann und Franz Kafka, (s. AB III A.1.2.). [Beruft sich (wie von Planta) auf C. G. Jung und sieht in der Figur des fremden Kindes die für den Erwachsenen nicht mehr oder erst im Tode vollziehbare Konfrontation mit dem eigenen Ursprung.]

Wührl, Paul-Wolfgang: Die poetische Wirklichkeit, (s. AB III A.1.2.).

1.3. Voraussetzungen und Entstehung

Das fremde Kind entstand 1817, also drei Jahre nach dem *Goldnen Topf* und ein Jahr vor *Klein Zaches*. Es erschien erstmals in den *Kinder Märchen* zusammen mit Contessas *Das Schwert und die Schlangen* und Fouqués *Kuckkasten* und ging 1819 in den 2. Bd. der *Serapions-Brüder* ein. Bei der Frage nach literarischen Quellen wird es gerne mit Tiecks Märchen *Die Elfen* in Zusammenhang gebracht (s. *Phantasus*). Auch bei Tieck steht ein kleines Mädchen (Marie) im Mittelpunkt. Während bei

Hoffmann die beiden Kinder Besuch aus einem jenseitigen Reich bekommen, verbringt Marie ihre Kindheit im Elfenland, im Land der vermeintlichen Zigeuner. In beiden Märchen lebt die Wunderwelt bei den Erwachsenen nur in der Erinnerung weiter. Im Unterschied zu Tiecks Werk kann der Zauberbann bei Hoffmann nicht allein durch Indiskretion gebrochen werden, vielmehr ist das Verschwinden des fremden Kindes ein Resultat des Erwachsenwerdens, der psychologischen Reifung. Eine Übereinstimmung der beiden Texte wird vor allem in der Darstellung der Wunderwelt konstatiert (Jost, S. 112, Hewett-Thayer, S. 243). Bei Tieck ist Hoffmann wohl diesem Elfenreich mit dem „glänzenden Kind" begegnet, wo die Bewohner von Lilien, Rosen und Tulpen umgeben sind und Kinder zwar nicht mit Rehen, aber mit Lämmern spielen. Unter diesem Gesichtspunkt läßt sich die Beschreibung des fremden Kindes allerdings nicht einfach mit der Bezeichnung „Kitsch" erledigen (vgl. von Planta, S. 72, de Loecker, S. 105). Eher dürfte es sich bei dieser Schilderung um ein Requisit des romantischen Kunstmärchens handeln. In der Zeichnung des fremden Kindes ist ein enger Motivzusammenhang mit den *Lehrlingen zu Sais* von Novalis herstellbar.

> Eins war ein Kind noch [...]. Es hatte große dunkle Augen mit himmelblauem Grunde, wie Lilien glänzte seine Haut, und seine Locken wie lichte Wölkchen, wenn der Abend kommt. (*Schriften*. 1. Bd. [s. AB III A.2.2.], S. 80; vgl. auch die Figur Rosenblütchens [Wöllner, S. 20])

Auf Parodie wird getippt, wenn auf ein anderes dem *Fremden Kind* zugrundeliegendes Werk verwiesen wird, nämlich *Das Gastmahl* von Contessa (vgl. Pankalla). Zur Frage nach dem Ursprung der Figur des fremden Kindes verweist Planta (S. 68 f.) auf die französischen Feenmärchen (vgl. auch Thalmann, 1923, S. 305). Die gute Fee ist aber auch eine Gestalt des deutschen Volksmärchens. Wie alle „jenseitigen Märchenfiguren" (Lüthy, S. 9) trägt das fremde Kind keine individuellen Züge. Es durchlebt auch keine Entwicklung. Unvermittelt, mit Zauberkraft, tritt es überdies ins Leben der Kinder und bleibt nachher ebenso unvermittelt aus. Friedrich Schnapp sieht im Knaben Phantasus (Tieck) ein direktes Vorbild für das fremde Kind, zumal der Dichter in seinem Vorwort zu den *Serapions-Brüdern* das betreffende Werk Tiecks als spiritus rector seiner Erzählsammlung nenne.

Hoffmann schuf das Märchen, wie *Nußknacker und Mausekönig*, auf dem Hintergrund seiner Beschäftigung mit den Kindern seines Freundes Hitzig. Wie aus einem Brief vom 18. März 1818 an Kunz hervorgeht und wie auch in der Rahmenerzählung der *Serapions-Brüder* nachzulesen ist, schrieb Hoffmann *Das fremde Kind* mit der Intention, ein zweites, kindlicheres Märchen zu schreiben, als Replik auf die Vorwürfe, die ihm zum *Nußknacker und Mausekönig* gemacht worden waren. Viele Kritiker bezweifeln, ob ihm dies gelungen sei, sie lassen sich vom ironischen Kommentar Ottmars leiten: „Einige verdammte Schnörkel, deren tiefe-ren Sinn das Kind nicht zu ahnen vermag“, habe der Erzähler doch nicht weglassen können (510). Marianne Thalmann ist gar der Ansicht, nichts liege Hoffmann ferner als das Geheimnis des Kindseins (1961, S. 88), und Armand de Loecker behauptet, dem Märchen gehe „psychologische Treffsicherheit“ ab (S. 115). Von denselben Autoren wird auch eine Eti-kettierung der Märchenfiguren vorgenommen, die wir im folgenden Ka-pitel diskutieren wollen.

2. Textanalyse

2.1. Rousseau-Rezeption

Von Hans von Müller stammt der Ausspruch, die beiden Kinder Felix und Christlieb seien „entsetzlich gut, so edel wie nur ein Rousseau'scher Naturmensch“ (S. 121). Die implizite Kritik ist unüberhörbar. Marianne Thalmann drückt sich noch eindeutiger aus, wenn sie sagt, wir hätten es in diesem Märchen mit einem satirischen Produkt aus „überwärmten Bürgerstuben“ zu tun, die Landkinder verkörperten eine „dick aufgetra-gene Unschuld“ (1961, S. 88, vgl. auch de Loecker, S. 110/115).

Es ist nicht zu bestreiten, daß die Welt Felix' und Christliebs von der Auseinandersetzung des Autors mit den Ideen Rousseaus und der deut-schen Reformpädagogen des 18. Jahrhunderts geprägt ist (s. AB I B.3.). Hoffmann studierte in jungen Jahren bekanntlich mit brennendem Inter-esse Rousseaus *Confessions*. Wer sein *Fremdes Kind* aber als Rousseau-Klischee abzustempeln versucht, wie es die um Hoffmann verdiente Ma-rianne Thalmann und andere Kritiker tun, wird dem Märchen nicht gerecht. In der Kontroverse um die neue Erziehung stellt die Bildung von Felix und Christlieb den positiven Gegenentwurf zur traditionellen Hof-meister-Erziehung Hermanns und Adelgundes dar. Obwohl diese beiden Pole sich im Märchen kraß voneinander abheben, sind die beiden Berei-che, die sie repräsentieren, keineswegs undifferenziert plakativ gestaltet, hauptsächlich was Felix und Christlieb angeht. Die Dialoge und Spiele der beiden – solange sie sich nicht im Beisein des fremden Kindes abspie-len – zeichnen sich durch eine Unmittelbarkeit aus, die einerseits auf die von den Kindern ausgehende Perspektive zurückzuführen ist, andrerseits auch von des Autors genauer Kenntnis kindlicher Reaktionen zeugt. Al-lein schon die Schilderung des Empfangs der Verwandten aus der Stadt im Hause des Thaddäus von Brakel birgt erfrischende Wirklichkeits-treue.

„Unschuldig“ (vgl. 477 und Thalmann a. a. O.) wirken die beiden Landkinder nur im positiven Sinn, wenn man Unschuld mit Unverbildetheit gleichsetzt. Dabei sind die beiden aber im Alltag längst nicht so weltfremd wie Hoffmanns typische Märchenhelden Anselmus, Balthasar und Peregrinus Tyss (vgl. Werner, S. 148). So lassen sie sich durch das steife Zeremoniell, das Onkel und Tante vollführen, kaum einschüchtern und beißen danach „tapfer in das derbe Stück Kuchen"; auf diesen Moment haben sie schließlich auch die ganze Zeit gewartet (476). Als der Onkel zu verstehen gibt, man dürfe die Bonbons nicht zerbeißen, reicht Felix die ihm geschenkte Tüte kurzerhand den Gästen hin mit den Worten: „Nimm nur deinen Zucker wieder mit, wenn ich ihn nicht essen soll!" (478) Das ist zwar nicht gerade höflich, dafür aber aufrichtig. Felix beabsichtigt nicht, den Onkel zu beleidigen, er will nur nichts für ihn Unbrauchbares an sich nehmen. Dieselbe Motivation spricht aus der Kinder Abneigung gegen die feinen Kleider (475). Diese sind ihnen lästig, weil sie sich in ihrem dem kindlichen Entwicklungsstand gemäßen Bewegungsdrang nicht einschränken lassen wollen. Wenn Felix Hermann gutmütig scheltend beschwichtigt wegen dessen unbegründeter Angst vor dem Hund, so tritt sein common sense und ein leiser Sinn für Ironie zutage: „Er tut dir ja nichts, warum heulst und schreist du so? es ist ja nur ein Hund [...] Und wenn er auch auf dich zufahren wollte, du hast ja einen Säbel?" (479) Die raffinierten Spielsachen aus der Stadt bereiten keine Freude, weil sie zu fein, zu zerbrechlich sind und sich nur auf eine einzige, vom Hersteller festgelegte Art benützen lassen. So kann die Puppe nur an- und ausgezogen werden, ein Bad bedeutet bereits ihren Ruin. Der Jägersmann vermag nicht frei auf ein Ziel zu schießen, der Abzug funktioniert nur, wenn die am Spielzeug befestigte Zielscheibe anvisiert wird. Es stellt sich Abscheu ein gegen die Automaten als Repräsentanten der mechanisch ausgerichteten Zivilisation, in der der schöpferischen Entfaltung des Individuums enge Grenzen gesetzt sind. Die Kinder schleudern die unbrauchbaren Geschenke nicht mutwillig, sondern aus berechtigtem Unmut ins Gebüsch. Von ihnen, im Gegensatz zur Lehrmeisterin Natur, können sie nichts lernen (vgl. auch 48f.). Ganz allgemein eignet den beiden Landkindern, entgegen ihren Vettern aus der Stadt, ein wohltuend vernünftiges Verhalten, das sich aus ihrer sinnlichen Erfahrung herleiten läßt.

Während Hermann und Adelgunde zum Beispiel seelenlos unverdautes Wissen von fernen Ländern und wilden Tieren herplappern, äußern sich Felix und Christlieb nur über Dinge, die sie aus eigenem Erleben kennen, über den Wald in der Nachbarschaft etwa, oder über den ihnen so vertrauten Hund Sultan. Sie merken auch gleich, daß es nicht viel auf sich hat mit Hermanns „Wissenschaften"; Felix kommentiert im Nachhinein: „i nun die plappert er gut genug weg" (480). Der vom Onkel aus der Stadt hergesandte Hofmeister, Magister Tinte, kann bei den von Brakels auf Brakelsheim denn auch nicht viel ausrichten, Christlieb und Felix setzen sich gegen die rein abstrakte Wissensvermittlung zur Wehr (497–505). Ironie des Erzählers blinkt aus ihrer Klage im Wald, als sie über die von ihnen zerstörten Spielsachen schluchzen: „Wir armen Kinder wir haben keine Wissenschaften!" (485) Dieser komische Aufschrei weist auf die Entbehrlichkeit einer falsch verstandenen Wissenschaft hin. Was die Stadtkinder und die sich gebildet glaubenden Eltern bei ihrem Verwandtenbesuch von sich geben, ist im besten Falle Halbwissen, mit dem man sich in Gesellschaft hervortun kann.

Mit diesen Beispielen möchten wir belegen, daß die Darstellung der Landkinder nichts mit einem Abklatsch des Rousseauschen Gedankens „retour à la nature" zu tun hat. Ebensowenig handelt es sich um Ablehnung der Ratio als „zerstörendes Prinzip" (von Planta, S. 97). Viel eher vermittelt *Das fremde Kind* eine Apologie der Reformpädagogik jener Zeit. Der Erzähler läßt es dabei nicht an der nötigen kritischen Distanz mangeln, denn Felix und Christlieb sind nicht dem Verstand allein verpflichtet. Die irreale Traumwelt, die die beiden sich schaffen, liefert die notwendige Korrektur zum neuen Erziehungsmodell.

Was die Erzählperspektive betrifft, so gehen wir mit Negus einig, der Kinderstandpunkt hätte durch den Dichter kaum zu größerer Differenziertheit gebracht werden können (s. S. 128). Solch treffende literarische Kinderportraits sind am Ende des 18. und Anfang des 19. Jahrhunderts in der Tat äußerst rar. Selbst weder Goethes *Dichtung und Wahrheit* noch Karl Philipp Moritz' *Anton Reiser* erreichen dieselbe Authentizität, ganz abgesehen von Tiecks *Die Elfen,* mit denen Hoffmanns Märchen ja vieles gemeinsam hat. Überhaupt unterscheiden sich Kinder in Hoffmanns Werk wohltuend von den jugendlichen Helden anderer Romantiker, die sehr viel mehr vom Charakter eines Kunstprodukts an sich haben (vgl. Novalis, Brentano).

Mit den Figuren Hermann und Adelgunde liefert der Erzähler eindeutig eine „bissige Karikatur" (Thalmann, 1961, S. 88). Angesichts dieser verkorksten Stadtkinder, die im wahrsten Sinn des Wortes den Boden unter den Füßen verloren haben, wird man an die in Hoffmanns Epoche entstehende Problematik städtischen Lebens gemahnt. Wie moderne Großstadtmenschen leben die farb- und willenlosen Hermann und Adelgunde nach einem Verhaltenskodex, der nichts mit ihren ursprünglichen Bedürfnissen zu tun hat. Dies manifestiert sich etwa in ihrer Bewegungsscheu und ihren überverfeinerten Eßgewohnheiten (478, 476). Dementsprechend schwächlich ist ihre körperliche Konstitution. Hermann guckt aus einem „blaßgelben Gesichtchen und [...] trüben schläfrigen Augen" (475 f.). Als karikierte Städter weisen sich Hermann und Adelgunde auch durch ihre Kleider aus. Beide tragen sie eine völlig unzweckmäßige Tracht, eine Art Rokoko-Kostüm, wie man es aus zeitgenössischen Bildern des Adels kennt. Zur Zeit der Entstehung des Märchens repräsentiert eine solche Bekleidung eine vergangene Zeit. Der Erzähler mokiert sich in dieser Darstellung nicht nur über die Sitten in der Stadt, sondern ironisiert zusätzlich die Hierarchie der Gesellschaft, die sich über Jahrhunderte im Kleiderzwang manifestierte. Die bequeme, einfache Kleidung repräsentiert in der Epoche Hoffmanns einerseits ein Postulat der Reformpädagogen (Basedow u. Campe z.B.), andrerseits signalisiert sie aber auch gesellschaftliche Fortschrittlichkeit, die zur Beseitigung von Standesprivilegien tendiert. Wenn der – zwar verarmte – Adlige Thaddäus von Brakel nach Abreise der Familie seines Bruders sich seiner feinen grünen Jacke und roten Weste entledigt und sich das Haar schlicht wie die Bauern kämmt, so läßt er Bereitschaft erkennen, sich in die bürgerliche Gesellschaft einzuordnen. Die Brakels aus der Stadt werden damit samt ihrem veralteten Erziehungsideal als Vertreter einer obsoleten Schicht denunziert. Die satirische Übertreibung in der Beschreibung der Stadtfamilie ist nicht als Beigabe zu deuten, sie verleiht dieser Textaussage erst den notwendigen Nachdruck.

2.2. Die Gegenwelt zum Alltag

Im Unterschied zum *Goldnen Topf* und vielen anderen Dichtungen Hoffmanns repräsentiert das Phantasiereich im *Fremden Kind* nicht eine Alternative zum Dasein des Philisters. Neben der Anklage gegen Schulmeisterei, Verstädterung und Überreste aus der ständischen Gesellschaft konzentriert sich in der Figur des fremden Kindes vielmehr eine Kritik am Zweckrationalismus einer falsch verstandenen Aufklärung. Was *Klein Zaches* so vehement formuliert, verkündet auch das vorliegende Märchen: Isolierter Gebrauch der Ratio verheißt längst nicht Machbarkeit aller Dinge. Sowohl rein sachlich orientierte Individuen als auch eine solchermaßen ausgerichtete Gesellschaft sind bei Hoffmann zum Scheitern verurteilt. Nur wer die Stimme der Phantasie hinter den Phänomenen der Natur vernimmt, hat Gewähr, in der von Entfremdung bedrohten Welt lebendig zu bleiben. Der Magister Tinte, ein Symbol des zersetzenden Verstandes und Nützlichkeitsdenkens, ist aus diesen Gründen zum Untergang bestimmt. Er, der die Blumen nur in Töpfen liebt, hat kein Ohr für den wehmütigen Klagelaut, der für die Kinder vernehmbar durch den Wald streicht, als der Magister unwirsch ein Büschel der „nichtsnutzigen Dinger" von Maiblümchen aus dem Boden reißt. Magister Tinte muß aus der Geschichte verschwinden, ebenso ergeht es seinem geistigen Prinzip, dem Gnomenkönig Pepser oder Pepasilio, der mit seinem schwarzen Saft die Natur und das Reich des fremden Kindes zu übergießen droht (vgl. 500, 505, 496, man beachte die motivische Ähnlichkeit mit der Figur des Schreibers im ‚Klingsohrmärchen' des *Heinrich von Ofterdingen* von Novalis). Wie Magister Tinte/Pepser ergeht es den

Brakels aus der Stadt. Sie reisen nach dem kurzen Besuch für immer ab. Das Phänomen des Untergangs unliebsamer Gestalten ist aus den Grimmschen Märchen bekannt, dort gehen die Guten nach Haus, die Bösen verschwinden in der weiten Welt.

Über die Figur des fremden Kindes ist bisher viel gerätselt worden (vgl. B.1.). Negus betrachtet sie als eines der offensten Symbole in Hoffmanns Werk (S. 126). Es ist auch schon der Versuch unternommen worden, das fremde Kind in einen biblischen Kontext zu stellen (von Planta, S. 20ff. und Negus, S. 126); doch darf dieser Zusammenhang nicht überschätzt werden. Weder ist das Märchen untrüglich neutestamentlich geprägt, noch läßt es sich im Sinne der Genesis verstehen. Den Anlaß zu einer biblischen Interpretation gibt das Wort „Widersacher", mit dem das fremde Kind den Feind Pepser bezeichnet (510). Mit Christus hat das Kind die allumfassende Güte und die Funktion des Erlösers, nicht aber das Leiden gemein. Von einer Bestrafung für den Genuß vom Baum der Erkenntnis kann nicht die Rede sein, da Christlieb und Felix weder Wissen noch Macht suchen. Sie verlieren das Paradies unverschuldet, ganz einfach, weil sie älter werden.

Das fremde Kind mahnt eher an ein Urbild des nicht entfremdeten Menschen, wie es bei Rousseau im „enfant fait" begegnet (s. AB I B.3.) – Kinder als Konfiguration der Erlösung oder des Goldenen Zeitalters sind zahlreich in der Literatur der Romantik (Novalis, Tieck, Steffen, Schelling, Schubert, vgl. dazu Hans v. Müller, S. 114). Der Gestalt der Fabel im ‚Klingsohrmärchen' des *Heinrich von Ofterdingen* kommt eine ähnliche Erlöserrolle zu wie dem fremden Kind, auch sie entwächst nie der Kindheit. – Wie dem mit dem Makrokosmos sich eins fühlenden jüngeren Kind eignet diesem idealen Wesen eine magische Sehweise. Es erlebt unbelebte Natur und Gegenstände als belebt. Das magische Sehen ist bei Hoffmann im übrigen nicht nur Kindern und Märchenwesen vorbehalten. Alle für das Phantastische empfänglichen Figuren erfahren Büsche und Bäume als Lebewesen oder hören Vögel und Waldtiere sprechen. Man denke etwa an Anselmus oder Balthasar. Oft auch verändern unter dem ‚magischen Blick' die Dinge ihr gewohntes Aussehen und entfalten eine imaginäre Pracht. Im Beisein des fremden Kindes verwandelt sich für Felix und Christlieb das Dickicht des Waldes in einen Palast. Die glänzenden Wolken erstrahlen als funkelnde Schlösser (486f., 491, vgl. auch Wührl, S. 238).

Mit einer objektiven Schilderung der Natur haben solche Passagen natürlich nichts gemeinsam. Das gilt bis zu einem gewissen Grad für Hoffmanns Naturbeschreibung allgemein. Von Planta hat nicht unrecht, wenn er sie als seltsam unplastisch und stereotyp bezeichnet (S. 99f.), nur ist dieses Phänomen nicht auf die städtische Lebensweise des Autors zurückzuführen. Hier zeigt sich viel eher Hoffmanns Verbundenheit mit der Romantik. Diese Art der Naturdarstellung ist, wie ihre magische Belebung durch die Phantasie, als „Vorstoß der unbefriedigten Vernunft“ und Reaktion gegen die zunehmende Verdinglichung des Menschen aufzufassen (vgl. Thalmann, 1923, S. 317). Wie in anderen Werken der Romantik – *Franz Sternbalds Wanderungen, Heinrich v. Ofterdingen, Ahnung und Gegenwart* z.B. – ist die Natur in unserem Märchen nicht um ihrer selbst willen abgebildet. Wie auch im Volksmärchen übt die Naturdarstellung im *Fremden Kind* immer eine „Funktion [aus], die auf die Handelnden zurückweist“ (Wührl, S. 79). Am Zeisig demonstriert der Magister Tinte beispielsweise seine Naturfeindlichkeit (500). Selbst die Beschreibung des Wetters spiegelt eher die Stimmung der Kinder als meteorologische Verhältnisse (vgl. etwa 505).

Nach diesem kleinen Exkurs über die Natur in unserem Märchen nun zurück zur Hauptfigur der Gegenwelt: Öfters wird das fremde Kind als die Verkörperung der reinen Phantasie interpretiert (Harich, Planta, Werner, Schumacher z.B.). Diese Deutung leuchtet ein, denn ohne die Anwesenheit des fremden Kindes bleiben Felix und Christlieb unempfindlich für die Wunderwelt, der Wald langweilt oder bedrückt sie gar. Allerdings ist damit nicht der ganze Bedeutungshorizont dieser Gestalt ausgeleuchtet, das fremde Kind sprüht auch von Lebenskraft und Optimismus, und das Reich, das es vertritt, zeichnet sich durch ganz bestimmte Qualitäten aus.

Die Heimat des fremden Kindes repräsentiert eine Welt, in der es keinen Besitz und infolgedessen keine Unterscheidung zwischen Reich und Arm gibt. Das steht in Kontrast zur Lebensrealität der Brakels. Gleich im ersten Abschnitt des Märchens weist der Erzähler auf die Eigentumsverhältnisse hin, in denen Felix und Christlieb aufwachsen (472). Ihr Vater ist zwar der Erbe des Familiensitzes, doch kann sich sein Haushalt nicht mit dem Reichtum seines Bruders in der Stadt messen (473 ff.). – Ein anderes Ideal leuchtet in der Androgynie, einem Topos der Romantik, auf. Dort, wo das fremde Kind herkommt, hat die Geschlechtszugehörigkeit des einzelnen keine Bedeutung. Die Erscheinung des fremden Kindes ist androgyn, Christlieb hält es für ein Mädchen, Felix für einen Knaben (489). Es verkörpert einen Zustand vor der Individuation und führt Schwester und Bruder in ein Reich ein, in dem sie ihre Rollenzugehörigkeit vergessen. Es zaubert für Christlieb zwar tanzende Puppen und für Felix Jäger her, gibt aber auch gleich zu verstehen, daß mehr Spaß darin liegt, durch den Wald zu laufen oder durch die Lüfte zu fliegen (487). Die Aufhebung der Antagonie der Geschlechter erscheint in unserem Märchen als Teilaspekt des Goldenen Zeitalters. Am Hofe der Feenkönigin gibt es keine Bevorzugung des Buben, im Gegensatz zum Alltag, wo Felix den Ton angibt und seine Schwester Christlieb nichts zu tun wagt, ohne auf das Vorbild des Bruders zu schielen. – Im Feenreich siegt die Phantasie über die tote Gelehrsamkeit. Pepasilio wird wohl im Kreise der Minister aufgenommen, als seine Gelehrtheit sich aber darin erschöpft, die Werke der anderen Minister zu vernichten und die Feste der Kinder zu verderben, straft ihn der Fasanenfürst, quetscht ihn zusammen und läßt ihn „dreitausend Ellen“ tiefer zur Erde sausen (495 f.). Die Phantasie regiert jedoch nicht unumschränkt. In diesem Zusammenhang gilt es die des öftern kritisierte Stelle zu betrachten, die in ihrer Grausamkeit zuweilen aufhorchen läßt. Kinder können im höheren Reich sterben, weil der Gesang der Vögel ihr Herz zerreißt oder weil sie vom Regenbogen fallen. An anderen rächt sich der Goldfasan für ihren Übermut und reißt ihnen die Brust auf. Das fremde Kind mahnt mit diesen traurigen Beispielen davor, die Phantasie „gar zu keck“ auszuleben (494, s. Daemmrich, S. 63). Aus Besorgnis und Angst um die allzu Sorglosen gewährt die Feenkönigin nur auserwählten Kindern Einlaß in die Heimat des fremden Kindes. Mit dieser Passage verwahrt sich der Erzähler gegen die Verabsolutierung der Phantasie, so wie er mit den Brakels aus der Stadt und Pepser vor der einseitigen Überbewertung der Ratio warnt.

2.3. Dreiteilung und Symmetrie; zur Funktion der Struktur

Wie in Tiecks *Die Elfen* begegnet uns im *Fremden Kind* „weder Traum noch Chaos, sondern ein artistisch geordneter Märchenapparat, der in das volle Tageslicht eingebaut ist“ (Thalmann, 1964, S. 898). – Auf Unterschiede zwischen beiden Werken wurde bereits Bezug genommen (B.2.1.). – Charakteristisch für unser Märchen sind Strukturelemente, die Übergänge von der Realität zur übersinnlichen Welt klar erkennbar machen – im Unterschied etwa zum *Goldnen Topf* oder zur *Prinzessin Brambilla*. Die Umsetzung von Alltagserfahrung in die Phantasie ist nachvollziehbar im *Fremden Kind*. Der Magister Tinte, zum Beispiel, trägt vorerst als Mensch fliegenhafte Züge und verwandelt sich zusehends in ein Insekt. Sein Dasein als Fliege ist deutlich als Produkt der kindlichen Phantasie charakterisiert, wobei die Eltern Brakel an dieser Projektion schließlich teilhaben (497, 501).

Der Aufbau des Märchens ist streng dreigeteilt (vgl. von Müller, de Loecker). Das erste Drittel gilt der Konfrontation zwischen Stadt und Land, zwischen abstrakter Verbildung und lebendig erworbenem Wissen. – Der mittlere Teil entführt die Kinder von der Außenwelt in die Innenwelt, als das fremde Kind ihnen vom Schlaraffenland und dem Land des ewigen Spiels erzählt, wo die Gesetzmäßigkeiten des bürgerlichen Alltags ausgeschaltet sind. – Das letzte Drittel spielt, abgesehen von ein paar blitzhaften Einschüben, wiederum in der Zivilisationswelt.

Die beiden im Märchen abgebildeten Gegenwelten sind einander symmetrisch zugeordnet. Das läßt sich unter anderem an den Personen ablesen. Beiden Bereichen entsprechen je fünf Figuren. Die Zivilisation wird durch die vier Brakels aus der Stadt und Magister Tinte vertreten. Dem höheren Reich wenden sich die vier Brakels auf dem Lande zu, sie verbünden sich mit dem fremden Kind. Symmetrie prägt auch die Bildlichkeit. Sie ist im festen Bezugsnetz der Bedeutungen verankert. So lesen sich die unbekümmerten sprachlichen Äußerungen der Landkinder als Metapher für ihre Offenheit, das leise Sprechen von Adelgundchen und Hermann hingegen für deren angekränkelte Überfeinerung. Einen ähnlichen Kontrast ruft auch die Kleidung der zwei Geschwisterpaare hervor. Bunt ist die Welt des fremden Kindes, derweil Pepasilio alle Farben und alles Leben mit seinem schwarzen Saft tilgt (496). Wo die neue Pädagogik und zugleich der Geist der Phantasie herrschen, ist es licht und hell, wo jedoch Stadt und Aufklärungsgeist dominieren, ist es düster, wie das Gewitter im 3. Teil metaphorisch verkündet (weitere Beispiele s. v. Planta, S. 74–91).

Obwohl nun jede Figur ziemlich eindeutig einem Bedeutungsbereich zuzuordnen ist, möchte man von der populären Einstufung des Märchens als Allegorie absehen (vgl. B.1.). Nicht immer sind – wie in der barocken Allegorie – Person oder Gegenstand und Bedeutung austauschbar, öfters läßt sich zudem die Interpretation nicht rückübersetzen. Wird Magister Tinte zum Beispiel schlichtweg mit „Aufklärung" gleichgesetzt, so engt man den Bedeutungshorizont dieser Figur ungebührlich ein und unterschiebt dem Erzähler unausgesprochen Undifferenziertheit. Die Bedeutung ist den Personen und Gegenständen in diesem Märchen zwar auferlegt, doch erschöpft sie sich nicht darin. Auch wenn andrerseits Gegenstand und Bedeutung nicht ohne weiteres zusammenfallen wie im klassischen Symbol (Goethe), so sind doch alle Vorgänge getragen vom sinnlichen Scheinen einer Idee (Hegel). Eher ließe sich die Bildlichkeit unseres Märchens in der Nähe des romantischen Symbols ansiedeln, das eine festgelegte, allenfalls historisch tradierte Bedeutung impliziert, den offenen zukunftsweisenden Horizont jedoch nicht ausschließt (s. hierzu Walter Benjamin: *Ursprung des deutschen Trauerspiels. Gesammelte Schriften.* Hrsg. v. Rolf Tiedemann und Hermann Schweppenhäuser, Bd. I.1, Frankfurt/M. 1974, S. 340 ff. und AB III D.2.4.). Gerade das fremde Kind weckt als Erlöserfigur, wie wir gesehen haben, Assoziationen mit Christus, gleichzeitig erlaubt es aber auch eine vielfältigere säkularisierte Deutung.

In diesem Sinne ist der Schluß des Märchens nicht als unbegreiflicher Abbruch (vgl. Diskussion in v. Planta S. 92 ff.) oder als Eingeständnis der Resignation (Daemmrich) zu sehen. Wenn die Brakels nach dem Tode des Vaters Thaddäus von dessen Bruder aus dem Familiensitz ins Ungewisse vertrieben werden und das fremde Kind sich in Schweigen hüllt, dann kehrt der Erzähler nur folgerichtig in die alles andere als befriedigende Realität zurück, in der die Besitzverhältnisse ihrer Klärung harren. Wie unter den preußischen Junkern (s. AB I A.1.) ist das Wohl oder Verderben der Landbevölkerung in Brakelheim abhängig vom Verantwortungsgefühl des Großgrundbesitzers. Gehörte das Land den Bauern, würde es keine Rolle spielen, welcher der Brüder, Thaddäus oder Cyprianus, in dem bescheidenen Landsitz zu Hause wäre (473, 509). Wenn nach der Vertreibung des von den Brakels aus der Stadt gesandten Magisters ein Gewitter heraufzieht und die verachteten Spielsachen an den Kindern Rache nehmen (506), wird bildlich sinnfällig, daß sich im damaligen historischen Moment kein Bürger den Verordnungen der Herrschenden entziehen konnte, ohne mit entsprechenden Sanktionen rechnen zu müssen. Die Abwendung der Kinder vom Idealbereich ist dennoch nur eine vorläufige, denn das fremde Kind bittet Christlieb und Felix, wenigstens die Erinnerung an das von ihnen erlebte Goldene Zeitalter zu bewahren:

> Behaltet mich nur treu im Herzen, wie ihr es bis jetzt getan, dann vermag der böse Pepser und kein anderer Widersacher etwas über euch! (510)

Die im Märchen ausgesprochene Kritik an der Realität und das Ideal, beide zusammen, bergen zumindest die Hoffnung, daß diejenigen, die die Misere erkennen und darunter leiden, zu einem späteren Zeitpunkt ihre Vorstellungen vom Guten zu verwirklichen gedenken. So gesehen verkommt Hoffmanns Utopie nicht zur Flucht vor der unerträglichen Realität, wie in der Literaturkritik des öftern behauptet wird (vgl. etwa Werner). Um mit Tismar zu sprechen, ist das „zentrale Thema" auch dieses wie zahlreicher anderer romantischer Kunstmärchen „der Versuch, nichtentfremdete Weltverhältnisse – ‚Märchen' ist dafür die Chiffre – mit einer durch die Reflexion hindurch wiedererlangten Unschuld zu imaginieren und die Entzweiung der Welt als (wenigstens partiell) aufhebbar vorzustellen" (S. 31).

C. Klein Zaches

1. *Einführende Informationen*

Das Märchen *Klein Zaches* darf als eines der kaum angefochtenen Werke Hoffmanns betrachtet werden. Ihm ist von Anfang an eine kunstvolle Struktur wie auch Unterhaltungswert bescheinigt worden. Dies hat ihm die Beliebtheit beim Lesepublikum und bei der Literaturkritik zugleich gesichert. Fühmann bezeichnet das Märchen etwa als unausschöpfliche und nie zu Ende deutbare Dichtung, „eine Macht in unserer Brust, ein Spuk im Alltag und keines dieser beiden" (S. 164). Nach de Loecker zeugen das Geschehen und die Figurenwelt von erzählerischer Virtuosität (S. 147). – Hoffmann selbst hat sein Märchen vermutlich ebenso gelungen gefunden, sonst hätte er es nicht seinen Freunden als „superwahnsinniges" oder als „das humoristischte" seiner Bücher empfohlen (vgl. Br II/199 und 194). Graf Pücklers Dankesbrief für die Zusendung eines Textexemplares (Br II/196ff.) ist zu entnehmen, daß *Klein Zaches* Staub aufwirbelte. Der preußische Rittmeister a.D. Cäsar soll geäußert haben, „Zinnober sey ein solcher Ausbund daß er gar nicht das Licht der Welt werde erblicken dürfen". Pückler bekannte dazu ironisch, daß er froh sei, von Klein Zaches nichts weiter zu wissen, als daß er Minister gewesen sei. Diese Worte liefern eine hinreichende Erklärung für des Autors Rechtfertigung im Vorwort zur *Prinzessin Brambilla*:

> Das Märchen Klein-Zaches, genannt Zinnober [...] enthält nichts weiter, als die lose, lockre Ausführung einer scherzhaften Idee. (IV/211; vgl. auch von Maassen und das Debakel um die Knarrpanti-Episode im *Meister Floh,* AB I C.1.)

Die Frage, ob unser Märchen als Satire aufzufassen sei, entfachte in der Literaturkritik eine Debatte, die bis heute anhält. Uneinig ist man sich vor allem, ob dem Text eine gesellschaftskritische Intention zugeschrieben werden soll. Gegnern dieser These zufolge herrscht das versöhnliche Moment des Humors vor (s. Martini, Müller-Seidel u.a.). In der Kontroverse wirkten Olga Reimann und Ernst von Schenck bahnbrechend: Während Reimann *Klein Zaches* als Hoffmanns satirischstes Werk betrachtet, verbietet sich v. Schenck, Zinnober als „politisch-soziologische Figur" zu sehen. Er hält fest, Zaches sei „keine zeitkritische Allegorie, sondern eine echt mystisch-visionäre Gestalt", es gehe hier „wie immer um die Frage nach dem Menschen" (S. 74). Das Märchen bedeute „Humor im tiefsten Sinn" (S 96). Abgesehen davon, daß eine Satire durchaus auch Humor beinhalten kann, sei hier von Schencks Behauptung bestritten, wonach eine politische Implikation dem Märchen abgehe, da Hoffmann „das Dasein je und je metaphysisch-religiös" befrage (S. 74). Gerade für *Klein Zaches* sind, wie wir sehen werden, weder die Naturphilosophie Schuberts noch die Religion konstitutiv, oder, wo sie sich bemerkbar machen, werden sie hinterfragt. Als Satire faßten im übrigen schon Hoffmanns zeitgenössische Leser unser Märchen auf. Dieser Einschätzung schließt sich von Maassen an.

Eine Auseinandersetzung in der Literaturkritik betrifft Aspekte, die Anlaß geben, das Werk als Wendepunkt in Hoffmanns Schaffen zu interpretieren. Als Hauptkriterium dafür gilt eine markante Entflechtung von Wunderbarem und Rationalem, die man an *Klein Zaches* im Unterschied zu früheren Märchen beobachten kann. Mit ihr verbunden sind spezifisch sprachliche Veränderungen. Ellinger bewertet diesen Wandel allerdings völlig negativ, als ob dem Dichter die Gestaltungskraft abhanden gekommen sei. – Anders urteilen etwa Peter Schau und Armand de Loekker. Während sich für Schau in diesem Märchen eine „Versöhnung mit der prosaischen Welt“ abzuzeichnen beginnt (S. 204), versteht de Loekker besonders den Schluß als Absage an die Utopie (S. 147).

1.1. Texte und Materialien

Klein Zaches genannt Zinnober. In: E.T.A. Hoffmann: *Späte Werke*. München 1965. Ausgabe des Winkler Verlags (IV/5–100); nach dieser Edition wird im folgenden zitiert unter einfacher Nennung der Seitenzahl.

Hoffmann, E. T. A: *Klein Zaches genannt Zinnober*. Frankfurt/M. 1984, insel Taschenbuch 777. [Hrsg. von Herbert Kraft, mit Erläuterungen versehen.]

Schnapp, Friedrich (Hrsg.): E.T.A. Hoffmann in Aufzeichnungen, (s. Gesamtbibliographie), S. 30, 439ff., 461, 465, 470, 482, 486, 497, 586, 616.

Schnapp, Friedrich: E.T.A. Hoffmann, (s. Gesamtbibliographie), S. 188, 196–200, 229.

1.2 Forschungsliteratur

Cramer, Thomas: Das Groteske bei E.T.A. Hoffmann. München 1966, bes. S. 91–95. [Sieht in *Klein Zaches* so wenig wie im *Goldnen Topf* eine „Harmonisierung der Duplizität des Seins“, beobachtet eine Wende, die in den späteren Werken „zur Auflösung des Grotesken in der abstrakteren Ironie“ führe. Wichtiger Beitrag zu E.T.A. Hoffmann allgemein.]

Daemmrich, Horst: The Shattered Self, (s. AB III B.1.2.). [Beurteilt das Märchen als harte sozialkritische Anklage.]

Elardo, Ronald J.: E.T.A. Hoffmann's *Klein Zaches,* the Trickster. In: Seminar. A Journal of Germanic Studies 16 (1980), S. 151–169. [Interpretiert die Figur des Klein Zaches als Schattenfigur und Personifikation der Mängel eines gegebenen Individuums, schließt dabei Hoffmann selbst nicht aus. Die Studie basiert auf der Psychologie C. G. Jungs und Erich Neumanns.]

Ellinger, Georg: E.T.A. Hoffmann, (s. Gesamtbibliographie).

Felzmann, Fritz: Wer war Klein Zaches? In: MHG 23 (1977), S. 12–21. [Biographisch interessiert, sieht in der Figur Zaches eine Karikatur Zacharias Werners.]

Fritz, Horst: Instrumentelle Vernunft als Gegenstand von Literatur: Studien zu Jean Pauls *Dr. Katzenberger,* E.T.A. Hoffmanns *Klein Zaches,* Goethes *Novelle* und Thomas Manns *Zauberberg*. München 1982. Literaturgeschichte und Literaturkritik, Bd. 4. [Betrachtet Naturwissenschaft als konstitutives Element der Erzählung. Sie sei „Resultat und Ferment allgemeiner Verdinglichung“ infolge einer auf ihr rein Instrumentelles regredierten Aufklärung. Kompetente Indienstnahme v. Adorno u. Horkheimer.]

Fühmann, Franz: Fräulein Veronika Paulmann, (S. AB III A.1.2.). [Warnt davor, in *Klein Zaches* einseitig ausgerichtete Sozialkritik zu sehen. Der Leser werde zur Identifikation mit Zinnober genötigt.]

Jennings, Lee: Klein Zaches and his Kin: the Grotesque Revisited. In: Deutsche

Vierteljahrsschrift für Literaturwissenschaft und Geistesgeschichte 44 (1970), S. 687–703. [Entwickelt auf dem Hintergrund der Studien v. Th. Cramer u. W. Kayser Definition des Grotesken. Zaches verkörpere Kommentar zur Zeit.]

Just, Klaus Günther: Die Blickführung in den Märchennovellen, (s. AB III A.1.2.).

Kesselmann, Heidemarie: E.T.A. Hoffmanns *Klein Zaches*. Das phantastische Märchen als Möglichkeit der Wiedergewinnung einer geschichtlichen Erkenntnisdimension. In: Literatur für Leser 2 (1978), S. 114–129. [Deutet das Märchen aus der Sicht neuzeitlicher Wissenschaftskritik. Hält sich an eine etwas oberflächliche Auffassung vom Bürgertum des frühen 19. Jahrhunderts, trotzdem: lesenswert.]

Loeb, Ernst: Bedeutungswandel der Metamorphose bei Franz Kafka und E.T.A. Hoffmann. In: The German Quarterly Bd. XXXV, 1 (1962), S. 47–59. [Vergleicht *Klein Zaches* mit Kafkas *Verwandlung*. Konstatiert in Hoffmanns Märchen strenge Trennung zwischen Sein und Schein, beurteilt den Schluß jedoch als „Versuch zur Versöhnung der beiden Welten".]

de Loecker, Armand: Zwischen Atlantis und Frankfurt, (s. AB III A.1.2.).

Maassen, Hans Georg von: Einleitung zu Bd. IV, (s. Gesamtbibliographie).

Martini, Fritz: Die Märchendichtungen E.T.A. Hoffmanns, (s. AB III A.1.2.).

Mayer, Hans: Die Wirklichkeit E.T.A. Hoffmanns, (s. Gesamtbibliographie).

Müller-Seidel, Walter: Nachwort zu IV. [Schlägt für dieses Märchen den Terminus „Antimärchen" vor.]

Reimann, Olga: Das Märchen bei E.T.A. Hoffmann, (s. AB III A.1.2.).

Schau, Peter: *Klein Zaches* und die Märchenkunst E.T.A. Hoffmanns. Eine Studie zur Entwicklung seiner ästhetischen Prinzipien. Diss. Freiburg/Br. 1966. [Ausführliche Einzelstudie, weist dem Märchen zentralen Platz in Hoffmanns Schaffen zu. Leitet Herkunft der Fabel u.a. aus dem Märchendrama (Mozarts *Zauberflöte*) her. Geistesgeschichtlich orientiert.]

Schenck, Ernst von: E.T.A. Hoffmann, (s. AB III D.1.2.).

Segebrecht, Wulf: Krankheit und Gesellschaft, (s. Bibliographie zu AB I B.), S. 282ff. [Deutet den banalen Tod von Zaches und die dazu abgegebene bombastische Erklärung des Arztes als Teil der politischen Satire.]

Tecchi, Bonaventura: Le Fiabe di E.T.A. Hoffmann. Firenze 1962. [Vertritt die These vom „wahren Hoffmann", der mit diesem satirisch-humoristischen Märchen beginne.]

Walter, Jürgen: E.T.A. Hoffmanns Märchen *Klein Zaches genannt Zinnober*. Versuch einer sozialgeschichtlichen Interpretation. In: MHG 19 (1973), S. 27–45. [Wichtiger Beitrag. Untersucht etwas einseitig die dem Märchen inhärente Kritik der Herrschaftsstrukturen.]

Werner, Hans Georg: E.T.A. Hoffmann, (s. Gesamtbibliographie). [Spricht dem Märchen ernstzunehmende politische Bezugnahme ab.]

Wührl, Paul-Wolfgang: Die poetische Wirklichkeit, (s. AB III A.1.2.).

1.3. Voraussetzungen und Entstehung

Wie die *Elixiere* verdankt *Klein Zaches* seine Konzeption z.T. der ernsten Krankheit des Autors. Hitzig (s. Gesamtbibliographie) übertreibt wohl, wenn er vermutet, das Märchen sei in weniger als 14 Tagen als Geburt eines Fiebertraums entstanden. Anhand von drei Briefen läßt sich eine Schaffensphase von Juni bis November 1818 rekonstruieren. Am 13. Juni schreibt Hoffmann an seinen Freund Holbein, er sei beinahe drei Wochen lang „gefährlich krank gewesen und liege noch im Bette", es gehe aber „besser – besser – besser –". Er spricht von „Munterkeit des Geistes", die ihn nicht verlassen habe. Am 17. Juni erhält der Verleger Dümmler die Nachricht, Hoffmann arbeite „mit Eifer an dem Buch um etwas gediegenes zu liefern". Daß damit *Klein Zaches* gemeint sein muß, geht aber erst aus einem Brief des Autors an Chamisso hervor (6. November). Hoffmann erkundigt sich dort bei dem Weitgereisten nach einem bestimmten „Geschlecht der Wickelschwänze [...] die sich durch besondere Häßlichkeit" auszeichnen sollen. Er brauche „einen solchen Kerl". Vermutlich handelt es sich dabei um ein Vorbild für einen der „seltensten amerikanischen Affen" im Zoologischen Kabinett der Residenz von Kerepes. Mit diesem „Äfflein" verwechseln Fremde bekanntlich Klein Zaches beim Besuch der Sammlung (72). – Am 15. Dezember 1818 fordert Hoffmann bereits Material für sein nächstes Werk an, *Die Bergwerke zu Falun*. Am 24. Januar 1819 erhalten Graf Pückler von Muskau, am 27. Hitzig je ein Autorexemplar von *Klein Zaches,* das eben erst die Presse verlassen habe.

Im übrigen darf die Entstehung des Märchens mit Zuständen im damaligen Preußen in Verbindung gebracht werden. 1818 herrschte dort bekanntlich ein anderes politisches Klima als zur Entstehungszeit des *Goldnen Topfes.* Hoffnungen, wie sie sich während der napoleonischen Befreiungskriege ausbilden konnten, wurden mehr und mehr enttäuscht. Im Zuge der Restauration nach dem Wiener Kongreß wurde klar, daß nur bestehen konnte, wer zur Anpassung an die herrschende Politik gewillt war (s. AB I A.).

Neben der politischen Atmosphäre, die sich in *Klein Zaches* niederschlägt, lassen sich auch literarische Einflüsse aus Volks- und Kunstmärchen und anderen durch Lektüre vermittelten Quellen feststellen. Das Märchenreich Dschinnistan etwa, aus dem die Fee Rosabelverde stammen soll (vgl. 68), deutet direkt oder mittelbar auf die gleichnamige Sammlung von Feenmärchen Christoph Martin Wielands. Nach Reimann mahnt die Aufklärungssatire an Tiecks *Verkehrte Welt* und Balthasar an die Figur des Walt in Jean Pauls *Flegeljahren.* Auch die Hofsatire mit der Ordensverleihung betrachtet Reimann als Übernahme von Jean Paul (S. 50, 43 f.). Balthasars Verse von der Liebe der Nachtigall zur Purpurrose hingegen sind nach von Maassen „eine drollige Anleihe" bei Schubert wie auch der Titel des Gedichtes *Charta Bhade,* mit dem Balsamine ihrer Sehnsucht nach Alpanus Ausdruck gibt (vgl. 34, 76 und Schubert, *Ansichten von der Nachtseite der Naturwissenschaften,* 1808,

S. 237). Auf Schubert ist schließlich das Balthasar-Bild des Alpanus zurückzuführen (76). Dessen Zauberkunststücke verweisen nach Auskunft der Figur Fabian auf Wieglebs *Magie* (58), die Hoffmann bekanntlich eifrig studierte (s. AB I C.3. und AB III C.2.1.1.).

2. Textanalyse

2.1. ‚Klein Zaches', ein Wendepunkt in Hoffmanns Schaffen?

Über Friedrich Schnapps Bemerkung, *Klein Zaches* bedeute in E.T.A. Hoffmanns Werk „die entscheidende Wendung zur großen Kunst" (vgl. Br II/169, Fußnote), läßt sich streiten, denn eine solche Formulierung nimmt stillschweigend eine Wertung vor (vgl. auch Tecchi, S. 145). Gleichwohl schließen wir uns dieser Ansicht insofern an, als daß unverkennbare Zeichen des Wandels gegenüber früheren Märchen des Autors konstatierbar sind. Nach Armand de Loecker zeigen sich Veränderungen weniger im Gebrauch neuer erzähltechnischer Mittel als in der Verwendung einer deutlich objektiveren Perspektive. Er begreift zum Beispiel Hoffmanns vermehrt auktoriale Erzählstrategie in *Klein Zaches* als Symptom für eine veränderte Haltung zur romantisch-philosophischen Gedankenwelt. Diese werde „nicht verneint oder auch nur bagatellisiert", sondern literarisch bewältigt (S. 133 ff., 265 f.). Solche Ausführungen legen Rückschlüsse auf eine veränderte Haltung des Autors zur Wirklichkeit nahe. Dasselbe gilt für den Artikel Segebrechts, wo von einem „oft beschriebene[n] Weg Hoffmanns zu einem ‚Realismus' " die Rede ist (S. 282).

2.1.1. Verhältnis von Phantasie und Wirklichkeit

In *Klein Zaches* sucht man vergeblich nach den für das frühere Werk Hoffmanns so charakteristischen Passagen, in denen Realität und Phantasiewelt in einem Zustand der Schwebe gehalten werden. Man denke etwa nur an jene Szene mit Veronika Paulmanns Regenmantel (*Goldner Topf,* I/233; s. AB II A.3.) oder mit dem Doppelgänger in der Gefängniszelle des Medardus (*Elixiere,* II/172; s. AB V A.2.2.), um zwei typische Beispiele zu nennen, bei denen nicht ausgemacht werden kann, was tatsächlich geschehen ist. (Die Frage bleibt offen, ob nun der Mantel vom Regen durchs offene Fenster oder vom Besuch Veronikas bei der Rauerin naß geworden ist. Ebensowenig läßt sich entscheiden, ob der Besuch in der Zelle des Mönchs real oder nur in der Einbildung von Medardus stattgefunden hat.) Die beiden Reiche sind zwar auch in unserem Märchen gegenwärtig, es fehlt selbst nicht an Figuren, die sowohl im einen wie auch im anderen heimisch sind, so die Fee Rosabelverde, die Beschützerin Zinnobers, und Prosper Alpanus, der gute Geist von Balthasar. Mit

Flügeln an den Schultern schwebt Rosabelverde wie das fremde Kind aus den Lüften, wenn sie sich anschickt, Zinnober mit dem goldenen Zauberkamm zu kämmen. Ihre Ankunft ist begleitet von durchdringendem Rosenduft. Ähnlich ist Alpanus umgeben von geheimnisvollen Dienern in Tiergestalt, einem Strauß, einem Leoparden; auch er erhebt sich bisweilen in die Lüfte (53, 99f.). Im Unterschied jedoch zum Archivarius Lindhorst oder Magister Tinte etwa, legen die beiden beim Übertritt in die bürgerliche Welt alles Geheimnisvolle oder Beunruhigende ab. Gewöhnlich lebt Alpanus als ein von seiner Praxis zurückgezogener Arzt in seinem Landhaus. Die Fee besucht ihn hier unter dem bürgerlichen Namen Fräulein von Rosenschön. Sie kommt, um den „hochbegabten, wohltätigen Weisen" als medizinischen Ratgeber für das Fräuleinstift zu gewinnen, dem sie angehört. Beim Eintritt in die Villa verwandelt sich Rosenschön für einen Moment und erscheint in einem „weißen durchsichtigen Gewande" mit glänzenden Libellenflügeln versehen. Die Verwandlung geschieht jedoch nicht von alleine, Alpanus bewirkt sie mittels eines Hilfsmittels, dem Rohr mit dem funkelnden Knopf (65f.). – In ähnlicher Art dient ein Kristall dem Peregrinus im *Meister Floh* als Instrument, um die Gedanken seiner Gesprächspartner zu lesen. – Sobald Alpanus das Rohr in seinem Schlafrock versorgt, steht Rosenschön wieder wie zuvor in einem schwarzen Kleid da. Verfolgt man die Szene weiter, so geschehen zwar merkwürdige Dinge: Als Alpanus Kaffee einschenken will, bleiben die Tassen leer. Bei Rosenschöns Versuch ergießt sich der Kaffeestrom über Tisch und Kleid, ohne zu versiegen. Mutmaßungen des Lesers über diese Erscheinungen erübrigen sich jedoch, denn man glaubt dem Kommentar von Alpanus, es handle sich hier um „Tafelkunststücke" (67). Dasselbe gilt für das Buch, das sich nicht greifen läßt und dessen Blätter im Zimmer umherrauschen. Der Erzähler macht sich augenfällig lustig über einen in Hoffmanns Epoche beliebten Zeitvertreib der Abendunterhaltungen (vgl. AB I A. 2.). Analog zu obigen Beispielen lassen sich die schrumpfenden Ärmel und wachsenden Rockschöße an Fabians Jakke deuten (58). Auch sie haben nichts mit der Evozierung des Unheimlichen zu tun, sondern lesen sich eher als bloß spaßige Bestrafung Fabians für seinen Mangel an Wunderglauben. Fabians Hinweis auf Wieglebs *Magie* unterstützt eine solche Interpretation. (Wiegleb hatte Johann Niklaus Martius' *Unterricht der natürlichen Magie oder zu allerhand belustigenden und nützlichen Kunststücken* bearbeitet.) Im übrigen ist auch die Zauberkraft von Alpanus und Rosabelverde, trotz der Hinweise auf ihre jeweilige Herkunft, nicht sehr wirksam. Alpanus und Rosabelverde stammen zwar beide aus der „frühesten Zeit", die Fee aus Dschinnistan (68), der Magier aus dem Reich des Zauberers Lothos, dem er vor zweitausend Jahren aus Liebeskummer den Bart ausgerissen haben soll (74), aber der souveräne Umgang mit dem Übernatürlichen hält sich in Grenzen. Während die Transformationen des Alpanus, wie erwähnt, an reizvolle Zaubertricks mahnen, gelingt Rosabelverde nur eine äußere Beeinflussung Zinnobers. Zaches' „feuerfarbglänzende[r] Haarstreif" ist metaphorischer Ausdruck davon (83). Die Fee muß am Schluß eingestehen, daß sie zu große Hoffnungen auf den Wicht gesetzt hat und daß sie ihre Gabe nicht anbringen konnte: Zaches' „träger toter Geist vermochte sich nicht emporzurichten" (75, 92). Die einzige Passage, die in *Klein Zaches* eine ambivalente Wirkung evoziert, ist die Spiegelszene, in der Zinnoberchen von Balthasar gestraft wird für den Raub Candidas. Unter der zauberkundigen Führung seines Beschützers Alpanus verabreicht Balthasar der Figur im Spiegel eine Tracht Prügel, wiederum unter Verwendung des Rohrs. Die Strafe verfehlt zwar ihre Wirkung, Zaches läßt nicht von Candida ab, doch der Kleine empfindet die Schläge über die Distanz hinweg schmerzhaft (57, 59). Obwohl diese Textstelle an den Spiegel in der Erzählung *Abenteuer der Silvester-Nacht* erinnert, mutet ihr nicht der Ernst an, mit dem die Erlebnisse des Erasmus Spikher berühren. Die Spiegelszene in unserem Märchen ist eher als humoristische Abwandlung eines Motivs zu deuten, denn sie richtet sich auf eine lächerliche Figur, die eine Identifikation mit dem Leser ausschließt.

Mit Ausnahme dieser Passage veranschaulichen die oben besprochenen Beispiele im Detail, wie reale Welt und Phantasiereich deutlich voneinander geschieden sind. Eine ähnlich strenge Scheidung zeigt sich, wenngleich in größeren Dimensionen, im Verhältnis zwischen dem aufgeklärten Staat des Fürsten Barsanuph und Balthasar. Der schwärmerische, zum Dichten geneigte Jüngling verkörpert mit jeder Faser eine vergangene Zeit, in der der Mensch mit der Natur noch eine Einheit bildete. Äußerliches Zeichen dafür ist seine „altdeutsche" Kleidung (23). Im Wald flüstern ihm „die Büsche wie in sehnsüchtigen Seufzern", die „rauschenden Bäche" erklingen ihm in „wunderbaren Melodien" (24). Alpanus preist seine Unversehrtheit in den folgenden, Schubert nachgeprägten Worten:

> Dir ist, ich weiß es, mein geliebter Balthasar, dir ist es zuweilen so, als verstündest du die murmelnden Quellen, die rauschenden Bäume, ja als spräche das aufflammende Abendrot zu dir mit verständlichen Worten! [...] In diesen Momenten verstehst du wirklich die wunderbaren Stimmen der Natur, denn aus deinem eigenen Innern erhebt sich der göttliche Ton, den die wundervolle Harmonie des tiefsten Wesens der Natur entzündet (76, s. AB I B.4.).

Die pietätlose Sezierung der Natur, wie Mosch Terpin sie betreibt, ist Balthasar denn auch zutiefst zuwider: „Die Art, wie der Professor über die Natur spricht, zerreißt mein Inneres" (25). – Gerade Balthasars Begegnung mit der, für die Augen des Lesers, karikierten Naturwissenschaft macht die unüberbrückbare Kluft zwischen der realitätsbezogenen und der phantastischen Welt sinnfällig. – Der eingangs von Paphnutius errichtete Staat, in dem Balthasar lebt, ist vollkommen anti-„dschinnistanisch" (15). Initialhandlung zu seiner Schaffung ist bezeichnenderweise die Verbannung der Poesie, denn ihr allein wird die Schuld gegeben dafür, „daß [bislang] der liebe Staat noch in gänzlicher Finsternis" darnieder gelegen hat (17). Unter ihrem Namen verbreiteten die Feen – Minister Andres zufolge – „ein heimliches Gift [...], das die Leute ganz unfähig [machte] zum Dienste in der Aufklärung" (ebda.). Sind erst einmal die geflügelten Pferde der Poesie „zu nützlichen Bestien" gemacht, so ist der am Anfang des Märchens geschilderte paradiesische Zustand im Lande des Fürsten Demetrius überwunden. Vorbei ist es mit der lieblichen Landschaft, in der die Bewohner „wie in ihrer Lust wandelten", ohne die Bürde der über sie regierenden Staatsgewalt zu spüren. Mit der Rodung der Wälder, dem schiffbar gemachten Strom, dem Anbau von Kartoffeln und der Errichtung von Dorfschulen ist das Wunder ein für alle Male ausgerottet. Fortan wohnt es fast ausschließlich in der Vorstellungswelt des Balthasar, der ohne Fabians Erklärung nicht merkt, daß selbst der Muschelwagen des Alpanus eine Staffage darstellt und die Einhörner mit Hörnern versehene Pferde sind (51).

Charakteristischerweise macht die verstandesorientierte Welt in *Klein Zaches* nirgends Anstalten, sich verzaubern zu lassen. Mit Ausnahme des witzigen Einfalls mit den Rockschößen, bleibt Fabian eine stets der Ratio verhaftete Figur, auch Candida verkörpert durchgehend ein vernunftorientiertes, wenn auch nicht so praktisches und nüchternes Bürgermädchen wie etwa Veronika Paulmann. Einzig Zinnober scheint eine ambivalente Figur darzustellen, bis sich anhand der Folianten bei Alpanus herausstellt, daß es sich nicht einmal um ein echtes Wurzelmännchen handelt, vielmehr ist Zaches als ein „gewöhnlicher Mensch", nämlich als „verwahrloste Mißgeburt eines armen Bauernweibes" aufzufassen (55, 57, 74).

So konsequent wie in *Klein Zaches* trennt Hoffmann, mit Ausnahme der *Königsbraut,* Phantastisches und Alltagswirklichkeit später allerdings nicht oft. In *Des Vetters Eckfenster* hingegen nimmt die in *Zaches* eingeschlagene Entwicklung ihren Fortgang. Dort erfährt die innen geschaute Phantasiewelt keinerlei Konfrontation mit der Wirklichkeit, weil dem todkranken Vetter ja nicht vergönnt ist, seine Vorstellungen über das Treiben auf dem Marktplatz selbst zu überprüfen.

2.1.2. Indizien für Zweifel an der Erlösungskraft der Poesie

Das Personenarsenal in unserem Märchen ist äußerst aufwendig, bedingt durch das breitgefächerte Geschehen. Man spricht deshalb zuweilen von einer romanhaften Anlage dieses Werkes (Wührl, S. 167). Der

Zusammenhang vor allem der ersten Kapitel ist locker, selbst die einzelnen Szenen behalten eine relative Autonomie. In die von wenigen Figuren getragene Haupthandlung sind zahlreiche Anekdoten eingebettet, die oft nur am Rande mit dem Hauptgeschehen in Verbindung stehen.

Von Zinnobers Erziehung beim mildtätigen Pfarrer berichtet zum Beispiel nur die Szene, in der Frau Liese mit dem Holzkorb ihren vielbeklagten „Wechselbalg" los wird (10f.). – Fräulein von Rosenschöns Kraft, mit ihrem Niesen die Milch im nahen Dorf sauer werden zu lassen oder mit ihrem Drohfinger den Mund eines naschenden Jünglings in Gähnposition zu versetzen, bleibt ohne Konsequenzen für das Folgende. Die beiden Vorfälle belegen jedoch höchst humoristisch Rosabelverdes Feenidentität. – Der Gelehrte Ptolomäus Philadelphus mit dem Brief an seinen Freund Rufus scheint einzig zu dem Zweck eingeführt, die komische Darstellung der Studentenwelt einzuleiten (19ff.). – Einmalig bleiben ferner die Auftritte des Geigers Sbiocca, der Sängerin Signora Bragazzi oder des Theaterschneiders Kees (42f., 65). – Sie dienen u.a. zur Illustration von Zaches' Eigenheit, fremden Ruhm zu ernten.

Mit der in sich verzweigten Handlung hebt sich *Klein Zaches* deutlich vom *Goldnen Topf, Nußknacker und Mausekönig* und dem *Fremden Kind* ab. Das Geschehen im vorliegenden Märchen verläuft weniger zielgerichtet als in den genannten, gleichzeitig zeugt es von beeindruckender Souveränität, mit der der Erzähler die Einfälle seiner übersprudelnden Vorstellungskraft handhabt. Während sowohl Anselmus als auch Marie z.B. zielstrebig die vielen Hindernisse auf ihrem Weg zum Zauberreich überwinden, ist das Märchen um Balthasar mit vielen Begebenheiten befrachtet, die nicht direkt mit diesem zu tun haben. Der Aufbau des Werks aus zahlreichen Einzelszenen berechtigt zur Vermutung, *Klein Zaches* sei aus kürzeren Episoden entstanden, die nachträglich auf den Strang des Hauptgeschehens ausgerichtet wurden, nämlich auf die Erwerbung der Braut Candida, auf die auch Zaches Anspruch erhebt (vgl. de Loecker, S. 126).

Der anekdotische Aufbau signalisiert ein Abschwenken von der einsinnigen Ausrichtung auf die Erlösung des Helden aus der Philisterwelt. Dasselbe verraten andere Strukturmerkmale, allen voran die Sprache. Ironie durchzieht das ganze Werk. Sie macht auch vor dem phantastischen Bereich nicht halt. Außer vielleicht Liese wird keine Figur von ihr verschont. Mit Ironie einher geht eine Entmystifizierung der Sprache. Ironie verhindert die durchgehend weihevolle Aura, die etwa Serpentina oder das fremde Kind umgibt (vgl. auch de Loecker, S. 137). Ironie ist das Mittel, mit dem Alpanus und Rosabelverde in den Kreis der Alltagsmenschen integriert werden. Fräulein von Rosenschön soll nämlich beinahe einen „unheimlichen Eindruck" machen, der von einem „fremden Zuge zwischen den Augenbraunen" herrühre, „von dem man durchaus nicht recht [weiß], ob ein Stiftsfräulein dergleichen wirklich auf der Stirne tragen könne!" (12) Ironie spricht auch aus den Zweifeln des Stiftvorstehers, ob er Rosenschön aufnehmen soll, da sie „keinen Stammbaum mit zweiunddreißig Ahnen aufzuweisen" hat (13). Die an Lindhorst erinnernde exotische Aufmachung des Alpanus mutet in ihrer Diskrepanz zu ihrem Träger leise lächerlich an, da sie so gar nicht zu dem kleinen, dünnen, blassen Mann passen will (54f.). Dies ist ein Grund, weshalb ihm die Mitmenschen ganz ohne Scheu begegnen (z.B. 57). In der Darstellung des Balthasar schließlich macht sich die Ironie deutlich als Ausdruck der Skepsis des Autors bemerkbar.

Balthasar wird in der Literaturkritik gerne unter den für Anselmus geltenden Aspekten betrachtet. Dabei wird vor allem im Schluß des Märchens eine Analogie zum *Goldnen Topf* gesehen (vgl. etwa Wührl, Werner, Mayer, Schau, Fritz). Bei näherer Betrachtung stellt sich heraus, daß Balthasar zwar über ein dichterisches Gemüt verfügt, das Dichten selbst ihm aber nicht unbedingt gelingt. Seine Kunst ist ohnehin nur an der Reaktion anderer ablesbar, und hier teilen sich die Meinungen. Während die schwärmerische Begeisterung Candidas nicht den Eindruck der Objektivität vermittelt, äußert Alpanus den folgenden wohl nur ironisch zu verstehenden Kommentar:

> Ja, o Dichter, du bist ein viel besserer, als es manche glauben, denen du deine Versuche, die innere Musik mit Feder und Tinte zu Papier zu bringen, vorgelesen. Mit diesen Versuchen ist es nicht weit her. Doch hast du im historischen Stil einen guten Wurf getan [...] – das ist eine ganz artige Arbeit. (76)

Balthasar ringt ja auch nicht eigentlich um die Kunst. Er bangt mit den quälenden seelischen Schwankungen eines Verliebten um Candida. Es ist in erster Linie das Bild der Geliebten, das ihn die Feder ergreifen läßt, um eine „ziemliche Anzahl artiger wohlklingender Verse" niederzuschreiben und das „sauber geschriebene Manuskript" der mystischen Erzählung „von der Liebe der Nachtigall zur Purpurrose" der Abendgesellschaft vorzulesen (34). Leise Ironie, diesmal des Erzählers, ist nicht zu überhören. Entschieden gegen Balthasars Kunst drückt sich der Erzähler mit der Beschreibung des Vortrags aus, denn Balthasar ist von seinen eigenen Worten entzückt. Wie dem unechten Prediger Medardus fehlt ihm die notwendige Distanz zu seinem Werk, um glaubhaft zu wirken (38). Die Strafe, die ihn ereilt, scheint gerecht, als Klein Zaches seinen Ruhm für sich beansprucht und ihn um eine unrechtmäßig erwartete Belohnung bringt. Ironie macht sich in bezug auf Balthasar ganz besonders am Ende von *Klein Zaches* geltend. Hier spricht der Erzähler: „Balthasar, der Lehren des Prosper Alpanus eingedenk, [...] wurde in der Tat ein guter Dichter" (100). Die Bedingungen, unter denen dies gelingt, können so ernst aber nicht aufgefaßt werden. Der Erzähler macht nämlich alles abhängig von einem künstlich herbeigeführten häuslichen Glück mit Candida. Neben dem Landhaus, das Alpanus den beiden schenkt, überreicht Rosabelverde der Braut „einen prächtig funkelnden Halsschmuck“ von magischer Wirkung, der banalen Ärger von den beiden fernhalten soll. Wenn Candida den Schmuck trägt, soll sie „niemals über Kleinigkeiten, über ein schlecht genesteltes Band, über einen mißratenen Haarschmuck, über einen Fleck in der Wäsche oder sonst verdrießlich werden“ (99). Die Trivialität dieser Gabe steht in ironischer Distanz zur Einlösung der Utopie im triadischen System Schuberts, das für den *Goldnen Topf* ungebrochenere Geltung hat. Im Gegensatz zu Serpentina haften Candida überhaupt triviale Züge an. Nicht ohne gutmütiges Wohlwollen schildert der Erzähler sie im dritten Kapitel als ein „bildhübsches Mädchen“, versehen mit den stereotypen Vorzügen der idealen Geliebten (vgl. AB IV D.2.2.). Von der Lektüre Goethes und Schillers vergißt Candida zwar gleich wieder alles, aber ihr Klavierspiel klingt wenigstens „ganz passabel“. Von weiteren Eigentümlichkeiten des an ihr demonstrierten Erziehungsideals zeugen ferner der Tanz und die feine leserliche Schrift, mit der sie Waschzettel schreibt (33f.). Ironie trifft hier nicht allein Candida, spöttische Herablassung fällt auch auf eitle Dichter, die ein Mädchen wie Candida als Spiegel und Resonanzkörper ihrer selbst mißbrauchen (33).

Die Ehe mit einem solch „biederen Bürgermädchen“ nun als die glücklichste „in aller Wonne und Herrlichkeit“ und als „überhöhten Wirklichkeitstraum“ (Schau, S. 197) zu preisen, dürfte dem Text nicht gerecht werden. Undifferenziert muten auch die Argumente an, Alpanus verschaffe Balthasar „inmitten der unerträglich banalen bürgerlichen Welt eine Insel der Poesie und des Glücks“ (Wührl, S. 167), oder das Märchen ende „in schöner poetischer Verklärung“ (Mayer, S. 135). Schließlich bedeutet der Rückzug des Paars in die Privatheit der Villa des Alpanus zumindest eine arge Reduktion des ursprünglichen Traums von der allumfassenden Harmonie im Goldenen Zeitalter. Der Erzähler jedenfalls läßt durchblicken, daß ein so unbedarftes Mädchen wie Candida wohl kaum als inspirierende Dichtergefährtin taugt, sonst würde er auf den ironischen Unterton einmal verzichten. Statt dessen bekennt er, er habe das Märchen anstatt mit einem Leichenbegräbnis (Zaches') mit einer fröhlichen Hochzeit beenden wollen (97). Das liest sich zunächst zwar wie ein freundliches Zugeständnis an den Publikumsgeschmack. Als fundierter erweist sich allerdings Lothar Köhns Argument zum *Meister Floh,* das auch auf unser Märchen zutrifft: Bei solch einem Märchenschluß habe „ironische Resignation des Erzählers das letzte Wort“ (S. 179). Wie Balthasar erwartet Peregrinus Tyss, nach phantastischen Sprüngen, ein etwas schales biedermeierliches Glück zu zweit an der Seite seiner Ehefrau Röschen Lämmerhirt.

Das Goldene Zeitalter in *Klein Zaches* hat nur eine Existenz in der Vergangenheit, wie der Staat des Demetrius oder die Vorstellungswelt der Figur Balthasar illustrieren. Anekdotischer Aufbau, Ironie, unechtes Künstlertum und eine nur scheinbare Glücksverheißung manifestieren, als Elemente von Struktur und Geschehen, Zweifel an der Erlösungskraft der Poesie. In einer Gesellschaft, wie die Satire um Zaches sie charakterisiert, rückt die Verwirklichung von Atlantis zusehends in die Ferne.

2.2. *Zur Bedeutung der Satire*

Klein Zaches zeichnet sich aus durch den Zusammenhang verschiedener satirischer Themenkomplexe. Dazu ist vorauszuschicken, daß bei unseren Hinweisen auf Ironie in C.2.1.2. sich nicht vermeiden ließ, satirische Passagen miteinzubeziehen, ohne sie expressis verbis als solche zu bezeichnen. Mit der humorigen Diskussion um den idealen Staat eröffnet der Erzähler eine satirische Komponente, die das ganze Märchen durchzieht. Es ist der Gegensatz von Aufklärung und Poesie, der im wesentlichen die Struktur des Werkes bestimmt. Von der Verbannung des Wunderglaubens und deren Träger sowie der systematischen Beherrschung der Natur verspricht sich Fürst Paphnutius mit seinem Minister Andres bekanntlich aufgeklärte Verhältnisse (16). Bezeichnenderweise fallen gerade die Initianten der Neuerungen und ihre Verbündeten auf Zinnober herein und exemplifizieren damit ihre Kurzsichtigkeit. Der Landesfürst und der über die Landesgrenzen hinaus berühmte Naturforscher Mosch Terpin lassen sich von dem kleinen Wicht am meisten täuschen, mit ihnen läßt sich auch die scheinbar aufgeklärte Gesellschaft narren. Darüber, daß der Erzähler in unserem Märchen beißende Kritik an der Aufklärung betreibt, ist man sich in der Literaturkritik ziemlich einig. Es gilt jedoch, sich vor einer Etikettierung der Phänomene zu hüten, denn die Satire ist gegen die Auswüchse und die seichte Nivellierung der Aufklärung gerichtet, nicht gegen die Vernunft selbst. Hoffmann zeigte sich keineswegs in allen Bereichen als dezidierter Anti-Aufklärer. Was er dem Spott preisgab, waren die Illusionen, die sich häufig mit dieser historischen Bewegung verbanden.

Angefangen bei der Figur des Zaches bildet das unreflektierte Nützlichkeitsdenken Kernpunkt der Aufklärungssatire. Davon zeugt bereits Zinnobers traurig-komisches Aussehen; er sieht einem Rettich, einem verzehrbaren, somit nützlichen Gemüse, ähnlich (8). Die „Symbolik einer ‚aufgeklärt'-ordinären Nützlichkeitsnatur" spricht auch aus Lieses Geschenk, mit dem sie dem Fürsten Trost für den Verlust seines Ministers Zinnober spendet (Loeb, S. 51). Sie überreicht ihm „eine Reihe der stärksten glänzendsten Zwiebeln" und sichert sich so nebenbei auch einen zukünftigen Kunden (96). – Die Feen stören unter anderem deshalb, weil sie den Staat um eine auf Nützlichkeitsdenken basierende Bereicherung bringen. Andres fragt sich, ob sich denn die Mühe lohne, „einen gescheuten Akzise-Tarif zu entwerfen und einzuführen, wenn es Leute im Staate gibt [Feen], die imstande sind, jedem leichtsinnigen Bürger unversteuerte Waren in die Schornsteine zu werfen" (17).

Mit der Figur des Mosch Terpin karikiert der Erzähler die Banalisierung aufklärerischer Tendenzen in der Naturwissenschaft. Die Studien des Professors der Naturkunde gelten keinen tiefgreifenden Fragen, sondern der Erklärung alltäglicher Phänomene, deren Ursachen um 1818 zumeist geistiges Allgemeingut sind. So belehrt er seine Studenten „wie es regnet, donnert, blitzt, warum die Sonne scheint bei Tage und der Mond des Nachts, wie und warum das Gras wächst" (22). Berühmtheit erlangt er, weil er „nach vielen physikalischen Versuchen" glücklich herausbekommt, „daß die Finsternis hauptsächlich von Mangel an Licht herrührt" (ebda.). Seine ausgedehnten Studien im Weinkeller des Fürsten illustrieren nicht nur die Pseudowissenschaftlichkeit seiner Untersuchungen, sondern sprechen für seinen Eigennutz. Um herauszufinden, „warum der Wein anders schmeckt als Wasser" (71), benötigt er erhebliche Weinmengen. Dasselbe gilt für seine Experimente mit dem Wildbestand der Residenz, denn die „raresten Tiere" läßt er, „um eben die Natur zu erforschen, braten" (ebda.). Angesichts der Umweltkatastrophen des 20. Jahrhunderts mutet Hoffmanns Verspottung der rein utilitaristisch aufgefaßten Naturwissenschaften hellseherisch an. – Ähnlich satirisch verfährt der Erzähler auch mit den Vertretern der Geisteswissenschaften. Vom Professor der Ästhetik wird lediglich mitgeteilt, daß er auf der literarischen Teegesellschaft lieber dem Rheinwein als dem Tee zuspricht (35). Außerdem stimmt dieser Herr völlig unkritisch in das Credo über Balthasars Gedicht ein und läßt sich ebenfalls von Zinnober verblenden. Kurzsichtig mutet auch der Gelehrte Ptolomäus Philadelphus an. In komischer Verkennung der Realität schreibt er ein Buch über eine „unbekannte Völkerschaft", mit der die zeitgenössischen Studenten gemeint sind (58).

Ansehen verschafft sich im Fürstentum Barsanuphs nur, wer mit seinen aufgeklärten Ideen nicht zuviel geistige Eigenständigkeit verrät. Mit Walter sind wir der Ansicht, daß im Geschehen um Zaches „wesentlich politische Implikationen" verborgen sind (S. 33). Die Figur des Referendarius Pulcher liefert hierzu ein aufschlußreiches Beispiel. Balthasar trifft ihn, als er sich eine Pistole an die Stirne hält aus Verzweiflung über die mißlungene Aufnahmeprüfung für den Eintritt in den diplomatischen Dienst. Wie Pulcher berichtet, versicherte ihm zuvor der ihn prüfende Legationsrat, er, der Referendarius, hätte nichts zu befürchten, denn die zum voraus eingereichte Arbeit seines Mitbewerbers sei im Unterschied zu der seinen „erbärmlich" (45). Die Prüfung verlief dann, nach den

Worten Pulchers, dementsprechend. Während er selbst keine Frage unbeantwortet ließ, schnarchte Zaches und quäkte „unvernehmliches Zeug" (ebda.). Der Umstand, daß alle guten Leistungen schließlich Zaches und das Schnarchen und Quäken Pulcher zugeschrieben werden und daß man dem Wicht den Vorzug gibt, charakterisiert die soziale Situation des Intellektuellen im Preußen nach 1815. Der späte aufgeklärte Absolutismus machte sich die Ideen der Aufklärung zwar gerne zunutze, grundsätzlich war er jedoch mehr an der Erhaltung der tradierten Machtstrukturen als an der Emanzipation der Bürger interessiert. Deren Mündigkeit stellte für den Staat eher eine Gefahr dar. Wie wir an anderer Stelle erläutern, trugen selbst die Reformen unter vom Stein und Hardenberg den Stempel der überlieferten gesellschaftlichen Hierarchie, wonach Veränderungen von oben ausgelöst wurden. Leistungsfähige Bürger waren als Mitgestalter, aber nicht als Schöpfer der Veränderungen erwünscht (s. AB I A.). Daneben wurden aber auch viele Unfähige durch Günstlingswirtschaft auf wichtige Positionen gehoben. Die Figur Zaches' spiegelt diesen Sachverhalt sehr kraß.

Zaches, genannt Zinnober, zeichnet sich trotz seiner Erziehung im Pfarrhaus und seinem Aufenthalt an der Universität durch keinerlei Fähigkeiten aus, die seinen Aufstieg zum Minister rechtfertigen. Im Gegenteil, wie die Diplomatenprüfung mit Pulcher illustriert, fällt er durch totale Ignoranz und ausgesprochen unflätiges Verhalten auf. Die Stationen seiner Laufbahn erreicht er nicht nur ohne persönliche Verdienste, sondern entgegen „jeglicher bürgerlichen Tugend- und Wertvorstellung" (Walter, S. 35). Er bestiehlt nicht nur Pulcher um dessen Leistung, er läßt sich auch als Verfasser der „wohl stilisierten und schön geschriebenen Berichte" Adrians rühmen (49, 62). Die vom Text implizierte Kritik an einer solch unrechtmäßigen Karriere fällt nun nicht auf Zaches, denn seine seltsame Ausstrahlung beruht auf der von Rosabelverde verabreichten Gabe, „vermöge der alles, was in seiner Gegenwart irgendein anderer Vortreffliches denkt, spricht oder tut, auf *seine* Rechnung" (74) kommt. Der Zauber befähigt nicht den Träger zu außergewöhnlichen Taten, sondern bewirkt „die Verblendung der herrschenden Gesellschaft" (Walter, S. 35). Erzählerisches Mittel sind „Blickverschiebungen", die „Handlungsfügung und Handlungsführung" bestimmen (Just, S. 36). Nach Just wird der Leser „in ein optisches Vexierspiel hineingerissen". Daß es sich hier um eine groteske Umkehrung des ‚richtigen' Sehens handelt, steht außer Zweifel. Die verschiedensten Personen werden Opfer eines „Blickzwangs" (vgl. ebda.). Der Umstand, daß gerade der Fürst sich zum falschen Blick verführen läßt, deutet auf „ein völlig negatives Urteil über die Staatsform des aufgeklärten Absolutismus" (Walter, S. 35). Der Text zeigt neben aller Komik, die den einzelnen Passagen zukommt, wie dieses System Günstlingspolitik fördert und je nachdem den verdienten Erfolg bürgerlicher Arbeit zunichte macht. Bezeichnenderweise werden die zu Unrecht um ihr geistiges Eigentum Gebrachten unausgesprochen rehabilitiert, nachdem der Schwindel aufgeflogen ist und der Landesfürst sich empört aus der Affäre gezogen hat (83–86).

Kritik übt der Erzähler auch an der Führung der Staatsgeschäfte. Nicht nur die Willkür bei der Wahl der Staatsbeamten wird aufs Korn genommen, sondern das Regieren selbst. Anstelle wichtiger Angelegenheiten werden im Fürstentum Barsanuphs Bagatellen breit ausladend behandelt, zum Beispiel als Zinnober für sein Plagiat mit dem „Ordenszeichen des grüngefleckten Tigers" ausgezeichnet werden soll. Bei der feierlichen Übergabe – eine Persiflage auf die Titelsucht in der preußischen Armee – läßt sich der „Tiger" nicht vorschriftsgemäß „zwischen dem Hüftknochen und dem Steißbein, in schräger Richtung drei Sechzehnteil Zoll aufwärts vom letzteren" befestigen (63). Der Fürst, darüber in Wut, beruft eigens eine Sitzung der „Ordensräte" ein, als ob dieser Angelegenheit erste Priorität zukäme. Höhepunkt der Satire bildet schließlich die Sitzung selbst, vor der „sämtlichen Mitgliedern aufgegeben [wird], acht Tage vorher nicht zu denken" (64). Damit die Sitzung keine akustischen Störungen von draußen erfährt, werden die Straßen „mit dickem Stroh" belegt. Wie zu erwarten, kommt gemäß dem umständlichen Prozedere keine Lösung zustande. Erst der rettende Einfall, man könne den Hofschneider beiziehen, führt zur Beendigung der Zusammenkunft.

Politische Satire trifft in *Klein Zaches* nicht nur die Mächtigen sondern auch das Bürgertum. Weder kann also von einer Schwarzweiß-Malerei die Rede sein, noch läßt sich das Vorurteil vom apolitischen E.T.A. Hoffmann aufrechterhalten. Nachdenkliche Komik verbreitet die in unserem Märchen dargestellte bürgerliche „Rebellion" (90). Von Liese aufgescheucht, umzingelt das Volk lachend das prächtige Haus Zinnobers, um sich an dem vermeintlichen Minister zu rächen. Stimmen fordern:

> Hinunter mit der kleinen Bestie – hinunter – klopft dem Klein Zaches die Ministerjacke aus – sperrt ihn in den Käficht – laßt ihn für Geld sehen auf dem Jahrmarkt. (90)

Den eigentlichen Urheber des Unrechts lassen die Tobenden unbehelligt und stimmen feige in das Zeremoniell ein, das der Fürst zu Zinnobers Beerdigung anordnet. Anstatt sich gegen die Günstlingspolitik des Fürsten aufzulehnen, läßt man sich von seinem leeren Pathos am „Katafalk des Verewigten" beeindrucken und fügt sich der Staatstrauer: „Bürger – Volk – alles weinte und lamentierte, daß der Staat seine beste Stütze verloren" (96).

In Mosch Terpin schließlich wird der bürgerliche Opportunismus karikiert, dem jedes Mittel recht ist, wenn es darum geht, sich ein Stückchen von der gesellschaftlichen Macht und persönliches Wohlergehen zu sichern. Terpin beteiligt sich am Spielchen mit Klein Zaches, obwohl er sich keiner Täuschung hingibt und heimlich nicht ohne leise Verachtung von dem „Spezialmännlein" spricht. Solange Zinnober in der Gunst des Fürsten steht, ist er bereit, seine Tochter an den „bossu" (Buckligen) zu verschachern, denn dieser Schwiegersohn wird ihm alle Türen zu einer Karriere öffnen, und er wird mit ihm „immer höher steigen – höher hinauf" (60).

Humor als gütiges Lächeln aus der Distanz und feine Ironie brechen in *Klein Zaches* zwar immer wieder durch, sei es im Zusammenhang mit Rosabelverde und Alpanus oder Balthasar und Fabian. Mit Zinnober, Mosch Terpin oder dem Fürsten verfährt der Erzähler aber ungleich härter. Trotz seinem von der Natur benachteiligten Äußeren weckt Zaches, außer bei Balthasar, kaum Mitleid, da er sich durchwegs garstig und lächerlich verhält. Nicht einmal im Tod erfährt er eine schonende Behandlung durch den Erzähler (s. auch Segebrecht). Zinnober ertrinkt ganz würdelos im Nachttopf, worin er sich vor dem aufgebrachten Volk retten will. Der feuchte „Humor" (94) wird ihm zum Verhängnis („Humor" hier zu verstehen als Körperflüssigkeit: schwarze und gelbe Galle, Blut, Schleim und Wasser. Vom jeweiligen Überfluß einer dieser Flüssigkeiten leitete die Medizin des Mittelalters und der Renaissance vier Typen ab, den Melancholiker, den Sanguiniker, den Choleriker und den Phlegmatiker). Der Fürst verkörpert, ebenso wie sein Gelehrter, eine bis zur Lächerlichkeit inhaltsleere Autoritätsfigur, die aber den absolutistischen Machtapparat fest in den Händen führt. Er verbietet z.B. dem Arzt, den „Geist" als eigentlichen Sitz der Krankheit zu behandeln und Psychisches und Physisches als Einheit zu betrachten, denn eine solche Auffassung von der Ganzheit des Menschen könnte die Eigenständigkeit der Untertanen fördern (94f., vgl. Segebrecht, S. 282ff.).

Hoffmanns Furcht vor eventuell empörten Lesern erweist sich als sehr begründet, dürfte doch das eine oder andere Vorbild zur Darstellung in diesem Märchen unter des Dichters Zeitgenossen und den damaligen gesellschaftlichen Verhältnissen zu finden sein. Daneben sollten keine falschen Erwartungen an unseren Autor gestellt werden. Das Werk E.T.A. Hoffmanns reflektiert zwar als Ganzes ein Unbehagen an zeitgenössischen Verhältnissen und gibt manche Mißstände schonungslos dem Spott preis. Das beweist gerade das Märchen *Klein Zaches*. Andrerseits enthält sich Hoffmann einer systematischen Untersuchung politischer und sozialer Zustände. Ebensowenig hält er konkrete Vorschläge zur gesellschaftlichen Veränderung bereit. Seine Hoffnung auf Überwindung der Gegenwart verdeutlicht sich allein in der Utopie, wobei in den späteren Werken zunehmend Skepsis in diesem imaginären Zukunftsentwurf mitschwingt.

D. Prinzessin Brambilla

1. Einführende Informationen

Die Aufnahme dieser „verwirrendsten, vertracktesten, facettenreichsten aller Erzählungen Hoffmanns“ (Preisendanz, S. 50) war von Anfang an zwiespältig. Die begeisterten wie auch die vernichtenden Urteile über dieses Werk treffen nicht erst in diesem Jahrhundert hart aufeinander. Schon im vorigen ist der Dissens auffallend.

Berühmt und vielzitiert ist die ausgezeichnete Charakteristik Heinrich Heines aus dem dritten seiner *Briefe aus Berlin* von 1822: „Prinzessin Brambillo [!] ist eine gar köstliche Schöne, und wem diese durch ihre Wunderlichkeit nicht den Kopf schwindlicht macht, der hat gar keinen Kopf“ *(Sämtliche Werke.* Hrsg. v. Ernst Elster, 7. Bd., Leipzig, Wien o. J., S. 595). Mindestens ebenso berühmt und gleichfalls häufig zitiert ist die enthusiastische Äußerung Baudelaires von 1855:

> Ich könnte von dem bewundernswerten Hoffmann leicht andere Beispiele des absolut Komischen heranziehen. Wenn man meine Idee davon recht verstehen will, so muß man aufmerksam ‚Daucus Carota‘ *[Die Königsbraut],* ‚Peregrinus Tyß‘ *[Meister Floh],* den *Goldnen Topf* und vor allem anderen die *Prinzessin Brambilla* lesen, die wie ein Katechismus der hohen Ästhetik ist. (*De l'essence du rire* [s. AB I B.2.], S. 542; Übersetzung U. St.)

Solchen überschwenglichen Urteilen steht die Bemerkung Jean Pauls gegenüber, der über Hoffmann und dessen *Brambilla* in der Vorrede zur 2. Auflage der *Unsichtbaren Loge* schrieb:

> Neuerer Zeit nun weiß er allerdings die humoristischen Charaktere – zumal in der zerrüttenden Nachbarschaft seiner Morgen-, Mittag-, Abend- und Nachtgespenster, welche kein reines Tageslicht und keinen festen Erdboden mehr gestatten – zu einer romantischen Höhe hinauf zu treiben, daß der Humor wirklich den ächten Wahnwitz erreicht [...]. Unstreitig ist jetzo die *Bella donna* (wie man die Tollkirsche nennt) unsere Muse, *Prima donna* und *Madonna,* und wir leben im poetischen Tollkirschenfest. (Zit. nach Schnapp, S. 591)

Den Vorwurf allzu ausgeprägter Phantastik hat Hitzig aufgegriffen und, seinen eigenen Aussagen zufolge, dem Freunde gegenüber geltend gemacht – mit der gleichzeitigen Empfehlung, Hoffmann möge sich doch in Zukunft mehr an das Vorbild Walter Scotts halten.

> Dieser [d.i. Hitzig], der ihn [d.i. Hoffmann; U. St.] stets mit der größten Offenheit behandelte, verhehlte ihm nicht, daß er ihn hier auf einem schon oft, aber noch nie so entschieden, betretenen Abwege zu erblicken glaube, nämlich dem des Nebelns und Schwebelns, mit leeren Schatten, auf einem Schauplatz ohne Boden und ohne Hintergrund, und empfahl ihm, um ihm zu zeigen, was bei dem Publikum jetzt mit Recht anfange, das höchste Glück zu machen, etwas von

Walter Scott zu lesen [...]. (2. Teil, S. 147; weitere zeitgenössische Urteile bei Sdun, S. 11ff., s. auch dort S. 121 die Bibliographie der Kritiken aus dem 19. Jahrhundert)

In der neueren Hoffmann-Literatur sind die Meinungen zur *Brambilla* kaum weniger kontrovers. Am Ende des vorigen Jahrhunderts erfolgte Ellingers eindeutiger Verriß der Erzählung. Sie sei eine der „geringwertigsten Leistungen des Dichters", und ihr mangele die „feste Gestaltungskraft" der anderen Werke (S. 163). Der von Ellinger und auch von Schaukal (S. 162) erhobene Vorwurf mangelnder gestalthafter Prägnanz ist noch einmal in voller Schärfe von Hermann August Korff aufgegriffen und wiederholt worden. Für den Autor von *Geist der Goethezeit* ist Hoffmann mit der *Brambilla* „an das Ende seiner Kunst" (S. 635) gekommen:

> Hier ist die Phantasie mit Hoffmann durchgegangen, und zwar durchgegangen nicht nur in qualitativer, sondern auch in quantitativer Hinsicht. [...] Wie der *Goldene* [!] *Topf* durch sein schönes Maß das klassische Märchen Hoffmanns ist, so ist die *Prinzessin Brambilla* durch ihre Maßlosigkeit der eigentliche Ausbund seiner romantischen Phantasie und Laune. Auch ein Capriccio hat sein inneres Maß – ja ein Capriccio gerade am allermeisten. Und es ist seine innere und äußere Maßlosigkeit, an der es schließlich verunglückt ist. Denn das ist es zweifellos. (S. 637f.)

In schroffem Gegensatz zu diesen Einschätzungen steht die von Harich in seiner zweibändigen Hoffmann-Biographie. Für diesen Kritiker ist die *Brambilla* die „gelungenste" Erzählung des Autors, „eine der tiefsten Dichtungen überhaupt" (2. Bd., S. 319f.). Was Harich an ihr fasziniert hat, ist gerade jene Eigentümlichkeit, welche die Kritiker von Jean Paul bis Korff als Schwäche dieses Capriccios herausstellten. Das Unfaßbare, Phantastische, jede singuläre Gestalt Überschreitende ist für ihn der eigentliche Vorwurf der Erzählung, durch den diese – mehr als jede andere Dichtung – zum wahrhaften Spiegel und Ausdruck der Zeit des beginnenden 19. Jahrhunderts geworden sei. Das Grenzensprengende und Grenzenauflösende habe jeden Versuch einer Festlegung dessen, was als Wirklichkeit zu gelten habe, buchstäblich gegenstandslos gemacht:

> Wenn es ihn [d.i. Hoffmann; U.St.] nicht überwältigte und ihn nur allmählich – in 46 Lebensjahren ausbrannte, so war es, weil er selbst in allen Dingen war, die auf ihn eindrangen und losschlugen: er ist übergestaltig über die Dinge verstreut, und es gibt für ihn im tiefsten Grunde überhaupt keine Dinge, nur die Momentan-Impression, den zuckenden Nerv. (2. Bd., S. 322)

Harichs phantasievolle Umdeutung der *Brambilla* zur Nervenkunst ist zwar in der neueren Sekundärliteratur auf Ablehnung gestoßen, auf seine positive Einschätzung dieser Erzählung hat man sich jedoch bis in die Gegenwart hinein immer wieder berufen (vgl. Eilert, S. 91). Den nahezu ausschließlich am Gehalt, am Weltanschaulichen orientierten Interpretationen (Egli, von Schenck) folgten nach dem 2. Weltkrieg Untersuchungen, die vor allem der Struktur und den Motiven der Erzählung gewidmet waren. Die Verlagerung des Interesses auf Formprobleme führte zwar in fast allen Fällen zu einer grundsätzlichen Bestätigung des positiven Werturteils von Harich, im Gegensatz zu dessen Behauptung von der Chaotik des Werkes ist jedoch zunehmend die bewußte, genau kalkulierte Formung der Erzählung aufgedeckt und betont worden – so etwa von Sdun (S. 73, 86, 105), Strohschneider-Kohrs (S. 381 ff., 418 f.) und Eilert (S. 98 und 109). Die von Harich bloß ins Positive gewendete These Schaukals von der nachlassenden Gestaltungskraft des Autors der *Brambilla* darf daher als widerlegt angesehen werden.

Hoffmann selber allerdings war mit der Ausführung seines Capriccios nicht gänzlich zufrieden. Im Brief an Adolph Wagner vom 21. Mai 1820 schrieb er ein wenig resigniert:

> Aber Freund, was halten Sie von dem tollen Capriccio? – Es sollte nach der Anlage das kühnste meiner Mährchen werden, aber du lieber Gott! – Sie wissen ja, daß es vermöge angebohrner Schwäche alles irrdischen sich zu begeben [d. h. geschehen kann], daß man bey dem stärksten Anlauf, statt recht hoch zu springen, auf die Nase fällt! –
>
> Daß *Sie* mich verstehen, daß Sie wissen wo es hinaus will, nachdem Sie die Geschichte von dem Könige Ophioch und der Königin Liris gelesen, das weiß ich, aber wird es andern nicht ein toller Mischmasch scheinen? (Br II/254)

Der letzte Satz dieser brieflichen Äußerung macht immerhin deutlich, daß Hoffmann selber die *Brambilla* nicht wirklich für ein „tolles Mischmasch" hielt und daß er mit diesem Capriccio eine erkennbare Intention verband.

1.1. Texte und Materialien

Prinzessin Brambilla. In: E.T.A. Hoffmann: *Späte Werke,* Ausgabe des Winkler Verlags (= IV/209–326); nach dieser Edition wird im folgenden zitiert unter einfacher Nennung der Seitenzahl.

EINZELAUSGABEN

Prinzessin Brambilla. Hrsg. v. W. Nehring. Stuttgart 1982, Reclam 7953. [Text mit den Kupfern von Carl Friedrich Thiele nach dem Erstdruck mit modernisierter Orthographie; zum Nachwort s. unter Nehring in D.1.2.]

Prinzessin Brambilla. Frankfurt/M. 1979, insel-taschenbuch 418. [Text mit den Kupfern von Thiele ohne jeglichen editorischen Kommentar mit kurzem Anmerkungsteil von einem anonym bleibenden Herausgeber.]

MATERIALIEN

Schnapp, Friedrich (Hrsg.): E.T.A. Hoffmann, (s. Gesamtbibliographie), S. 199, 228–230 und 262. [Gibt die Äußerungen Hoffmanns zur *Prinzessin Brambilla* wieder.]

Schnapp, Friedrich (Hrsg.): E.T.A. Hoffmann in Aufzeichnungen, (s. Gesamtbibliographie). [Verweist S. 850 auf alle wiedergefundenen Zeugnisse der Zeitgenossen zur *Prinzessin Brambilla*.]

1.2. Forschungsliteratur

Chambers, Ross: Two Theatrical Microcosmos: *Die Prinzessin Brambilla* and *Mademoiselle de Maupin*. In: comparative literature 27 (1975), S. 34–46. [Arbeitet an Hoffmanns und Gautiers Werk das Verhältnis von Makrokosmos und Mikrokosmos heraus und betont die therapeutische Funktion des letzteren.]

De Loecker, Armand: Zwischen Atlantis und Frankfurt, (s. AB III A.1.2.), S.149–190. [Zeigt die Verinnerlichung des Goldenen Zeitalters bei den Protagonisten; statt einer Verneinung der konkreten Wirklichkeit führe das Ende der Erzählung in der Künstlerehe Giglios und Giacintas ein Leben in der Poesie mitten im Alltag vor.]

Egli, Gustav: E.T.A. Hoffmann, (s. AB III A.1.2.), S. 122–162. [Allzu spekulative Analyse des Gehalts; lesenwert die Darstellung des komplementären Gegensatzpaars Tragik und Humor.]

Eilert, Heide: Theater in der Erzählkunst. Eine Studie zum Werk E.T.A. Hoffmanns. Tübingen 1977. Studien zur deutschen Literatur 52. [Faßt wie schon Sdun das Capriccio als erzählte Komödie; instruktiv wegen der theatergeschichtlichen Ausführungen.]

Ellinger, Georg: E.T.A. Hoffmann, (s. Gesamtbibliographie).

Gloor, Arthur: E.T.A. Hoffmann. Der Dichter der entwurzelten Geistigkeit. Zürich 1947, S. 101–134. [Kritisiert den Humor in der *Brambilla* als Pseudohumor; problematische, im Pseudotiefsinn sich gefallende Wesensschau.]

Gravier, Maurice: E.T.A. Hoffmann et la psychologie du comédien. In: Revue d'histoire du théâtre 7 (1955), Nr. 3/4, S. 255–277. [Vergleicht die Theaterkonzeption in der *Brambilla* und in den *Seltsamen Leiden eines Theater-Direktors* mit Theorien Diderots.]

Grimm, Reinhold: Die Formbezeichnung ‚Capriccio' in der deutschen Literatur des 19. Jahrhunderts. In: Burger, Heinz Otto (Hrsg.): Studien zur Trivialliteratur. Frankfurt/M. 1968, Studien zur Philosophie und Literatur des neunzehnten Jahrhunderts 1, S. 101–116. [Begreift die *Brambilla* als Höhepunkt in der Geschichte des deutschsprachigen Capriccios und wendet die Gattungsbezeichnung zugleich auf alle ‚Wirklichkeitsmärchen' Hoffmanns an.]

Harich, Walther: E.T.A. Hoffmann, (s. Gesamtbibliographie).

Hitzig, Julius Eduard: Aus Hoffmanns Leben, (s. Gesamtbibliographie).

Jebsen, Regine: Kunstanschauung und Wirklichkeitsbezug bei E.T.A. Hoffmann. Phil. Diss [Masch.] Kiel 1952, S. 129–137. [Sieht in der *Brambilla* Hoffmanns Theorie vom idealen Schauspieler aus den *Seltsamen Leiden eines Theater-Direktors* wiederaufgenommen; betont das Transzendenzlose der Erzählung, ohne diese deshalb abzuwerten.]

Köpp, Claus Friedrich: Realismus in E.T.A. Hoffmanns Erzählung *Prinzessin Brambilla*. In: Weimarer Beiträge 12 (1966) Heft 1, S. 57–80. [Faßt das Werk als eine zwischen Romantik und Realismus anzusiedelnde Parabel auf; identifiziert jedoch fälschlich Celionati mit Ruffiamonte.]

Korff, Hermann August: Geist der Goethezeit, (s. AB III A.1.2.).

Krauss, Wilhelmine: Das Doppelgängermotiv in der Romantik. Studien zum romantischen Idealismus. Berlin 1930, Germanische Studien 99, S. 90–96. [Sieht in der *Brambilla* die deutlichste Ausformung des Doppelgängermotivs bei Hoffmann, das sie auf den – allein durch Humor zu überwindenden – Gegensatz von Traum und Wirklichkeit zurückführt.]

Löffler, Peter: Jacques Callot. Versuch einer Deutung. Phil. Diss. Zürich 1958, Teildruck Winterthur 1958, S. 9–20. [Beschreibt und erläutert die 24 Originalblätter Callots.]

Magris, Claudio: Das Fest der Identität *(Prinzessin Brambilla)*. In: C'M': Die andere Vernunft, (s. AB III B.1.2.), S. 81–108. [Allzu sehr an Schellings Philosophie ausgerichteter Beitrag, der jedoch die Gesamtbewegung innerhalb des Capriccios überzeugend beschreibt.]

Max, Frank Rainer: E.T.A. Hoffmann parodiert Fouqué. Ein bislang unentdecktes Fouqué-Zitat in der *Prinzessin Brambilla*. In: Zeitschrift für deutsche Philologie 95 (1976), Sonderheft E.T.A. Hoffmann, S. 156–159. [Weist für den Zweikampf Capitan Pantalon – Giglio Fava auf die Fouquésche Erzählung *Die beiden Hauptleute* als Quelle hin, die Hoffmann benützt habe, um die Rittertümelei seiner Zeit lächerlich zu machen.]

May, Joachim: E.T.A. Hoffmanns theatralische Welt. Phil. Diss. [Masch.] Erlangen 1950, S. 46–82. [Beschreibt die Bedeutung des Schauspielertums und der Maske. In der letzteren als scheinbarer Lüge gebe sich der Mensch wahrer zu erkennen als in seinem Normalzustand.]

Mühlher, Robert: *Prinzessin Brambilla*. Ein Beitrag zum Verständnis der Dichtung. In: Prang, (s. Gesamtbibliographie), S. 185–214. [Enthält gute Beobachtungen, operiert jedoch allzu sehr mit ‚im Grunde' – Identitäten und mit ungesicherten Parallelen zur Mythologie und zu anderen Dichtungen.]

Nehring, Wolfgang: Nachwort [zu:] E.T.A. Hoffmann *Prinzessin Brambilla*. Ein Capriccio nach Jakob Callot. Hrsg. v. W'N'. Stuttgart 1982, Reclams Universal-Bibliothek 7953, S. 161–171. [Betont das Artifizielle in der Verbindung von Phantastischem und Alltäglichem und in der Verknüpfung der drei Handlungsstränge, die jedoch keineswegs bloß mechanisch aufeinander bezogen seien.]

Preisendanz, Wolfgang: Humor als dichterische Einbildungskraft, (s. Gesamtbibliographie), S. 47–84. [Erfaßt die „Hauptidee" des Capriccios durch eine symbolische Auslegung, vernachlässigt jedoch die antiphilosophische Komponente der *Brambilla*.]

Requadt, Paul: Norden und Süden in der Allegorik von E.T.A. Hoffmanns *Prinzessin Brambilla*. In: P'R': Die Bildersprache der deutschen Italiendichtung von Goethe bis Benn. Bern, München 1962, S. 125–130. [Sieht in der *Brambilla* das einzige originelle Italienbild, das Hoffmann entworfen habe, und kennzeichnet es als eine – etwas gewaltsame – Synthese von Humor, Tiefsinn, romantischer Naturphilosophie und südlicher Heiterkeit.]

Rusack, Hedwig Hoffmann: Gozzi in Germany. A Survey of the Rise and Decline of the Gozzi Vogue in Germany and Austria with Especial Reference to the German Romanticists. New York 1930, S. 144–172. [Zeigt, daß Hoffmann Gozzi geradezu verherrlicht habe, und weist u.a. die Übereinstimmung zwischen Celionati und Cigolotti aus *Il re cervo* nach.]

Schaukal, Richard von: Jacques Callot und E.T.A. Hoffmann. In: Germanisch-Romanische Monatsschrift 11 (1923), S. 156–165. [Kritisch nicht nur gegenüber den ästhetischen Qualitäten der Erzählung, sondern auch und vor allem gegenüber Hoffmanns Aneignung der Callotschen *Balli di Sfessania*.]

Schenck, Ernst von: E.T.A. Hoffmann. Ein Kampf um das Bild des Menschen. Berlin 1939, S. 381f., 425–447, 498–501 u.ö. [Problematische, wenn auch originelle Arbeit; der Verfasser benützt das Capriccio, um sich assoziativ Stichworte für stark spekulative Reflexionen und Analogiebildungen zuspielen zu lassen.]

Schnapp, Friedrich: E.T.A. Hoffmann in Aufzeichnungen, (s. Gesamtbibliographie).

Schneider, Albert: Le double prince. Un important emprunt de E.T.A. Hoffmann à G.C. Lichtenberg. In: Annales Universitatis Saraviensis. Philosophie-Lettres 2 (1953), Heft 1/2, S. 292–299. [Überprüft die Lichtenberg-Anleihe in der *Brambilla* und stellt eine weitgehende Entpolitisierung gegenüber der Vorlage fest; faßt das Capriccio – analog zu Lichtenbergs berühmtem Werk, – als ‚Ausführliche Erklärung der Callotschen Kupferstiche'.]

Schröder, Thomas (Hrsg.): Jacques Callot. Das gesamte Werk. 2 Bde., München 1971. [Enthält im 2. Band, S. 1082–1093, eine komplette Wiedergabe der 24 Originale der *Balli di Sfessania*.]

Schumm, Siegfried: Einsicht und Darstellung, (s. Bibliographie zu AB II), S. 1–111. [Anhand der Reden Hermods, des Urdarmythos und der Giglio-Handlung wird das Lebens- und Kunstverständnis Hoffmanns dargelegt, der durch die Darstellung von Einsicht Einsicht erzeugen wolle; textnahe und doch – durch den Rückgriff auf Fichte und Friedrich Schlegel – theoretisch gut fundierte Studie.]

Sdun, Winfried: E.T.A. Hoffmanns *Prinzessin Brambilla*. Analyse und Interpretation einer erzählten Komödie. Phil. Diss. Freiburg/Br. 1961. [Deutet das Werk als Marionettenspiel mit verhüllter Komödienstruktur; trotz der Arbeit von Eilert noch nicht überholt.]

Slessarev, Helga: E.T.A. Hoffmann's *Prinzessin Brambilla:* A Romantist's Contribution to the Aesthetic Education of Man. In: Studies in Romanticism 9 (1973), S. 147–160. [Versteht das Capriccio als Einlösung von Programmen Friedrich Schlegels und Schillers und veranschaulicht dies an der Tanzszene des 3. Kapitels.]

Starobinski, Jean: Ironie et mélancolie. In: Critique 22 (1966). I. Le théâtre de Carlo Gozzi. Nr. 227 (avril), S. 291–308; II. *La Princesse Brambilla* de E.T.A. Hoffmann. Nr. 228 (mai), S. 438–457. [Enthält neben einer ausführlichen Darlegung des ideengeschichtlichen Zusammenhangs Gozzi – Hoffmann eine Interpretation des Capriccios. Dieses wird als verschlungene Darstellung der Entwicklung Giglios gedeutet, der durch symbolische Prüfungen zu sich selbst finde und dessen Melancholie durch Ironie geheilt werde.]

Strohschneider–Kohrs, Ingrid: Die romantische Ironie in Theorie und Gestaltung. 2. durchges. und erw. Aufl., Tübingen 1977, Hermaea N.F. 6, S. 155–160 und 362–424. [Das Capriccio wird in diesem Standardwerk über die romantische Ironie als beispielhafte Realisierung der Theorie im Bereich der Erzählkunst dargestellt.]

Tecchi, Bonaventura: E.T.A. Hoffmanns *Prinzessin Brambilla.* In: Reifenberg, Benno; Staiger, Emil (Hrsgg.): Weltbewohner und Weimaraner. Ernst Beutler zugedacht. Zürich 1960, S. 301–316. [Stark assoziativ verfahrende, wenig erhellende, z.T. sogar verfälschende Darstellung.]

Werner, Hans-Georg: E.T.A. Hoffmann, 1971 (s. Gesamtbibliographie), S. 181–187. [Auffallend verständnislose Darstellung; wohl das schwächste Kapitel des ansonsten außerordentlich verdienstvollen Buches.]

Willimczik, Kurt: E.T.A. Hoffmann. Die drei Reiche seiner Gestaltenwelt. Berlin 1939, Neue Deutsche Forschungen 216, S. 299–337. [Enthält im wesentlichen nur eine breit ausgemalte Inhaltsangabe des Capriccio; daneben wird dieses recht gewaltsam in Willimcziks – ohnehin völkisch eingedeutschte – Theorie von den drei Reichen eingepaßt.]

1.3. Voraussetzungen und Entstehung

Detaillierte Informationen über die Phase der Konzeption und der Niederschrift besitzen wir nicht. Als wichtige – vor allem kunsttheoretische – Voraussetzung für die *Brambilla* gilt allgemein die 1819 erschienene Schrift *Seltsame Leiden eines Theater-Direktors* (s. Gravier, S. 257ff., Jebsen, S. 129 und Sdun, S. 26ff.). Verfaßt wurde das Capriccio zwischen der Niederschrift des ersten und zweiten Teils des *Kater Murr.* Die unmittelbare Anregung zu dem Werk ging, wie Hitzig (2. Teil, S. 146) überliefert hat, auf ein Geburtstagsgeschenk zurück, das Hoffmann am 24. Januar 1820 von seinem Freunde Koreff erhalten hatte. Es handelte sich um die von Jacques Callot radierte Folge der *Balli di Sfessania,* eine Serie von 24 Blättern (s. die Abbildungen bei Schröder, 2. Bd., S. 1082ff.), die der Kupferstecher aus Nancy nach seiner Rückkehr von Florenz in Erinnerung an die unter Cosimo II. besonders gepflegte italienische Stegreifkomödie 1622 entworfen hatte. Hoffmann, der schon lange eine Vorliebe für die Arbeiten dieses lothringischen Künstlers besaß – man erinnere sich an die vier Bände seiner *Fantasiestücke in Callots Manier* aus den Jahren 1814/15 (s. AB II B.1.1.) – wählte acht Blätter (12, 3, 8, 23, 17, 24, 9, 21) der *Balli* aus und legte sie seiner Erzählung zugrunde. Carl Friedrich Thiele fertigte nach diesen Originalen acht Kupfer an, wobei er die Hintergrundfiguren Callots wegließ und die zentralen Gestalten auf eine nicht lokalisierbare, zumeist ovale Plattform stellte. Seine Nachbildungen sind überdies seitenverkehrt im Verhältnis zu den Callotschen Vorlagen, ein Umstand, den Sdun (S. 38f.) auf eine Anweisung Hoffmanns zurückzuführen suchte, der damit das in der Erzählung bedeutsame Motiv des verkehrten Sehens (vgl. z.B. 313f.) habe unterstreichen wollen. So wenig diese Hypothese beweisbar ist, so unzweifelhaft ist die Bedeutung der Callotschen Kupferstiche und des von ihnen ins Zentrum gerückten Themas der Commedia dell'arte für Hoffmanns Erzählung. Schon der Untertitel nennt den lothringischen Künstler, und im Vorwort wird nachdrücklich auf „die Basis des Ganzen, nämlich Callots fantastisch karikierte Blätter“ (211) verwiesen.

Neben dem „Meister Callot“ (325, 326) gibt es noch einen weiteren Liebhaber und Verehrer der Commedia dell'arte, dem bei der Entstehung der *Brambilla* entscheidende Bedeutung zukam: Carlo Gozzi. Dieser venezianische Autor hatte sich in seinen Stücken und seinen theoretischen Schriften unermüdlich für die Wiedererweckung der italienischen Stegreifkomödie eingesetzt (s. hierzu Starobinski, S. 439). Im Streit mit Carlo Goldoni, der sich an der französischen Charakterkomödie der Aufklärung orientierte, und mit Pietro Chiari, dem Verfasser pathetischer französischer Tragödien, setzte er sich – nicht ohne Erfolg – für die Beibehaltung der traditionellen Stegreifmasken ein (s. Eilert, S. 110ff.). Dieser Streit findet in der Fabel des Capriccios seinen Nachhall, und zwar in der Auseinandersetzung zwischen Celionati (dem Fürsten Bastianello di Pistoja) und dessen Todfeind, dem Abbate Chiari, die zugleich als ein Kampf zwischen den Anhängern der Commedia dell'arte und den Verfechtern eines hohen und pathetisch-hohlen Tragödienstils dargestellt wird. Wie in der tatsächlichen theatergeschichtlichen Situation im Italien des 18. Jahrhunderts fällt auch in Hoffmanns Erzählung die Entscheidung zugunsten der Pantomime und der Stegreifmasken. Ausdrücklich wird auf diese theaterhistorische Auseinandersetzung in einer Klammerbemerkung des 4. Kapitels zu Chiari Bezug genommen.

Auf Gozzi verweist das Hoffmannsche Capriccio aber auch noch auf andere Weise: Die Krankheit und Heilung Giglio Favas und die sie spiegelnde Krankheit und Heilung des Königs Ophioch bilden einen Motivkomplex, den Hoffmann mit hoher Wahrscheinlichkeit Gozzis *L'amore delle tre melarance* von 1761 entnommen hat (s. hierzu vor allem Starobinski). In beiden Werken gibt es eine rätselhafte Schwermut, deren Ende durch ein befreiendes Lachen signalisiert wird, und beide Male entpuppt sich der übermäßige Genuß von schlechten Versen als eine Ursache der Krankheit. Während sich der Prinz Tartaglia durch „martellianische“ (das sind 14-hebige, alexandrinerartige, klassizistische, durch Pier Jacopo Martello in Italien eingeführte) Verse eine Magenverstimmung zugezogen hat (Carlo Gozzi: *Theatralische Werke*. 1. Theil, Bern 1777, S. 9), erweist sich die Krankheit des Schauspielers Fava ebenfalls als Folge schlecht verdauter Literatur. Bei dem Zweikampf, den der Capitan Pantalon gegen sein Spiegelbild, den Schauspieler Giglio Fava, ausführt und der mit dem Tode des letzteren endet, entpuppt sich dessen Leichnam als ein Gebilde aus „Pappendeckel“, dessen „ganzes Inneres, bei der Sektion, mit Rollen aus den Trauerspielen eines gewissen Abbate Chiari erfüllt gefunden wurde“ (307).

Im Vergleich zur Wichtigkeit, die den Arbeiten Gozzis und Callots bei der Entstehung der *Brambilla* zukommt, tritt die Bedeutung aller übrigen

Quellen zurück. Zu erwähnen sind noch Goethes *Italienische Reise,* Karl Philipp Moritz' *Reisen eines Deutschen in Italien* (1792 f.), Karl Ludwig Fernows *Sitten- und Kulturgemälde von Rom* (1802) und der Italienführer Johann Jacob Volkmanns (1770 f.). Aus diesen Werken bezog Hoffmann, der niemals in seinem Leben in Italien gewesen war, sein Wissen über die römischen Lokalitäten. Sdun führt in seiner Dissertation Titel von 15 Autoren auf, doch ist seine Liste der Quellen zur *Brambilla* keineswegs vollständig. Es fehlen nicht nur die von ihm schon an anderer Stelle (S. 64 und 104 ff.) gegebenen Hinweise auf Voltaire und Kleist, sondern auch die Erwähnung von Shakespeares *Twelfth Night: or what you will* (Malvolio-Szene; s. Eilert, S. 147 f.), von Fouqués *Die beiden Hauptleute* (s. Max), von Goethes *Lehrjahren* (s. die Anspielung im 2. Kapitel, 239) und vom *Heinrich von Ofterdingen* (Mystilis-Motiv). Bei allen bisher nachgewiesenen Quellen ist jedoch festzuhalten, daß Hoffmann ihnen niemals sklavisch gefolgt ist. Die *Brambilla* ist vielmehr, wie Eilert (S. 99) mit Recht betont, ein Beispiel für eine „höchst virtuose ‚epische Integration' dieser Vorlagen aus der bildenden Kunst und der Literatur".

2. *Textanalyse*

2.1. *Gattungstheoretische Einordnung*

Die Bezeichnung ‚Capriccio' weist zurück auf das 16. Jahrhundert in Italien. Dort wurde der Begriff in der Musik und in der Bildenden Kunst gebraucht, fand aber auch, wie Reinhold Grimm (S. 102 f.) betont hat, schon sehr früh im Bereich der Poesie Verwendung. Mit ‚Capriccio' verband sich eine Vorstellung, die grundsätzlich antiklassisch, genauer: manieristisch geprägt war. Für Giorgio Vasari etwa bedeutete capricciohaft so viel wie „eigentümlich, geistreich, die (von der Antike abgeleiteten) Regeln durchbrechend" (so Grimm, S. 103). Jacques Callot habe den Terminus mit seinen *Capricci di varie figure* 1617 in der Bildenden Kunst, Michael Prätorius mit seinem *Syntagma Musicum* 1619 in der Musik verankert. Hoffmann konnte sich über das Capriccio in dem ihm bekannten und im *Kater Murr* (II/375) erwähnten *Musikalischen Lexikon* Heinrich Christoph Kochs (Frankfurt/M. 1802, Sp. 305 f.) informieren. Dort findet sich die folgende Gattungsdefinition:

> Ein Tonstück, bey welchem sich der Componist nicht an die bey den gewöhnlichen Tonstücken eingeführten Formen und Tonausweichungen bindet, sondern sich mehr der so eben in seiner Fantasie herrschenden Laune, als einem überdachten Plane überläßt. Das Capriccio hat daher nicht immer den Ausdruck einer einzigen schon bestimmten Empfindung zum Gegenstande.

Trotz der relativ großen Freiheit des Komponisten bei der Ausführung besitzt das Capriccio, wie Koch zweimal versichert, durchaus Zusammenhang und Ordnung. Es stellt „keineswegs einen Tummelplatz purer Willkür" dar (Grimm, S. 107), sondern kennt sehr wohl ein Zentrum, aber dieses wird spielerisch, launenhaft (‚kapriziös') umspielt und erscheint nur indirekt, „in sehr viele Arten von Wendungen gebracht" (Koch, Sp. 306). Als Modell des Capriccios darf – und darin erweist sich die manieristische Herkunft dieser Gattung – das Labyrinth gelten. Wie beim Traktat im wissenschaftlichen Bereich entfällt beim Capriccio der Unterschied zwischen thematischen und exkursiven Ausführungen (vgl. hierzu Walter Benjamins Ausführungen in der *Einbahnstraße* und im *Ursprung des deutschen Trauerspiels* [*Gesammelte Schriften* (s. AB III B.2.3.), IV.1, S. 111 und I.1, S. 208 f.]). Die scheinbar radikalsten Digressionen weisen am entschiedensten auf das Zentrum zurück.

Reinhold Grimm hat auf die Reaktivierung kapriziösen Gestaltens um 1800 hingewiesen, die er zu Recht mit dem Zerfall, bzw. der Auflockerung der vorromantischen Gattungspoetik in Verbindung bringt. Das Capriccio behielt – wie die Arabeske – seinen antiklassischen, dem Prinzip der Naturnachahmung entgegengesetzten Charakter bei und wurde in der ersten Hälfte des 19. Jahrhunderts zu einer verbreiteten literarischen Gattung. Als erster hat – Grimm zufolge – Friedrich Kind die Bezeichnung für sein Erzählgedicht *Des Dichters Sommernacht* (Untertitel: ‚Caprice') 1815 verwendet. Erst durch Hoffmann und dessen *Brambilla* aber habe die Gattung eine gewisse Popularität in der deutschen Literatur erlangt.

Für den Autor, der sich zugleich als Musiker fühlte und obendrein ein entschiedenes Talent zur Zeichnung besaß, mußte diese Gattung eine besondere Anziehungskraft besitzen, nicht nur weil sie aufgrund ihrer Geschichte in allen drei Künsten beheimatet war. Auch ihr antimimetischer Charakter mußte Hoffmann entsprochen haben. Der Verfasser kannte jedenfalls ganz offensichtlich die Tradition des Begriffs, wenn er im Vorwort seines Capriccios den Leser anspricht, der

> willig und bereit sein sollte, auf einige Stunden dem Ernst zu entsagen und sich dem kecken launischen Spiel eines vielleicht manchmal zu frechen Spukgeistes zu überlassen. (211; vgl. auch 298 und II/341)

Der antiklassische Charakter des Capriccios dürfte ein wesentlicher Grund sein für die Vorbehalte mancher Interpreten gegenüber der *Brambilla* (vgl. etwa oben die Argumentation Korffs). Da die Literaturwissenschaftler länger als die Literaturproduzenten am Regelkanon der klassischen Gattungspoetik festhielten, mußte ihnen als ästhetische Schwäche erscheinen, was in Wahrheit formkonstitutiv für die Gattung war.

Deren Unkenntnis hat auch dazu geführt, daß man es als unvereinbaren Widerspruch empfunden hat, wenn Hoffmann in seinem Vorwort seine Wunschvorstellung nach einem unernsten, zum kecken, launischen Spiel bereiten Leser verbindet mit der Bitte, dieser möge doch ja „den tiefen Grund", die „aus irgendeiner philosophischen Ansicht des Lebens geschöpfte Hauptidee" (211) nicht übersehen (vgl. Slessarev, S. 150). Der Glaube an die Unvereinbarkeit dieser beiden Intentionen hatte zur Folge, daß man sich häufig nur für eine Bitte des Autors empfänglich zeigte. Entweder suchte man die „Hauptidee" des Capriccios herauszustellen und spielte ihr zuliebe das Labyrinthische des Erzählverlaufs herunter (Strohschneider-Kohrs und vor allem von Schenck), oder man hielt sich allein an das Kapriziöse, das man als Ausdruck eines chaotischen Weltgefühls pries (Harich) oder als Zeichen gestalterischen Unvermögens verdammte (von Schaukal, Korff). Daß die „lose, lockere Ausführung" (211) mit der „Hauptidee" einen durchaus vereinbaren Gegensatz bilden kann, der als genuine Form des Capriccios zugleich in idealer Weise einer inhaltlichen Problematik der *Brambilla* entspricht, nämlich dem oppositionellen und gleichwohl aufeinander angewiesenen Verhältnis von Anschauung und Gedanke, ist bisher weitgehend unbeachtet geblieben.

2.2. *Aufbau und Handlungsstruktur*

Um dem eigenen Schwindel nicht zu erliegen und das Capriccio nicht bloß für ein „tolles Mischmasch" zu halten, empfiehlt es sich, zunächst einmal die verschiedenen, eng ineinandergeschobenen Erzählbereiche innerhalb der *Brambilla* zu registrieren. Strohschneider-Kohrs unterscheidet fünf „Erzählwelten": Zum einen werde die bürgerliche Realität geschildert, d.h. die Welt der Wurstkrämer und Makkaroni-Köche, der römische Alltag der Putzmacherin Giacinta, des Schauspielers Giglio, des Kostümschneiders Bescapi und des Straßenverkäufers Celionati. Mit dieser Sphäre sei zum andern die des Theaters verbunden: die Aufführung der Pantomime und der Erzählkomplex um den Tragödiendichter Abbate Chiari. Die dritte Erzählwelt bilde der römische Karneval, der sich auf den Straßen Roms, insbesondere auf dem Korso, abspiele; die vierte sei der Bereich um die Prinzessin Brambilla und den Prinzen Cornelio Chiapperi, und die letzte schließlich sei die Welt des Märchens von König Ophioch, der Königin Liris, von Hermod, Typhon und der Prinzessin Mystilis. Eine solche Aufteilung der Erzählung in verschiedene Erzählwelten führt aber allzu leicht zu einer Verfälschung, denn sie verdeckt, daß die einzelnen Elemente dieser Welten ihre Eigentümlichkeit erst durch Bezüge oder gleichzeitige Zugehörigkeiten zu mehreren Bereichen erhalten. Am deutlichsten ist dies vielleicht bei Celionati, dem „spiritus rector des Verkleidungsspiels" (Jebsen, S. 132). Er gehört als Marktschreier zur ersten Erzählwelt, als Anhänger der Commedia dell'arte zur zweiten, als Regisseur bei den Verkleidungen auf dem Korso zur dritten, als Fürst Bastianello di Pistoja zur vierten und schließlich als „Intimus" (258) des Magus Hermod zur fünften Erzählwelt. Außerdem verwischt die Einteilung von Strohschneider-Kohrs den unterschiedlichen Status der fünf Erzählbereiche. Der bürgerliche Alltag, das Theater und das Karnevalsgeschehen wären durch den Mangel an Wunderbarem gekennzeichnet. Zwischen diesen Bezirken würden die Übergänge anders verlaufen als zur Brambilla- und zur Märchenwelt, den eigentlich wunderbaren Bereichen. Überdies wären einige Erzählwelten ausgezeichnet durch einen zusammenhängenden Erzählvorgang, während andere, wie etwa das Karnevalsgeschehen auf dem Korso, nicht viel mehr als eine sinnbildliche oder bestenfalls katalytische Funktion für den Verlauf der Erzählung in den anderen Bereichen besäßen.

Glücklicher als der Ordnungsversuch von Strohschneider-Kohrs erscheint die Einteilung Wolfgang Nehrings in drei unterschiedliche Handlungsstränge: dem Geschehen im Lande Urdargarten, den Anstrengungen des Fürsten Bastianello, das römische Theater zu reformieren, und der Liebesgeschichte von Giglio und Giacinta. Alle drei Handlungsstränge seien so miteinander verknüpft, „daß jeder jeden bedingt" (S. 167). Am Ende des Capriccios seien sie alle an ihr Ziel gekommen: Urdargarten ist erlöst, das Commedia dell'arte-Theater hat sich durchgesetzt, und die beiden Liebenden haben sich wiederum miteinander versöhnt.

> Alle drei Ziele laufen [...] auf eins hinaus: auf den Triumph des Humors, der den Sieg davonträgt über unfruchtbare Erstarrung, falsches Pathos und leere Eitelkeit. (Ebda.)

In der Einschätzung des formalen Zusammenhangs der Handlungsstränge gleichen sich die Analysen von Nehring und Strohschneider-Kohrs auf überraschende Weise. Beide Interpreten sehen die einzelnen Geschehensstränge durch zahlreiche Verweisungen und wechselseitige Beeinflussungen aufeinander bezogen, und für beide laufen diese Stränge auf ein gemeinsames Ziel zu. Nur heißt dieses Zentrum des Capriccios für Strohschneider-Kohrs nicht Humor, sondern Ironie.

> Die Ironie ist Thema der Kunst- und Lebenslehre in diesem Werk; sie ist Grundgedanke dieses Werks. [–] Aber die Ironie ist auch das formans, die wirkende Kraft des Erzählganzen, das Strukturprinzip und Aufbauelement, die vis motrix dieser Dichtung als Dichtung. (S. 367f.)

Festgehalten werden soll hier zunächst, daß sowohl Nehring als auch Strohschneider-Kohrs von der Existenz eines Ziels oder Zentrums der Erzählung ausgehen, das offensichtlich demjenigen entsprechen soll, was Hoffmann im Vorwort zur *Brambilla* die „Hauptidee" genannt hat. Als

Schlüssel zu dieser Hauptidee hatte er in dem bereits erwähnten Brief an Adolph Wagner das Märchen von Urdargarten bezeichnet. Ähnlich äußert sich auch der Erzähler im dritten Kapitel, wenn er unter Anspielung auf die Eigentümlichkeit der Gattung des Capriccios die Geschichte von Ophioch und Liris als eine „Episode“ bezeichnet, die gerade durch ihren Charakter als Abschweifung zum „Ziel“, zum „Kern der Hauptgeschichte“ führe (250). In Anlehnung an diese Winke des Autors und des Erzählers haben die meisten Interpreten – von Ellinger (*Werke,* 10. Bd., S. 5) bis zu Strohschneider-Kohrs (S. 399 ff.) – den Zugang zum Capriccio über eine Interpretation des Märchens von dem Lande Urdargarten gesucht.

2.3. *Die Funktion der eingeschobenen Geschichte von Urdargarten*

Die in das Capriccio eingefügte „Episode“ berichtet von einer Geschichte, die lange zurückliegt und sich doch nach „jener wunderbaren Vorzeit“ (251) ereignet haben muß, in der die Menschen sich noch im Einklang mit sich und der ganzen umgebenden Natur befunden haben sollen und in der die „unmittelbare Anschauung alles Seins und mit derselben das Verständnis des höchsten Ideals, der reinsten Harmonie“ (ebda.) noch möglich gewesen seien. Des Königs Ophioch Melancholie wie auch der Königin Liris übertriebene Lustigkeit sind Folgen des Verlustes jener Unmittelbarkeit. Während jener den Verlust betrauert, ist diese von jeglicher teilnehmenden Anschauung abgeschnitten. Sie sitzt, so sagt Hermod, in einem „Eiskerker“, in dem „der feindlichste aller Dämonen“ (254) sie gefangen hält. Was zum einen als Werk des Dämons Typhon erscheint, wird zum andern auch als Ergebnis der Intellektualisierung erkennbar: Der Gedanke ist es, der die Anschauung zerstört hat (253 und 257).

Die Parallelität zu den im *Goldnen Topf* geschilderten Ereignissen ist offensichtlich (s. AB III A.2.). Auch dort wurde ein und derselbe Vorgang auf mythologischer und auf begrifflicher Ebene erzählt. Auch dort war der noch unerlöste Held zwar nicht im Eis, wohl aber in einer „Kristallflasche“ (I/239) gefangen, und auch dort erwies sich der Gedanke als zerstörerisch (I/193, 254). Wie dort ist der Gedanke aber auch hier nicht bloß feindlich und destruktiv; vielmehr bildet sein Wirken die Voraussetzung für die Entstehung einer neuen, vermittelten Unmittelbarkeit im Verhältnis des Menschen zur Natur. Nach dem „Vermählungskampf“ von Gedanke und Anschauung „entstrahlt“ die letztere „neugeboren“ als „Fötus des Gedankens“ (253). Diese neue, als Produkt intellektueller Erkenntnis gewonnene Anschauung ist die Selbsterkenntnis, die im Lachen sich offenbart und die zugleich – wie im *Goldnen Topf* – die „Erkenntnis des heiligen Einklangs aller Wesen“ (I/254) ist:

> Oh! [so ruft das geheilte Königspaar aus] wir lagen in öder unwirtbarer Fremde in schweren Träumen und sind erwacht in der Heimat – nun erkennen wir uns in uns selbst und sind nicht mehr verwaiste Kinder! (256)

Wie im *Goldnen Topf* hat es auch in der *Brambilla* mit dem einmaligen Ablauf des triadischen Geschichtsmodells nicht sein Bewenden. Die Erzählung Celionati-Bastianellos aus dem 3. Kapitel findet ihre Fortsetzung in dem, was Ruffiamonte-Hermod im 5. und 8. Kapitel vorliest, und endet erst mit dem Schluß des ganzen Capriccios – als Schluß auch der Theaterhandlung und der Liebesgeschichte von Giglio und Giacinta. Die von Ophioch und Liris erreichte Selbsterkenntnis und Aussöhnung mit der Natur besitzt keine universelle und vor allem keine zeitlose Gültigkeit. Schon vor Ophiochs Tod, und erst recht danach, verfällt das Land Urdargarten erneut. Statt der Selbsterkenntnis triumphiert die einseitige Verstandesherrschaft, das Regiment der „Esel" (286). Diese Phase der erneuten Entzweiung mit der Natur, die Hoffmann als gallige Karikatur der historischen Aufklärung ausmalt – eine Karikatur, die der in *Klein Zaches* an Schärfe kaum nachsteht (s. weiter unten und AB III C.2.2.) –, ist zugleich ein Zustand, in welchem die Anschauung aufs neue zerstört ist. Wie im *Goldnen Topf* gilt jedoch auch hier der Schubertsche Grundsatz: „Überall das Beste bey dem Schlimmsten" (*Symbolik des Traumes*, S. 73). Die Entzweiung bildet die Voraussetzung, den Schoß, aus dem die neue Anschauung, die neue Selbsterkenntnis wiederum geboren werden kann. Der „böse Dämon" Typhon kann gar nicht anders, als „sich selbst zum Tort" (287f.) die Erlösung in die Wege zu leiten. An die Stelle des Königs Ophioch und der Königin Liris treten der Schauspieler Giglio Fava und die Putzmacherin Giacinta Soardi. Wenn für jene die Melancholie und die Albernheit entscheidend waren, so werden jetzt für diese die Eitelkeit und die „Smorfia" (219) wichtig. Die moralischen und physischen Defizite dieses römischen Liebespaars setzen den Prozeß der Heilung in Gang. Nur weil beide in der Lage sind, außer sich zu geraten („tut es Leute!" hatte Celionati, der Brillenverkäufer, geraten [223]), können sie schließlich wieder zu sich finden und sich selber erkennen. So bedenklich ihr Verkehrtsein ist, so unabdingbar ist es doch, um nach der Zerstörung der unmittelbaren Anschauung zur reflektierten Anschauung zu kommen. Die umgewendete, verkehrte Sicht aus der verkehrten Position stellt die richtige, zutreffende Anschauung wieder her. Wenn Giglio und Giacinta am Schluß des Capriccios zur Selbsterkenntnis gefunden haben, dann hat sich die dritte Phase jenes triadischen Prozesses wiederholt. Im Vergleich zum ersten Mal freilich hat die Wiederholung noch mehr an geschichtsphilosophischer Bedeutung eingebüßt. Von der Schlußbemerkung Bastianellos abgesehen, in der dieser vom „Zauber" spricht, der von der „kleinen Welt" auf die „große Welt" wirke (324f.), stellt die dritte Phase jetzt eine Bewußtseinsstufe dar, die nur noch – ähnlich wie im *Goldnen Topf* – einzelnen poetischen Gemütern erreichbar ist.

Im Zusammenhang mit dem Übergang von der zweiten Phase in die dritte müssen nicht nur die verschiedenen Ausgestaltungen des Doppelgängermotivs, sondern auch die zahlreichen Bilder aus dem Bereich des Optischen gesehen werden: die magische Brille, die dazu verhelfen kann, daß man „meistens alles verkehrt" (313) sieht, und der wunderbare Spiegel, in dem man sich und die andern in einem „Zaubergarten" (304) erblickt. Der Spiegel kann sich in Gestalt der geliebten Augen vor dem Betrachter auftun. Noch häufiger aber entfaltet er seine magische Wirkung als Wasserspiegel des kristallklaren Urdarsees bzw. der Urdarquelle.

Diese letztere – eine Gabe des Magus Hermod aus Atlantis (253) – bildet allem Anschein nach das zentrale Sinnbild des ganzen Capriccios. Immer wenn der Zustand der Entzweiung aufgehoben und die Personen zu wahrer Selbst- und Naturerkenntnis – und das heißt für Hoffmann: zu neuer Harmonie mit der Natur – zurückgefunden haben, ist der Urdarbronnen spiegelklar. Aber er ist mehr als nur ein Anzeiger der erfolgten Versöhnung mit der Natur; er bewirkt auch eine solche Aussöhnung für diejenigen, welche ihren Blick auf die Spiegelfläche werfen (s. 248, 256f. und 323). Der Urdarquelle kommt daher eine magische Funktion in der *Brambilla* zu (so auch Strohschneider-Kohrs, S. 401). Die zentrale Bedeutung des Motivs wird noch durch verallgemeinernde Aussagen unterstrichen: Auch das Theater stelle „wenigstens in gewisser Art" den Urdarbronnen vor, behauptet am Ende des Capriccios Celionati-Bastianello (325), ja jede wahre Selbsterkenntnis sei ein Vorgang, bei dem die Menschen „das Leben, sich selbst, ihr ganzes Sein in dem wunderbaren sonnenhellen Spiegel des Urdarsees zu erschauen und zu erkennen" vermögen (326). Obendrein stellt Celionati, die Figur, aus der am deutlichsten ein „schälkischer Luftgeist" (249) – nämlich die Seele des Capriccios, des „frechen Spukgeistes" (211) – redet, einen Zusammenhang her zwischen dem Verständnis der Geschichte vom König Ophioch und dem Blick „in den hellen Wasserspiegel der Urdarquelle" (311). Es kann daher als sicher gelten, daß die Urdarquelle den vom Erzähler erwähnten „Kern der Hauptgeschichte" repräsentiert. Unklar bleibt lediglich, was denn dieser „Kern" bedeute, wie die im Vorwort erwähnte „Hauptidee" laute und von welcher Beschaffenheit jene Repräsentation sei.

2.4. *Der Kern des Capriccios: Ironie und echter Humor*

Ingrid Strohschneider-Kohrs hat diese Fragen für sich eindeutig beantwortet. Der Urdarquelle komme eine allegorische Bedeutung zu (S. 401);

sie repräsentiere eine „Lehre und Aussage über die Kunst und über das innere Prinzip dieser Kunst“, eine Lehre, die zwar einen Teil der Dichtung selber ausmache, aber dennoch zusätzlich „herauslösbar und gedanklich fixierbar“ sei (S. 417). Diese Lehre sei, so meint Strohschneider-Kohrs, die von der Ironie (S. 367).

Eine allegorische Deutung der Urdarquelle wird auch bereits von einer Figur der Erzählung selber gegeben. Es ist der deutsche Maler Franz Reinhold, der am Ende der Erzählung Celionatis im 3. Kapitel das „Märlein“ (257) gegenüber dem Ciarlatano auf folgende Weise zu erklären versucht:

> hab ich Euch recht verstanden, so ist die Urdarquelle, womit die Bewohner des Landes Urdargarten beglückt wurden, nichts anders, als was wir Deutschen Humor nennen [...]. (257f.)

Die Interpretation Reinholds steht demnach – trotz ihrer gleichfalls allegorisierenden Verfahrensweise – im Gegensatz zu derjenigen von Strohschneider-Kohrs, die ausdrücklich Humor und Ironie bei Hoffmann unterschieden wissen will (s. S. 160).

Die Verwirrung, was die Urdarquelle bedeute und von welcher Art die Repräsentation sei, steigert sich noch, wenn man das Lob Celionatis über die Interpretation Reinholds zur Kenntnis nimmt („da du, wie ich glaube, die Geschichte von dem Könige Ophioch richtig verstanden [...] hast“ [311]), wenn man berücksichtigt, daß die allegorisierende Deutung mehrfach innerhalb des Capriccios als ein problematisches Verfahren dargestellt wird (247, 313 und 324), und wenn man am Schluß des Capriccios erfährt, daß das durch den Urdarbronnen vorgestellte Theater dasjenige sei, „wo Ironie gilt *und* echter Humor“ (325; Hervorhebung U.St.).

Zunächst gilt es, Hoffmanns Redeweise von Allegorie genauer zu bestimmen. Die Überprüfung der Gebrauchsweise dieses Begriffs in anderen Erzählungen (etwa im *Goldnen Topf,* I/194, im *Sandmann,* I/360 und im *Artushof,* III/156) bestätigt eine eher negative Einstellung des Autors zu dieser Form der Bildlichkeit. Kritisiert wird an der Allegorie fast immer, daß sie durch einen Begriff ersetzbar sei und ganz in ihrer instrumentalen Verweisungsfunktion aufgehe. Die Erzählung Celionatis bestätigt die antiallegorische Tendenz des ganzen Werks: „Der Gedanke zerstört die Anschauung“ heißt es, und dieser Satz, auf die Geschichte selber angewandt, bedeutet so viel wie: Weder die „Episode“ über das Land Urdargarten noch die Urdarquelle selber dürfen rein instrumental verstanden werden; beide gehen nicht in dem auf, was sie bedeuten; sie sind auch etwas für sich. Eine Interpretation wie die von Strohschneider-Kohrs (oder die von Jebsen, S. 134 und Köpp, S. 75), die in der Urdarquelle bloß ein allegorisches Bild für Ironie (oder für Humor) erblickt, ist problematisch.

Freilich – so muß sogleich präzisiert werden – sind Gedanke und Anschauung ja nicht immer einander ausschließende Gegensätze. Beide Male, wo von ihrem Verhältnis zueinander die Rede ist, wird vielmehr ein Zustand beschworen, bei dem Anschauung und Gedanke sich versöhnen können: Die erstere soll als „Fötus des Gedankens" neugeboren werden; der letztere soll in seinem eigenen Spiegel-*bild* sich selbst erkennen können. Auf die eingeschobene „Episode" bezogen, bedeutet dies: Die Erzählung Celionatis soll den Streit zwischen deutschem und italienischem Spaß entscheiden können. Und diese Entscheidung führt sie tatsächlich auch herbei: Der deutsche Maler zählt „von nun an", d.h. nachdem er das „Märlein" gehört hat, Celionati zur „unsichtbaren Kirche" derer, die mit dem tiefsten Humor begabt sind (258).

Hoffmann hat Ironie und Humor durchaus begrifflich unterschieden (s. Strohschneider-Kohrs, S. 160, Preisendanz, S. 73 und 307, Schumm, S. 79 sowie AB V B.2.5.). Wenn er am Schlusse des Capriccios die Urdarquelle als den Bereich bezeichnet, „wo Ironie gilt *und* echter Humor" (325), so weist er damit indirekt auf die Insuffizienz einer bloß begrifflichen Sprache hin. Die reine Reflexion versagt, genau wie die unmittelbare Anschauung nicht mehr genügt, da sie das Urbild nicht mehr erkennt und es mit dem Abbild verwechselt. Einzig die vermittelte Unmittelbarkeit, das Spiegelbild des Urbildes, übertrifft das reine Bild und den bloßen Gedanken. Es enthält beide Gegensätze – Anschauung und Gedanke – aufgehoben in sich. Der Blick in den Wasserspiegel der Urdarquelle vermittelt darum mehr als bloß ein begriffliches Wissen. Wenn Reinhold ihn mit dem Humor identifiziert, so fällt er „zu sehr ins Allegorische, mithin in einen Fehler" (324). Wenn er jedoch Humor definiert als eine

> wunderbare, aus der tiefsten Anschauung der Natur geborne Kraft des Gedankens, seinen eignen ironischen Doppeltgänger zu machen, an dessen seltsamlichen Faxen er die seinigen und [...] die Faxen des ganzen Seins hinieden erkennt und sich daran ergetzt (258),

so straft er den eigenen allegorischen Blick Lügen, bzw. durchschaut dessen provisorische Gültigkeit. Der von der Anschauung abgehobene Gedanke erkennt in dem durch die Anschauung hindurchgegangenen Gedanken, d.h. im Spiegelbild, seinen eigenen „Doppeltgänger". Daß letzterer die Eigenschaft der Ironie hat, nicht aber mit dieser identisch ist, bekräftigt noch einmal, worauf das Capriccio „hinaus will": Es gibt in der *Brambilla* keine Lehre, die „herauslösbar und gedanklich fixierbar" wäre. Der „Kern der Hauptgeschichte" – man mag ihn Ironie oder Humor nennen – entzieht sich einem unmittelbaren Zugriff. Wir können uns der „Hauptidee" des Capriccios nur nähern, indem wir uns auf die verschlungenen Wege begeben, auf die uns die Anschauung und deren Verkehrungen führen.

2.5. *Der satirische Gehalt des Capriccios*

Über der Erörterung von Ironie und Humor werden im allgemeinen die satirischen Züge des Capriccios zu wenig berücksichtigt oder gar übersehen. Eine Ausnahme stellt die Studie von Heide Eilert dar, die sich ausführlich mit jener Auseinandersetzung zwischen den beiden unterschiedlichen Theaterkonzeptionen beschäftigt, welche in der *Brambilla* vorgeführt werden. Die Rivalität zwischen den Verfechtern der Commedia dell'arte und den vom französischen Klassizismus beeinflußten Anhängern der hohen Tragödie spiegele – nach Eilert – nicht bloß die tatsächliche literarische Fehde zwischen Gozzi und Chiari. Vielmehr spiele sie auf eine sehr aktuelle theatergeschichtliche Situation an. Wenn der tragische Stil, in dem der ‚moro bianco' des Abbate Chiari geschrieben ist und in dem sich dessen Lieblingsschauspieler Giglio Fava besonders gefällt, als hohles Pathos, als Schwulst, im Capriccio der Lächerlichkeit preisgegeben wird, so sei damit zugleich der Inszenierungsstil der ‚Weimarer Schule' zum Gegenstand der Satire gemacht. Dieser Inszenierungsstil bildete sich unter der Leitung Goethes am Weimarer Hoftheater ab 1791 aus und fand auch seine Kodifizierung in den von Eckermann redigierten *Regeln für Schauspieler*. Der von Giglio praktizierte und von dessen Mentor, dem Abbate Chiari, bevorzugte schauspielerische Stil werde in einer Weise beschrieben, die – so Eilerts These – als parodistische Anspielung auf die Goetheschen Richtlinien aufgefaßt werden könne. Deren Drucklegung erfolgte jedoch erst in den *Nachgelassenen Werken* (1832/42). Sie können also Hoffmann gar nicht bekannt gewesen sein, wie Eilert (S. 167) selber zugestehen muß. Ihr zufolge war der Autor jedoch auf andere Weise vom Inhalt der Richtlinien informiert. Zum einen kannte er den von Goethe propagierten Theaterstil durch Gastspiele der Weimarer Truppe in Leipzig und Berlin; zum andern hatte er mehr als genug Gelegenheit, den Theaterstil des Goetheschen Lieblingsschülers Pius Alexander Wolff zu studieren, der ab 1816 am Berliner Schauspielhaus engagiert war. Zwischen Wolff und Devrient, dem engen Freunde Hoffmanns in den Berliner Jahren, ergab sich schon nach kurzer Zeit ein Verhältnis wechselseitiger Rivalität. Ersterer habe zwar aufgrund seiner „silbenzählenden Manier" (S. 171) nicht eine der Resonanz Devrients vergleichbare Anerkennung bei Presse und Publikum gefunden, er sei jedoch wegen seinen engen Beziehungen zu Goethe vom Generalintendanten Carl Reichsgraf von Brühl bevorzugt behandelt und mit besonders attraktiven Rollen betraut worden. Hoffmanns Bloßstellung des gekünstelten Pathos bei Giglio Fava und Abbate Chiari sei darum als eine

Parteinahme des Autors für seinen Freund zu werten. Darüber hinaus kämen in dieser Geste des Lächerlichmachens die grundsätzlichen Vorbehalte des Autors gegenüber dem Klassizismus Weimarer Prägung zum Ausdruck. Die Vorbehalte Hoffmanns, die übrigens vice versa, was Goethe betrifft, mindestens ebenso deutlich ausgeprägt waren (s. hierzu AB III A.1. und VII 1.), seien auch in der Wahl der antiklassischen Gattung des Capriccios erkennbar.

Für Eilert ist die Hoffmannsche Attacke gegen die Weimarer Schule der „satirische Kern der *Prinzessin Brambilla*" (S. 155). Andere Bereiche, die in dem Capriccio Gegenstände der Satire sind, bleiben bei ihr unerörtert. Hier wäre aber vor allem noch auf die Seitenhiebe gegen die Aufklärung und deren Vertreter zu verweisen, die in Celionatis Reden am Ende des 1. Kapitels (225) und in der Geschichte des Reiches Urdargarten lächerlich gemacht werden. Sie, genauer: die bornierten Verstandesmenschen, erscheinen als eingebildete, vom Fortschritt ihres Jahrhunderts gegenüber dem „rohen" ungebildeten Zeitalter überzeugte, aufgeblasene Wichtigtuer (254; vgl. auch 283). Je gelehrter ihre Wissenschaftler sind, desto weniger können sie das Wunderbare (etwa die Ursprache der Mystilis [285]) verstehen. Von einem Blick in den Wasserspiegel der Urdarquelle raten sie sogar ab, „weil der Mensch, wenn er sich und die Welt verkehrt erblicke, leicht schwindlicht werde" (257). Indem sie jeglicher Verunsicherung des einmal als richtig Anerkannten ausweichen, verhindern sie die Selbsterkenntnis und verunmöglichen eine wahre, harmonische Beziehung zur Natur. Sie sind und bleiben „Esel"; ihr Verhalten steht in diametralem Gegensatz zu dem, was das Capriccio als „Hauptidee" fortwährend umspielt. Ihre Abstrafung gehört demnach mindestens ebenso entschieden zum „satirischen Kern" der *Brambilla* wie die Theaterattakke.

Scharf und bissig, wenn auch ungleich verschlüsselter ist schließlich die Satire auf die zeitgenössischen preußischen Verhältnisse. Anstelle des im „festen Todesschlaf" dahindämmernden Königs Ophioch regierte – so heißt es – der Staatsrat „und wußte dies so geschickt anzufangen, daß niemand die Lethargie des Monarchen auch nur ahnte" (255). Nach dem wirklich erfolgten Tod wurde dem König „ein zierliches Gestell von Buchsbaum [...] unter den Steiß geschoben, so daß er ganz staatlich [!] dasaß" (283 f.). Mittels eines glockenschnurähnlichen Stricks dirigierte das älteste Mitglied des Staatsrats den Arm des toten Königs, so daß dieser „das Zepter hin und her schwenkte. Niemand zweifelte, daß König Ophioch lebe und regiere" (284). Der Schein der Lebendigkeit hielt so lange an, bis der Holzwurm das Gestell zernagt hatte und „die Majestät im besten Regieren" umstürzte (ebda.). Diese groteske Darstellung der Lethargie eines Monarchen und deren Vertuschung durch Staatsräte und Minister dürfen als Anspielungen auf die politische Führung Preußens unter Friedrich Wilhelm III. verstanden werden. Der der politischen Lage in keiner Weise gewachsene Monarch hat nicht nur keinen positiven Anteil an den Reformversuchen vom Steins, Hardenbergs und auch Humboldts gehabt; er hat auch die Erhebung gegen Napoleon nicht initiieren und organisieren können. Sein Aufruf vom 17. März 1813 setzte nicht etwas in Gang, sondern war weit eher das Resultat des eigenen Mitgerissenwerdens durch das Ziehen und Drängen seiner Umwelt (s. hierzu AB I A.).

IV. Erzählungen

A. Der Sandmann

1. *Einführende Informationen*

Der Sandmann galt lange Zeit als nicht sonderlich geglückte Erzählung Hoffmanns. Von Maassen setzte sie zwar in Beziehung zum *Goldnen Topf,* fügte aber sogleich hinzu, daß „beide Stücke [...] keinen Vergleich miteinander" aushielten (3. Bd., Einleitung, S. IX). Noch schärfer ging Harich mit der Erzählung ins Gericht: „Man versteht es nicht recht, wie Hoffmann nach dem Meisterwurf des *Goldnen Topf* und der *Elixiere* immer wieder in diesen primitiven Urzustand der Kunst des Erzählens zurückgleiten konnte." (2. Bd., S. 94)

Daß dieses negative Urteil unhaltbar ist, haben vor allem jüngere Untersuchungen zeigen können (s. etwa Lehmann, S. 312). Wenn die Erzählperspektive im *Sandmann* immer wieder und zuweilen unvermittelt wechselt oder wenn der Erzähler am Ende seiner großen Reflexion scheinbar resigniert bekennt: „Ich beschloß gar nicht anzufangen" (314), so haben solche Eigentümlichkeiten des *Sandmann* nichts mit einem Rückfall in einen „primitiven Urzustand des Erzählens" zu tun. Vielmehr verweisen sie auf den Verlust der Souveränität des Erzählers gegenüber seinem Erzählstoff. Während frühere Interpreten in diesem Souveränitätsverlust einen ästhetischen Mangel gesehen haben, wird er gegenwärtig mehr und mehr als Signum der Modernität dieser Erzählung begriffen. Der Umstand, daß in letzterer eine offenkundig wahnsinnige Person im Mittelpunkt steht, deren Probleme aufs Engste mit der Situation des Erzählers verbunden sind, hat dem *Sandmann* eine ungeheure Publizität sowohl in der psychoanalytischen wie auch in der diskursanalytischen Forschung verschafft.

1.1. *Texte und Materialien*

Der Sandmann. In: E.T.A. Hoffmann: *Fantasie- und Nachtstücke,* Ausgabe des Winkler Verlags (= I/331–363); nach dieser Edition wird im folgenden zitiert unter einfacher Nennung der Seitenzahl.

Der Sandmann/Das öde Haus. Hrsg. v. M. Wacker, Stuttgart 1983, Reclam 230. [Text nach dem Erstdruck von 1816 mit modernisierter Orthographie; sorgfältige Ausgabe mit Nachwort und kurzer Bibliographie.]

Der Sandmann. In: E.T.A. Hoffmann: *Nachtstücke.* Mit Nachwort von Lothar

Pikulik und Illustrationen von Renate Sendler-Peters, Frankfurt/M., 1982, insel taschenbuch 589, S. 9–48. [Ohne editorischen Kommentar; zum Nachwort s. unter Pikulik in Bibliographie zu AB II.]
Der Sandmann. In: E. T. A. Hoffmann: *Nachtstücke*. Mit Nachwort von Thomas Anz, München 1984, deutscher taschenbuch verlag, Nr. 2128. [Text nach dem Erstdruck von 1816 mit Zeittafel und Literaturhinweisen; zum Nachwort s. unter Anz in Bibliographie zu AB II.]

Schnapp, Friedrich (Hrsg.): E. T. A. Hoffmann, (s. Gesamtbibliographie), S. 124 und 145. [Gibt Hoffmanns Erwähnungen des *Sandmanns* wieder.]
Schnapp, Friedrich (Hrsg.): E. T. A. Hoffmann in Aufzeichnungen, (s. Gesamtbibliographie). [Verweist S. 849 auf alle wiedergefundenen, abgedruckten Zeugnisse der Zeitgenossen zum *Sandmann*.]

1.2. Forschungsliteratur

Aichinger, Ingrid: E. T. A. Hoffmanns Novelle *Der Sandmann* und die Interpretation Freuds. In: Zeitschrift für deutsche Philologie 95 (1976), Sonderheft E. T. A. Hoffmann, S. 113–132. [Von Freud ausgehend, doch nicht unkritisch gegenüber Reduktionsversuchen der Psychoanalyse.]
Belgardt, Raimund: Der Künstler und die Puppe. Zur Interpretation von Hoffmanns *Sandmann*. In: The German Quarterly 42 (1969), S. 686–700. [Betont mit Recht die Bedeutung des Lesers bzw. Zuhörers für den schöpferischen Prozeß des Künstlers.]
Blankenburg, Martin: Der ‚thierische Magnetismus' in Deutschland, (s. Bibliographie zu AB I B., unter Darnton).
Böhme, Hartmut: Romantische Adoleszenzkrisen. Zur Psychodynamik der Venuskult-Novellen von Tieck, Eichendorff und E. T. A. Hoffmann. In: Text und Kontext, Sonderreihe, Bd. 10, München 1981, S. 133–176. [Sieht Nathanael in Opposition gegen die elterliche Sexualität auf der „Position einer homosexuell getönten, narzißtischen Vollkommenheit" fixiert, der sich mit der Puppe den Gegenstand seiner desexualisierten Wünsche selber schaffe.]
Brantly, Susan: A Thermographic Reading of E. T. A. Hoffmann's *Der Sandmann*. In: The German Quarterly 55 (1982), S. 324–335. [Untersuchung des Motivbereichs ‚Feuer und Hitze' im Anschluß an Gaston Bachelard.]
Delabroy, Jean: L'ombre de la théorie (A propos de *L'Homme au Sable* de Hoffmann). In: Romantisme 24 (1979), S. 29–41. [Untersucht Nathanaels Unfähigkeit zur Mitteilung und sieht in der Darstellung von dessen Schreibproblemen eine Art immanente Poetik Hoffmanns.]
Elling, Barbara: Die Zwischenrede des Autors in E. T. A. Hoffmanns *Sandmann*. In: MHG 18 (1972), S. 47–53. [Arbeitet das Zweideutige des Wirklichkeitsbezugs der Erzählung heraus; setzt jedoch den Erzähler in allzu große Nähe zum Autor.]
Ellis, John M.: Clara, Nathanael and the Narrator: Interpreting Hoffmann's *Der Sandmann*. In: The German Quarterly 54 (1981), S. 1–18. [Sieht Nathanael primär als Opfer der rationalistischen, mechanistischen Instanzen der Erzählung.]

Frank, Manfred: Steinherz und Geldseele. Ein Symbol im Kontext. (Nachwort zu:) Das Kalte Herz. Texte der Romantik ausgew. u. interpret. v. M'F'. Frankfurt 1978, insel taschenbuch 330, S. 253–387. [Sieht die Erzählung bestimmt durch Verwechslungen und erblickt in Coppelius das personifizierte Vermögen der Vertauschung.]

Freud, Sigmund: Das Unheimliche, (s. Gesamtbibliographie).

Gendolla, Peter: Die lebenden Maschinen. Zur Geschichte der Maschinenmenschen bei Jean Paul, E.T.A. Hoffmann und Villiers de L'Isle Adam. Marburg 1980, Reihe Metro 10, S. 164–189. [Nathanaels Zerrissenheit wird als Resultat der historischen Trennung von Arbeitskraft und Arbeitskörper, von Öffentlichkeit und Intimität, von Gesellschaft und Familie begriffen.]

Giraud, Jean: E.T.A. Hoffmann et son lecteur. Procédés d'écriture et initiation à la poésie dans une page du *Sandmann*. In: Recherches germaniques 3 (1973), S. 102–124. [Differenzierte Analyse der nach dem 3. Brief eingeschobenen Erzählerreflexion.]

Harich, Walther: E.T.A. Hoffmann, (s. Gesamtbibliographie).

Hartung, Günter: Anatomie des Sandmanns. In: Weimarer Beiträge 23 (1977), Nr. 9, S. 45–65. [Betont die satanischen Züge an der Gestalt des Coppelius.]

Hayes, Charles: Phantasie und Wirklichkeit im Werke E. T. A. Hoffmanns, mit einer Interpretation der Erzählung *Der Sandmann*. In: Ideologiekritische Studien zur Literatur. Essays I. Frankfurt/M. 1972, These. New York University Ottendorfer Studies, N.F. 5, hrsg. v. Volkmar Sander, S. 169–214. [Sieht im *Sandmann* eine extreme Entfaltung des Konflikts zwischen Wirklichkeit und Phantasie; letztere wird als Entfremdung gefaßt, die von Hoffmann jedoch positiv verstanden werde, während die Vernunft als Instrument gesellschaftlicher Anpassung beschrieben sei.]

Hertz, Neil: Freud and the *Sandman*. Textual Strategies. Perspectives in Poststructuralist Criticism. Hrsg. v. Josué V. Harari. Ithaca, New York 1979, S. 296–321. [Betrachtet Freuds Beschäftigung mit der Erzählung im Kontext der Herausbildung der psychoanalytischen Theorie.]

Hoffmann, Ernst Fedor: Zu E.T.A. Hoffmanns *Sandmann*. In: Monatshefte 54 (1962), S. 244–252. [Setzt allzu schnell die Rationalität Claras als Normalität an, von der aus Nathanael bloß noch als krank erscheint; Autor und Erzähler werden nicht genügend voneinander geschieden.]

Kayser, Wolfgang: Das Groteske in Malerei und Dichtung. München 1960, rowohlts deutsche enzyklopädie 107.

Kittler, Friedrich A.: ‚Das Phantom unseres Ichs' und die Literaturpsychologie: E.T.A. Hoffmann – Freud – Lacan. In: Urszenen. Literaturwissenschaft als Diskursanalyse und Diskurskritik. Hrg. v. Fr.'A'K' und Horst Turk. Frankfurt/M. 1977, S. 139–166. [An Lacan und Foucault geschulter Beitrag, der Erkenntnis des Wahnsinns mit dessen Produktion in einen unauflöslichen Zusammenhang stellt.]

Köhn, Lothar: Vieldeutige Welt, (s. Gesamtbibliographie), S. 91–108. [Betrachtet Nathanael als – wenn auch schlechten und pervertierten – Dichter und betont die polyvalenten Momente dieser „düstersten" Erzählung Hoffmanns.]

Kreplin, Dietrich: Das Automaten-Motiv bei E.T.A. Hoffmann. Phil. Diss. [Masch.] Bonn 1957. [Betont die Technik-kritischen Züge des Motivs; brauchbar v.a. wegen der tabellarischen Übersicht über die Verbreitung des Motivs im Oeuvre Hoffmanns.]

Lawson, Ursula D.: Pathological Time in E.T.A. Hoffmann's *Der Sandmann*. In: Monatshefte 60 (1968), S. 51–61. [Arbeitet das vergangenheitsbestimmte Zeitgefühl Nathanaels heraus.]

Lehmann, Hans-Thies: Exkurs über E.T.A. Hoffmanns *Sandmann*. Eine texttheoretische Lektüre. In: Romantische Utopie – Utopische Romantik. Hrsg. v. Gisela Dischner u. Richard Faber. Hildesheim 1979, S. 301–323. [Scharfsinnige und zugleich subtile Textanalyse in Anlehnung an Arbeiten Lacans und vor allem Kristevas.]

Mahlendorf, Ursula: E.T.A. Hoffmann's *The Sandman:* The Fictional Psycho-Biography of a Romantic Poet. In: American Imago. A Psychoanalytical Journal for the Arts and Sciences 32 (1975), S. 217–239. [Psychoanalytische Interpretation der Figur Nathanaels.]

Massey, Irving: Narcism in *The Sandman:* Nathanael vs. E.T.A. Hoffmann. In: Genre 6 (1973), S. 114–120. [Auseinandersetzung mit Freuds Einschätzung der Liebe Nathanaels als narzißtischer.]

von Matt, Peter: Die Augen der Automaten, (s. Gesamtbibliographie). [Geht wie die hier vorliegende Textanalyse vom Motiv der Augen aus und sieht in Nathanaels Verhalten eine autistische Grenzform des magischen Idealismus; das Verhältnis von Rationalität und Wahnsinn erscheint jedoch in einem weniger heiklen Licht.]

Motekat, Helmut: Vom Sehen und Erkennen bei E.T.A. Hoffmann. In: MHG 19 (1973), S. 17–27. [Betont Hoffmanns Kunst der Erwartungserzeugung und Erwartungslenkung gegenüber dem Leser.]

Obermeit, Werner: Das unsichtbare Ding, (s. Bibliographie zu AB I B.). [Ausgezeichnete Interpretation, die den *Sandmann* als kritische Weiterführung wissenschaftlicher Tendenzen in der Psychologie um 1800 deutet.]

Prawer, Siegbert Salomon: Hoffmann's Uncanny Guest: A Reading of *Der Sandmann*. In: German Life and Letters 18 (1965), S. 297–308. [Gegen die Freudsche Interpretation gerichtete Darstellung, die das Unheimliche des *Sandmann* im überraschenden Wechselspiel von Verrätselung und Enträtselung lokalisiert.]

Preisendanz, Wolfgang: Eines matt geschliffnen Spiegels dunkler Widerschein. E.T.A. Hoffmanns Erzählkunst. (1964) In: Prang, (s. Gesamtbibliographie), S. 270–291. [Gundlegender Aufsatz, der am Beispiel des *Sandmann* die Polyperspektivik des Erzählten herausarbeitet, die dem Leser notwendigerweise ein Gefühl der Orientierungslosigkeit und der Entscheidungsohnmacht vermittle.]

Sauer, Lieselotte: Marionetten, Maschinen, Automaten. Anthologische Untersuchung zum Motiv und zur Metaphorik des künstlichen Menschen in der deutschen und englischen Romantik. Bonn 1983, Abhandlungen zur Kunst-, Musik und Literaturwissenschaft 335. [Sieht bei Hoffmann wie überhaupt in der deutschen Romantik eine stärkere Ausrichtung des Motivs auf metaphysische Zusammenhänge – im Unterschied zur englischen Romantik, wo das Motiv v.a. eine politisch-gesellschaftliche Bedeutung besessen habe.]

Schmidt, Jochen: Die Krise der romantischen Subjektivität. E.Th.A. Hoffmanns Künstlernovelle *Der Sandmann* in historischer Perspektive. In: Literaturwissenschaft und Geistesgeschichte. Festschrift f. Richard Brinkmann, Tübingen 1981, S. 348–370. [Beschreibt die Position des *Sandmann* in der Geschichte der Künstlernovelle; der Umschlag von Autonomie des Künstlers in Automatismus der Maschine zerstöre die Kunst und das Leben.]

Schmidt-Biggemann, Wilhelm: Maschine und Teufel. Jean Pauls Jugendsatiren nach ihrer Modellgeschichte. München 1975, Symposion 49. [Grundlegende problemgeschichtlich orientierte Studie über den Zusammenhang von Teufelsmotiv und mechanistischer Philosophie; wichtig auch im Hinblick auf das Marionetten- und Doppelgängermotiv, das als Ausdruck von Identitätsverlust gedeutet wird.]

Segebrecht, Wulf: Krankheit und Gesellschaft. In: Brinkmann, (s. Gesamtbibliographie), S. 267–290. [Wichtig im Hinblick auf Hoffmanns medizinische Kenntnisse und sein Verhältnis zu den Geisteskrankheiten.]

Stegmann, Inge: Deutung und Funktion des Traumes, (s. AB II A.1.2.). [Interpretiert den *Sandmann* unter dem Stichwort ‚Das Spiegelbild als Illusion' und betont die Perspektive-Gebundenheit aller Erklärungsversuche des Handlungsverlaufs.]

Tatar, Maria M.: E.T.A. Hoffmann's *Der Sandmann:* Reflection and Romantic Irony. In: Modern Language Notes 95 (1980), S. 585–608. [Wertet die Leseranreden als Selbstgespräche des Erzählers; versucht in den ironischen Darstellungsmomenten den Unterschied zwischen Nathanael und Erzähler zu fassen.]

Uber, Wolfgang: E.T.A. Hoffmann und Sigmund Freud. Ein Vergleich. Diss. FU Berlin 1974. [Allzu umstandslos wird hier Hoffmanns Werk seiner spezifischen Literarizität entkleidet, um es für einen inhaltlichen Vergleich mit den Schriften Freuds herzurichten.]

Vietta, Silvio: Automatenmotiv und Motivschichtung im Werk E.T.A. Hoffmanns. In: MHG 26 (1980), S. 25–33. [Betont die Romantik-kritischen Züge an Hoffmanns Behandlung des Automaten-Motivs.]

Wawrzyn, Lienhard: Der Automaten-Mensch. E.T.A. Hoffmanns Erzählung vom *Sandmann*. Mit Bildern aus Alltag und Wahnsinn. [West]Berlin 1976. [Versuch einer Erfassung des Alltags um 1800, wobei der *Sandmann* als Beispiel von Wirklichkeitsverarbeitung verwendet wird.]

Weber, Samuel: The Sideshow, or: Remarks on a Canny Moment. In: Modern Language Notes 88 (1973), S. 1102–1133. [Versuch einer texttheoretischen Erfassung der Struktur des Unheimlichen u.a. anhand des *Sandmann*.]

1.3. Voraussetzungen und Entstehung

In der erwähnten Einleitung zum 3. Band druckt von Maassen eine Geschichte aus der 1792 erschienenen Anekdoten-Sammlung *Antihypondriakus oder etwas zur Erschütterung des Zwergfells und zur Beförderung der Verdauung* ab. Sie handelt von einem Taschenspieler, der sich eine wunderschöne weibliche Puppe aus Eichenholz mit einem Wachsgesicht herstellen ließ, die sich mittels einer Maschinerie bewegen konnte. Diese Puppe habe er als lebend ausgegeben und gegen Geld zur Schau gestellt. Unter den Betrachtern seien bald Verliebte gewesen, die ihn mit

Geschenken überhäuften und denen er ein Stelldichein mit der Angebetenen versprechen mußte. Er habe sie auf eine bestimmte Stunde alle miteinander zu einem tête à tête bestellt und sich rechtzeitig selber aus dem Staub gemacht. Die Verehrer hätten zunächst geglaubt, ihr „Engel" (S. XIII) schliefe. Bei der ersten Berührung jedoch sei eine wächserne Hand abgebrochen und in viele Stücke zerborsten. Die Desillusionierung sei allgemein gewesen und habe „eine große Revolution in der Denkart vieler jungen Personen beiderley Geschlechts zuwege gebracht." (S. XIII) Die schönen Damen hätten sich hinfort Mühe gegeben, sich so zu verhalten, daß man sie ohne weiteres auch von einer geschickt angefertigten Puppe hätte unterscheiden können.

In dieser Geschichte glaubte von Maassen die entscheidende Quelle für den *Sandmann* gefunden zu haben. Trotz mancher wörtlichen Übereinstimmung zwischen den beiden Erzählungen und trotz der Schlußpartie jenes älteren Textes, die wie eine zaghafte Skizze dessen wirkt, was Hoffmann dann zu einer bissigen Karikatur der geist- und seelenlosen Teezirkel ausformte, kann von einem eigentlichen Nachweis nicht gesprochen werden. Zum einen wurde die Herstellung von Automaten, von sprechenden, singenden und tanzenden Holzpuppen in der zweiten Hälfte des 18. Jahrhunderts überall in Europa mit Aufmerksamkeit verfolgt und bildete bald auch ein beliebtes und weit verbreitetes literarisches Motiv. Namen wie die der Konstrukteure Jacques de Vaucanson, Pierre Jaquet-Droz, Joseph Gallmayr, Wolfgang von Kempelen und Johann Karl Enslen waren in aller Munde, und häufig hörte man auch von Betrugsmanövern, die den künstlichen Apparaten den perfekten Anschein von Lebendigkeit verleihen sollten. Hoffmann hat sich nachweislich mit dieser Thematik stark auseinandergesetzt. Die Pläne, einen eigenen Automaten zu bauen (Tb 53) sind genauso überliefert wie die Tatsache, daß der Autor die Konstruktion der beiden Automatenbauer Johann Georg und Friedrich Kaufmann besichtigt hat (Tb 229; zur Automaten-Mode s. Kreplin, S. 12f., Schmidt-Biggemann, S. 98ff., Gendolla und Sauer).

Zum anderen steht das Automatenmotiv im *Sandmann* in einem größeren Zusammenhang, den Hoffmann mit seiner Erzählung anvisierte. Die literarische Darstellung des Wahnsinns, die Erwähnung des Abenteurers, Geistersehers und Alchemisten Cagliostro (1743–1795; 342), die Anspielung auf Lazzaro Spallanzani (1729–1799; 342), einen Naturwissenschaftler, der sich mit Arbeiten über den Vulkanismus und über künstliche Befruchtung einen Namen machte, verweisen auf eine Epoche der Wissenschaftsgeschichte, an der Hoffmann Anteil hatte und zu der *Der Sandmann* eine Art Kommentar darstellt. Der euphorische Glaube, Lebewesen herstellen oder doch zumindest täuschend nachahmen zu können, beruhte wie manche wissenschaftliche Theorie dieses Zeitalters – etwa der Brownianismus und der Mesmerismus – auf der Annahme einer tiefgreifenden Affinität zwischen lebenden Organismen und leblosen Substanzen. Die beiden, zunächst genuin aufklärerischen Wissenschaftszweige, die ‚natürliche' (mechanistische) und die ‚übernatürliche' (elektrische, magnetische) Physik gerieten in ein immer größeres Spannungsverhältnis zueinander, bis sich bei der letzteren die ursprüngliche Herkunft ganz verdunkelte. Als Schwärmerei oder – je nach Standpunkt des Urteilenden – als romantische Wissenschaft trat sie in einen Gegensatz zur aufklärerischen (vgl. Blankenburg, S. 191 ff.) – ein Prozeß, der Hoffmann nicht gleichgültig geblieben sein konnte. Jedenfalls darf der *Sandmann* als eine Stellungnahme zu diesem Prozeß gelesen werden. Die Tätigkeit des reinen Verstandes wie die der puren Imagination werden kritisiert, indem ihre gemeinsame Wurzel aufgezeigt wird. Wenn auch nicht behauptet werden soll, daß es Hoffmanns Absicht gewesen sei, die beiden Wissenschaftszweige gleichermaßen als hypertrophe Formen der Wirklichkeitsaneignung kenntlich zu machen, so läßt sich doch der *Sandmann* als eine Reaktion auf eine wissenschaftsgeschichtliche Herausforderung interpretieren. Daß eine Kontroverse innerhalb der Naturwissenschaften in der Literatur aufgegriffen wird, ist gerade für das ausgehende 18. und beginnende 19. Jahrhundert höchst charakteristisch, wie die Untersuchungen von Wolfgang Lepenies (*Das Ende der Naturgeschichte.* München 1976) und Werner Obermeit gezeigt haben. In jedem Fall dürfte der naturwissenschaftliche und naturphilosophische Diskurs um 1800 eine ungleich wichtigere Voraussetzung für die Entstehung der Hoffmannschen Erzählung gebildet haben als die Existenz jener Anekdoten-Sammlung.

Die erste Niederschrift der Erzählung wurde „d.16. Novbr. 1815 Nachts 1 Uhr" begonnen. Diese Mitteilung stammt von Hoffmann selber. Sie steht über dem Manuskript der nicht ganz vollständig erhaltenen ersten Fassung, die von Maassen im Anhang seiner Ausgabe (3. Bd., S. 354 ff.) abgedruckt hat. Gegenüber der endgültigen Fassung unterscheidet sich die erste vor allem durch einen ausführlicheren Schluß und durch die Existenz einer zusätzlichen Greuelgeschichte des Coppelius gegenüber der Schwester Nathanaels.

Publiziert wurde der *Sandmann* als erste Erzählung in dem Sammelband *Nachtstücke* Ende November 1816, dessen erster Teil jedoch wie der zweite die Jahreszahl 1817 trug. Eine vorausgehende Einzelausgabe in einer Zeitschrift ist nicht nachgewiesen.

2. Textanalyse

2.1. Das Augenmotiv

Eines der zentralen Motive, wenn nicht das zentrale Motiv überhaupt im *Sandmann* ist das der Augen. Das Wort wie auch das ihm zugeordnete Wortfeld beherrschen in auffälliger Weise den Text: Substantive, Adjektive und Verben, die das Resultat und den Vorgang des Sehens umschreiben, finden sich fast auf jeder Seite der Erzählung. Zum Augen-Motiv gehört auch das Motiv des im Titel genannten Sandmanns, der den Kindern, dem „Ammenmärchen" (339) zufolge, Sand in die Augen streut und ihnen damit die Sehfähigkeit nimmt.

Dem Auge läßt sich in der Regel eine Mittlerfunktion zwischen Innen und Außen, zwischen Subjekt und Objekt zusprechen. Georg Simmel hat in seiner *Soziologie* (Leipzig 1908, S. 647f.) die Vermutung geäußert, daß die Leistung des Auges „die unmittelbarste und reinste Wechselbeziehung" darstelle, die es überhaupt gebe. Die Erkenntnis der äußeren Wirklichkeit, das gemeinhin als rezeptiv bezeichnete Vermögen, sei stets begleitet von einem, das man produktiv nennen könne: Die Augen sind in der Lage, innere Zustände des Sehenden wiederzugeben.

Diese Doppelfunktion des Auges – als Wahrnehmungs- und zugleich als Ausdrucksorgan – ist im *Sandmann* bedroht und erscheint arbeitsteilig auseinandergerissen. Die Erwähnungen von Auge und Blick lassen sich in zwei Gruppen aufteilen: Sie zeigen entweder, daß etwas erkannt wird, oder daß sich etwas zu erkennen gibt. Neben den Augen, mit denen man „erschaut" (340), ist von brennenden, stechend hervorfunkelnden Augen und von entgegenstrahlenden, flammenden und wilden Blicken die Rede. Nathanael begreift die Augen vor allem als eine Projektionsfläche innerer, seelischer Zustände; Clara sieht in ihnen vornehmlich Organe zur Erkenntnis der äußeren Realität. Während der eine sich der inneren Wahrnehmung überläßt, setzt die andere ihr gänzliches Vertrauen in die Leistungsfähigkeit der äußeren Wahrnehmung. Diese Konzentration auf eine einzige – je verschiedene – Teilfunktion der Organe führt dazu, daß sich die beiden Liebenden gegenseitig verfehlen und daß sie nicht nur in ihrer Beziehung sondern auch in ihrem Leben – wenn auch nicht in gleich drastischer Weise – scheitern müssen.

Eine Verfehlung, eine Fehlleistung, steht bereits am Anfang der Erzählung. Nathanael schreibt einen Brief an Lothar, adressiert ihn aber irrtümlicherweise an dessen Schwester, seine Geliebte. Diese glaubt auch, der Brief sei an sie gerichtet, bis sie auf die Zeile „Ach mein herzlieber Lothar!" (331) stößt. Die Illusion, der Brief wende sich an Clara, kann tatsächlich entstehen, und zwar nicht nur aufgrund der verkehrten Anrede. Die Geliebte ist in dem Brief mehrfach angesprochen, wenn auch nicht direkt, sondern nur in der dritten Person. Diese Anrede ‚von der Seite' und die aus ihr resultierenden Mißverständnisse und Mißhelligkeiten sind exemplarischer Ausdruck für eine gestörte Ich-Du-Beziehung. Die Situation von Angesicht zu Angesicht ist – im übertragenen Sinne – verstellt und durch ein vertracktes Beziehungsnetz ersetzt, bei dem Nathanael nicht wissen kann, was Clara erfährt, und bei dem der Geliebten unbekannt bleiben muß, was für sie bestimmt sein soll und was nicht.

Die konzentrierteste Gestalt hat das Motivgeflecht der Augen in Nathanaels Dichtung (347f.) angenommen. Auch in ihr ist die Störung der Ich-Du-Beziehung veranschaulicht durch eine Situation, bei der ein wechselseitiges und gleichzeitiges Geben und Nehmen von Angesicht zu Angesicht nicht mehr stattfindet. Nathanael, der die Augen Claras berührt, spürt diese Augen als „blutige Funken sengend und brennend" (347) in seiner eigenen Brust. D.h. er glaubt, die Glut seiner inneren Vorstellungen komme von außen und sei aus Claras Augen abgelesen. Entsprechend hatte er ja auch behauptet, „die Begeisterung, in der man zu schaffen fähig sei, komme nicht aus dem eignen Innern, sondern sei das Einwirken irgend eines außer uns selbst liegenden höheren Prinzips" (346). Clara aber versucht ihn in jener Dichtung – wie auch schon zuvor in den zahlreichen Debatten – davon zu überzeugen, daß er auf die Außenwelt projiziere, was in Wahrheit aus ihm selber stamme. Was er als Wirkung von außen verspüre, kehre in Wahrheit nur wiederum in sein Inneres zurück. Nicht ihr Blick brenne in ihm, sondern „glühende Tropfen (s)eines eignen Herzbluts" (347). So wenig er ihrer Aufforderung: „sieh mich doch nur an!" (347f.) gerecht werden kann, so wenig will sie begreifen, daß sie sich über ihre Augen ihm mitteilt. Während er nichts genommen haben will, will sie nichts gegeben haben. Während er aber tatsächlich *auch* genommen hat, hat sie tatsächlich *auch* gegeben. Da keiner die Haltung des anderen anerkennt, können sie beide ihre Gesten nur monomanisch wiederholen. Statt eines Zugleichs von Geben und Nehmen entsteht ein fortwährendes Nacheinander von Produktions- und Rezeptionsvorgängen. Resultante dieses ewigen Hin und Her ist die Kreisbewegung, die als geometrische Figur Nathanaels Dichtung und schließlich auch seine ekstatische Vision unmittelbar vor seinem Tode beherrscht („Feuerkreis, der sich dreht"; „Holzpüppchen dreh dich" [347, 362]). Wenn Nathanael am Ende seiner Dichtung den Tod in Claras Augen erblickt, so antizipiert er damit sein eigenes Schicksal; sein Gedicht bezeichnet aber auch hellsichtig, was er als Gegenüber von sich nur anerkennen möchte: das Tote, das keines Ausdrucks Fähige, den mechanischen Apparat.

2.2. Das Verhältnis Aufklärung – Romantik als Personenkonstellation

Clara erscheint wie eine leibhaftige Verkörperung der Aufklärung. Ihr Name jedenfalls bezeichnet bereits ein Programm. Denn klar wie ihr Name möchte sie selber sein. Sie hat, so vermerkt der Erzähler,

> einen gar hellen scharf sichtenden Verstand. Die Nebler und Schwebler hatten bei ihr böses Spiel; denn ohne viel zu reden [...] sagte ihnen der helle Blick, und jenes feine ironische Lächeln: Lieben Freunde! Wie möget ihr mir denn zumuten, daß ich eure verfließende Schattengebilde für wahre Gestalten ansehen soll, mit Leben und Regung? (345)

Ihr mangelndes Sensorium für das Geheimnisvolle und ihre einseitige Ausrichtung auf die sichtbare Wirklichkeit rechnet sie sich als heitere Klugheit an. Im Brief an Nathanael versucht sie darzulegen, daß eine Gewalt von außen dem Menschen nur dann gefährlich werden könne, wenn sie dessen Innerem entspräche:

> gibt es eine solche Macht, so muß sie in uns sich, wie wir selbst gestalten, ja unser Selbst werden; denn nur *so* glauben wir an sie und räumen ihr den Platz ein, dessen sie bedarf, um jenes geheime Werk [d.h. ihre unheilvolle Wirkung; U.St.] zu vollbringen. (340)

Sie setzt die Einheit von innen und außen voraus, um die „wahre wirkliche Außenwelt" (339) zu retten und alles Bedrohliche an dieser als bloßes Phantasma, als „Phantom unseres eigenen Ichs" (341) wegerklären zu können. Ihr Hang zur Klarheit hindert sie nicht daran, dasjenige, was in ihren Augen nicht sein darf und darum nicht sein kann, mit recht fragwürdigen Mitteln zu bekämpfen. Ihre Argumentation im Brief an den Geliebten ist durchsetzt mit Suggestivpartikeln, die ihrer Erklärung eine – nicht vorhandene – Hieb- und Stichfestigkeit verleihen sollen („Natürlich", „wohl", „gewiß" [339f.]). Schließlich verzichtet sie auf jeden Anschein einer rationalen Erklärung und setzt an deren Stelle die imperativische Beschwörung „Sei heiter – heiter!" (341).

Mehr noch als in ihrem Brief entlarvt sich das Fragwürdige oder doch zumindest Einseitige ihrer Existenz in der Wirkung, die sie auf andere Menschen ausübt. Wenn sie etwas durchschaut, so heißt das noch nicht, daß sie selber auch leicht durchschaubar wäre. Gerade diesen Eindruck aber ruft sie immer wieder hervor. Die Einseitigkeit, mit der sie der Wahrnehmung den Vorrang vor dem Ausdruck einräumt, macht ihren klaren Blick mißverständlich und trügerisch: Ihre Augen werden als klare Spiegel ihrer Seele aufgefaßt. Was Leere ist an Mitteilung, wird für Tiefe gehalten. Der mangelnde Ausdruck von Claras Augen ruft in anderen phantasievolleren Gemütern den Drang zur Beseelung hervor. Weil aus ihnen nichts herausschaut, sieht man in sie hinein. Ein Bewunderer Claras, „ein wirklicher Fantast" (345), vergleicht die Augen mit einem von dem holländischen Maler van Ruisdael gemalten spiegelklaren See. „Dichter und Meister" lassen sich zu weit phantastischeren Aussagen hinreißen:

Was See – was Spiegel! – Können wir denn das Mädchen anschauen, ohne daß uns aus ihrem Blick wunderbare himmlische Gesänge und Klänge entgegenstrahlen, die in unser Innerstes dringen, daß da alles wach und rege wird? Singen wir selbst dann nicht wahrhaft Gescheutes, so ist überhaupt nicht viel an uns. (345)

Nur ein einziges Mal wird auf ihre Seelenlosigkeit hingewiesen, und dies geschieht durch Nathanael, der sie als „Du lebloses, verdammtes Automat!" (348) beschimpft. Doch kommt diesem Ausdruck objektive Ironie zu, denn so zutreffend er als Urteil über Clara sein mag, Nathanael macht ihn in einem Moment, da die Beurteilte sich gerade von ihrer Automatenhaftigkeit zu lösen versucht und der Urteilende sie verläßt, um sich einem tatsächlichen Automaten zu verschreiben, von dessen Seelentiefe er überzeugt ist. Olimpia nämlich ist ein Duplikat, ja eine radikalere Nachbildung der Clara. Wenn von letzterer gesagt wird, daß sie ein tiefes, weibliches Gemüt habe und daß ihre Augen Spiegel seien (345), so kehren diese Bezeichnungen in Nathanaels Beschreibung der Olimpia fast wörtlich wieder (355, 357). Was Nathanael an Olimpia wie an Clara bindet, ist ein und dasselbe: Beide Figuren fordern durch ihre Leere seine Phantasieproduktion heraus.

Nathanael unterscheidet sich demnach nicht von jenen romantischen „Dichtern und Meistern". Wie sie besitzt er, was in Hardenbergs Roman *Heinrich von Ofterdingen* einmal als „Anzeichen eines großen Bildkünstlers" bezeichnet wird, nämlich ein „wahres Auge", das ein „schaffendes Werckzeug" ist (*Schriften*. Bd. 1 [s. AB III A.2.2.], S. 326). Er ist von der Gewalt seiner inneren Bilder derart überzeugt, daß er sie gar nicht mehr für solche seines Innern hält. Gegenüber der philosophischen ‚Realistin' gebärdet er sich als ein radikaler frühromantischer Idealist, als ein – wenn auch reichlich verwirrter – Schüler Fichtes. Wenn es bei Novalis heißt: „Die Welt soll seyn, wie ich will" und „Der größeste Zauberer würde der seyn, der sich zugleich so bezaubern könnte, daß ihm seine Zaubereyen wie fremde, selbstmächtige Erscheinungen vorkämen – Könnte das nicht mit uns der Fall seyn" (Bd. 2, S. 554 und 612), so ist bei ihm noch als Wunsch und in Gestalt des Optativs formuliert, was Nathanael als selbstverständliche Gegebenheit nimmt. Während jedoch für Novalis das Dichtertum ein wunderbares, geradezu göttliches Geschenk ist, hat die dichterische Begabung Nathanaels nicht die Aura des Überirdischen. Sie wird vielmehr nüchterner betrachtet und in ihrer Genese vorgeführt. Die radikale Introvertiertheit erscheint als Resultat traumatischer Jugenderlebnisse. Am Anfang der Geschichte des Helden steht ein Sehverbot. Die Person, die immer mit lautem Poltern die Treppe heraufgestiegen kam, durfte das junge „Thanelchen" nicht sehen. Was unüberhörbar war, dessen Existenz wurde geleugnet. Die Frage, wie denn der Sandmann aussehe, schlägt die Mutter nieder mit der Erklärung:

> Es gibt keinen Sandmann, mein liebes Kind [...] wenn ich sage, der Sandmann kommt, so will das nur heißen, ihr seid schläfrig und könnt die Augen nicht offen behalten, als hätte man euch Sand hineingestreut (332).

Diese Antwort ist so beschaffen, daß sie die Sehfähigkeit des Sohnes beeinträchtigt. Die „mystische Schwärmerei" (346; myein = die Augen schließen), die Clara später an ihrem Verlobten immer wieder beanstandet, nimmt hier ihren Anfang. Der mit Sehverbot Belegte bemüht sich, mit Hilfe seiner Phantasie eine Vorstellung vom Sandmann zu gewinnen. Im ersten Brief an Lothar jedenfalls rekapituliert Nathanael seine Erinnerung folgendermaßen:

> Der Sandmann hatte mich auf die Bahn des Wunderbaren, Abenteuerlichen gebracht, das so schon leicht im kindlichen Gemüt sich einnistet. (333)

Und schon in jener Frühphase wird deutlich, wie die Einschränkung des rezeptiven Vermögens durch die Entfaltung produktiver Fähigkeiten kompensiert wird. Der junge Nathanael versucht dasjenige, was ihn innerlich beschäftigt, nach außen freizusetzen: Schon als Kind betätigt er sich künstlerisch, indem er seine inneren Bilder vom Sandmann aufzeichnet. Da sich seinen Sinnen ein Teil der äußeren Wirklichkeit entzieht, bildet er Sinne aus, die den Verlust wettmachen sollen (sie erscheinen später in seiner Dichtung als „blutige Funken" und „glühende Tropfen" [347]) und mit denen er eine ihm genehme Wirklichkeit herstellen kann. Die heimliche Beobachtung der Laborversuche des Vaters mit Coppelius ist ein letzter Versuch Nathanaels, sein Ich und die unabhängig von ihm existierende äußere Wirklichkeit durch Wahrnehmung in Übereinstimmung zu bringen. Dieser Versuch scheitert und wird – das jedenfalls müssen wir Nathanaels rückblickendem Bericht entnehmen – geahndet mit einer symbolischen Blendung. Von da an sucht sich der Held eine Umwelt aus, die einer imaginären Umwandlung nach Maßgabe seiner inneren Vorstellungen möglichst wenig Widerstand entgegensetzt. Er wählt Partner, die sich als Echo seines Inneren gebrauchen lassen. Zuerst ist dies Clara. Als diese sich jedoch seinen Phantasieproduktionen widersetzt, weicht er auf ein Wesen aus, dessen Blick noch weniger Ausdruck eines lebendigen inneren Gemüts ist und das ihm noch eine bessere Möglichkeit bietet, die eigenen inneren Bilder als fremde äußere aufzufassen: Er verliebt sich in die Puppe Olimpia.

Nathanael braucht demnach Clara und Olimpia, aber er benötigt sie nicht nur wegen der Widerstandslosigkeit, die sie seinen Phantasien gegenüber an den Tag legen. Seine Gebundenheit beruht noch auf anderen

Eigentümlichkeiten, die – wenn auch verschieden bei jeder der beiden weiblichen Figuren – so doch auf ein und dieselbe Paradoxie verweisen. Von Clara etwa werden immer wieder ihre außerordentlichen Verstandesgaben lobend hervorgehoben. Sie kann „so gar verständig, so magistermäßig distinguieren" (342), registriert der erstaunte Nathanael, und auch der Erzähler gesteht ihr diese Eigentümlichkeit zu, indem er mit Vorliebe das Wort ‚verständig' für sie bereithält. Nathanael, der ihr aufgrund ihrer intellektuellen Fähigkeiten zuweilen ein „kaltes prosaisches Gemüt" (347) zuspricht, ist gleichwohl auf sie angewiesen, denn nur durch sie gelingt es ihm, in sein eigenes Leben etwas von Claras optimistischer Heiterkeit hineinzubringen. Nur weil er von ihrer Verständigkeit profitiert, kann er sich selber „in Wissenschaft und Kunst kräftig und heiter" bewegen (345).

In der Beziehung zu Olimpia spielt das Fernrohr, das Nathanael von Coppola erworben hat, eine entscheidende Rolle. Beim ersten Blick, noch ohne Glas, registriert er zwar an Olimpia ein „engelschönes Gesicht", findet aber im übrigen, daß ihrem starren Blick die „Sehkraft" zu fehlen scheine. Erst der vergrößernde und zugleich isolierende Blick schafft die Möglichkeit der Verzauberung. Wiederum zeigt sich ein Paradox: Nathanael, der die „wahre wirkliche Außenwelt" nicht mehr wahrnehmen will, greift zu einem Mittel, das ihm jene Welt besonders exakt offenbaren könnte. Die Auslieferung an eine Sphäre, die er zugleich ablehnt, zeigt sich noch drastischer in der Wahl des geliebten Objekts. Olimpia ist ein Automat, hergestellt von dem „berühmten Professor Physices, Spalanzani" (344) und dessen Mitarbeiter, dem „Mechanikus und Optikus" (351) Coppola – mithin ein Produkt naturwissenschaftlicher Forschung. Im Automaten vergegenständlicht sich der aufklärerische Traum von der Machbarkeit des Menschen auf exemplarische Weise. Daß ein „fantastischer, wahnsinniger Geck" – so die im Zorn verwendete Schimpfbezeichnung Lothars für Nathanael (349) – dem Spitzenprodukt aufklärerischer Verstandesbemühung verfällt, zeigt bei aller Gegensätzlichkeit doch zugleich ein Moment tiefer innerer Verwandtschaft auf.

Spalanzani/Coppola wie auch Nathanael versuchen – wenn auch auf verschiedene Weise – die Spaltung zwischen Subjekt und Objekt aufzuheben, indem sie sich eine Objektssphäre schaffen, die ihren Wünschen und Vorstellungen gemäß agiert. Während die beiden Naturwissenschaftler – wie auch Clara – der widerspenstigen Wirklichkeit mittels des Verstandes zu Leibe rücken, versucht sie Nathanael mit Hilfe seiner Phantasie zu bannen. Affektiv gebunden an ihre Objekte zeigen sich beide Lager gleichermaßen. Die Entrüstung, mit der Nathanael Claras Widerstand aufnimmt, speist sich aus ähnlichen Motiven wie der Eifer, mit dem Spalanzani Olimpia „sonderbarer- und schlechterweise einsperrt" (342). Beide betrachten ihre Schöpfung als ihr Eigentum und sehen es gefährdet. Während der Zweikampf zwischen Nathanael und Lothar das eigentliche Streitobjekt, nämlich Clara, noch mehr oder weniger hinter ideologischen Invektiven verbirgt, ist es in der Auseinandersetzung zwischen Spalanzani und Coppola nicht mehr zu übersehen. Die beiden machen sich gegenseitig ihren Besitz streitig und zerreißen dabei die Puppe Olimpia.

Wenn Clara, Olimpia, Spalanzani und Coppola mit der Aufklärung in Verbindung gebracht werden dürfen und wenn Nathanael die Romantik repräsentiert, so vermittelt die Erzählung *Der Sandmann* mehr als bloß einen unversöhnlichen Gegensatz zwischen diesen beiden Strömungen. Sie zeigt vielmehr auch Gemeinsames, das Einseitige, Begrenzte beider Richtungen und deren wechselseitige Angewiesenheit aufeinander. Zwischen dem „kalten prosaischen Menschen" und dem „poetischen Gemüt" (356) kann der Unterschied durchaus zuweilen verschwinden. Die reine Phantasie und der reine Verstand sind beide gleich bedürftig, aus ihrer unfruchtbaren Opposition herauszufinden.

Der *Sandmann* beinhaltet demnach sowohl Aufklärungs- wie auch Romantikkritik. Wenn beide Bereiche gleichermaßen kritisiert werden, so bleibt zu klären, von welchem Standpunkt aus denn diese Kritik formuliert ist.

2.3. Die Position des Erzählers und die Poetik der Erzählung

Die Erzählung präsentiert sich zunächst erzählerlos: Sie beginnt ohne jeglichen Kommentar mit zwei Briefen Nathanaels, zwischen die ein Schreiben Claras eingeschoben ist. Erst nach dem dritten Brief meldet sich ein Erzähler zu Wort, und zwar mit einer erzähltheoretischen Reflexion, die eine komplette Produktions- und Rezeptionsästhetik enthält.

Der Erzähler möchte die Geschichte Nathanaels „bedeutend – originell, ergreifend" (344) mitteilen. Dies gelingt ihm jedoch – wie er eingestehen muß – nicht mehr ohne weiteres mit den herkömmlichen Mitteln. Die Techniken, mit denen traditionellerweise eine Erzählung beginnt, – der Anfang mit ‚Es war einmal', der ‚ab ovo'- und der ‚medias in res'-Anfang –, erscheinen ihm sämtlich als untauglich. Sie seien ungeeignet, wenn es darum gehe, eine lebhafte innere Vorstellung möglichst ohne Einbuße von Lebendigkeit aufs Papier zu bringen. Genau darum aber geht es dem Erzähler. Bei dem Transport von innen nach außen soll – schon ganz im Sinne des Serapiontischen Prinzips (s. AB II B.1.3.) – ein Höchstmaß „von dem Farbenglanz des innern Bildes" erhalten bleiben (344).

Eine solche Ausdruckskunst soll – daran läßt der Erzähler keinen Zweifel zu – nicht in Gegensatz stehen zur mimetischen Kunst. Das aus dem Innern möglichst unbeeinträchtigt hervorgebrachte Bild soll eine täuschende Ähnlichkeit mit den Abbildern besitzen, welche der äußeren Realität entnommen werden könnten, ja diese Ähnlichkeit mit mimetisch gewonnenen Abbildern sei – so wird behauptet – um so größer, je unversehrter die innere Vorstellung beim Prozeß der künstlerischen Produktion nach außen gebracht worden sei.

> Vielleicht gelingt es mir, manche Gestalt, wie ein guter Porträtmaler, so aufzufassen, daß du [d.i. der Leser; U.St.] es ähnlich findest, ohne das Original zu kennen, ja daß es dir ist, als hättest du die Person recht oft schon mit leibhaftigen Augen gesehen. (344)

Eine solche Originaltreue ohne Existenz eines Originals ist das produktionsästhetische Ideal des Erzählers.

Dessen rezeptionsästhetisches Ideal verhält sich hierzu wie ein Spiegelbild: Was unmodifiziert – beim Künstler – von innen nach außen getreten ist, das könne auch unmodifiziert – beim Leser – von außen nach innen dringen. Bei dieser Annahme wird von der Voraussetzung ausgegangen, daß der Poet und der Leser in ihrem Wesen nicht verschieden seien. Als eine Art ‚Kollege vom Fach' spricht der Erzähler daher den fiktiven Leser an, wenn er es auch nicht versäumt, seiner Anrede einen leicht ironischen Unterton zu verleihen („Geneigtester!" 343). Beide – Poet und Leser – hätten gleichartige Probleme bei der Mitteilung. Und bei beiden hätte die geglückte Mitteilung eine vergleichbare Wirkung. Der, dem es gelungen sei, die Glut des „innern Bildes" (343) unverfälscht nach außen weiterzugeben, habe erleben können, wie die Außenstehenden nicht nur ihn, sondern auch sich selber in dem äußeren Bilde wiedererkannten. Die zuhörenden Freunde hätten – so versichert der Erzähler dem produktiv gewordenen Leser – „wie du, sich selbst mitten im Bilde, das aus deinem Gemüt hervorgegangen" sei, entdecken können (343).

Entsprechend dieser Vorstellung zählt der Erzähler sich und den Leser „zu dem wunderlichen Geschlechte der Autoren" (343). Immer wieder stellt er sich zudem auf eine Stufe mit Nathanael, auf dessen romantische Züge wir bereits aufmerksam gemacht hatten.

Zunächst spricht er von Nathanael als „(s)einem armen Freunde" (343). Er steht nicht als allwissende Instanz über der Geschichte, die er erzählen will, sondern ist ihr in ähnlicher Weise ausgeliefert wie Nathanael. Wie dieser schwankt, ob Coppelius und Coppola nicht doch ein und dieselbe Person seien (338, 342), so ist auch der Erzähler in dieser Frage unsicher. Im Bericht von der Auseinandersetzung zwischen Spalanzani und Coppola spricht er ganz unvermutet von Coppelius und verwendet wenig später erneut den Namen Coppolas (358). Und bei der Frage, ob Olimpia eine Puppe oder ein lebendiges Wesen ist, will er keine eindeutige Position beziehen. Wenn vom Liebesgeständnis Nathanaels gesagt wird, es habe weder dieser noch Olimpia verstanden, so korrigiert sich der Erzähler gleich darauf mit der Bemerkung: „Doch diese vielleicht; denn sie sah ihm unverrückt ins Auge [...].“ (355) Wie sein Freund Nathanael läßt sich der Erzähler auch von Claras Blick gefangennehmen. In der erwähnten Erzählerreflexion referiert er die Reaktionen des „wirklichen Fantasten“ sowie der „Dichter und Meister“ auf Claras wunderbare Augen und fügt diesem Bericht hinzu: „Es war dem so.“ (345) Mit diesem knappen Kommentar macht er sich selber gleichfalls zum „Fantasten“. Das Verhältnis zwischen dem Erzähler und der zentralen Erzählfigur rückt zuweilen in bedrohliche Nähe zur Identität (vgl. Lehmann, S. 303).

Trotz aller Übereinstimmungen zwischen dem Erzähler und dem „Geisterseher“ (331, 352) Nathanael ist es nicht gerechtfertigt, die ganze Erzählung oder gar alle poetischen Werke E. T. A. Hoffmanns der Romantik zuzuordnen (s. hierzu auch AB I C.4.). Selbst wenn man die hier erörterte Erzählerreflexion zugrundelegt, wird man die Beziehung zur romantischen Literatur weniger als Zugehörigkeit denn als Distanznahme zu interpretieren haben. Darauf verweist nicht nur der schon erwähnte ironische Unterton, mit dem sich der Erzähler an den fiktiven Leser wendet, sondern auch der Umstand, daß die gelingende künstlerische Produktion und Rezeption ein Ideal bleibt, dessen Einlösung ungewiß ist. Im Bewußtsein der Schwierigkeit, ja der Unmöglichkeit, die innere Glut und das innere Bild *unmittelbar* aus sich heraussetzen zu können, schlägt der Erzähler ein Verfahren vor, das nicht frei ist von resignativen Zügen eines zu spät Geborenen. Er empfiehlt seinem fiktiven Leser die Anwendung einer uneigentlichen Methode, der er sich zugleich selber verschreibt: Man solle zunächst mit den Umrissen beginnen – in der zaghaften Hoffnung, daß dann die Farbenglut der inneren Vorstellungen schon mit der Zeit zum Vorschein komme.

Mehr aber noch als jene Hilfskonstruktion, mit der sich der Erzähler zu behelfen sucht, verdeutlicht die Katastrophe des ihm ähnlichen Nathanael, daß eine rein romantische Position problematisch geworden ist. Indem der Erzähler nur eine Seite innerhalb des in der Erzählung entfalteten Spektrums verkörpert – eine Seite zudem, die auf dramatische Weise zum Scheitern verurteilt ist –, büßt er seine Rolle als oberste Autorität der Erzählung ein. Mag er selber romantisch sein, die Erzählung insgesamt ist es nicht mehr. Sie hat die Position der Romantik verlassen, wenn auch nicht überwunden. Denn einen neuen, positiven Standpunkt hat sie nicht gewonnen. Erzähler wie Leser werden in ihr auf ein unsicheres, ungefestigtes Terrain geführt, das keinerlei Schlupfwinkel bietet – es sei denn, der Leser gebe sich zufrieden mit jener faden Idylle, in die sich Clara nach dem Tode Nathanaels flüchtet. Der Erzähler jedenfalls akzeptiert diesen Rettungsversuch nicht. Die Erzählung endet, wie sie begonnen hat: erzählerlos.

2.4. *Die Verschlingung von Wahnsinn und Vernunft*

Die Rat- und Orientierungslosigkeit, die den Leser bei der Lektüre des *Sandmann* mehr und mehr erfaßt, läßt sich jedoch nicht mit dem Hinweis auf ein gebrochenes Verhältnis zur Romantik aus der Welt schaffen. Die Irritation, die von dieser Erzählung ausgeht, beruht auf mehr als nur auf einer ungeklärten Position innerhalb der Geistesgeschichte. Davon zeugen zahlreiche *Sandmann*-Interpretationen wie etwa die Untersuchung von Wolfgang Kayser. Interpretiert dieser den *Sandmann* als Modellfall des Grotesken, d.h. als Darstellung einer bis ins Letzte gesteigerten Weltverfremdung, bei der keinerlei „Sinngebung vom Ganzen her" mehr erkennbar sei (S. 57), so dient die Erzählung Sigmund Freud als Demonstrationsgegenstand für das, was er ‚das Unheimliche' nennt. Freuds Interesse ist weder ein geschichtliches noch ein literaturgeschichtliches. Er betrachtet die Erzählung von Nathanael als Krankheitsbericht, den es zu analysieren gilt und der sich in eine Reihe stellen läßt mit zahlreichen anderen „Krankenanalysen, deren Inhalt zwar weniger phantastisch, aber kaum minder traurig ist als die Geschichte des Studenten Nathaniel [!]" (S. 256). Ausgehend von dem Deutungsversuch Ernst Jentschs (s. AB II B.1.3.) gelangt Freud zu einer neuen Definition des Unheimlichen. Dieses entstehe, „wenn *verdrängte* infantile Komplexe durch einen Eindruck wieder belebt werden, oder wenn *überwundene* primitive Überzeugungen wieder bestätigt scheinen" (S. 271). Im Fall Nathanaels handele es sich um den Kastrationskomplex, auf den sich das Unheimliche des Sandmanns zurückführen lasse. Die Angst, kastriert zu werden, sei bei Nathanael ersetzt und wiederbelebt worden durch die Angst, die Augen zu verlieren.

Im Unterschied zu Freuds berühmter Abhandlung ging es bei unserer bisherigen Textanalyse nicht darum, das Verhalten der Zentralfigur als krankhaft einzustufen. Die Berücksichtigung der Erzählperspektive führte vielmehr dazu, die Verwandtschaft und Komplizenschaft zwischen den Positionen Nathanaels, des Erzählers und auch Claras aufzudecken. Um solche Relationen wahrnehmen zu können, schien es zunächst angezeigt, die Person Nathanaels nicht von vorneherein als wahnsinnig zu deklassieren. Das Wort „Wahnsinn" wird jedoch im Text des *Sandmanns* ausdrücklich im Zusammenhang mit Nathanael verwendet, und zwar wenn es darum geht, dessen Reaktion auf die Zerstörung Olimpias zu beschreiben (358, 361). Wenn Hoffmann, der Freund des Mediziners Adalbert Friedrich Marcus und der gute Kenner „der einschlägigen wissenschaftlichen Literatur über die Erscheinungsformen der Geisteskrankheiten" (Segebrecht, S. 268), wie auch Freud, der Vater der Psychoanalyse, das Verhalten Nathanaels als krank einstufen, so kann die Textanalyse diesen Umstand nicht einfach übergehen. Die engen Beziehungen und die wechselseitige Verstrickung zwischen Nathanael und Clara einerseits und zwischen Nathanael und dem Erzähler andererseits bestehen auch dann noch fort, wenn dem ersteren das Prädikat des Wahnsinnigen zuerkannt wird. Ja, erst dann erweisen sich diese Beziehungen in hohem Maße als provokant, und erst dann wird das Ausmaß der Irritation dieser Erzählung als einer poetischen Selbstreflexion erkennbar. Daß Claras Vernünftigkeit und Nathanaels Wahnsinn aneinander gebunden sind und daß dieser mit der Phantasieproduktion des Dichters in einem engen Zusammenhang steht – solche Einsichten glauben wir eher bei Michel Foucault als bei E. T. A. Hoffmann formuliert zu finden.

Es sind jedenfalls gerade die diskursanalytischen Interpretationen in der Nachfolge Foucaults und auch Lacans, die den unauflöslichen Zusammenhang von Vernunft und Wahnsinn im *Sandmann* vorgeführt haben. Friedrich A. Kittler etwa schreibt:

> Klaras [!] Aetiologie des Wahnsinns [d.h. ihre Erklärung der Ursachen von Nathanaels Krankheit; U.St.] wird von Hoffmanns ganzem Werk gestützt. Denn dieses Werk errichtet seine Poetologie, indem es den Wahnsinnigen als den negativen Doppelgänger des Dichters bestimmt. Der Wahnsinn produziert zwar auch eine innere Welt, kann sie aber nicht wie die Dichtung reflektieren und damit von der Außenwelt scheiden. (S. 142)

Daß diese Einschätzung dem *Sandmann* angemessen ist, bestätigt auch eine andere Untersuchung, die – obgleich nicht diskursanalytisch verfahrend – die Erzählung Hoffmanns aus dem Kontext der Psychologie um 1800 zu rekonstruieren versucht. Werner Obermeit resümiert seine *Sandmann*-Interpretation auf folgende Weise:

> Hoffmann betrachtet den Wahnsinn nicht wie einen fernen Gegenstand; es kann ihm nicht gelingen, sich vom Wahnsinn zu distanzieren, da er sich von ihm betroffen und in eine wahnsinnige Welt verstrickt fühlt. Damit ist nicht gemeint, daß Hoffmann zu jenen Autoren gehöre, die mindestens so verrückt seien wie die Figuren, die sie erfinden. Ohne selber im psychiatrischen Sinne verrückt zu sein, ist er in eine Verrückungen notwendig machende Welt gebunden. (S. 120)

B. Das Fräulein von Scuderi

1. Einführende Informationen

Hoffmanns Erzählung *Das Fräulein von Scuderi* erschien zuerst als Einzelveröffentlichung im Oktober 1819, und zwar in dem von Stephan Schütze herausgegebenen Almanach *Taschenbuch für das Jahr 1820. Der Liebe und Freundschaft gewidmet.* Der Erfolg war außerordentlich; er bescherte dem Autor außer dem vereinbarten hohen Honorar (wohl vier Friedrichsdor pro Druckbogen) und einem Dankesschreiben der Verleger Wilmanns (Br II/238) eine Kiste mit 50 Flaschen Rüdesheimer Hinterhaus, Jahrgang 1811 (Br II/251 f.). Die Erzählung machte Hoffmann überdies zum begehrten und vielbeschäftigten Almanach-Autor. Schon zwei Jahre später konnte er die doppelte Summe pro Druckbogen verlangen.

Die Rezensionen der Erzählungen waren durchwegs positiv, ja enthusiastisch. Willibald Alexis etwa nannte sie „die vollendetste unter des Dichters eigenen Arbeiten" (zit. nach Lindken, S. 48; dort auf S. 42–56 weitere Urteile und Kritiken der Zeit). Mit dem Erscheinen einer französischen Übersetzung in einer – allerdings verstümmelten und den Namen des wahren Autors verheimlichenden – Ausgabe beginnt die überaus erfolgreiche Rezeption der Werke Hoffmanns in Frankreich (s. AB VII 3.). Die Erzählung reizte auch zu dramatischen Bearbeitungen (s. hierzu jedoch Barthel), von denen die wichtigsten Otto Ludwigs 1848 entstandenes gleichnamiges Schauspiel und die 1926 komponierte Oper *Cardillac* von Paul Hindemith sind, die ihrerseits auf einem Textbuch Ferdinand Lions beruht.

In der Geschichte der Germanistik hat die Erzählung keine einhellige Zustimmung gefunden. Von Maassen spricht von ihr als der „vielleicht berühmtesten, jedenfalls verbreitetsten Novelle" Hoffmanns (7. Bd., Vorbemerkungen, S. XXXIV). Während Harich sie als Künstlererzählung über den *Rat Krespel* stellt und mit *Meister Martin* in Verbindung bringt, zählt Ricarda Huch sie innerhalb ihrer – höchst fragwürdigen – Unterscheidung von „exotischen" und „nüchternen" Erzählungen zu den letzteren und rechnet sie zusammen mit *Meister Martin* zu den Werken, „die in der Literaturgeschichte als seine besten und an sich vorzüglich gepriesen werden" (S. 520; vgl. auch AB IV C.1.). Im schroffsten Gegensatz hierzu steht das Urteil Paul-Wolfgang Wührls, der die Behandlung der *Scuderi* im Schulunterricht als fragwürdiges Relikt, als unreflektiertes Festhalten am Literaturkanon des 19. Jahrhunderts begreift, welcher in diesem Falle durch Willibald Alexis und dessen Begeisterung für die historischen Erzählungen in der Art Walter Scotts maßgeblich bestimmt worden sei. Unter dem Titel ‚Madame kann nicht sterben' rät er von einer Beschäftigung mit dieser Erzählung in der Schule ab: „Die *Scuderi* [...], die wackere alte Dame, hätte nach Jahrzehnten schulischen Mißbrauchs als ‚Lesefutter' endlich ihre Ruhe verdient." (S. 87) Statt der *Scuderi* empfiehlt er jene Werke, die bei Ricarda Huch als „exotisch" gegolten hatten, als diejenigen, an denen sich die eigentliche Modernität und Aktualität der Hoffmannschen Dichtungen zeige. Heute, so behauptet Wührl, zähle nur noch Hoffmann, der Avantgardist, der Autor des *Kater Murr,* des *Goldnen Topfs,* des *Sandmanns* und der „unvergleichlichen *Prinzessin Brambilla*" (S. 87).

Wenn auch Wührls Hochschätzung der zuletzt genannten Werke nicht bestritten werden soll, so sei doch hier der Abwertung des *Fräuleins von Scuderi* entschieden widersprochen. Daß die „wackere alte Dame" keineswegs so bieder ist, ließe sich schon anhand der Arbeiten zahlreicher Interpreten gerade der jüngsten Zeit aufzeigen, die dem Werk aus ganz unterschiedlichen Interessenbereichen – aus soziologischen, juristischen, psychoanalytischen – und unter sehr divergierenden gattungsspezifischen Gesichtspunkten – als Detektivgeschichte, als Künstlernovelle – Beachtung geschenkt haben.

1.1. Texte und Materialien

Das Fräulein von Scuderi. In: E.T.A. Hoffmann: *Die Serapions-Brüder,* Ausgabe des Winkler Verlages (= III/648–709); nach dieser Edition wird im folgenden zitiert unter einfacher Nennung der Seitenzahl.

Das Fräulein von Scuderi. Stuttgart 1984, Reclam 25. [Text nach der Ausgabe von Ellinger mit modernisierter Orthographie; kurze biographische Skizze von „hs".]

Das Fräulein von Scuderi. Mit Zeichnungen von Lutz Siebert. Frankfurt/M. 1980, insel taschenbuch 410. [Ausgabe ohne jeglichen Kommentar und editorische Bemerkungen.]

Das Fräulein von Scuderi. In: E.T.A. Hoffmann: *Die Serapions-Brüder.* Hrsg. v. Hartmut Steinecke. Frankfurt/M. 1983, insel taschenbuch 631, 3. Bd., S. 855–937. [Der Text folgt der Winkler-Ausgabe; zum Nachwort s. unter Steinecke in Bibliographie zu AB II.]

Schnapp, Friedrich (Hrsg.): E.T.A. Hoffmann, (s. Gesamtbibliographie), S. 182–185, 286 und 301. [Führt die Äußerungen Hoffmanns über das *Fräulein von Scuderi* auf.]

Schnapp, Friedrich (Hrsg.): E.T.A. Hoffmann in Aufzeichnungen, (s. Gesamtbibliographie). [Verweist S. 850 auf alle wiedergefundenen, abgedruckten Zeugnisse der Zeitgenossen zur *Scuderi.*]

Fingerhut, Margret und Karlheinz: Zwischen Romantik und Realismus. E.T.A. Hoffmanns *Das Fräulein von Scuderi.* 2. Bde. (Lehrerband und Schülerarbeitsbuch), Stuttgart 1980, Deutsch in der Sekundarstufe II, 8. [Detaillierte Kommentierung der Erzählung mit zahlreichen Begleittexten, Dokumenten und Arbeitsvorschlägen, die dem Schüler wie dem Lehrer ein historisches Verstehen ermöglichen sollen.]

Lindken, Hans Ulrich (Hrsg.): Erläuterungen und Dokumente. E.T.A. Hoffmann: *Das Fräulein von Scuderi.* Stuttgart 1978, Reclam 8142. [Empfehlenswerte Einführung mit umfangreichem Dokumentarteil zu den historischen Quellen und zur Wirkungsgeschichte.]

Lindken, Hans Ulrich (Hrsg.): Erläuterungen zu E.T.A. Hoffmann *Ritter Gluck. Der goldne Topf. Das Fräulein von Scuderi,* (s. AB III A.1.1.).

1.2. Forschungsliteratur

Alewyn, Richard: Ursprung des Detektivromans. In: R'A': Probleme und Gestalten. Essays. Frankfurt/M. 1974, S. 341–360.

Barthel, Karl Werner: Die dramatischen Bearbeitungen der Novelle E.T.A. Hoffmanns *Das Fräulein von Scuderi* und ihre Bühnenschicksale mit besonderer Berücksichtigung des gleichnamigen Schauspiels von Otto Ludwig und seiner Bühnenbearbeitungen. Diss. Greifswald 1929. [Informative Studie, die zu dem Ergebnis kommt, daß die Hoffmannsche Vorlage sich gegenüber allen Versuchen einer Dramatisierung als resistent erwiesen habe.]

Boehm, Felix: *Das Fräulein von Scuderi.* In: Zeitschrift für Psychoanalyse 1 (1949), S. 29–39. [Enthält – außer einer nicht immer getreuen Inhaltsangabe – nur einige wenige Bemerkungen über das als Wiederholungszwang gedeutete Verhalten Cardillacs.]

Conrad, Horst: Die literarische Angst. Das Schreckliche in Schauerromantik und Detektivgeschichte. Düsseldorf 1974, Literatur in der Gesellschaft 21, S. 105–113.

Ellis, John M.: E.T.A. Hoffmann's *Das Fräulein von Scuderi.* In: The Modern Language Review 64 (1969), S. 340–350. [Trotz starker Ausrichtung auf die Figur Cardillacs gute und genaue Interpretation, die das reiche Beziehungsgeflecht der Erzählung offenlegt und vor allem die Anspielungen auf Kleists *Michael Kohlhaas* überzeugend deuten kann.]

Freund, Winfried: E.T.A. Hoffmann; *Das Fräulein von Scuderi.* In: W'F': Die deutsche Kriminalnovelle von Schiller bis Hauptmann. Einzelanalysen unter sozialgeschichtlichen und didaktischen Aspekten. Paderborn, München, Wien, Zürich 1975, Wort – Werk – Gestalt, S. 43–53. [Allzu umstandslos und ungenau wird hier die Erzählung in den historischen Bezugsrahmen ‚feudal-absolutistischer Obrigkeitsstaat versus nachrevolutionäres, individualistisches Freiheitskonzept' eingespannt. Die Titelfigur erscheint als Verkörperung einer Synthese und als Verfechterin einer bloß abstrakten Utopie.]

Gerber, Richard: Verbrechensdichtung und Kriminalroman. In: Vogt, Jochen (Hrsg.): Der Kriminalroman II. Zur Theorie und Geschichte einer Gattung. München 1971, Uni-Taschenbücher 82, S. 404–420. [Neben der Betonung des Gegensatzes von Detektiv und romantischem Künstler wird die Einheit von Kriminal- und Detektivroman behauptet.]

Gorski, Gisela: E.T.A. Hoffmann; *Das Fräulein von Scuderi.* Phil. Diss. Hannover 1978, Stuttgart 1980, Stuttgarter Arbeiten zur Germanistik 77. [Umfassende Interpretation; die zu Hilfe genommenen diversen Theorien, Urteile und Meinungen ganz verschiedener Gewährsleute werden jedoch zumeist nur oberflächlich mit der Erzählung verbunden. Am überzeugendsten sind noch die soziologischen Ausführungen.]

Himmel, Hellmuth: Schuld und Sühne der Scuderi. In: Prang, (s. Gesamtbibliographie), S. 215–236. [Trotz einer künstlichen, problematischen Zerlegung in drei Novellen und trotz allzu spekulativer Behauptungen im Ganzen einleuchtende Interpretation der Titelfigur und der Funktion der Kunst.]

Holbeche, Yvonne: The Relationship of the Artist to Power: E.T.A. Hoffmann's *Das Fräulein von Scuderi.* In: seminar. A Journal of Germanic Studies 16

(1980), S. 1–11. [Analysiert die verschiedenen Begegnungen zwischen der Scuderi und Louis XIV und wertet diesen sehr auf.]

Huch, Ricarda: Die Romantik, (s. AB III C.1.2.).

Kanzog, Klaus: E.T.A. Hoffmanns Erzählung *Das Fräulein von Scuderi* als Kriminalgeschichte. In: Prang, (s. Gesamtbibliographie), S. 307–321. [Titel irreführend! Die Zugehörigkeit zur Gattung der Kriminalgeschichte wird bestritten, wohl aber werden deren typische Elemente und Motive ausfindig gemacht.]

Klein, Johannes: Geschichte der deutschen Novelle von Goethe bis zur Gegenwart. Wiesbaden 1954[2], S. 80–85. [Stellt die Erzählung dem *Rat Krespel* gegenüber. Während dort der Künstlertrieb sich gegen sich selber wende, fordere er hier andere als Opfer.]

Köhler, Ingeborg: Erstes Auftreten Hoffmanns in Frankreich. Der Fall Latouche. In: MHG 28 (1982), S. 45–49. [Verweist auf die Bearbeitung durch Thabaud de Latouche, der die Erzählung als Roman unter dem Titel *Olivier Brusson* unter Verheimlichung des wahren Verfassers veröffentlicht hatte.]

Kovach, Thomas A.: Mythic Structure in E.T.A. Hoffmann's *Das Fräulein von Scuderi:* A Case-Study in ‚Romantic realism'. In: Knapp, Gerhard Peter, u.a. (Hrsg.): Sprache und Literatur. Festschrift f. Arval L. Streadbeck. Bern, Frankfurt/M., Las Vegas 1981, Utah Studies in Literature and Linguistics 20, S. 121–127. [Sieht in der Erzählung die für die deutsche Literatur seltene Einheit von Realismus und Romantik realisiert. Jener zeige sich in der Genauigkeit der Beschreibung, diese in der mythologischen Struktur der Licht/Finsternis-Metaphorik.]

Kunz, Josef: Die deutsche Novelle zwischen Klassik und Romantik. Berlin 1966, Grundlagen der Germanistik 2. [Übergeht Hoffmanns Vorbehalte gegenüber der Gattungsbezeichnung ‚Novelle', vermischt Kriminalnovelle und Detektivgeschichte und bemängelt die angebliche Substanzlosigkeit der Titelfigur.]

Marsch, Edgar: Die Kriminalerzählung. Theorie – Geschichte – Analyse. München 1972, S. 141–154. [Von Kleist ausgehend; sieht die Erzählung als einen mehrschichtigen detektorischen Prozeß und betont die Wichtigkeit des Zufalls.]

Meyer, Herman: Der Sonderling in der deutschen Dichtung. München 1963, Literatur als Kunst, S. 101–135. [Cardillacs Verbrechertum wird als Folge eines echten, aber manisch einseitigen Künstleridealismus dargestellt; der Goldschmied selber sei ein blindlings seinem romantischen Subjektivismus Verfallener.]

Naumann, Dietrich: Zur Typologie des Kriminalromans. In: Burger, Heinz Otto (Hrsg.): Studien zur Trivialliteratur. Frankfurt/M. 1968. Studien zur Philosophie und Literatur des 19. Jahrhunderts 1, S. 225–241.

Post, Klaus D.: Kriminalgeschichte als Heilsgeschichte. Zu E.T.A. Hoffmanns Erzählung *Das Fräulein von Scuderi.* In: Zeitschrift für deutsche Philologie 96 (1976), Sonderheft E.T.A. Hoffmann, S. 132–156. [Zeichnet den Weg der lebensgewandten Scuderi zu einer Mutter und zu einer zweiten Maria nach.]

Psaar, Werner: Ernst Theodor Amadeus Hoffmann; *Das Fräulein von Scuderi.* In: Jakob Lehmann (Hrsg.): Deutsche Novellen von Goethe bis Walser. Interpretationen für den Deutschunterricht. Bd. 1; Von Goethe bis C. F. Meyer. Königstein/Ts. 1980, Scriptor Taschenbücher, Literatur + Sprache + Didaktik, S. 77–104. [Mehr eine Offerte der verschiedensten existierenden Interpretationen als eine eigene Untersuchung.]

Reinert, Claus: Das Unheimliche und die Detektivliteratur. Entwurf einer poetologischen Theorie über Entstehung, Entfaltung und Problematik der Detektivliteratur. Bonn 1973, Abhandlungen zur Kunst-, Musik- und Literaturwissenschaft 139. [Hält an der Einschätzung der *Scuderi* als einer Detektivgeschichte fest, sieht aber zugleich auch antidetektivische Momente.]

Scheuner, Ulrich: Staatsbild und politische Form in der romantischen Anschauung in Deutschland. In: Brinkmann, (s. Gesamtbibliographie), S. 70–89. [Guter Überblick, jedoch ohne spezielle Würdigung Hoffmanns.]

Schneider, Peter: Verbrechen, Künstlertum und Wahnsinn. Untersuchungen zur Figur des Cardillac in E.T.A. Hoffmanns *Das Fräulein von Scuderi*. In: MHG 26 (1980), S. 34–50. [Psychoanalytische Deutung, die – in starkem Maße Ellis verpflichtet – das Verhalten Cardillacs unter dem Gesichtspunkt des Ödipalen, der Zwangsneurose, der Grundstörung und des Narzißmus analysiert.]

Schönhaar, Rainer: Novelle und Kriminalschema. Ein Strukturmodell deutscher Erzählkunst um 1800. Bad Homburg v.d.H., Berlin, Zürich 1969, S. 19–26. [Findet weder von der Figur Cardillacs noch von der der Scuderi aus einen Zugang zum Verständnis der Formstruktur der Erzählung als einer Detektivgeschichte.]

Škreb, Zdenko: Die neue Gattung. Zur Geschichte und Poetik des Detektivromans. In: Žmegač, Viktor (Hrsg.): Der wohltemperierte Mord. Zur Theorie und Geschichte des Detektivromans. Frankfurt/M. 1971, S. 35–95. [Weist die Zuordnung als Detektivgeschichte mit dem – problematischen – Argument von deren Unvereinbarkeit mit einer historischen Erzählung zurück.]

Thalmann, Marianne: E.T.A. Hoffmanns *Fräulein von Scuderi*. In: Monatshefte für deutschen Unterricht, deutsche Sprache und Literatur 41 (1949), S. 107–116. [Interpretiert die Erzählung vom Kontext der *Serapions-Brüder* aus und gerät dabei in allzu unkritische Verherrlichung der Figur Cardillacs als eines Anti-Philisters.]

Walter, Eugen: Das Juristische in E.T.A. Hoffmanns Leben und Werk. Jur. Diss. [Masch.] Heidelberg 1950. [Der Rechtsphilosophie Gustav Radbruchs verpflichtete Arbeit, die im ersten – biographischen – Teil Hoffmanns untadelige Rechtspraxis aufzeigt und im zweiten – werkanalytischen – Teil besonders an der *Scuderi* Hoffmanns humane Rechtsauffassung darlegt, die stets das Strafrecht dem Sittengesetz unterordnen wolle.]

Weiss, Hermann F.: „The Labyrinth of Crime". A Reinterpretation of E.T.A. Hoffmann's *Das Fräulein von Scuderi*. In: The Germanic Review 51 (1976), S. 181–189. [Zeigt den Auseinanderfall und die Krise des ganzen Systems und dessen Wiederherstellung durch die geläuterte Scuderi auf.]

Wührl, Paul-Wolfgang: Madame kann nicht sterben. [Rezension des Beitrags von Psaar] In: MHG 28 (1982), S. 85–87. [Kritisch nicht nur gegenüber Psaars Aufsatz, sondern auch gegenüber Hoffmanns Erzählung.]

1.3. Voraussetzungen und Entstehung

Aus der Zeit der Abfassung der Erzählung ist uns ein kurzes Schreiben des Autors vom 28. März 1818 an den Leihbibliothekar Kralowski in Berlin erhalten (Br II/161), in dem der Autor die Rücksendung zweier Bücher, nämlich Friedrich Lorenz Meyers *Briefe aus der Hauptstadt und dem Innern Frankreichs unter der Consular-Regierung* (Tübingen 1802) und vermutlich Eberhard August Wilhelm von Zimmermanns *Paris wie es war und wie es ist* (Leipzig 1805), ankündigt und gleichzeitig zusätzliche Werke erbittet, um sich ein Bild von den Zuständen in Frankreich während des 17. Jahrhunderts machen zu können. Zu diesen angeforderten Werken gehört eine Übersetzung von Voltaires *Siècle de Louis XIV* (Dresden 1778), die Kralowsky – will man von Maassen folgen (7. Bd., Vorbemerkungen, S. XXXVII f.) – wohl gar nicht besessen hat. Ein eingehendes Studium des Voltaireschen Werkes glaubte von Maassen jedoch nachweisen zu können (S. XXXVII ff.). Fest steht, daß Hoffmann sich bei der Schilderung der Giftmordgeschichten auf die im Brief nicht genannten *Causes célèbres et intéressantes* des Gayot de Pitaval gestützt hat, die 1782–1792 deutsch erschienen waren. Gleichfalls nicht erwähnt in dem Schreiben an Kralowsky sind zwei weitere von Hoffmann benutzte Werke: Friedrich Schulzens *Über Paris und die Pariser* (Berlin 1791) und vor allem Johann Christoph Wagenseils Nürnberger Chronik von 1697, die nach von Maassen (S. XLI) den eigentlichen Anstoß zu der Erzählung gegeben hat. Diese Chronik, die Hoffmann auch für *Meister Martin* (s. AB IV C.1.3.) und *Der Kampf der Sänger* verwendete, enthält den der Scuderi zugeschriebenen Zweizeiler:

> Vn Amant qui craigne les Voleurs,
> N'est point digne d'amour.

und schildert, wie die Dichterin Juwelen und Schmuck als Lohn für ihr unabsichtliches Eintreten zugunsten der Pariser Beutelschneider dem Anschein nach von diesen selber erhält (Textauszug bei Lindken, S. 32–35 und Fingerhut, Schülerarbeitsbuch, S. 25–28).

Die Erzählung muß am 16. bzw. 17. Oktober 1818 vollendet gewesen sein (s. Br II/178, Anm. 7). Zwei Jahre später erscheint sie eingeflochten in den 3. Band der *Serapions-Brüder,* und zwar zu Beginn des 6. Abschnitts dieses Sammelbandes.

2. Textanalyse

2.1. Das Fräulein von Scuderi – eine Detektivgeschichte?

Es war Richard Alewyn, der in seinem Essay ‚Das Rätsel des Detektivromans' (erweiterte Fassung unter dem Titel: ‚Ursprung des Detektivromans', 1974) die These vertrat, daß Hoffmann mit dem *Fräulein von Scuderi* die erste Detektivgeschichte geschaffen habe. „In dieser Geschichte finden wir", so behauptete er,

> neben einigen untergeordneten Motiven, die drei Elemente zusammen, die den Detektivroman konstituieren: Erstens den Mord, beziehungsweise die Mordserie, am Anfang und dessen Aufklärung am Ende, zweitens den verdächtigen Unschuldigen und den unverdächtigen Schuldigen, und drittens die Detektion, nicht durch die Polizei, sondern durch den Außenseiter, ein altes Fräulein und eine Dichterin, dazu als viertes, zwar nicht obligates, aber doch ungemein häufiges Element das versperrte Mordzimmer (locked room). (S. 353f.)

Alewyn unterschied terminologisch streng zwischen Kriminal- und Detektivroman („Ein Kriminalroman erzählt die Geschichte eines Verbrechens, der Detektivroman die der Aufdeckung eines Verbrechens." [S. 343]), eine Unterscheidung, die auch hier beibehalten werden soll. Die traditionellen Ableitungsversuche, wonach dieser Romantypus sich der Existenz eines demokratischen Rechts- und Staatsbewußtseins verdanke und erst mit der Einführung des Indizienbeweises in die Prozeßordnung möglich geworden sei, lehnte Alewyn entschieden ab. Gegen die Deduktion der Gattung aus dem Geiste der Aufklärung und deren Erben, den exakten Naturwissenschaften und dem Positivismus des 19. Jahrhunderts, stellte er die Behauptung auf, daß die Wurzeln des Detektivromans in der Romantik bzw. im englischen Schauerroman des ausgehenden 18. Jahrhunderts zu suchen seien. Dieser, die „Abstinenzneurose der alternden Aufklärung" (S. 355), und seine deutschsprachigen „Seitentriebe", die Detektivgeschichten E.T.A. Hoffmanns, seien weit davon entfernt, Vertrauen auf Vernunft, Wissenschaft und Rechtsstaatlichkeit zu verbreiten. Letzteres würde vielmehr geradezu desavouiert durch die Art und Weise, wie Geheimnisse aufgetischt und aufgeklärt würden.

Alewyns Herleitung der Detektivgeschichte aus Schauerroman und romantischem Roman, insbesondere seine Erhebung der Hoffmannschen Erzählung *Das Fräulein von Scuderi* zur ersten deutschsprachigen Detektivgeschichte, sind in der Sekundärliteratur fast durchwegs auf Ablehnung gestoßen. Die Kritiker (Naumann, Gerber, Škreb, Conrad) haben zumeist die genetische Zusammengehörigkeit des Detektivs und des romantischen Künstlers bestritten und sich statt auf einen aufklärungskritischen oder gar -feindlichen Ursprung der Detektivgeschichte auf eine Herkunft dieser Gattung aus dem Rationalismus und dem Positivismus festgelegt. Am überzeugendsten ist die Kritik bei Dietrich Naumann formuliert, der Alewyns Grundannahme: „Geheimnisse und ihre Aufklärung, das ist überhaupt das Thema und das Schema des romantischen Romans in Deutschland" (S. 355) einer Revision unterzogen und korrigiert hat. Unter Berufung auf ein schon von Alewyn – allerdings unvollständig – zitiertes Novalis-Wort hat er die unterschiedliche Bedeutung des Geheimnisses im romantischen Roman und in der Detektivgeschichte bestimmt. Während es dort nicht nur am Anfang, sondern auch am Ende bestehe, sei es hier als prinzipiell lösbar konzipiert, verschwinde also gegen Schluß. Wenn Naumann auch einräumt, daß der moderne Detektivroman zuweilen durchaus auch das Geheimnis am Ende kenne, so sieht er hierin doch kein formkonstitutives Element der Gattung. Unlösbares Geheimnis im romantischen Roman und lösbares Geheimnis in der Detektivgeschichte – man sollte wohl besser von der Opposition ‚Geheimnis und Rätsel' sprechen –, mit dieser Formel jedenfalls versucht Naumann die Differenz zwischen den beiden Erzählformen zu fassen (S. 249 f.).

Für Hoffmanns *Fräulein von Scuderi* immerhin haben jene Kritiker zeigen können, daß die Ermittlung des Mörders mit Hilfe von Indizien und Aussagen kein zentrales Thema der Erzählung darstellt. Nicht Scharfsinn und rationale, induktive Methoden führen zur Entlarvung des Verbrechers, sondern das Geständnis des Mitwissers Olivier und die Tugenden der Titelfigur: Menschlichkeit und Mitgefühl. Marsch (S. 147), der darauf verweist, daß auch die Scuderi kombinatorisch und rational verfährt, übersieht, daß eben diese Verfahrensweisen sich bei ihr als nutzlos erweisen.

Auch von einer endgültigen Klärung der in der Erzählung geschilderten Ereignisse kann streng genommen nicht die Rede sein. Die unheimlichen Morde in Paris hören zwar auf, der Mörder selber wird umgebracht, und der Leser erfährt, wer der Urheber jener Verbrechenserie gewesen war. Aber diese ‚Aufklärung' erfolgt keineswegs erst am Schluß; vielmehr geschieht sie ziemlich genau vor Beginn des letzten Drittels der Erzählung. Mit ihr ist nichts gelöst; eine Aufklärung durch ein juristisches Verfahren ist ohnehin, unter den gegebenen Bedingungen angesichts der Rechtspraxis der ‚chambre ardente', aber auch – wie mehrfach (679, 700) betont wird – von keiner noch so korrekt arbeitenden Justizbehörde zu erwarten. Auch die Offenlegung der Motivation, aus der heraus Cardillac seine Untaten begeht, ergibt keine restlose Klarheit. Wenn Alewyn von einem neurotischen Zwang spricht, „dessen Entstehung [...] nach psychoanalytischer Methode erklärt wird" (S. 353), so ist dies unzutreffend. Es ist Cardillac selber, der sich und sein Verhalten so interpretiert, und zwar dem Zeugnis Oliviers zufolge. Ob diese Interpretation zutrifft, ob sie gar diejenige Hoffmanns ist, wie Meyer (S. 113), Kunz (S. 89 f.) und Post (S. 147 f.) unterstellen, bleibt offen. Ellis (S. 343) nennt die Erklärung mit Recht „at best a fourth-hand version". Es ist zwar durchaus möglich, daß der „böse Stern" (691 ff.), von dem der Goldschmied sich gelenkt fühlt, seine Entstehung dem ehebrecherischen und schmuckversessenen Verhalten der Mutter Cardillacs sich verdankt. Doch darauf kommt es letztlich gar nicht an.

Wichtiger als diese kausalgenetische Konstruktion ist der Umstand, daß das Verhalten des Goldschmiedekünstlers und Mörders Cardillac in Beziehung zum Künstlertum der Scuderi und damit zur Kunst überhaupt steht. Das Fräulein von Scuderi, und nicht Cardillac, steht, wie der Titel bekanntlich festhält, im Mittelpunkt der Erzählung. Diese ist daher mehr Kunst- bzw. Künstler(in)geschichte als Detektiverzählung. (Den Ausdruck ‚Novelle' vermeidet Hoffmann ausdrücklich; 711; vgl. auch Kanzog, S. 8.) Als Kunst-Geschichte arbeitet sie zwar mit Mitteln und Motiven der Detektiverzählung (Kanzog, S. 307ff.), aber das Detektivische steht nicht im Zentrum. Seine Funktion ist von Werner Psaar auf überzeugende Weise zusammengefaßt worden: Kennzeichnend für die *Scuderi* sei „die Verwendung des detektorischen Erzählens für die Darstellung der Problematik von Kunst und Künstler, der gegenüber alle Versuche detektivischer Aufklärung versagen; es entsteht eine Anti-Detektivgeschichte unter bewußter Benutzung des Kriminalschemas" (S. 100).

2.2. *Zur weltanschaulich-politischen Position der Erzählung*

Die Frage nach der Form, bzw. nach der Gattungszugehörigkeit der *Scuderi* ist wichtiger, als dies auf den flüchtigen Blick hin erkennbar sein dürfte. Sie ist nämlich aufs engste verbunden mit einer inhaltlichen Problematik, genauer: mit dem politischen Standpunkt, welcher der Erzählung zugrunde liegt.

Die Organe der Rechtspflege werden in diesem Werk außerordentlich kritisch dargestellt. Ihre Methoden führen nicht nur nicht zur Aufklärung der Verbrechenserie, sie verhindern diese Aufklärung geradezu, wie das Verhalten von Miossens deutlich macht (702). Sie verbreiten darüber hinaus fast ebensoviel Schrecken wie das scheinbar spurenlos arbeitende und in der Dunkelheit und Anonymität wütende Verbrechertum (s. hierzu Ellis, S. 349; Weiss, S. 185f. und Post, S. 145). Und dennoch: Die Scuderi, die in Cardillacs Fall und in die Ermittlungen gegen ihn buchstäblich hineingerissen wird, kann nicht anders als die Beweisführung La Regnies von der Täterschaft Oliviers überzeugend finden: „Alles sprach wider ihn, ja kein Richter in der Welt hätte anders gehandelt, wie la Regnie, bei solch entscheidenden Tatsachen" (679). Auch der wegen seiner „Rechtschaffenheit" und „Tugend" (700) gelobte Advokat d'Andilly urteilt nicht anders (zur Rolle der Advokaten s. auch *Meister Johannes Wacht* [IV/ 547ff.] und Walter, S. 95–99). Die lückenlosen Beweisketten der Justiz mit ihrem Resultat – der Täterschaft Oliviers und der Mitschuld Madelons – haben nur einen Fehler: Sie sind ganz und gar unzutreffend. Madelon, „die treue, unschuldige Taube" (678), wußte nichts von den Verbrechen ihres Vaters; Olivier trifft zwar die Schuld der Mitwisserschaft an einigen Morden, er hat jedoch mehrfach versucht, deren Ausführung zu verhindern. Die Scuderi, die, wenn auch unwissend, für die Vergeblichkeit jener Verhinderungsversuche zumindest Mitverantwortung trägt, glaubt als einzige nicht an die Schuld ihrer Schützlinge. Ihrem „Gefühl“, ihrer „innern Stimme“ folgend (679), hält sie Olivier für unschuldig. Doch genausowenig wie es ein Mittel für sie gibt, die Unschuld rational nachzuweisen, verfügt sie über eine gesetzliche Handhabe, den Geliebten Madelons zu retten. Es bleibt ihr schließlich nur noch der Gang zum König übrig – das „letzte Hülfsmittel“ (700). Der positive Ausgang der Erzählung verdankt sich allein der Allianz, die sich zwischen dem König und der Dichterin anbahnt.

Dieser Umstand darf, ja muß als Kritik an den Methoden verstanden werden, welche der Aufklärungsjustiz als sakrosankt gegolten hatten. Wenn allein der Monarch von Gottes Gnaden durch einen *Eingriff* in die Rechtsprechung noch verbürgen kann, daß Recht gesprochen wird und auch geschieht, dann kann dies als ein recht skeptischer Kommentar des Juristen Hoffmann gegenüber den Reformversuchen an der preußischen Justiz gelesen werden, welche die Abschaffung des königlichen Machtspruchs zum Ziele hatten (s. Conrad, S. 111 und Fingerhut [S], S. 20). Das außerhalb und überhalb der Sphäre des Rechts stehende Königtum erscheint hier auf eindrucksvolle Weise legitimiert, was beim Leser den Eindruck hervorrufen könnte, der Autor plädiere für eine absolutistische und nicht für eine konstitutionelle Monarchie, und sei also ein Anhänger des Ancien Régime. Auch scheint es ganz unzweifelhaft, daß Hoffmann in dieser Erzählung die auf Rationalität basierende Rechtsfindung und Rechtsprechung herabsetzt zugunsten einer auf Intuition und Mitgefühl aufbauenden Menschlichkeit und damit Partei ergreift gegen das Mechanische einer Staatsmaschinerie und für eine Gemeinschaft, die organisch verbunden und „auf die gemeinsame Gesinnung, auf Glaube, Liebe, Treue, auf die natürliche Verbindung der Menschen“ (Scheuner, S. 75) gegründet ist. Auf die Nähe Hoffmanns zur romantischen Staatstheorie, wie sie insbesondere von Adam Müller in dessen Werken *Elemente der Staatskunst* und *Von der Idee des Staates* (beide 1809) programmatisch formuliert worden war, ließe sich demnach hier verweisen. Gestützt würde dieser Verweis auch durch die zahlreichen religiösen Anspielungen, die sich in der Erzählung, und zwar deutlicher ausgeprägt als in fast allen übrigen Schriften des Autors, befinden und die mit der für die romantische Staatstheorie charakteristischen Betonung des religiösen Moments übereinstimmen (s. Scheuner, S. 81).

Eine solche ideologische Einordnung der Erzählung ist wohl kaum grundsätzlich in Zweifel zu ziehen, wohl aber kann und muß auf einschränkende, differenzierende Elemente hingewiesen werden, die eine eindeutige Situierung im konservativ-restaurativen Bereich in Frage stellen.

Wenn der Monarch durch sein Eingreifen der drohenden Verurteilung Oliviers und auch Madelons zuvorkommt, so wird doch diese Rettung in allerletzter Minute als außerordentlich riskantes Unternehmen in der Erzählung deutlich. Die Gesinnung des Königs, seine Parteinahme und seine Meinungen werden als wandelbar geschildert. Sie verändern sich überdies sehr zufällig, aufgrund von Vorfällen, die recht wenig mit dem Fall zu tun haben, für den die Scuderi sich einsetzt. Die „wunderbare Schönheit" Madelons, die dem höfischen Schönheitsideal entspricht („Lilienbusen" [705]), erweist sich als hilfreich für die Sache der Scuderi – genauso wie die Ähnlichkeit der Goldschmiedstochter mit der ehemaligen Geliebten Louis XIV., La Vallière; gerade diese Ähnlichkeit gefährdet jedoch gleich darauf durch eine einzige leise gelispelte Bemerkung der Mme de Maintenon den Erfolg des Unternehmens (706). Den – zumindest anfänglichen – Wankelmut des Königs beschönigt die Erzählung genausowenig, wie sie verheimlicht, daß der Monarch von seiner Umgebung, insbesondere von seiner Mätresse, der Maintenon, abgeschirmt und an einer vorurteilslosen Wahrnehmung der Vorgänge außerhalb des Hofes behindert wird (707). Erst gegen Schluß der Erzählung scheint sich der König wirklich verändert zu haben (s. hierzu Holbeche, S. 2ff.). Seine endgültige Entscheidung wird nicht mehr als ein Akt reiner Willkür dargestellt. Louis XIV. läßt vielmehr durch seinen „Kammerdiener und Geschäftsträger in der Conciergerie" Bontemps Nachforschungen anstellen (707), die in ihren Methoden dem juristischen, rationalen Vorgehen der gewöhnlichen Rechtsfindung keineswegs mehr widersprechen. Holbeche schließt nicht aus, daß Hoffmann mit der weisen Entscheidung des französischen Königs den schwachen, schwankenden und von seinen Ministern beherrschten preußischen König Friedrich Wilhelm III. indirekt habe kritisieren wollen (S. 10, Anm. 18).

Als scharfe Kritik an der zeitgenössischen preußischen Rechtspraxis, an der willkürlichen Aufklärungsarbeit und an dem alle Lebensbereiche verunsichernden Polizeisystem ist die Erzählung des öfteren verstanden worden (Reinert, S. 46; Weiss, S. 186), ja man hat ihr sogar den Charakter eines „warnenden Signals am Vorabend der Demagogenverfolgungen" zugesprochen (Freund, S. 45; ähnlich Walter, S. 45). Wenn man sich auf den Standpunkt stellt, daß in der *Scuderi* eine Parteinahme für den königlichen Machtanspruch erfolge und daß dies als politische Rückschrittlichkeit Hoffmanns zu gelten habe, so darf man doch nicht übersehen, daß eine solche Einstellung den Autor schon kurze Zeit nach der Niederschrift der Erzählung, nämlich nach der Verabschiedung der Karlsbader Beschlüsse, zum Widerstand gegen die preußisch-österreichische Innenpolitik befähigte. Als Mitglied der Immediat-Justizkommission nämlich bekämpfte er schon wenig später, besonders im Prozeß um den ‚Turnvater' Friedrich Ludwig Jahn, die Willkürpraxis der Justizbehörden mit dem ausdrücklichen Hinweis auf das Sonderrecht des Königs. In der Opposition gegen das widerrechtliche Verhalten der ihm übergeordneten Staatsbeamten erwies sich jedenfalls jene Auffassung als objektiv gegen den reaktionären Geist der Metternichschen Politik gerichtet. Gegenüber seinem Vorgesetzten von Kamptz behauptet er sich, indem er wie folgt argumentiert:

> Die von dem Jahn eingereichte Injurienklage mußten wir für rechtlich begründet halten nach dem klaren Wortlaut der Gesetze, weil auch die höchsten Staatsbeamten nicht außer dem Gesetz gestellt, vielmehr demselben, wie jeder andere Staatsbürger, unterworfen sind. Wir bemerken hierbei ehrerbietigst, [...] daß *nur Se. Majestät der König* unmittelbar die Macht haben, aus höheren Staatsgründen den Gang des Rechts zu hemmen. (Zit. nach IV/900; Hervorhebungen U.St.)

2.3. Zur Kunst und zur weltanschaulich-religiösen Position der Erzählung

Bei der Rettung Madelons und Oliviers durch den König darf der Beitrag der Scuderi nicht übersehen werden. Die Tugenden und die dichterische Beredsamkeit sind es letztlich, die das „himmelschreiende Unrecht" (699) verhindern (Marsch, S. 149). Der König kann gar nicht anders, als sich „der Gewalt des lebendigsten Lebens, das in der Scuderi Rede glühte" (704) zu unterwerfen.

Freilich ist die Dichtung, von der sich der König am Ende hinreißen läßt, von anderer Art als die sonstigen Werke der Scuderi, die Romane und die anmutigen preziösen Proben, die sie zu früheren Zeiten am Hofe von ihren dichterischen Fähigkeiten abgelegt hatte, und vor allem von anderer Art als die verhängnisvollen Verse, durch welche sie in den Fall Cardillacs verwickelt wurde. Der Weg, den die Scuderi im Laufe der Erzählung zurückgelegt hat, führt vom Ausgang des 17. ins beginnende 19. Jahrhundert. Die Scuderi verwandelt sich nämlich zum Schlusse mehr und mehr in eine Dichterin, wie sie dem Selbstverständnis Hoffmanns entsprach. Aus dem alten Fräulein, das der préciosité und dem gentilhomme-Ideal verpflichtet war und das „niemals andere verfolgte als die Bösewichter und Friedenstörer in den Romanen, die sie selbst schuf" (661 f.), wird unversehens eine Dichterin, die dem Vorsatz jener Jünger des Einsiedlers Serapion folgt, wonach jeder ernstlich besorgt sein soll,

> das Bild, das ihm im Innern aufgegangen, recht zu erfassen mit allen seinen Gestalten, Farben, Lichtern und Schatten, und dann, wenn er sich recht entzündet davon fühlt, die Darstellung ins äußere Leben [zu] tragen. (III/55)

Zu einer solchermaßen entzündeten Serapions-Schwester wird die Scuderi jedoch erst durch die Rettungsaktion ihrer Schützlinge und durch das Erlebnis des Untergangs von Cardillac. Daß dieser Künstler gleichfalls serapiontische Züge trägt, ist vor allem von Marianne Thalmann – freilich in allzu verherrlichender Weise – hervorgehoben worden (S. 106ff.). Geradezu triebhaft produziert Cardillac seine Werke; es ist, als wolle er in immer neuem Anlauf seines „innern Perus Edelsteine“ heraufbringen (IV/260). Gleicht er damit den Serapionsbrüdern (vgl. III/55 und AB II B.1.3.) wie auch der Scuderi, so drohen doch aufgrund dieser Übereinstimmung auch seine negativen Eigenschaften auf die Person und das Künstlertum der Titelfigur abzufärben. Dieser Einsicht freilich haben sich die meisten Interpreten verschlossen, indem sie die Gestalt Cardillacs in den Mittelpunkt stellen und von der Person der Scuderi isolieren – ein Verfahren, das besonders bei psychoanalytischen Untersuchungen (bei Boehm, Ellis und vor allem bei Schneider) beobachtet werden kann, da der abnorme Fall des Goldschmieds aus psychologischer Sicht unvergleichlich viel interessanter erscheint als der der Scuderi. Der schreckliche Zusammenhang von Kunst und Gewalt, von „‚Kunstgeschichte‘ und Mordgeschichte“ (Müller-Seidel, Nachwort, III/1015), der in der Erzählung aufgrund einer Affinität zwischen Cardillac und der Scuderi waltet, wird zumeist nicht zur Kenntnis genommen, weil die Dichterin selber ihn bis zum Schluß nicht wahrhaben will. Die Tatsache, daß die Titelfigur sich der Problematik jener anderen Künstlergestalt verschließt, ist sogar als ästhetische Schwäche der Erzählung gewertet worden (Kunz, S. 90f.). In Wahrheit stellt die Scuderi jedoch gerade dadurch mehr dar als nur eine tugendhafte Märchentante. Sie ist nicht ein Ausbund an Tugend, wohl aber ist es ein Mehr an Tugend, das sie von Cardillac, dem „Inbegriff des frevelhaften Künstlers“ (Gorski, S. 66), unterscheidet.

Das Gemeinsame der beiden Künstlerfiguren liegt vor allem in deren mangelnder sozialer Verantwortung. Beide leben nur im Reiche ihrer Kunst, und beide sind dadurch zu wenig empfänglich für die dringendsten Bedürfnisse ihrer Umwelt. Die Scuderi verharmlost zugunsten einer geistreichen Formulierung in ihrem Zweizeiler das tatsächliche Ausmaß des Verbrechertums, wenn sie ‚assassins‘ durch den Euphemismus „voleurs“ (661) ersetzt; sie verkennt die seelische Not des Goldschmieds, ja macht sich über ihn lustig, indem sie den „Auftritt mit dem Meister René [...] in gar anmutige Verse“ (670) verwandelt, und sie versäumt schließlich zugunsten eines Wettstreits der „schönen Geister von ganz Paris“ (671) den wichtigen Augenblick, an dem sie den Schmuck noch Cardillac hätte zurückgeben können. Des Goldschmieds Asozialität, ja Antigesellschaftlichkeit wird durch sein Doppelleben und noch mehr durch seine Mordtaten hinreichend deutlich. In der Fremdheit Cardillacs und der Scuderi gegenüber der Pariser Bevölkerung hat man nicht nur einen Zusammenhang dieser Figuren mit anderen in der Erzählung genannten

Verbrechern (Christoph Glaser aus Basel, dem Italiener Exili) sehen wollen, man hat sie auch mit der gesellschaftlichen Isolation der romantischen Künstlerexistenz in Verbindung gebracht (Post, S. 141). Der Wandel der Scuderi am Ende, ihr beherzter Rettungsversuch Madelons und Oliviers, wurde umgekehrt als Erfüllung des alten romantischen Wunschtraums vom Künstler interpretiert, der seine soziale Isolierung sprengt und einen humanisierenden Einfluß auf die höchste politische Machtinstanz ausübt (Holbeche, S. 9f.).

Eine Gemeinsamkeit besteht auch in dem Umstand, daß beide Künstler schmerzhaft erleben müssen, wie sich ihre Werke aus ihrer Zuständigkeit lösen. Die Scuderi fühlt sich gekränkt und tief beschämt, als sich ihr der Mißbrauch offenbart, der mit ihren Versen getrieben wurde und der sie gegen ihren Willen zum Komplizen der Schwerverbrecher gemacht hat. Cardillac wirft – dem Zeugnis Oliviers zufolge – „einen unaussprechlichen Haß" (693) auf alle seine Kunden, für die er Schmuck hergestellt hat, und er ruht nicht eher, bis er durch Diebstahl oder Mord sein Werk sich wieder angeeignet hat. Die Qual, die beide Künstler über den Verlust ihrer Werke empfinden, hat man mit dem Phänomen der Entfremdung innerhalb der kapitalistischen Gesellschaft in Zusammenhang gebracht. Hoffmann hätte dann hier seine Reaktion auf einen Sachverhalt intuitiv und auf eine symbolische Weise zum Ausdruck gebracht, den Karl Marx Jahrzehnte später in seinen *Ökonomisch-philosophischen Manuskripten* begrifflich analysiert hat: den Umstand nämlich, daß die Arbeitsprodukte Warenform angenommen und sich ihren unmittelbaren Produzenten entzogen, entfremdet haben. Dieser Interpretationsansatz, der vor allem von Gorski (S. 107ff.) aufgenommen worden ist, kann sich nicht nur auf die von Olivier mitgeteilte Nachricht stützen, daß Cardillac zwar eine starke Neigung zu Edelsteinen und Geschmeide, nicht aber zu *geprägtem* Golde (d.h. zu Goldmünzen, 692) besessen hätte. Die Ablehnung des Goldes als vergegenständlichtem Tauschwert geht bei Cardillac einher mit der Ausbildung fetischistischer Züge. Seine Begierde nach Schmuck hat eine stark sexuelle Komponente, die in der Erzählung auch allgemein betont wird – sowohl durch die Verwendung der gleichen Metapher für Schmuck und Geliebte (die „süße Frucht" [668, 686; vgl. Ellis, S. 345]) als auch durch die Geschichte von Cardillacs Mutter, die sich prostituiert und bei der der Griff nach dem begehrten Schmuck zusammenfällt mit der Umarmung des Kavaliers während des Liebesakts.

Nicht eine Übereinstimmung, wohl aber eine weitere Verbindung zwischen der Scuderi und Cardillac hat schließlich Hellmuth Himmel aufgedeckt, indem er das Motiv der Goldschmiedsbraut näher untersucht hat. Himmel sieht in der Scuderi die Person, von der sich Cardillac eine Entkräftung des „bösen Sterns" erhofft. Die Dichterin sei von dem Goldschmied als Erlöserin anstelle von Maria auserkoren (Himmel, S. 219ff.). In der Tat läßt sich – trotz der hinterhältigen Argumentation des anonymen Begleitbriefes beim ersten Versuch der Schmuckübergabe – nicht übersehen, daß das Geschenk an die Scuderi das Opfer einer schönen Diamantenkrone „für die Heilige Jungfrau in der Kirche St. Eustache" (696) ersetzen soll. (Eustachius ist übrigens identisch mit Placidus, der ein leidenschaftlicher Jäger war, bis er von einem ein Kruzifix tragenden Hirsch aufgefordert wurde, das Jagen einzustellen. Analog hierzu scheint sich Cardillac zunächst an der Kultstätte jenes Heiligen eine Erlösung von seinem Jagdtrieb auf Menschen zu versprechen.) Doch das ältliche Fräulein kann weder die himmlische Braut noch den Heiligen ersetzen.

In Anlehnung an Himmel könnte man aufgrund dieses Sachverhalts von einer Verweltlichung sprechen, die zugleich in dieser Erzählung kritisiert wird. Nicht mehr Maria wird als Fürsprecherin gewählt, sondern die Scuderi; keine religiöse Kunst wird mehr verfertigt, sondern weltlicher Schmuck. Aber die aufs ‚Menschliche' (679) setzende Person, die anstelle der Gottesmutter helfen soll, ist überfordert, und die Kunst, „die ihres religiösen Charakters entkleidet ist" (Himmel, S. 229), wird weltfern, mörderisch oder beides.

Auch hier würde sich demnach zeigen, daß Hoffmann keine historisch getreue Erzählung geschrieben und nicht Künstler des 17. Jahrhunderts geschildert hat, sondern daß es ihm vornehmlich um ein Portrait des zeitgenössischen Künstlers ging. Zugleich wird eine ähnliche Haltung erkennbar, wie sie im Aufsatz über ‚Alte und neue Kirchenmusik' entwickelt ist, den Hoffmann 1814 geschrieben hatte, aber etwa zur gleichen Zeit wie die Niederschrift der *Scuderi* in den zweiten Band der *Serapions-Brüder* eingeflochten hat. Der Autor, ein Liebhaber Haydns, Mozarts und Beethovens, bedauert dort gleichwohl den Niedergang der sakralen Kunst, weil dieser für ihn mit einem Niedergang von Kunst überhaupt verbunden ist:

> Jene Zeit, vorzüglich wie das Christentum noch in der vollen Glorie strahlte, scheint auf immer von der Erde verschwunden, und mit ihr jene heilige Weihe der Künstler. (V a/229); vgl. hierzu AB VI 2.2.)

Die Rettung Madelons und Oliviers, die der Scuderi schließlich dann doch noch mit Hilfe des Königs gelingt, stellt den Versuch einer Zurücknahme der Kritik an der Verweltlichung dar: Dem Leser wird nahegelegt, daß eine nicht mehr auf ein christliches Jenseits hin ausgerichtete Welt nicht heillos sein muß und daß auch Tugend und Menschlichkeit etwas auszurichten vermögen.

C. Meister Martin der Küfner und seine Gesellen

1. Einführende Informationen

Meister Martin ist eine der Almanach-Erzählungen, die Hoffmann beim Lesepublikum bekannt gemacht haben (vgl. von Maassen). Das Echo der Literaturkritik ist uneinheitlich, positive Stimmen überwiegen. Grundsätzlich teilen sich die Meinungen an der Frage nach dem Grad des Realismus, mit dem die Erzählung gestaltet ist. Ellinger rechnet dieses Werk „zweifellos zu dem Besten was Hoffmann geschaffen" hat. Er rühmt die „ Charakteristik der einzelnen [...] Gestalten" und das „warme herzliche Bild", das der Dichter vom alten Nürnberg entwerfe (S. 136, vgl. auch Harich, 2. Bd., S. 333). Ricci weist mit einem ähnlichen Beitrag den *Meister Martin* der Gattung „historische Erzählung" zu (S. 366). Nach Werner ist Hoffmann hier um „ein Bild mittelalterlichen Lebens [bemüht], in dem selbst nebensächliche Einzelheiten wirklichkeitsgetreu wiedergegeben werden" (S. 128). Nicht zuletzt finden die Behaglichkeit und der Humor, die die Erzählung ausstrahlen, Anerkennung. Daneben weckt die kunstvolle Struktur Beachtung (s. etwa Kolb oder Köhn).

Negative Beurteilung findet *Meister Martin* bei Kritikern, die die Almanach-Erzählungen ganz allgemein weniger hochschätzen als das übrige Werk Hoffmanns. Hier mag Hans von Müllers Ansicht exemplarisch für ähnliche Kommentare gelten. Er hält die Almanach- und Taschenbucherzählungen für Produkte „chronischen Geldmangels" und einer fundamentalen persönlichen Krise des Autors (S. 336). Von Müller spricht von der tiefen Resignation der ersten Berliner Jahre, die aus Hoffmanns Selbstäußerungen zu entnehmen sei. Die feste Anstellung am Kammergericht im Mai 1816 hatte den Dichter glauben lassen, ein Joch anzunehmen, das ihm den Zugang zur Kunst für immer verwehre. Von Müller wirft Hoffmanns Almanach-Erzählungen mangelnde Tiefe vor, der Autor habe diese Werke unter Termindruck gleichsam „mit der linken Hand" geschrieben und Zugeständnisse an ein wenig anspruchsvolles Publikum gemacht (S. 739, s. auch Harich, 2. Bd., S. 333). Hans von Müller hält Hoffmann im *Meister Martin* zugute, daß der Autor dort und in anderen verwandten Werken eine „virtuose Technik der Erzählung" ausgebildet habe, während der *Goldne Topf* ein „Zufallswurf" gewesen sei (S. 63). Hier darf allerdings nicht vergessen werden, daß Hoffmann zu diesem Zeitpunkt bereits großer Erfolg mit seinen *Phantasie-* und *Nachtstücken* beschieden war und daß insbesondere *Der Sandmann* bereits vorlag. Wulf Segebrecht ist denn auch beizupflichten, wenn er festhält: „Schon allzu oft ist gesagt worden, Hoffmanns Almanach-Erzählungen seien von minderer Qualität, ohne daß solche Beurteilungen auf brauchbaren Kriterien basierten." (S. 157)

Weitere Einwände gegen den *Meister Martin* mehren sich im ersten Viertel des 20. Jahrhunderts. Man warnt vor einer Überschätzung des Werks, da es „nicht der ganze Hoffmann" sei (Kolb, S. 35). Ricarda Huch findet es „merkwürdig", wenn Hoffmanns „exotischen Erzählungen" die „nüchternen" gegenübergestellt würden, zu denen sie nebst *Meister Martin* zum Beispiel auch *Das Fräulein von Scuderi* und *Des Vetters Eckfenster* zählt. Mit dem Hinweis, Hoffmann habe diese Werke im wörtlichen Sinne nüchtern, also ohne Alkoholeinfluß, verfaßt, hebt Huch deren Einheit, „Straffheit und Faßlichkeit" hervor, gibt aber zu bedenken:

> Der Liebhaber der Poesie [wird] doch immer, wie Hoffmann selbst, die vorziehen, die der stärkste Extrakt seines Wesens würzt, mögen sie sich auch noch so zerfetzt und wirbelnd darstellen. (S. 520, vgl. auch von Maassen, S. LV, Werner, S. 132 und Bergengruen, S. 78)

Es wird in der Analyse zu prüfen sein, inwieweit solche Behauptungen haltbar sind. Die Vermutung liegt nahe, daß diese Stimmen teilweise durch die von Hitzig übermittelte Selbsteinschätzung des Autors beeinflußt sind. Hitzig berichtet über Hoffmann diesbezüglich:

> Nächst dem Schauervollen, war das Scurrile das ihm ganz eigenthümliche Element. Zwischen beiden gab es für ihn keine gemüthliche Mitte; von seinen Schrecken ruhte er beim Anschaun der Possenspiele aus [...]. Auch hier ist, was er geschrieben, ganz subjectiv, und man kann sagen, daß diejenigen seiner Erzählungen, die ein objectives Gepräge haben, weil nichts Gräßliches und nichts Fratzenhaftes darin vorkommt, wie z.B. *Meister Martin,* von einem Hoffmann herrühren, der sich in dem eigentlichen Hoffmann nicht nachweisen ließ. [-] Daher ist auch die constante Erscheinung zu erklären, daß er, in dem Maße, in welchem seine Dichtungen sich von seiner Subjectivität entfernen, sie nicht liebte [...]. (Hitzig, 2. Theil, S. 312)

1.1. Texte und Materalien

Meister Martin der Küfner und seine Gesellen. In: E.T.A. Hoffmann: *Die Serapions-Brüder.* München 1963. Ausgabe des Winkler Verlags (III/416–472); nach dieser Edition wird im folgenden zitiert unter einfacher Nennung der Seitenzahl.

Meister Martin der Küfner und seine Gesellen. Stuttgart 1979, Reclam 52. [Text nach der Ausgabe von Ellinger mit kurzem Schlußkommentar eines anonymen Verfassers.]

Meister Martin der Küfner und seine Gesellen. In: E.T.A. Hoffmann: *Die Serapions-Brüder.* Frankfurt/M. 1983, insel taschenbuch 631, 2. Bd., S. 550–622. [Herausgegeben und mit einem Nachwort versehen von Hartmut Steinecke. Illustrationen von Monika Wurmdobler.]

Schnapp, Friedrich (Hrsg.): E.T.A. Hoffmann in Aufzeichnungen, (s. Gesamtbibliographie), S. 488, 708, 730.
Schnapp, Friedrich (Hrsg.): E.T.A. Hoffmann, (s. Gesamtbibliographie), S. 175 ff., 179, 198, 206, 230.

1.2. Forschungsliteratur

Bergengruen, Werner: E.T.A. Hoffmann. Stuttgart (o.J.), Die Dichter der Deutschen 3. [Spricht dem *Meister Martin* das Prädikat „Meistererzählung" ab.]
Ellinger, Georg: E.T.A. Hoffmann, (s. Gesamtbibliographie).
Fühmann, Franz: Fräulein Veronika Paulmann, (s. AB III A.1.2.), S. 24 f. [Spricht von einer Anti-Idylle, die der Autor in dieser Erzählung entwerfe.]
Harich, Walther: E.T.A. Hoffmann, (s. Gesamtbibliographie), 2. Bd., S. 333–337.
Hewett-Thayer, Harvey W.: Hoffmann: Author of the Tales, (s. AB III B.1.2.).
Huch, Ricarda: Die Romantik, (s. AB III B.1.2.).
Köhn, Lothar: Vieldeutige Welt, (s. Gesamtbibliographie).
Kolb, P.: E.T.A. Hoffmanns *Meister Martin* im Deutschunterricht. In: Zeitschrift für Deutschkunde 38 (1924), S. 25–35.
Maassen, Carl Georg von (Hrsg.): E.T.A. Hoffmanns Sämtliche Werke. Bd. VI, (s. Gesamtbibliographie).
Magris, Claudio: Die andere Vernunft, (s. AB III B.1.2.).
Müller, Hans von: Gesammelte Aufsätze, (s. Gesamtbibliographie).
Ricci, Jean F.A.: E.T.A. Hoffmann, (s. AB III A.1.2.).
Sakheim, Arthur: E.T.A. Hoffmann, (s. Gesamtbibliographie).
Segebrecht, Wulf: Autobiographie und Dichtung, (s. Gesamtbibliographie).
Werner, Hans Georg: E.T.A. Hoffmann, (s. Gesamtbibliographie).
Winter, Ilse: Untersuchungen zum serapiontischen Prinzip, (s. Bibliographie zu AB II).

1.3. Voraussetzungen und Entstehung

Aufgrund eines Briefes an den Verleger Richter sind wir in der Lage, die Entstehung von *Meister Martin der Küfner und seine Gesellen* auf die Jahreswende 1817/18 zu datieren (Brief. v. 15. Dezember 1817). Der Erstdruck erfolgte im ‚Taschenbuch zum geselligen Vergnügen auf das Jahr 1819'. Wie bei seinem Werk *Doge und Dogaresse* ließ Hoffmann sich bei dieser Erzählung durch ein Gemälde seines Zeitgenossen Carl Kolbe inspirieren, das auf der Berliner Kunstausstellung von 1816 zu sehen war. Das Original gilt als unauffindbar, aber eine Kopie findet sich in von Maassens Ausgabe S. 241 abgedruckt. Ein Stich des Bildes hatte einst den Titel der Erstausgabe geschmückt. Wie von Maassen feststellt, ist eine genaue textliche Übereinstimmung mit dem Bild nicht herzustellen, hingegen gleichen Personen und Dekor des Stichs denen der Erzählung. Sie weisen augenfällig auf die auch der Erzählung innewohnende

Behaglichkeit hin, die der Maler der mittelalterlichen Werkstatt zuerkennt. Indem er Tätigkeiten aus verschiedenen Bereichen auf engem Raum vereint, betont er die im Mittelalter übliche Verflechtung von Arbeitswelt und privatem Leben.

Die im *Meister Martin* sorgfältig vermittelten Details des Küferhandwerks verschaffte sich Hoffmann, einem Brief an Chamisso vom 27. Jan. 1819 zufolge, aus einem Band des *Schauplatz der Künste und Handwerke* (s. Br II/195, Anm. 4). Er informierte sich überdies wohl auch bei seinem Verleger, dem Weinhändler Kunz. – Das Nürnberg Dürers trägt Züge aus Wagenseils *De civitate Noribergensi commentatio* von 1697 (s. von Maassen). Die Stadt war Hoffmann des weiteren von einem Besuch im Jahr 1812 bekannt. Anregungen für die Passagen über den Meistersang und die Meistersinger-Lieder entnahm er einem Anhang zum oben erwähnten Werk (Wagenseils „Buch von der Meister-Singer holdseligen Kunst").

Als literarische Vorbilder mögen die von Hoffmann eifrig gelesenen Wackenroder und Tieck gedient haben. Der Anfang des *Meister Martin* erinnert stark an Wackenroders „Ehrengedächtnis unseres ehrwürdigen Ahnherrn Albrecht Dürers" aus den *Herzensergießungen eines kunstliebenden Klosterbruders* (vgl. von Maassen, Bd. 6, S. LI). An *Franz Sternbalds Wanderungen* mahnt die Problematik des werdenden Künstlers, dargestellt an Ferdinand und Reinhold. – Die Fabel schließlich ist frei erfunden.

2. Textanalyse

2.1. Die Darstellung einer vergangenen Zeit

2.1.1. Erzähltechnik

Auf den ersten Blick liest sich unsere Erzählung über lange Passagen wie ein Ausschnitt aus einer Chronik:

> Am ersten Mai des Jahres eintausendfünfhundertundachtzig hielt die ehrsame Zunft der Böttcher, Küper oder Küfner in der freien Reichsstadt Nürnberg, alter Sitte und Gewohnheit gemäß, ihre feierliche Gewerksversammlung. Kurze Zeit vorher war einer der Vorsteher oder sogenannten Kerzenmeister zu Grabe getragen worden, deshalb mußte ein neuer gewählt werden. Die Wahl fiel auf den Meister Martin. (417)

Diese Art des Erzählens evoziert beim Adressaten die Vorstellung einer objektiven Wiedergabe von Wirklichkeit. Zur Zuordnung ‚Chronik' verleitet die altertümliche Erzählweise des Berichterstatters. Lothar Köhn spricht von einer „unemotionalen, gleichmäßigen und leicht archaisierenden Sprache" im *Meister Martin* (S. 148).

Was den auktorialen Erzähler betrifft, so tritt er im Laufe der Erzählung mehr und mehr zurück. Wie Köhn ausführt, fungiert er gegen den Schluß nur noch als äußerer Gestalter des Geschehens, indem er sich nicht mit Kommentaren, sondern lediglich etwa mit „objektiv ordnenden Zeitangaben" bemerkbar macht (S. 146). Insgesamt wendet sich der Erzähler nur zweimal, und nur am Anfang, ausführlich an den „geliebten Leser". Beide Male ist seine Rede suggestiv. Einmal bekundet er seine „elegische" Haltung der Vergangenheit gegenüber, das „Vergangensein des Vergangenen" in folgenden beschwörenden Worten beklagend (vgl. Köhn, S. 144):

Doch ach! geschieht es nicht, daß die holde Traumgestalt eben als du sie zu umfangen gedachtest, mit liebenden Armen, auf lichten Morgenwolken scheu entflieht [...] – So erwachst du auch plötzlich hart berührt von dem um dich wogenden Leben, aus dem schönen Traum. (416)

In der zweiten Leseranrede wird versucht, dem Adressaten visuelles Nachempfinden für Rosas Schönheit zu suggerieren – („Anmut, voll süßer Milde und Frömmigkeit" [420]). Im Laufe der Erzählung gibt der auktoriale Erzähler seine allwissende Haltung zusehends zugunsten einer eingeschränkten Perspektive auf. Der Standpunkt verlagert sich abwechselnd in die Figuren Friedrich, Martin und Rosa, wobei Friedrich bei diesem perspektivischen Erzählen der bedeutendste Part zukommt. Die auktoriale Erzählsituation weicht der personalen. Ein Wechsel der Perspektive wird jeweils an der Sprache ablesbar. Wird zum Beispiel Friedrich Träger der Perspektive, klingt ein „ins Lyrische veränderter Ton" an (Köhn, S. 145), der auch Dinge miteinbezieht, die nichts mit Friedrich als Figur zu tun haben. Man vergleiche etwa die romantisierende Schilderung des Sonnenuntergangs (431). Was am ehesten für objektives Berichten spricht, ist der weitgehend aufrechterhaltene Außensichtstandpunkt. Im Gegensatz zu Werken wie *Der Sandmann* oder die *Elixiere* verzichtet Hoffmann hier fast durchwegs auf die Darstellung innerer Vorgänge. Häufiger noch als der personalen Erzählsituation bedient er sich im *Meister Martin* des Dialogs, welcher Innensicht per definitionem nur über das zensierende sprechende Ich der Figur und nicht über den Erzähler vermittelt. Wie das Beispiel vom Sonnenuntergang belegt, verbürgt der Außensichtstandpunkt in unserem Text nicht unbedingt Objektivität. Wenn die personalen Passagen von der Subjektivität der Figur geprägt sind, dann erscheint auch die dargestellte Wirklichkeit „vor allem unter dem subjektiven Aspekt der jeweiligen Figur" (Köhn, S. 146).

Wenden wir uns den sprachlichen Mitteln der Darstellung zu. Wenn der *Meister Martin* „von einem wirklichen malerischen Temperament geschaut" wäre, wie Sakheim betont (S. 120), dann müßte nach unserer Erwartung Martins Haus im folgenden Textausschnitt bildlich vorstellbar sein:

[...] sowie man die hell gebohnte, mit reichem Messingwerk verzierte Tür geöffnet hatte, war der geräumige Flur mit sauber ausgelegten Fußboden, mit schönen Bildern an den Wänden, mit kunstvoll gearbeiteten Schränken und Stühlen beinahe anzusehen wie ein Prunksaal [...]. Der Tag war heiß, [...] deshalb führte Meister Martin seinen edlen Gast in die geräumige kühle Prangkuchen. (420)

Glaubt der Adressat nun eine genaue Beschreibung dieser Prunkküche zu erhalten, so sieht er sich getäuscht, spricht der Erzähler doch nur von „köstlichen Gerätschaften des Hausbedarfs", die diesen für jene Zeit typischen Raum eines Bürgerhauses schmücken. Die Tischgesellschaft anläßlich des Kerzenmeisterschmauses etwa verrät Festlichkeit allein durch „Gläsergeklirr" und „festliche Kleidung" (438). – Textbeispiele dieser Art lassen sich beliebig vermehren. An ihnen fällt auf, daß die Dinge nicht plastisch beschrieben, sondern lediglich „bezeichnet" werden (Winter, S. 48). Vagheit wird in diesen Textbeispielen vor allem durch die Wahl der Adjektive ausgelöst, ein Merkmal, auf das Lothar Köhn (S. 148) und Ilse Winter (S. 48) hinweisen. Die Eigenschaftswörter in den obigen Zitaten zielen nicht so sehr auf die Charakteristik der Gegenstände ab. „Schön", „kunstvoll gearbeitet", „geräumig" rufen allenfalls eine Assoziation mit behaglichem Wohlstand hervor.

Anschaulicher verfährt der Autor mit dem Küferhandwerk. Zahlreiche Werkzeuge und Details des Fässerbaus kommen im Verlauf der Erzählung zur Sprache. In Meister Martins Rede findet sich folgende Äußerung:

Ei Herr, mir lacht das Herz im Leibe, wenn ich solch ein tüchtig Faß auf den Endstuhl bringe, nachdem die Stäbe mit dem Klöbeisen und dem Lenkbeil tüchtig bereitet, wenn dann die Gesellen die Schlägel schwingen und klipp, klapp – klipp, klapp es niederfällt auf die Treiber, hei! das ist lustige Musik. (424)

Ähnliche Stellen sind der Erzählerrede zu entnehmen, z. B. dort, wo der fiktive Erzähler die Perspektive Martins einnimmt (443). Genau betrachtet, bleibt es jedoch auch beim Küferhandwerk bei der Bezeichnung der Werkzeuge und Tätigkeiten. Die genaue Beschreibung eines Arbeitsvorganges enthält die Erzählung dem Leser vor. Die Arbeit in Martins Werkstatt wird nur ansatzweise vorstellbar. Dazu tragen diesmal nicht nur die Adjektive, sondern auch die generalisierenden Verben bei. – Feststellungen dieser Art gelten auch für die ritterlichen Spiele, in denen Conrad sich auf der „Allerwiese" am Abend nach dem Meistersingen hervortut. In einem kurzen Abschnitt berichtet der Erzähler wie folgt:

Conrad [...] hatte im Wettrennen, im Faustkampf, im Wurfspießwerfen alle übrige übertroffen [und] ohne alle große Mühe und Anstrengung sämtliche Gegner überwunden, so daß des Lobpreisens seiner Gewandtheit und Stärke gar kein Ende war. (449)

Die offensichtlich mangelnde Konkretheit ist nun allerdings nicht als Schwäche des Autors auszulegen, wie man vielleicht versucht sein möchte. Hinter diesem Verfahren steht eine Absicht, die am deutlichsten an der Behandlung des Meistersangs zutage tritt. Einen ersten Hinweis darauf, daß nicht unbedingt historische Authentizität im Vordergrund steht, liefert die Datierung des Geschehens. Um 1580, der Zeit, in der unsere Erzählung spielt, ist die Blüte des Meistersangs in Nürnberg vorbei. Vermutlich war diese populäre Kunst aber immer noch sehr verbreitet. Eine genaue Prüfung der dem Text eingefügten Verse zeigt, daß Hoffmann sich nicht auf die präzise Reproduktion vergangener Tradition verlegt. Der Autor stützt sich zwar auf die bei Wagenseil aufgefundenen Vorbilder, aber er modifiziert sie beträchtlich. Die vier Lieder sind nur in formalen Aspekten den Meistersingerstrophen ähnlich, z.B. in Anzahl der Zeilen und Zeilenlänge. Bezüglich Inhalt und Diktion sind sie als sehr freie Nachbildungen des Autors zu betrachten. Formal sowohl als auch inhaltlich der Zeit entsprechend, wirken eigentlich nur die beiden kurzen Strophen (416, 420). Die eine imitiert Hans Rosenplüts Vers über Nürnberg, die andere gibt einen alten Hausspruch wieder. Von den längeren Liedern wird auch nur das Lied der Großmutter expressis verbis als Meistersingerstrophe ausgegeben. Dabei weist eben dieses kaum Gemeinsamkeiten mit dem Original auf. Nach den Worten Martins soll seine Großmutter das Lied „in der hohen fröhlichen Lobeweis Herrn Hans Berchlers" gesungen haben (428), doch erinnern diese Verse in unserer Erzählung nur entfernt an Berchlers Lobweis bei Wagenseil (S. 506). Allgemein tragen die Lieder in *Meister Martin* weit eher Züge des Romantischen. In ihnen ist kaum etwas von der Derbheit des Meistersangs zu spüren, weder inhaltlich noch im Rhythmus. Mit Ausnahme des Küferliedes (441 f.) appellieren sie an die subtile Gefühlswelt des aus der Gemeinschaft herausgelösten Individuums. Sie besingen subjektiv empfundene Liebe und Liebeskummer, Topoi der romantischen Lyrik. Im Gegensatz zu den naiv holprigen Meistersingerstrophen lesen sich Hoffmanns Verse glatt und anmutig. Was die Verteilung der Verse im Prosatext anbelangt, so erinnern sie an den romantischen Roman, in dem Poesie einen integrierenden Bestandteil bildet (Novalis, Eichendorff). Während aber im *Heinrich von Ofterdingen* die romantische Ironie eine zentrale Funktion der Poesie übernimmt, läßt sich dies im *Meister Martin* höchstens vom Lied der Großmutter sagen. Vergleichbar mit dem Bergmannslied im *Ofterdingen* ist es einerseits schmückendes Beiwerk zum Prosatext, andrerseits bewegt es sich auf der Ebene der Interpretation. Es legt das Geschehen aus, indem es den Ausgang der Handlung verschlüsselt vorausdeutet: Am Ende entpuppt es sich als Weissagung, die sich unerwartet erfüllt. Friedrich wird zwar nicht als Küfer, aber als Silberschmied zum richtigen Bräutigam. Sein „glänzend Häuslein", in dem „würzige Fluten“ treiben, wird ein kunstvoll geschaffener Kelch und nicht ein Faß sein. – Das Gedicht fungiert als eine Art Klammer, die das Werk inhaltlich zusammenhält und diesem eine harmonische Abrundung verleiht.

Von den historischen Weisen des Meistersangs ist eine ganze Reihe in unserem Text genannt. Die „Tonweis Hanns Vogelsangs“, der „Süße Ton“, die „Krummzinkenweis“, die „frisch Pomeranzenweis“ und andere werden jedoch nirgends exemplifiziert (441). Selbst beim Bericht über das Meistersingen, wo sich die Gesellen am Freisingen beteiligen, bleibt es bei der Erwähnung der charakteristischen Details und Namen (448).

Der Meistersang ist offensichtlich nicht um seiner selbst willen dargestellt. Nicht um Objektivität geht es, sondern um Zeichen einer Sehnsucht. Abgesehen von romantischer Ironie in dem einen Fall besteht die Funktion der eingestreuten Lieder und der Abschnitte über den Meistersang darin, Gemütlichkeit zu evozieren. Wo bei der Arbeit gesungen wird, kann nicht verbissen produziert werden. Gemütlichkeit steht häufig im Vordergrund, wenn das Treiben in der Küferwerkstatt oder die ganze mittelalterlich anmutende Welt um Martin geschildert werden. Die Werkstattgeräusche sind dem Meister mitunter „Musik“ in den Ohren (424). Auf Gemütlichkeit zielen auch die dem Brauchtum verhafteten Feste ab: der Kerzenmeisterschmaus (438–443), das Meistersingen mit den turnierähnlichen Spielen (448 f.), dann aber auch die Hochzeit am Ende der Erzählung, auf die wir noch zurückkommen werden.

Die Darstellung dient generell also weniger der Wahrnehmung einer gegenständlichen Welt als der Schaffung einer bestimmten Atmosphäre. Diese Ansicht vertritt – neben Lothar Köhn und Ilse Winter – Walther Harich:

> Nicht um Darstellung eines Zeitgeistes handelt es sich hier, sondern eines seelischen Prozesses, der von den Dingen gerade nur so viel trägt, als ihm förderlich ist. (2. Bd., S. 333)

Als Hauptindiz führt Winter Adjektive und Adverbien der Personenbeschreibung an, denn die Küfergesellen arbeiten „frisch“ oder „emsig“ und singen mit „lieblichen“ Stimmen, Meister Martin lacht „innig“ (Winter, S. 48). Dem ist anzufügen, daß diese Epitheta wiederum romantische Konvention reflektieren, die sich der Autor für die Darstellung von Vergangenheit zu eigen macht.

2.1.2. Meister Martin – eine rückwärts gewandte Utopie?

Das Geschehen im *Meister Martin* gibt immer wieder Anlaß, die in der Erzählung dargestellte Epoche voller Harmonie zu sehen. Idyllisch mutet zunächst die nicht entfremdete Arbeit des Handwerkers an, in der der einzelne nicht zum Zahnrad eines Getriebes degradiert wird. Die Arbeit ist ungeteilt, wenig spezialisiert. Die Küfer trennen sich erst vom Produkt ihrer Arbeit, wenn sie es zu seiner Vollendung gebracht haben. Wie das Beispiel von Reinhold und Friedrich zeigt, ist in diesem Rahmen echte Kooperation möglich (438). Wohn- und Arbeitsplatz, Arbeit und Vergnügen sind kaum voneinander geschieden. Noch herrscht nicht das Prinzip des optimalen Nutzens. – So wie die Arbeit ein Ganzes bildet, erlebt auch der Arbeitende selbst sich als Ganzheit. Der Verlauf der Erzählung beweist aber, daß der Schein trügt. Die Gesellen befinden sich in einem Abhängigkeitsverhältnis. Die scheinbare Idylle trägt den Keim der Zerstörung schon in sich.

In positivem Licht erscheint weitgehend auch der patriarchalische Martin. Obwohl er sonderliches Wesen und Borniertheit an den Tag legt, erweist er sich doch zumeist als vorbildlicher Meister. Der Ratsherr Jakobus Paumgartner lobt seinen wackren Fleiß und sein frommes Leben (417). Martin ist nicht nur um die Leistung, sondern auch um das seelische und körperliche Wohl seiner Handwerksgesellen besorgt. Er ermuntert sie zur Pflege der Musik, und als Geselle Valentin stirbt, tritt er, ohne zu zögern, an dessen Stelle als Vater der Kinder und Ernährer der Familie (430f.).

In dieses Bild fügt sich Rosa, Martins Tochter, deren Tugenden für Frauen allerdings nicht mehr erstrebenswert sind. Ihre devote Anpassung und Passivität kann aus heutiger Sicht kaum mehr anders denn als Resultat von Unterdrückung interpretiert werden. Rosa entspricht äußerlich und in ihrem Tun gänzlich dem bis zum Klischee erstarrten Ideal Hoffmannscher Frauenfiguren. Mit Dürers Frauenbildnissen hat sie nichts gemein – trotz dem Hinweis des Erzählers auf den Maler (420f., vgl. hierzu auch Sakheim, S. 119). Rosas gesellschaftliche Funktion erschöpft sich in der Bedienung der Gäste ihres Vaters, und ihr Trachten richtet sich lediglich auf die Suche nach einem Ehemann. – Auch wenn die Figur Rosa Anlaß zur Kritik gibt, wird an ihr wiederum deutlich, daß Hoffmann im *Meister Martin* um ein Ideal bemüht ist. Die in den sozialen Umständen und Charakteren vermittelten Wertvorstellungen reflektieren vielfältig Hoffmanns Sehnsucht nach dem Goldenen Zeitalter. Der Autor entwirft eine Art rückwärts gewandter Utopie, die die Erfüllung nicht ins Reich von Atlantis, sondern in eine vergangene Epoche verlegt.

Ein zentraler Punkt dieses Ideals ist die Einheit von Handwerk und Kunst, eine im Werk Hoffmanns immer wiederkehrende Thematik. Kunst, in unserem Fall Gesang, verbrämt den Alltag, umgekehrt fühlt sich der Künstler stolz in der Ausübung eines Handwerks (vgl. auch AB I A.) „Kunst und Handwerk [bieten] sich in wackerm Treiben die Hände" (417). Der Autor spielt in diesem Werk auf eine Zeit an, in der das Handwerk in den oberdeutschen Städten Augsburg und Nürnberg einen hohen Entwicklungsstand erreicht hatte. Den Handwerkern kam oft der

Status eines Künstlers zu. Das traf vor allem für Berufe wie Gold- und Silberschmiede zu, dann auch für Bildhauer, Bildschnitzer, Kupferstecher, Holzschneider, Waffenschmiede, Drechsler (Werner, S. 130). Wie der Auftrag für den Bischof von Bamberg in unserer Erzählung illustriert, arbeiteten die Handwerker im Auftrag des Klerus, des Adels und der städtischen Patrizier. Handwerker und Künstler waren voll in die Gesellschaft integriert, im Gegensatz zu Hoffmann und andern Künstlern unter seinen Zeitgenossen (vgl. AB I A. und AB V B.2.3.1.).

Nach Werner bildet das Hochzeitsfest Rosas und Friedrichs (468 ff.) den Höhepunkt idealisierter Vergangenheit. Hier vereinige Hoffmann in verklärender Absicht die Klassen und Stände, indem er Adel, Patrizier und Handwerker zusammen feiern lasse (Werner, S. 131). Der Umstand, daß die Heiratenden beide demselben Stand angehören und dabei eine Vermischung der Stände unterbleibt, ist nach Werner jedoch ein Zeichen dafür, daß Hoffmann nicht gewillt gewesen sei, politische Folgerungen aus seiner Verherrlichung des Mittelalters zu ziehen (ebda.). Werner gesteht Hoffmann immerhin zu, daß dieser mit seiner Erzählung weder ein Bekenntnis zum Feudalismus ablege noch der Metternichschen Restaurationspolitik die Hand biete (ebda.).

Werner ist entgegenzuhalten, daß Hoffmann sich mit einer Durchbrechung der Standesschranken über historische Tatsachen hinweggesetzt hätte. Dies würde der Intention des Textes zuwiderlaufen, bewegt sich doch das Geschehen im Rahmen historischer Tradition, auch wenn es insgesamt auf Idealisierung ausgerichtet ist. – Das will nun nicht heißen, daß *Meister Martin* eine progressive Grundaussage gänzlich abzusprechen ist. Der Rückgriff auf die Vergangenheit kann auch als Gegenentwurf zur tristen Realität nach 1815 interpretiert werden. Im Bild mittelalterlich anmutenden Lebens thematisiert Hoffmann Wünsche gegen die Isolation des Künstlers (s. auch *Kater Murr*), gegen die Vereinzelung des Individuums (s. auch *Goldner Topf*), gegen den Verlust der Identität (s. auch *Abenteuer der Silvester-Nacht*).

2.2. *Relativierung des Ideals*

Der Erzähler rät zwar eingangs, das Werk als „süßen Traum“ zu lesen, doch erschöpft sich die Aussage der Erzählung nicht in der Empfehlung, die überlebten feudalen Zustände und Privilegien früherer Jahrhunderte wiederherzustellen. Genau besehen vermittelt uns Hoffmann im *Meister Martin* keineswegs einen lupenreinen Idealzustand. Der Erzähler bezeichnet die dargestellte Wirklichkeit zwar als „Mittelalter“, und die Literaturwissenschaft übernimmt zum Teil diesen Ausdruck, ohne zu beachten, daß das Geschehen am Ende des 16. Jahrhunderts, um 1580, also lange nach Dürers Tod, spielt. Der Erzähler visiert eine Zeit des

Umbruchs an. Wie Harich festhält, spiegelt das Werk gegen das Ende hin Brüche im gesellschaftlichen Gefüge jener Zeit wider. Die neuen echten Gesellen, die nach Reinhold, Friedrich und Conrad den Dienst bei Martin antreten, bringen nichts mehr von der unverdrossenen Arbeitsfreude ihrer Vorgänger mit. Es fehlen Begeisterung und Sorgfalt. Der Gesang bleibt aus (462–465). Rückblickend entfaltet sich die Harmonie nur in der Zusammenarbeit mit den ‚unechten' Gesellen, deren Motivation zur Arbeit von einem dem Beruf fremden Ursprung, nämlich der Liebe zu Rosa, herrührt. Das Abhängigkeitsverhältnis von der Vaterfigur des Meisters und das Streben nach persönlicher Freiheit erweisen sich als unvereinbare Größen. Als Meister Martin die fehlende Motivation seiner Gesellen durchschaut, ist ihm, wie Harich bemerkt, der feste Boden eigentlich schon unter den Füßen fortgezogen. Harich spricht von „Zeitenwende [und] Zersetzung einer altvertrauten Lebensform", die in diesem Stadium der Erzählung spürbar werde (2. Bd., S. 336).

Hoffmann thematisiert hier den Übergang von patriarchal-feudalen Normen zur Lohnarbeit. Unter den neuen Verhältnissen entfällt – auch in unserer Erzählung – die Einheit von Arbeit und privatem Leben. Erstere verheißt nicht mehr Selbstverwirklichung und umfassende Erfüllung, sondern dient allein dem Broterwerb. Das Beispiel von den echten und unechten Gesellen relativiert aber nicht nur die anbrechende neuere Zeit, sondern auch die vergangene. Wenn Reinhold, Conrad und Friedrich nacheinander beschließen, dem „schnöden Handwerk" den Rücken zu kehren, denunziert der Erzähler die vergangene Harmonie als Illusion (456, 462, 465). Hoffmann entpuppt sich als Dichter eines altdeutschen „Idylls, dessen politisch-soziale Widersprüche er zugleich entmystifiziert" (Magris, S. 35).

Einbrüche in die Idylle signalisiert auch die Figur des Meister Martin. Martins Bürgertugenden haben eine Kehrseite. Diese Figur ist mit viel Ironie gestaltet, ohne daß sie zur Karikatur wird. Des Meisters Starrsinn, mit dem er sich auf einen Küfer als Schwiegersohn versteift, erscheint am Ende als Schrulle. Die Wahl Martins zum Kerzenmeister verdeutlicht, wie tief er mit seinem verbissenen Berufsstolz der Lächerlichkeit preisgegeben wird. Man achte auf die Diskrepanz zwischen den pathetischen Worten und der ungelenken Gestik Martins, mit der der Erzähler eine satirische Wirkung erzielt:

> Wie es seine Gewohnheit war, warf er den Kopf in den Nacken, fingerte mit beiden Händen auf dem dicken Bauche, und schaute mit weit aufgerissenen Augen, die Unterlippe vorgekniffen, in der Versammlung umher. Dann fing er [...] also an: Ei, mein lieber würdiger Herr, wie sollt es mir denn nicht recht sein, daß ich empfange was mir gebührt. Wer verschmäht es den Lohn zu nehmen für wackere Arbeit, wer weiset den bösen Schuldner von der Schwelle, der endlich kömmt, das Geld zu zahlen, das er seit langer Zeit geborgt. (418)

Eine unverkennbare Störung der Harmonie verursacht die Figur des mit übermenschlichen Kräften ausgestatteten Conrad. Als Martin, über den Kunden Holzschuer in Zorn geraten, seine Wut an Conrad ausläßt, wehrt sich dieser so, daß die vordem friedliche Werkstatt von titanischem Hämmern und wüsten Beschimpfungen ertönt. Im Zorn erschlägt Conrad den Meister beinahe. Hier bricht nun die von vielen Kritikern entbehrte Dämonie unmißverständlich aus (454 f.). Desillusionierend auf den Leser wirkt auch Martins Reaktion, wenn die drei Gesellen ihren Dienst quittieren. Er läßt sie alle drei nur unter Verwünschungen ziehen (z.B. 465).

Abschließend läßt sich sagen, daß des Erzählers Einstellung zur historischen Vergangenheit im *Meister Martin* durchaus als kritisch reflektiert zu erkennen ist. Hoffmann verzichtet auch nicht auf die „Verrätselung der Wirklichkeit" (Köhn, S. 147). Die angeschnittenen Konflikte legen den Schluß nahe, daß in den Augen des Autors ein neuer Idealzustand nicht ohne Anstrengung und nicht ohne Veränderung gesellschaftlicher Verhältnisse herbeigeführt werden kann.

D. Die Bergwerke zu Falun

1. Einführende Informationen

Die Bergwerke zu Falun gehören zusammen mit den *Elixieren des Teufels* und *Ignaz Denner* zu jenen Werken, denen eine überwiegend fatalistische Weltsicht zugeschrieben wird. Gemessen am *Goldnen Topf* fehle der Erzählung die versöhnliche Komponente, die Vision vom Goldenen Zeitalter. Eine harmonische Auflösung der Gegensätze, wenn auch nur im ästhetischen Bereich oder im Humor, gehe dieser Märchendichtung ab. Kontroverse Ansichten herrschen nicht nur über die thematische Verarbeitung des Stoffes, sondern auch über die dichterische Qualität seiner Ausgestaltung. In Gesamtinterpretationen wird das Werk meist eher knapp behandelt. Daraus und aus den oben erwähnten Einwänden ist zu schließen, daß die *Bergwerke* nicht vorbehaltlos zum Kanon der mustergültigen Werke Hoffmanns gezählt werden, obwohl sie bei den Lesern große Beliebtheit erreicht haben (vgl. etwa Beck, S. 264). Die Vorwürfe lassen sich denn auch weitgehend entkräften, wenn auch nicht immer widerlegen, wie unsere Analyse aufzuzeigen versuchen wird. Es gilt, eine Intention des Textes zu berücksichtigen, die lange Zeit verkannt worden ist, die aber eine Begründung für das Unversöhnliche liefert und ein Bedauern darüber gegenstandslos macht.

Der Stoff der vorliegenden Erzählung ist literarisch vermittelt und fand zu Lebzeiten Hoffmanns und bis ins 20. Jahrhundert immer wieder Eingang in die Literatur. Unter seinen Gestaltern finden sich bekannte Namen wie etwa Achim von Arnim, Johann Peter Hebel und Friedrich Hebbel, auf die wir noch näher eingehen werden. Erwähnt seien auch Friedrich Rückert mit seinem Gedicht „Die goldene Hochzeit" und Hugo von Hofmannsthal mit der fünfaktigen Tragödie *Das Bergwerk zu Falun*. Das Drama wurde Textgrundlage zur gleichnamigen Oper von R. Wagner-Régeny.

Neben dem in der Literaturwissenschaft beliebten Vergleich unserer Erzählung mit den übrigen Bearbeitungen dieses Stoffes interessiert seit Freud die psychoanalytische Fragestellung (Lorenz, Nipperdey, Neubauer u.a.). Wie Käthe Hamburger ausführt, wurde Hoffmanns Falun-Erzählung „Gegenstand einer in mancher Hinsicht überzeugenden psychoanalytischen Deutung" (S. 178; betrifft die Studie von Lorenz). Gerade dieser Interpretationsansatz vermittle über das Werk besonderen Aufschluß, selbst wenn man dieser Methode sonst kritisch gegenüberstehe:

> Oft genug kann sie [die psychoanalytische Interpretation] das Wesen der Dichtung vergewaltigen. Aber im Falle von Hoffmanns Falun-Erzählung hat sie wohl auf einen Nerv getroffen, der sich darin verbirgt. (S. 178)

Diesem Zitat ist beizupflichten mit der Ergänzung, daß eine psychoanalytische Interpretation zu kurz greift, wenn sie generell darauf ausgerichtet ist, Hoffmann als eine Art Vorläufer Freuds zu legitimieren. Es genügt nicht aufzuzeigen, wie Hoffmann Phänomene beschreibt, die später von Freud auf ein System gebracht worden sind. Wichtig ist immer, auch die Funktion der psychoanalytisch deutbaren Elemente im Textganzen herauszuarbeiten, eine Absicht, die unserer Analyse zugrunde liegt.

1.1. Texte und Materialien

Die Bergwerke zu Falun. In: E.T.A. Hoffmann: *Die Serapions-Brüder*. München 1963. Ausgabe des Winkler Verlags (III/171–198); nach dieser Edition wird im folgenden zitiert unter einfacher Nennung der Seitenzahl.

Die Bergwerke zu Falun / Der Artushof. Stuttgart 1975, Reclam 8991. [Kein Herausgeber genannt, Nachwort von Hans Pörnbacher.]

Die Bergwerke zu Falun. In: E.T.A. Hoffmann: *Die Serapions-Brüder*. Frankfurt/M. 1983, insel taschenbuch 631, 1. Bd., S. 228–262. [Herausgegeben und mit einem Nachwort versehen von Hartmut Steinecke. Illustrationen von Monika Wurmdobler.]

Schnapp, Friedrich (Hrsg.): E.T.A. Hoffmann, (s. Gesamtbibliographie), S. 191 ff.

1.2. Forschungsliteratur

Beck, Carl: E.T.A. Hoffmanns Erzählung *Die Bergwerke zu Falun*. Eine literarischen Studie. Leipzig 1955, Freiberger Forschungshefte. Kultur und Technik D 11, S. 264–272. [Geht auf die Quellen ein, beleuchtet besonders die Beeinflussung durch Schuberts *Symbolik des Traumes,* hebt die „realistische Darstellungsweise“ hervor, die sich in diesem Werk mit dem Irrationalen und Unwirklichen verbinde.]

Benz, Richard: Märchen-Dichtung der Romantiker, (s. AB III A.1.2.).

Cronin, John D.: Die Gestalt der Geliebten in den poetischen Werken E.T.A. Hoffmanns. Bonn 1967. [Basiert auf der unhinterfragten Einschätzung der Frau im Patriarchat.]

Daemmrich, Horst: The Shattered Self, (s. AB III B.1.2.).

Elardo, Ronald J.: The Maw as Infernal Medium in *Ritter Gluck* and *Bergwerke zu Falun.* In: New German Studies 9 (1981), S. 29–49. [Versucht aufgrund tiefenpsychologischer Beobachtungen den Nachweis zu erbringen, daß Elis in den eigenen psychischen Abgrund stürze, weil er am Unvermögen scheitere, Reales und Phantastisches zu verbinden.]

Ellinger, Georg: E. T. A. Hoffmann, (s. Gesamtbibliographie).

Hamburger, Käthe: *Das Bergwerk von Falun.* In: K'H': Kleine Schriften. Stuttgarter Arbeiten zur Germanistik 25 (1976), S. 175–180. [Betont die Vielfalt der Deutungsmöglichkeiten der Märchenerzählung.]

Heinisch, Klaus J.: Deutsche Romantik – Interpretationen. Paderborn 1966. [Sieht den Autor in vielen seiner Erzählungen „am Ende der subjektiven Sinndeutung objektiver Gegebenheiten und am Anfang einer objektiven Erklärung subjektiver Schicksale“ (S. 148).]

Huch, Ricarda: Die Romantik, (s. AB III B.1.2.).

Kahrmann, Cordula; Reiß, Gunter; Schluchter, Manfred: Erzähltextanalyse. Eine Einführung in Grundlagen und Verfahren. Kronberg 1977, Literaturwissenschaft Bd. I (Athenäum TB), S. 93–105. [Untersucht Erzählstrategien bei Hebbel und Hoffmann auf der Grundlage neuerer Erzählforschung.]

Lea, Sidney L. W. (Jr.): Gothic to Phantastic. Readings in Supernatural Fiction. New York 1980. [Nicht sehr ergiebig.]

Lorenz, Emil: Die Geschichte des Bergmanns von Falun, vornehmlich bei E.T.A. Hoffmann, Richard Wagner und Hugo von Hofmannsthal. In: Imago 3 (1914), S. 250–301. [Fundierte psychoanalytische Interpretation.]

Magris, Claudio: Die andere Vernunft, (s. AB III B.1.2.).

von Matt, Peter: Die Augen der Automaten, (s. Gesamtbibliographie). [Betont den Unterschied zum 5. Kap. des *Heinrich v. Ofterdingen* (Novalis).]

Mayer, Hans: Die Wirklichkeit E.T.A. Hoffmanns, (s. Gesamtbibliographie).

Negus, Kenneth: E.T.A. Hoffmann's Other World, (s. AB III A.1.2.).

Neubauer, John: The Mines of Falun: Temporal Fortunes of a Romantic Myth of Time. In: Studies in Romanticism 19 (1980), S. 475–495. [Geht auf die Texte von Schubert, Arnim, Hoffmann, Hebel und Hofmannsthal ein und berücksichtigt überdies Richard Wagners Oper *Die Bergwerke zu Falun.* Stützt sich in der Interpretation v. Hoffmanns Erzählung auf Lorenz.]

Nipperdey, Otto: Wahnsinnsfiguren bei E.T.A. Hoffmann. Phil. Diss. Köln 1957. [Motivgeschichtliche Untersuchung, die das Personal der Hoffmannschen Erzählungen nach den vier Figurengruppen: Mädchen/Frauen, Jünglinge/Männer, Sonderlinge und Künstler unterteilt; ohne ernsthafte Auseinandersetzung mit der zeitgenössischen Psychologie.]

Pfeiffer, Johannes: Die Geschichte von dem Bergmann zu Fahlun. Vergleich mit

Hoffmanns Erzählung. Hamburg 1953, Wege der Erzählkunst, S. 46–52. [Stellt die Erzählung Hoffmanns Quellen gegenüber.]
Schenck, Ernst von: E.T.A. Hoffmann, (s. AB III D.1.2.), S. 347–355.
Scherer, Michael: Die Bergwerke zu Falun. Eine Studie zu Hoffmann und Hebel. In: Blätter für den Deutschlehrer 2 (1958) Heft 1, S. 9–16.
Sucher, Paul: Les Sources du Merveilleux, (s. Gesamtbibliographie).
Tecchi, Bonaventura: Una fiaba di E.T.A. Hoffmann. Istituto Universitario Orientale. Annale Sezione Germanica. Napoli 1958. [Hauptsächlich Vergleich mit Tiecks *Runenberg*. Hoffmann verlege den Konflikt in die Psyche des Helden.]
Uber, Wolfgang: E.T.A. Hoffmann und Sigmund Freud, (s. AB IV A.1.2.).
Werner, Hans Georg: E.T.A. Hoffmann, (s. Gesamtbibliographie).
Wright, Elizabeth: E.T.A. Hoffmann and the Rhetoric of Terror. Aspects of Language Used for the Evocation of Fear. London 1978. [Komparatistische Sprachanalyse, vergleicht Auszüge aus Hoffmanns Werken mit Passagen aus Werken von Grosse, Tieck und Kleist bis Kafka. Gegenüberstellung der *Bergwerke zu Falun* mit Tiecks *Runenberg*. Vermittelt wertvollen Einblick in die sprachlichen Mittel, mit denen Schrecken und Furcht evoziert werden.]

1.3. Voraussetzungen und Entstehung

Die Bergwerke zu Falun basieren auf einer kurzen Erzählung Gotthilf Heinrich Schuberts, die 1808 in dessen *Ansichten von der Nachtseite der Naturwissenschaft* erstmals erschienen war. Schuberts Darstellung wiederum stützt sich auf einen aus dem Jahr 1722 stammenden wissenschaftlichen Bericht des schwedischen Bergassessors Adam Leyel in den *Acta litteraria Upsaliae publicata.* Leyel schildert darin den seltsamen Vorfall, der sich Anfang des 18. Jahrhunderts in einem Bergwerk in Schweden ereignet hatte. Die Leiche eines verschollenen Bergmannes wurde fast völlig unversehrt geborgen, nachdem er 50 Jahre lang in Kupfervitriol gelegen hatte. Unter den Leuten, die ihn wiedererkannten, erregte vor allen seine einstige Braut Aufsehen. Schwedischen Zeitungsberichten von 1720 zufolge erwarb die medizinische Fakultät die Leiche durch Kauf zum Zweck wissenschaftlicher Untersuchungen. Nicht lange nach ihrer Entdeckung muß sie aber zu einer Art Asche zerfallen sein (vgl. etwa Lorenz).

Im April 1809 druckte die Zeitung ‚Jason' Schuberts Geschichte ab und rief zu dichterischer Behandlung des Stoffes auf. Der neben Hoffmann wohl bekannteste Dichter, der diesem Aufruf Folge leistete, war Johann Peter Hebel mit seiner unnachahmlichen Prosadichtung „Unverhofftes Wiedersehen", erschienen 1811 im *Schatzkästlein des rheinischen Hausfreundes.* Diesem Aufruf, oder jedenfalls Schuberts Inspiration, ist wohl auch Achim von Arnims Ballade „Des ersten Bergmanns ewige Jugend" zu verdanken, die dem Roman *Armut, Reichtum, Schuld und*

Buße der Gräfin Dolores eingefügt ist. Wenig bekannt ist ein erst 1953 Friedrich Hebbel zugeschriebener Text *Treue Liebe,* der 1828 als ein Werk des 15jährigen anonym in der friesischen Lokalzeitung ‚Ditmarser und Eiderstedter Boten' erschienen war (vgl. Kahrmann, S. 94). Außer Schubert und eventuell Arnim oder Hebel mögen Hoffmann als weitere literarische Vorbilder *Heinrich von Ofterdingen* des Novalis oder Ludwig Tiecks *Runenberg* aus dem *Phantasus* gedient haben. Über das genaue Datum der Entstehung des Werks orientiert ein vom 15. Dez. 1818 datierter Brief des Autors an seinen Leihbuchhändler Kralowsky, in dem Hoffmann diesen um einen Reisebericht über Schweden bittet. Im selben Brief ist ein Buch von Hausmann erwähnt, dem der Dichter Details über das Bergwerk entnommen haben könnte (Johann Friedrich Ludwig Hausmann: *Reise durch Skandinavien in den Jahren 1806 und 1807,* 5 Bde., Göttingen 1811–18). Aus dem Reisebericht erhoffte er etwas „über die speziellen Sitten, Lebensweise, Tracht, Gebräuche der Bewohner des nördlichsten Schwedens (Faluhn)" (Br II/182) zu erfahren. Das Lokalkolorit gewann Hoffmann durch sorgfältiges Studium des 2. Bandes von Ernst Moritz Arndts *Reise durch Schweden im Jahre 1804* (Berlin 1806). An Arndt mahnt die Schilderung der Stadt Göteborg und der feiernden Heimkehrer einer Ostindienfahrt (s. Namen des Biers, Personennamen und bergrechtliche Verhältnisse). Nach Arndt hat zum Beispiel derjenige Anrecht auf einen Anteil der Ausbeute, der einen „Bergmannshemman" (= Kleinbauernbesitz) erwirbt. Ähnlich verhält es sich in Hoffmanns Erzählung (176). Bei Arndt ist der Dichter auch auf die „Neriker" gestoßen, die stillen etwas schwermütigen Bewohner einer Landschaft zwischen Wener- und Hyalmasee. Aufgrund dieser und anderer Übereinstimmungen kommt Beck zur Einsicht, daß Hoffmann sich weder der reinen Intuition hingegeben, noch sich auf ihn bedrängende „Phantasiegebilde" beschränkt habe, sondern nach sorgfältigen Recherchen bemüht gewesen sei, seine Erzählung anhand realistischer Prämissen zu gestalten (S. 266).

2. *Textanalyse*

2.1. *Abgrenzung gegen zeitgenössische Bearbeitungen des Stoffes*

Im Unterschied zu Arnim und Hebel schuf Hebbel *Treue Liebe* nach dem Tode Hoffmanns aus der Betroffenheit über dessen Werk. Hebbels Text gehört somit zwar Hoffmanns Epoche an, eröffnet aber gleichzeitig die Wirkungsgeschichte der Erzählung unseres Autors. Was die möglichen Vorbilder Hoffmanns betrifft, so steht die Fabel der Erzählung Arnims Ballade „Des ersten Bergmanns ewige Jugend" näher als Hebels *Unverhofftem Wiedersehen.* Hebbel andrerseits ist eindeutig Hebel und nicht, wie etwa zu erwarten wäre, Hoffmann verpflichtet. Man vermutet, Hebbel habe sich von der den *Serapions-Brüdern* eingeschriebenen Kritik leiten lassen. Aufgrund von Ottmars Einwänden gegen den „Aufwand von schwedischen Bergfrälsebesitzern, Volksfesten [...] und Visionen" (197) könnte Hebbel auf den Urtext Schuberts zurückgegriffen haben, um sich nachher, als junger und noch unsicherer Autodidakt, der allseits beliebten Dichtung Hebels zuzuwenden (vgl. Kahrmann, S. 114). Ausgehend von einem der gemeinsamen Züge der vier Texte ist festzustellen, daß alle vier Autoren eine Vorgeschichte erfinden, die sie in unterschiedlicher Ausführlichkeit dem von Schubert Geschilderten voranstellen. Schwerpunkte in der Gestaltung des Stoffes lassen sich bei den ebenfalls allen vier gemeinsamen, programmatischen Überschriften ablesen. Hebels und Hebbels Formulierung weist auf die Betonung der glücklichen Beziehung zwischen den beiden Liebenden hin. Anders Arnim und Hoffmann, deren Werke, wie die Titel ankündigen, sich auf den männlichen Helden und dessen Geschichte konzentrieren. Alle vier Autoren bedienen sich der personalen Erzählsituation. Während der Erzähler bei Hebel und Hebbel das Geschehen aber aus dem Blickwinkel der Braut entwickelt, gestalten Arnim und Hoffmann überwiegend aus der Perspektive des Bergmanns und Liebenden. Hebel und Hebbel thematisieren frühes Leid und Entsagung im Andenken an den verstorbenen Bräutigam. Hoffmann hingegen dämonisiert die Beziehung und läßt, wie Arnim, den Helden zum Opfer eines Wahns werden. Der Status als Diener zweier Herren wird für Elis Fröbom verhängnisvoll. Er wird bestraft für den Glauben, daß er, wie Arnims Held, sowohl dem Berg als auch der Geliebten treu sein zu können glaubt. In Arnims, aber auch in Tiecks Werk sind überdies die Lockungen der Bergkönigin und die Suche nach unermeßlichen Schätzen vorgeprägt. Generell betonen Hebel und Hebbel, wie im Urtext, das Wiedersehen als Kernstück, während es bei Arnim und Hoffmann eine eher marginale Stellung einnimmt.

Was die der Erzählung inhärente Deutung des Ereignisses in Falun anbelangt, so wird das Geschehen bei Hoffmann, entgegen Hebel und Hebbel, nicht im Sinne christlichen Jenseitsbewußtseins interpretiert (vgl. Kahrmann, S. 21, 97). Es findet auch keine Verharmlosung wie bei Arnim statt, wo sich die Gemarterte mit dem Gedanken tröstet, der Verstorbene könnte nun ihr Enkel sein. Hoffmanns Version endet mit Ullas jäher Enttäuschung und wildem Schmerz, die ihr den plötzlichen Tod bringen. Während die drei anderen weiblichen Figuren ihren langjährigen Kummer sublimieren und sich in einer Art würdig wehmütiger Heiterkeit von dem Toten distanzieren, trägt das Leiden der Hoffmannschen Ulla den Stempel des Sinnlosen. Ihr Leben scheint einzig dem ihr von Torbern prophezeiten Wiedersehen zu gelten.

Neben fehlenden religiösen Elementen sind *Die Bergwerke zu Falun* im übrigen auch frei vom „Gestus des moralischen Belehrenwollens", der Hebels und Hebbels Erzählung innewohnt (Kahrmann, S. 102, 99). Diesen beiden Texten kann, im Gegensatz zu Hoffmanns Erzählung, eine didaktische Absicht entnommen werden, die in engem Zusammenhang mit der Textsorte steht. Während Hoffmann, aus heterogenen Quellen schöpfend, ein ganz eigenständiges, nur schwer einer konventionellen Gattung zuzuordnendes Werk schafft, stehen Hebel und Hebbel eindeutig in der Tradition der moralisierenden Kalendergeschichte. Gattungsspezifische Determinanten bestimmen auch Umfang und Stil der Werke. Im Unterschied zu Hoffmanns 36 Seiten langem bezugs- und metaphernreichem Text – Märchenerzählung ist dafür ein Name – ist der Hebelsche auf 1½ Seiten anekdotisch kurz und erfrischend in der Sprache einer Chronik abgefaßt. Auf Chronik verweist bei Hebel auch jener prägnante Einschub aus der Weltgeschichte, der, überleitend aufs Private, die lange Spanne von 50 Jahren verbildlichen soll und der bei Hebbel eine – allerdings vergleichsweise blasse – Nachbildung ergeben hat.

2.2. Die Bedrohung durch das Weibliche

Wie die erwähnten Prosaerzählungen von Hoffmanns Zeitgenossen reflektieren *Die Bergwerke zu Falun* zunächst den ungebrochenen Glauben an die absolute Glückserfüllung in der Ehe. Ulla als Frau heimzuführen wird Elis' höchstes Ziel. Dies angestrebte Glück stimmt überein mit den bürgerlichen Normen von Hoffmanns Zeitalter. Elis und Ulla suchen mit ihrer Eheschließung den Konsens zwischen Privatem und Öffentlichem, ähnlich den Brautleuten in *Treue Liebe,* wo die Liebenden eine kirchlich sanktionierte soziale Norm zu erfüllen im Begriffe sind, indem ihre Ehe vorneweg als „im Himmel geschlossen" bezeichnet wird. So gesehen, verheißt diese Ehe Zusicherung der sozialen Integration durch gesellschaftliche Billigung der privaten Gefühle. Zusätzlich verspricht die institutionalisierte Form der Liebe in unserer Erzählung Kompensation gegenüber der Arbeitswelt. Die hart arbeitenden Bergleute erhoffen sich von der Ehe Überbrückung des Widerspruchs „zwischen [den] realen sozialen Verhältnissen und dem Glücksverlangen des Menschen" (Kahrmann, S. 86).

In traditionell bürgerlichen Bahnen bewegt sich Ulla Dahlsjös Leben generell. Daran ändert auch die geheimnisvolle Aura nichts, die sie umgibt. Als Tochter des wohlhabenden Masmeisters Altermann, des Besitzers einer „Bergfrälse" (d.h. eines Grundstücks mit Kupfer- und Silbervorkommen, 182) ist sie vielbegehrte Heiratskandidatin. Ohne Beruf, bewirtet sie artig und diskret, wie es von Töchtern dieses Zeitalters erwartet wurde, die Bergleute und Gäste ihres Vaters. So wie die Figur ausgestaltet ist, läßt sie auf eine wenig entwickelte Identität schließen. Ulla bezaubert durch ihre Güte, tritt sonst aber wenig mit persönlichen Zügen und Taten hervor. Ihre Charakterisierung entspricht der Formelhaftigkeit, die an Hoffmanns Frauenfiguren so häufig zu beobachten ist, angefangen bei Cäcilia im *Hund Berganza* bis hin zu Röschen im *Meister Floh*. Diesen Figuren gleicht Ulla im Alter und im Aussehen. Sie ist „blutjung" und trägt die üblichen schematischen Charakteristika der körperlichen Erscheinung: hoher schlanker Wuchs, dunkle, in Zöpfe geflochtene Haare (183). Die biographische Forschung hat immer wieder auf den Zusammenhang dieses Frauenbildes mit Julia Mark gedeutet. – Allgemeiner betrachtet aber tragen die Figuren Zeichencharakter in bezug auf den Kommunikationsprozeß zwischen den Geschlechtern. Sie reflektieren im Werk Hoffmanns Unlust und Angst des Mannes vor einer anspruchsvollen persönlichen Begegnung mit der erwachsenen Frau (vgl. auch Cronin, S. 15). Adorno äußert sich zur männlichen Vorliebe für ungeprägte Frauen wie folgt:

> Ihre Attraktion rührt her vom Mangel des Bewußtseins ihrer selbst, ja eines Selbst überhaupt. [...] Je reiner sie Schein sind, ungestört jeder eigenen Regung, umso ähnlicher sind sie Archetypen [...], die alle Individuation gerade als bloßen Schein ahnen lassen. (*Minima Moralia*. Frankfurt/M. 1980, Bibliothek Suhrkamp 236, S. 222)

Auf die fiktive Welt unserer Erzählung angewendet, verdeutlicht dieses Zitat, daß die dem Paradigma der jungen Geliebten entsprechenden Frauenfiguren bei Hoffmann weniger als Handlungsträger denn als Wunschbilder fungieren; wie Cronin ausführt, gestaltet sie der Erzähler mit Vorliebe als „Symbol einer paradiesischen Urzeit, [...] als Mensch im innigsten Einklang mit der Natur" (S. 15), in anderen Worten: als Verkörperung des Ideals aus dem Goldenen Zeitalter. Dabei gilt zu beachten, daß diese Sehweise meistens dem Erzählerkommentar oder dem Kommentar erzählender Figuren, kaum aber dem Diskurs der Frauenfiguren selbst zu entnehmen ist. Es ist die (männliche) Imagination, die dieses Frauenbild prägt. Im Vordergrund stehen die Vorstellungen des Erzählers. Silvia Bovenschens wichtige Studie zu diesem Phänomen erweist, daß an Hoffmanns fiktionalen Geliebten eklatant wird, was für die Darstellung der Frau in der Literatur des Patriarchats allgemein gilt:

> Meist jedoch blieb das Schweigen der Frauen unbemerkt, es wurde zugedeckt vom Lärm der nie unterbrochenen, stellvertretenden Rede über das Weibliche [...]. Die Morphogenese der imaginierten Weiblichkeit schiebt sich im Rückblick an die Stelle der weiblichen Geschichte. (*Die imaginierte Weiblichkeit*, Frankfurt/M. 1979, S. 40f.)

Ob nun das Unbehagen an der reifen Frau dasjenige des fiktiven Erzählers oder des männlichen Autors ist, spielt für unsere Fragestellung keine

Rolle, solange wir anerkennen, daß es dem Erlebnishorizont des historischen Autors entstammt. Bemerkenswert ist die Tatsache, daß diese Angst nur auf dem Weg über die ausgesparten Diskurse rezipierbar ist, expressis verbis wird nicht darauf verwiesen. Angst vor der Frau manifestiert sich nämlich in Elis Fröboms ganzem Dasein. Diese Angst ist aber nicht als solche gekennzeichnet, vielmehr erscheint sie eingekleidet in das Gewand eines Mythos, dem Märchen von den Verlockungen des Berges.

Zu Beginn der Erzählung kehrt Elis Fröbom bekanntlich als Seemann von einer Ostindienfahrt heim. Signifikanterweise gilt seine Sehnsucht nicht einem Mädchen oder einer jungen Frau seines Alters, sondern seiner Mutter. Elis' Erzählung zufolge hat sein Heimweh auch vorher nie einer anderen weiblichen Person gegolten. Sein Entschluß, Bergmann zu werden, beruht nicht auf freiem Entscheid, sondern erweist sich als Folge des Schocks über den Tod der Mutter (184). Lorenz deutet Elis' Berufswechsel als Zeichen des Ausbruchs einer Neurose, die latent schon seine erste Berufswahl beeinflußt habe (S. 263). Er vermutet, daß mit dem Tod der Mutter auch die – zwar unbewußte – Motivation für den Seefahrerberuf hinfällig geworden sei; denn nun brauchte Elis die Mutter nicht mehr aus der Ferne zu idealisieren, und die durch den Beruf auferlegte örtliche Distanz verlor ihren Sinn. – Auf der Ebene des rationalen Bewußtseins erklärt die erzählende Figur Elis die Berufswahl allerdings mit Familientradition, denn Seefahrer war schon der Vater gewesen, nicht aber die Brüder (174f.). Elis Fröboms Sozialisation ist unter den Vorzeichen einer übertriebenen Mutterbindung zu betrachten, psychoanalytisch auf den Begriff gebracht: Fixierung der Libido an die Mutter. Nach Lorenz bricht die Neurose just im Moment aus, da die Befriedigung der auf infantiler Stufe verbliebenen erotischen Bedürfnisse für immer versagt wird (S. 264). Lorenz deutet im Anschluß an diese Diagnose Elis' Träume und Wahnvorstellungen als neurotische Ersatzbildungen für die versagten Wünsche und macht uns mit Hoffmann als einem Psychologen mit visionärer Erfahrung bekannt (vgl. auch Lea, S. 101 oder Magris, S. 54f.).

Elis' Wahn kündet sich erstmals in seinem Traum nach der Begegnung mit dem Alten in Göteborg an. Dieser Traum, in den der Erzähler Elis' Zukunft kleidet, entspricht nach Lorenz präzise den Träumen eines Neurotikers. Der Alte und der Traum verraten im übrigen Reminiszenzen an Novalis, und zwar an den Roman *Heinrich von Ofterdingen* und nicht, wie Lorenz vorschlägt, ans Märchen von Hyazinth und Rosenblüt aus den *Lehrlingen zu Sais*. Wie der Bergmann im fünften Kapitel des *Ofterdingen* schwärmt der Alte von den geheimen Schatzkammern der Natur im Berg. Ebenso wie dieser warnt er vor schnöder Gewinnsucht (176; Novalis: *Schriften*, Bd. 1 [s. AB III A.2.2.], S. 245ff.). Elis' Traum (177ff.) evoziert Vorstellungen, die in zahlreichen Details mit dem

Traum von der blauen Blume übereinstimmen. Wo Heinrich im gleißenden Strom im Widerschein metallischer Farben zu schwimmen glaubt, hat Elis den Eindruck, er schwimme „in einem schönen Schiff umgeben von Blumen und Pflanzen aus blinkendem Metall" (178). Bezeichnenderweise führt beider Weg durch eine Höhle, deren Inneres von ihnen als feucht erlebt wird. Elis nimmt das schimmernde Gestein als fließende Masse wahr. Beiden Texten gemeinsam ist eine deutlich erotische Implikation. Mädchenantlitze lächeln lockend aus der Pflanzenwelt, Unsagbarkeitstopoi künden von dem tiefen Glücksgefühl, das die beiden Jünglinge empfinden: „mit inniger Wollust strebten unzählbare Gedanken in ihm sich zu vermischen" (Novalis, S.197), „ein unbeschreibliches Gefühl von Schmerz und Wollust ergreift den Jüngling" (178). Eine Deutung der Höhle als sexuelle Metapher ist naheliegend. Während Heinrichs Traum aber die Liebe zu Mathilde antizipiert, weist Elis' existenzielle Angst beim Anblick der Bergkönigin auf die Bedrohung, die für ihn die Liebe später darstellen wird. Elis' Traum ist unheilvoll. Auch Hoffmanns Held hört, wie Heinrich, die Stimme der Mutter, aber er erwacht nicht daran, sondern bleibt eingeschlossen im Finstern, umfangen vom ehernen Torbern, das „holde junge Weib" nur aus der Ferne wahrnehmend. Typisch für den Angsttraum ist das Mißlingen des Versuchs, die durch die Ritze gereichte Hand des Mädchens zu ergreifen (178).

Einerseits kann der Traum als Inzestphantasie und gleichzeitige Angst vor dem Inzest gedeutet werden. Andererseits lehrt uns Freuds *Traumdeutung,* daß derartigen angsterfüllten Träumen „Phantasien über das Intrauterinleben, das Verweilen im Mutterleibe und den Geburtsakt" zugrunde liegen. Auch Elis' Traum beinhaltet „das Passieren von engen Räumen oder den Aufenthalt im Wasser" (Sigmund Freud: *Studienausgabe,* Frankfurt/M. 1969, Bd. II. S. 390). Lorenz zufolge entspricht der Wunsch nach einer Tätigkeit im Bergwerk sowohl dem Inzestwunsch als auch einer Uterusphantasie des Helden. Der Traum von der Rückkehr in den Uterus ist deutliches Anzeichen für Elis' Regression, in die er nach dem Tod der Mutter fällt. Der eherne Riese, der ihn nicht aus seiner Umklammerung entläßt, nimmt das Ende Elis' vorweg, er ist aber auch Chiffre für eine Art von unbewältigtem Ödipuskomplex, der Elis schließlich unfähig macht zur Liebe. Die Hand des Mädchens, die Elis nicht zu erfassen vermag, ist Symbol für seine spätere Angst vor der Entgrenzung in der Begegnung mit Ulla. Elis schreckt unbewußt vor der Verbindung mit einer Frau zurück und macht damit auf die Panzerung seines Ichs aufmerksam, die ihn vor der Überflutung seiner Grenzen schützt (vgl. Klaus Theweleit: *Männerphantasien,* Frankfurt/M. 1977, S. 379–455). Der Traum antizipiert, was im Geschehen des Hochzeitsmorgens deutlicher zum Ausdruck kommt. Elis' Flucht, die er mit der Suche nach dem kirschrot funkelnden Almandin begründet, ist eine Metapher für die

Angst vor der Vereinnahmung durch die Liebe (194, vgl. auch AB V A.2.2.).

Unberücksichtigt bleibt bis hierher die Frage nach der Rolle der Bergkönigin, die Elis im Halbtraum in die herrlichsten Trappgänge lockt und ihn im Wachzustand mit fremder Stimme ruft. Sie ist weder mit der Mutter noch mit dem jungen Mädchen, das Elis später als Ulla Dahlsjö erkennt, identifizierbar, wie Neubauer behauptet (S. 486f., vgl. 192f.). Leas Deutung überzeugt ebenso wenig, wenn er die Metallkönigin vage als „a more inscrutable figure" interpretiert und in ihr ein Gegenprinzip zu Ulla erkennt (S. 80). Unseres Erachtens kann hier kaum etwas anderes als die Forderungen durch den Bergmannsberuf versinnbildlicht sein, der, wie Torbern und Pehrson warnend hervorheben, den rückhaltlosen Einsatz aller Fähigkeiten und Kräfte von den ihn Ausübenden erfordert (185).

2.3. *Erzgrube und Wunschproduktion*

Anders als Novalis, der den Bergmann als ‚rückwärts gewandten Propheten' idealisiert, vermittelt Hoffmanns Erzählung schonungslos die harte Realität des Bergwerksberufs. Elis' Dantesche Höllenvision beim ersten Anblick der Tagesöffnung zur Erzgrube hat mit realen Ängsten des Helden zu tun, einem Maulwurf gleich physisch und psychisch zu erblinden durch das Leben unter Tag (181f.). Der Erzähler spielt hier auf das Berufsrisiko des Bergmanns an, das er später mit folgenden Worten umreißt:

> Das Herz wollte dem Elis doch mächtig schlagen, als er wieder bei dem rauchenden Höllenschlunde stand [... und] mit dem Steiger hinabfuhr in den tiefen Schacht. Bald wollten ihn heiße Dämpfe [...] ersticken, bald flackerten die Grubenlichter von dem schneidend kalten Luftzuge. [...] Immer tiefer und tiefer ging es hinab, zuletzt auf kaum ein Fuß breiten eisernen Leitern. (186)

Die Ausbeutung der Bodenschätze nahm im Vorfeld der Industrialisierung in Hoffmanns Epoche einen vorher nie dagewesenen Aufschwung. Schmutz, permanente Lebensgefahr und unsägliche körperliche Anstrengung waren damals mehr noch als heute das tägliche Los des Bergmanns. Unmenschliche Arbeitsbedingungen, insbesondere die langen Arbeitszeiten, verurteilten die Bergleute zu einer völligen Hingabe an den Beruf. Der Abscheu Elis' vor den „Unholden" (181) reflektiert dessen Widerwillen, sich selbst so verdinglichen zu lassen. Große literarische Zeugnisse der Bergwerksproblematik finden sich nicht ohne Grund in England, wo die europäische Industrialisierung ihren Ausgang nahm. Die Schilderungen von Elis' Wahrnehmungen beim ersten Kontakt mit dem neuen Beruf erinnern an Charles Dickens' später entstandenen Roman *Hard*

Times (1854) oder an David Herbert Lawrences *Sons and Lovers* (1913). Im übrigen legt die Geschichte von Torbern in unserer Erzählung beredtes Zeugnis von Mißbräuchen in der Kohle- und Erzgewinnung ab, denn der Bergsturz, in dem Torbern 1687, wie angegeben, umkam, hatte sich aufgrund „gewinnsüchtiger Gier“ ereignet. Ohne jegliche „wahre Liebe zum wunderbaren Gestein“ hatte man „die Gruben immer mehr und mehr“ ausgeweitet, bis sie einstürzten (189). Diese Passage liest sich im späten 20. Jahrhundert angesichts der Ausbeutung der Natur als beklemmend realistische Warnung.

Fragen wir nun nach dem Funktionszusammenhang zwischen der Darstellung von Elis Fröboms Wahn und der Bergwerkswelt, so erweist sich der Wahnsinn als gewichtiges Element im Dienst der Sozialkritik. Nach Wolfgang Uber hat Hoffmann sich in diesem Werk mit den Problemen des in Entstehung begriffenen Proletariats befaßt (S. 667 ff.). Hans Mayer weist als erster darauf hin, daß das Motiv des Wahnsinns in Hoffmanns Werk als Deutungsversuch der dargestellten Wirklichkeit aufgefaßt werden kann: Wahnsinn als Gegenpol zur Realität, und zwar als Protest. Nach Mayer dient der epische Dualismus Hoffmanns allgemein nicht einer „Entwesung der Wirklichkeit“ im romantischen Sinn wie etwa bei Novalis (S. 123 f.). Weit eher sei das Gegeneinander zweier Welten als sentimentalisch im Lichte der Schillerschen Definition zu betrachten. So gesehen verweist Elis' Wahnsinn, anstelle eines Erzählerkommentars, auf die Unlebbarkeit der Verhältnisse, die dem Individuum die Lösung seiner Lebenskonflikte nur über den Ausweg ins Mythische oder in den Wahnsinn erlauben. Mayers Ansicht teilt unter anderem Otto Nipperdey, wenn er sagt, daß bei Hoffmann „im extremen Fall der Konflikt des Ichs mit der Gesellschaft oder der Konflikt des Ichs mit sich selbst zum Wahnsinn führen“ könne (S. 220). Mayers These wird anfechtbar, wenn er an der Behauptung festhält, Hoffmanns Kritik der historischen Zustände führe schließlich in Eskapismus und Resignation.

Wichtige Informationen in bezug auf die Arbeitswelt liefert in der vorliegenden Erzählung die Bildlichkeit. Signifikanterweise dominiert in Elis' Schilderung der Welt unter Tag die Meeresmetaphorik und nicht, wie zu erwarten wäre, die Erscheinungswelt des Gesteins. Den Stollen erlebt Elis zunächst als Meereslandschaft, sein Ich droht im Traum in der glänzenden Felsmasse zu zerfließen (179). Die große Pinge (Tagesöffnung) vergleicht er kurz darauf mit dem Meeresboden, die Schlacken des Erzes mit abscheulichen Untieren, „die ihre häßlichen Polypenarme nach ihm“ ausstrecken (181). Bei der Rückkehr des Traumes von den Metallblumen im Stollen ist ihm, als „schwämme er in den Wogen eines blauen durchsichtig funkelnden Nebels“ (191).

Wie bei der Berufswahl bietet sich für diese spezifische Metaphorik vorerst eine plausible Erklärung an: Elis' Wahrnehmungen mögen als

Erinnerung an seine Vergangenheit auf hoher See interpretiert werden. Diese Deutung berücksichtigt jedoch nur die Oberflächenstruktur des Geschehens. Wichtig ist die Vorstellung vom Fließen, das die Meeresbildlichkeit evoziert. Im Gegensatz zum festen Gestein des Stollens befindet sich auf dem Meeresgrund alles in Bewegung. Faßt man die unbewußte Wunschproduktion, wie etwa Gilles Deleuze und Félix Guattari (vgl. *Anti-Ödipus. Kapitalismus und Schizophrenie I*. Frankfurt/M. 1974 und Klaus Theweleit: *Männerphantasien* [s. oben D.2.2.]), als ein Strömen auf, so erscheint es einleuchtend, die Meeresmetaphorik mit Elis' „Wunschmaschine" in Verbindung zu bringen. Elis ersehnt bekanntlich die Vereinigung mit Ulla. Ihr zuliebe vergißt er „alle Schrecken des Abgrundes, alle Beschwerden der mühseligen Arbeit" und wird in kürzester Zeit ein geübter Bergmann (186). Daneben beherrschen ihn die Verlokkungen durch die Edelsteine. Beide Wünsche werden ihm auf der realen und der metaphorischen Ebene zum Verhängnis, die unterirdischen Gesteinsmassen erdrücken ihn am Tage seiner Hochzeit. Die Erzählung begründet Elis' Scheitern mit seinem mangelnden Willen, Forderungen des Bergmannberufs über private Ziele zu stellen. An der für diese Aussage ausschlaggebenden Stelle spricht Torbern zu ihm:

> Hier unten bist du ein blinder Maulwurf, dem der Metallfürst ewig abhold bleiben wird, und oben vermagst du auch nichts zu unternehmen und stellst vergebens dem Garkönig nach [...] Des Pehrson Dahlsjö Tochter Ulla willst du zum Weibe gewinnen, deshalb arbeitest du hier ohne Lieb und Gedanken. (187)

Die Figur des Elis wird als eine an einem Zwiespalt leidende dargestellt, wobei von den beiden Polen, die ihn anziehen, das Bergwerk sich als der stärkere erweist. Nach Ausbruch des Wahns fühlt Elis sich „wie in zwei Hälften geteilt", wie dem Erzählerkommentar zu entnehmen ist (193). Ihm ist, „als stiege sein besseres, sein eigentliches Ich hinab in den Mittelpunkt der Erdkugel und ruhe aus in den Armen der Königin, während er in Falun sein düsteres Lager suche" (ebda.). Die Zerrissenheit des Helden, die sich hier in der Bildlichkeit spiegelt, ist ein zeitgenössisches Motiv, das die Werke von Byron bis Heine durchzieht.

Im Konflikt zwischen Wunsch und Beruf fällt es Elis leichter, bei der Arbeit Ulla zu vergessen, als umgekehrt über dem Zusammensein mit der Braut die Arbeit aus dem Gedächtnis zu verdrängen. Das gilt vor allem für die Zeit nach dem entscheidenden Erlebnis im Hause Dahlsjö, als sich herausstellt, daß Ulla nicht beabsichtigt, den reichen Handelsherrn aus Göteborg, sondern Elis zu heiraten (190, 192). Mitten auf der Verlobung ist dem Elis, „als griffe auf einmal eine eiskalte Hand in sein Inneres hinein" (192). Eine Stimme mahnt ihn, daß es Höheres gebe, als Ullas Jawort zu gewinnen. Hier regt sich neben dem Gedanken an Flucht vor der Liebe das schlechte Gewissen eines übereifrigen Berufsmannes. Nach

Uber geht es bei der zentralen Aussage der *Bergwerke zu Falun* um die Darstellung „eines neuen repressiven Arbeitsethos". Erst wenn Elis das Leistungsdenken verinnerlicht hat, darf er sich unter den Bergleuten als einer der ihren ansehen. Uber sieht z.B. die dargestellten Feste im Dienste der „Zuführung von Arbeitsreserven". Nicht zufällig stelle Pehrson anläßlich des Festes Elis eine Stelle in Aussicht, nachdem er ihn vor dem Untergang bei mangelndem Einsatz gewarnt hatte, lauten doch Pehrsons Worte wie folgt:

> Habt ihr aber euren innern Beruf genügsam geprüft und ihn bewährt gefunden, so seid ihr zur guten Stunde gekommen. In meiner Kuxe fehlt es an Arbeitern. (185)

Uber weist darauf hin, daß diese Art der Anwerbung, verbunden mit einer neuen Moral, in Hoffmanns Zeit aufkam. Sie sei erst möglich geworden mit der Auflösung der ständischen Ordnung (S. 669).

Feudale und frühkapitalistische Elemente mischen sich in unserer Erzählung in der Tat. Pehrson entpuppt sich trotz Zügen eines Lehnsherrn als frühkapitalistischer Produzent. Er sorgt für seine Leute wie einst ein guter Feudalherr und kommt damit Pflichten nach, die in einer überlebten Rechtsordnung verankert sind (vgl. *Meister Martin,* AB IV D.2.). Daneben liefert er das Identifikationsmodell für den strebsamen Bergmann der Zukunft. Wer ihm nacheifert, hat die Chance, dereinst selbst Besitzer einer Kuxe (oder Bergfrälse) zu werden (186f.). Einerseits bürgt die asketische Arbeitshaltung für sozialen Aufstieg. – Schließlich spielt die Askese eine wichtige Rolle in der Sozialethik des aufsteigenden Bürgertums (vgl. Max Weber: *Die protestantische Ethik.* Tübingen 1920 und Norbert Elias: *Über den Prozeß der Zivilisation* [s. Bibliographie zu AB I B.]). – Andrerseits bedeutet der Preis für den Aufstieg Verzicht des Menschen auf seine Ganzheit. Klaus Theweleit beschreibt diese Entwicklung als „künstliche Aufrechterhaltung des Mangels" (*Männerphantasien* [s. oben D.2.2.], 1. Bd., S. 462–468.). Sinnliche Entfaltung wird unter Berufung auf wichtigere Ziele aufgeschoben oder als nie erreichbar in der Ferne anvisiert. Mit einem neuen Sittlichkeitsideal der Reinheit, angewendet auf die Frauen der eigenen Schicht, setzt sich der im sozialen Aufstieg Begriffene gegen die Oberschicht durch (s. ebda.).

Wenn Elis an der Forderung zur totalen Hingabe an die Bergkönigin zerbricht und vom Berg verschlungen wird, so ist dem Text eine Intention zuzuschreiben, die das von Elis abverlangte Arbeitsideal verwirft. Elis' Scheitern signalisiert die Ablehnung einer Arbeitsweise, die dem Arbeitenden Entwicklung seiner Ganzheit versagt. Daß es diese Ganzheit für die unteren Schichten nie gegeben hat, sei damit nicht bestritten. Schon Karl Philipp Moritz weist in seiner *Kinderlogik* (Faksimile der Erstausgabe von 1786. Frankfurt/M. 1980, S. 141) darauf hin, daß

Selbstentfaltung stets nur auf dem Hintergrund der Selbstaufopferung der Dienenden möglich war und ein Privileg der oberen Schichten darstellte. Neu bei Hoffmann ist der literarische Nachvollzug einer krankmachenden Verinnerlichung dieses speziellen Konflikts. Der im Wahn endende unüberwundene Ödipuskomplex verbildlicht als Diskurs im Diskurs die Ohnmacht des Elis, unter den historischen Zwängen er selbst zu werden.

V. Romane

A. Die Elixiere des Teufels

1. *Einführende Informationen*

Der Roman *Die Elixiere des Teufels* löste von Anbeginn einen „Sturm der Meinungen" aus; im Verlauf der Zeit wurde er, vor allem bei der Masse der Leser, eines der populärsten Werke Hoffmanns (vgl. von Maassen, Bd. 2, S. XXIII und Nehring). Ob diese Aussage für das zeitgenössische Publikum gilt, ist allerdings schwer abzuschätzen. Während des Dichters Lebenszeit erschien jedenfalls keine Neuauflage. Immerhin ist bekannt, daß der Kammergerichtsrat Hoffmann des öftern schlicht mit dem Verfasser der Teufelselixiere identifiziert wurde (vgl. Schnapp, *E.T.A. Hoffmann in Aufzeichnungen,* S. 318). Während die *Fantasiestücke* sogleich heftige Resonanz fanden, war den *Elixieren* zunächst nur ein schwaches Echo in der Fachwelt beschieden (s. Nehring, S. 325–334).

Inzwischen liegt zu diesem Roman eine reichhaltige Sekundärliteratur vor. Besonders seit den siebziger Jahren des 20. Jahrhunderts genießt das Werk das Interesse zahlreicher oft psychoanalytisch interpretierender Autoren. Am Anfang dieser ‚Wiederentdeckung' steht Horst Daemmrichs Studie *The Shattered Self,* in der das Kapitel über den vorliegenden Roman eine zentrale Stellung einnimmt. Daemmrich mißt dem Werk wegweisende Bedeutung bei, weil es Probleme antizipiere, die den Menschen des 20. Jahrhunderts betreffen (vgl. auch das Nachwort Müller-Seidels in II/672). Nach Daemmrich fängt Hoffmann in den *Elixieren* das ganze Spektrum der inneren Erfahrung eines Menschen auf der Suche nach Selbstverwirklichung ein (S. 93). Mit dem Doppelgänger des Mönchs Medardus befaßte sich im übrigen Freud in seiner Abhandlung *Das Unheimliche.* Dieser Studie vor allem verdanken die *Elixiere* die nachhaltige Beachtung durch die psychoanalytisch orientierte Literaturwissenschaft. Da die Darstellung des Wahnsinns in den Bekenntnissen des Mönchs breiten Raum einnimmt, erachten wir es als unerläßlich, den psychoanalytischen Diskurs in der Analyse wieder aufzugreifen und dessen Ergebnisse kritisch zu reflektieren. Wir werden uns diesbezüglich einer der beiden Hauptrichtungen anschließen, nach denen die *Elixiere* bis anhin untersucht worden sind, und uns vor allem mit den Studien Sigmund Freuds (1919) und Otto Ranks (1914) und ihnen verwandten Interpretationen befassen. Arbeiten, die sich auf die Theorie C. G. Jungs berufen, sind in unserem Literaturverzeichnis aufzufinden.

Über die dichterische Qualität des Romans gehen die Ansichten bis heute diametral auseinander. Begeistern zum einen der Reichtum an Einfällen und die Souveränität, mit der das Geschehen dargebracht wird (s. von Maassen, Köhn, Daemmrich, Nehring u.a.), so redet man andrerseits immer wieder mißbilligend von einem Werk der Trivialliteratur, unter anderem auch aufgrund der Struktur (s. etwa Mayer, Werner, Zehl Romero). Die Diskussion um die *Elixiere* hat nicht wenig zu den bekannten Vorurteilen gegen Hoffmann beigetragen, wie Nehring treffend formuliert:

> Die *Elixiere des Teufels* mit ihrer schauerlichen Atmosphäre, den unheimlichen Bildern des Wahnsinns und den gespensterhaften Erscheinungen von Doppelgängern und Revenants vertreten vielleicht am spektakulärsten das, was man an Hoffmann generell verwarf, womit man ihn identifizierte. (S. 328)

Eine Reihe von Autoren begründen den Vorwurf der Trivialität mit der Ansicht, der Roman repräsentiere einen Prototypus blinden Schicksalsglaubens. Diesen Einwand hatte Hans von Müller als einer der ersten erhoben. Für ihn basieren die *Elixiere* „auf einer fatalistischen oder genauer gesagt dämonischen Weltanschauung" (S. 727). Werner betrachtet Medardus als das ausgesprochene Gegenbeispiel der klassischen Prometheusgestalt, als Anti-Sinnbild „des bürgerlichen Willens zu Selbstbehauptung" (S. 81f.). In diesem Roman werde alles irdische Handeln und Wollen letzten Endes als „Verlockung des Satans" und nicht als Menschenwerk deklariert. Eine solch fatalistische Auffassung vom Menschen sei „kunstwidrig, da ihr zufolge der Mensch in seinen Handlungen, Entscheidungen, Gefühlen und Nöten nicht mehr ernst genommen werden" könne (S. 91). Von einem „passiven Lebensgefühl" spricht auch Max Pirker in seinem Artikel über Sucher. Er bezeichnet dieses Gefühl gar als „die geistige Signatur der Dichtung Hoffmanns" (S. 265). Auf diese Fatalismus-These wird in der Analyse ebenfalls einzugehen sein.

Gegen das Verdikt „Unterhaltungsliteratur" verwahren sich im übrigen viele Autoren (s. z.B. von Maassen, Harich, Meixner und Nehring), doch ist eine umfassende Untersuchung vor allem der sprachlichen Gestaltungsmittel bisher unterblieben. Analysen wichtiger struktureller Teilaspekte liegen hingegen vor. Hier ist an erster Stelle Marianne Thalmann zu erwähnen. In ihrem Buch *Der Trivialroman des 18. Jahrhunderts und der romantische Roman* weist sie nach, wie Hoffmann aus dem Motivschatz des Trivialromans geschöpft hat, um ein Dichter der Romantik „kat exochen" zu werden (S. 321). Die Elemente des Trivialromans gerieten bei Hoffmann zu Versatzstücken im Dienst des Intellekts. Nicht billige Beseelung sei der Effekt, sondern Verzauberung und Entzauberung. – Nehring sieht in den *Elixieren* eine Synthese der literarischen Kategorien und betrachtet den Roman als „eines der seltenen Beispiele in der deutschen Literatur, in denen sich die Konventionen der populären Unterhaltungsliteratur mit literarischen Ansprüchen [...] vereinigen" (S. 347). – Zur Klärung solcher Fragestellung trägt die Studie Elizabeth Wrights bei. Sie konzentriert sich unter anderem auf die Bildlichkeit in unserem Roman und zeigt auf, in welcher Weise abgenutzte Paradigmen und tote Metaphern bei Hoffmann neues Leben gewinnen mit dem Resultat, Schrecken zu evozieren. – Um eine Widerlegung der Einstufung des Werks als Trivialroman ist in gewissem Sinn auch Lothar Köhn bemüht, wenn er die formalen und rezeptionsästhetischen Mittel untersucht, mit denen der Roman Suggestion auf den Leser ausübt.

1.1. Texte und Materialien

Die Elixiere des Teufels. In: E.T.A. Hoffmann: *Elixiere/Kater Murr.* München 1961. Ausgabe des Winkler Verlags (II/5–291); nach dieser Edition wird im folgenden zitiert unter einfacher Nennung der Seitenzahl.

Die Elixiere des Teufels. Stuttgart 1982, Reclam 192. Mit einem Nachwort von Wolfgang Nehring. [Sorgfältige Ausgabe unter Zugrundelegung des Erstdrucks von 1815/16 mit modernisierter Orthographie und Zeichensetzung.]

Die Elixiere des Teufels. Frankfurt/M. 1977. insel taschenbuch 304. [Mit Illustrationen von Hugo Steiner-Prag.]

Die Elixiere des Teufels. München 1977. dtv 2020. [Seitenidentisch mit der Winkler-Ausgabe.]

Die Elixiere des Teufels. Zürich 1983. Manesse Bibliothek der Weltliteratur. [Nachwort von Peter von Matt.]

Die Elixiere des Teufels. München 1977. Goldmann Klassiker 7523. [Mit Erläuterungen versehen.]

Schnapp, Friedrich (Hrsg.): E.T.A. Hoffmann in Aufzeichnungen, (s. Gesamtbibliographie), S. 190, 193, 301, 304f., 316 (318), 325, 328f., 339, 439, (455), 462, 486, 641.

Schnapp, Friedrich (Hrsg.): E.T.A. Hoffmann, (s. Gesamtbibliographie), S. 45, 112–120, 145, 247, 277, 293f.

1.2. Forschungsliteratur

Cramer, Karin: Bewußtseinsspaltung in E.T.A. Hoffmanns Roman *Die Elixiere des Teufels.* In: MHG 16 (1970), S. 8–18. [An C. G. Jungs Lehre orientierte Studie.]

Daemmrich, Horst: The Shattered Self, (s. AB III B.1.2.).

Elling, Barbara: Leserintegration im Werk E.T.A. Hoffmanns. Bern, Stuttgart 1973. [Behandelt die von der Hoffmann-Forschung noch wenig beachtete Rezeptionsästhetik an verschiedenen Werken des Autors, ignoriert allerdings die Ergebnisse der Arbeiten von Gadamer, Jauß und Iser.]

Ellinger, Georg: E.T.A. Hoffmann, (s. Gesamtbibliographie).

Freud, Sigmund: Das Unheimliche, (s. Gesamtbibliographie).
Fühmann, Franz: Fräulein Veronika Paulmann, (s. AB III A.1.2.). [Verwahrt sich gegen den Versuch, den Roman als „Beitrag zur Erbbiologie“ zu interpretieren; Hoffmann erzähle hier „voll Grausen“ von der „Verknäulung“ des Individuums in einem von ihm vorgefundenen sozialen Beziehungsnetz (S. 19).]
Harich, Walther: E.T.A. Hoffmann, (s. Gesamtbibliographie).
Hewett-Thayer, Harvey W.: Hoffmann, (s. AB III B.1.2.).
Jung, Carl Gustav: Das Unbewußte im normalen und kranken Seelenleben. Zürich 1929, S. 57. [Benützt den Doppelgänger aus den *Elixieren* als Beispiel für Verdrängtes.]
Kalfus, Richard: The Function of the Dream in the Works of E.T.A. Hoffmann. Phil. Diss. St. Louis, Missouri 1973. [Befaßt sich mit der wechselnden Perspektive zwischen Traum und Wirklichkeit. Das Werk weise auf die Traumpsychologie C. G. Jungs voraus.]
Kanzog, Klaus: E.T.A. Hoffmann und Karl Großes *Genius*. In: MHG 7 (1960), S. 16–23. [Sieht in den *Elixieren* den Trivialroman überwunden.]
Klinke, Otto: E.T.A. Hoffmanns Leben und Werke. Vom Standpunkt eines Irrenarztes. Braunschweig 1902. [Betont von einem nicht literaturwissenschaftlichen Standpunkt aus die Präzision, mit der Hoffmann gerade in diesem Roman psychopathologische Prozesse beschrieben habe.]
Köhn, Lothar: Vieldeutige Welt, (s. Gesamtbibliographie).
Kuttner, Margot: Die Gestaltung des Individualitätsproblems bei E.T.A. Hoffmann. Phil. Diss. Hamburg 1936, Düsseldorf 1936. [Gesteht Medardus keine Handlungs- und Entwicklungsfähigkeit zu.]
Maassen, Carl Georg von (Hrsg.): E.T.A. Hoffmanns sämtliche Werke. Bd. II, (s. Gesamtbibliographie).
McGlathery, James: Demon Love. E.T.A. Hoffmann's *Elixiere des Teufels*. In: Colloquia Germanica 12 (1979), S. 61–76. [Deutet die Abenteuer des Medardus weitgehend als sexuelle Phantasien des Mönchs; einseitige Sehweise.]
Magris, Claudio: Die andere Vernunft, (s. AB III B.1.2.).
von Matt, Peter: Die Augen der Automaten, (s. Gesamtbibliographie). [Verfolgt das Motiv des Gemäldes von der heiligen Rosalia (S. 55–67), in dem Medardus Aurelie erkennt. Der Hauptimpuls des Helden sei Aurelie, „das lebendig gewordene Bild“, zu besitzen. Mit dem erzwungenen Verzicht werde auch der Fluch des Geschlechts, dem die beiden entstammen, getilgt. Plausible Erklärungen u.a. des ‚chaotischen‘ Inhalts der *Elixiere*.]
Mayer, Hans: Die Wirklichkeit E.T.A. Hoffmanns, (s. Gesamtbibliographie).
Meixner, Horst: Romantischer Figuralismus. Kritische Studien zu Romanen von Arnim, Eichendorff und Hoffmann. Frankfurt/M. 1971. [Erarbeitet drei Aspekte der Determination des Romans: den biologischen, den psychologischen (Freud) und den metaphysischen. Fundierter Beitrag.]
Müller, Hans von: Gesammelte Aufsätze, (s. Gesamtbibliographie).
Negus, Kenneth: The Family Tree in E.T.A. Hoffmann's *Die Elixiere des Teufels*. In: Publications of the Modern Language Association of America 73 (1958), S. 516–520. [Ergänzung zu Harichs Stammbaum. Der Roman versinnbildliche die Suche nach verborgener Ordnung im Chaos.]
Nehring, Wolfgang: E.T.A. Hoffmann: *Die Elixiere des Teufels*. In: Lützeler,

Paul Michael (Hrsg.): Romane und Erzählungen der Deutschen Romantik. Neue Interpretationen. Stuttgart 1981, S. 325–350. [Erweiterung der einleuchtenden Thesen des Nachworts zum Reclam Bändchen. Enthält Abriß der Hoffmann- Forschung zu den *Elixieren,* S. 325–334.]

Ochsner, Karl: E.T.A. Hoffmann als Dichter des Unbewußten. Ein Beitrag zur Geistesgeschichte der Romantik. Frauenfeld, Leipzig 1936. [Leitet die Entdekkung des Unbewußten in der Romantik aus dem magnetischen Somnambulismus her.]

Olson, Susanne: Das Wunderbare und seine psychologische Funktion in E.T.A. Hoffmanns *Die Elixiere des Teufels.* In: MHG 24 (1978), S. 26–35. [Der Lehre C. G. Jungs verpflichtet; s. auch die umfassendere Arbeit der Verf.: E.T.A. Hoffmanns *Die Elixiere des Teufels* als Schauerroman. Phil. Diss. (Masch.) Los Angeles 1973.]

Pfeiffer-Belli, Wolfgang: Mythos und Religion bei E.T.A. Hoffmann. In: Euphorion 34 (1933), S. 305–341. [Untersucht u.a. ‚Katholizität' dieses Romans.]

Pirker, Max: [Rezension über] Sucher, Paul: *Les Sources du Merveilleux chez E.T.A. Hoffmann.* Paris 1912. In: Euphorion 20 (1913), S. 261–276. [Kommentierende Wiedergabe von Suchers wichtigsten Ergebnissen über Hoffmanns Quellen zum „Dämonisch-Schauerlichen" und „Romantisch-Wunderbaren". Vgl. auch Gesamtbibliographie.]

Raff, Dietrich: Ich-Bewußtsein und Wirklichkeitsauffassung bei E.T.A. Hoffmann. Eine Untersuchung der *Elixiere des Teufels* und des *Kater Murr.* Phil. Diss. Tübingen, Rottweil 1971. [Untersucht Identitätsverlust und Bewußtseinsprozeß bei Medardus und Kreisler. Ausführliche Textanalyse ohne ausdrücklichen Einbezug der philosophischen Grundlagenliteratur.]

Rank, Otto: Der Doppelgänger. In: Imago 3 (1914) S. 97–164. [Motivgeschichtliche und psychoanalytische Untersuchung dieses literarischen Topos. Wichtiger Beitrag eines Zeitgenossen von Freud.]

Reber, Natalie: Studien zum Motiv des Doppelgängers bei Dostojevskij und E.T.A. Hoffmann. In: Marburger Abhandlungen zur Geschichte und Kultur Osteuropas. Gießen 1964, S. 114–142. [Grundlegender Aufsatz zur Interpretation Viktorins als Ich-Abspaltung der Figur des Medardus. Werkanalyse.]

Ricci, Jean F.-A.: E.T.A. Hoffmann, (s. AB III A.1.2.).

Safranski, Rüdiger: E.T.A. Hoffmann, (s. Gesamtbibliographie), S. 337ff. [Legt die *Elixiere* als Schilderung eines pathogenen Prozesses der „mißlingenden Sublimierung" aus, die mit der symbolischen Vernichtung des Körperlichen, nämlich der Tötung Aurelies, ende.]

Schäfer, Ludger: Symbole des Individuationsprozesses in E.T.A. Hoffmanns *Die Elixiere des Teufels.* Düsseldorf 1976. [Basiert auf der Theorie C. G. Jungs. Informationsreiche, klar gegliederte Studie.]

Segebrecht, Wulf: Autobiographie und Dichtung, (s. Gesamtbibliographie).

Thalmann, Marianne: Der Trivialroman des 18. Jahrhunderts, (s. AB III B.1.2.).

Werner, Hans Georg: E.T.A. Hoffmann, (s. Gesamtbibliographie).

Wright, Elizabeth: E.T.A. Hoffmann, (s. AB IV D.1.2.).

Zehl Romero, Christiane: M. G. Lewis' *The Monk* and E.T.A. Hoffmann's *Die Elixiere des Teufels* – two Versions of the Gothic. In: Neophilologus 63 (1979), S. 574–582. [Zeichnet prägnant die Entwicklung der ‚gothic fiction' nach, die bei Walpole und Radcliffe, im Unterschied zu Lewis und Hoffmann, noch unter der Kontrolle des aufgeklärten Weltbildes gestanden habe. Hoffmann leuchte mit dem Potential des Schauerromans die menschliche Psyche aus.]

1.3 *Voraussetzungen und Entstehung*

Hoffmann schuf seinen ersten und einzigen vollendeten Roman *Die Elixiere des Teufels* in Leipzig und Berlin. Das Werk verdankt seine Entstehung einer Zeit voller Not im Leben des Dichters. Eine Tagebuchnotiz vom 26. Februar 1814 lautet:

> Heute hat mir Seconda die Stelle aufgekündigt – consternirt – [...] meine ganze Carriere ändert sich abermahls!! Den Muth ganz sinken lassen –. (Tb 248)

Der Bruch mit Seconda fällt zusammen mit schwerer Krankheit. Während der Dichter den ersten Teil seines Romans ausarbeitet, plagen ihn heftige Schmerzen, die von einem rheumatischen Leiden herrühren. Beidem, der unfreiwilligen Muße und der Krankheit, weiß Hoffmann letztlich produktive Kräfte abzugewinnen. Das belegen nicht nur das vorliegende Werk, sondern auch ein Brief vom 24. März 1814:

> Den Sommer über bleibe ich allso hier [in Leipzig] pflege privatisirend, schreibend, komponirend u.s.w. meine Gesundheit, und muß ernstlich darauf denken, nächst dem wenigen Gelde, das ich aus Königsberg erhalte, mir einen Zuschuß zu verschaffen. – Der Roman: die Elixiere des Teufels, muß für mich ein LebensElixier werden! – (Br I/456)

Weitere Probleme verschafften dem Dichter Impulse, wie die folgenden Worte aus demselben Brief verraten: „denn oft mit den heftigsten Stichen schreibe ich ‚con amore'“. Daß hier eine Anspielung auf Julia Mark vorliegt, ist kaum zu bezweifeln.

In Anbetracht der zu bewältigenden Schwierigkeiten erstaunt es, in welch kurzer Zeit der Roman niedergeschrieben werden konnte (vgl. Br I/453 f.), eine Tatsache, die andrerseits immer wieder Anlaß zur Kritik lieferte. Am 4. März 1814 sandte Hoffmann das Manuskript des *Goldnen Topfes* ab, Mitte April vollendete er bereits den ersten Teil der *Elixiere*. Im Sommer 1815 in Berlin entstand dann der zweite Teil. Mit dem Druck klappte es nicht sofort. Kunz lehnte wohl ab, Pech hatte Hoffmann auch mit Hitzig, der 1814 seine Verlegertätigkeit aufgegeben hatte. Der Roman erschien schließlich bei Duncker und Humblot in Berlin, der erste Teil 1815, der zweite ein Jahr später (vgl. von Maassen, 2. Bd. S. VII).

Das Geschehen in den *Elixieren* weist deutliche Spuren von Hoffmanns Leben in Bamberg auf. Dort und zuvor in Polen wurde der Dichter mit dem Gedankengut der katholischen Kirche vertraut. In diesem Lebensabschnitt komponierte er außerdem auch Kirchenmusik. Von einem Besuch in einem Kapuzinerkloster berichten Kunz und Hitzig (vgl. Harich, 1. Bd., S. 271). Ein Tagebucheintrag Hoffmanns zu diesem Ereignis lautet:

> Mittags zum Diner bey den Capuzinern – gemüthliche Stimmung exaltirt durch die religiöse Umgebung. (9. Feb. 1812; Tb 139)

Sympathie für die Ruhe und Demut des klösterlichen Lebens lesen die Kritiker einmütig aus dieser fragmentarischen Notiz. Hitzig zufolge war Hoffmann besonders durch die „Erscheinung des Priors, eines interessanten Mannes, der lange in Rom gelebt" hatte, beeindruckt (2. Teil, S. 32). – In diesem Zusammenhang stellt sich ganz generell die Frage nach Hoffmanns Religiosität. Hewett-Thayer vermutet zunächst, das Klosterleben und das Religiöse würden in den *Elixieren* eher die Rolle eines Requisits spielen, kommt dann aber zur Überzeugung, der Roman sei Ausdruck von Hoffmanns Sehnsucht nach Ordnung in einer kaleidoskopisch ungeordneten Welt. Hoffmann selbst habe den Glauben ans Dogma und die Kirche zwar verloren, aber er gucke von außen sehnsüchtig in diese Welt hinein (S. 271). – Eine ähnliche Ansicht vertreten auch andere Autoren (z.B. Werner, S. 85 f.), für die wir stellvertretend Nehring zitieren:

> E.T.A. Hoffmann war kein frommer Christ, aber er fand in der christlichen Welt die Möglichkeit zu einem Idealisierungskonzept. (S. 346 f.)

Wie viele von Hoffmanns Dichtungen zeichnen sich auch die *Elixiere* durch Lokalisierbarkeit der geographischen Orte aus. So lassen sich Straßen und Plätze der Szenen in Rom und das ostpreußische Kloster „Heilige Linde" topographisch eruieren (vgl. Hewett-Thayer, S. 259). Das Leben am Hof konzentriert sich wohl mit guten Gründen auf kein namentlich genanntes Fürstenhaus, übt der Erzähler doch mit feiner Ironie Kritik an den kleinlichen Verhältnissen in diesem vorgeblich idealen Staat (121 f.; vgl. auch AB I A.).

Was die Figuren anbelangt, so stellen die meisten Interpreten Aurelie in Beziehung zu Julia Mark und sehen den ganzen inneren Kampf des Medardus im Zusammenhang mit Hoffmanns unglücklicher Liebe. Wiederum möchten wir darauf hinweisen, daß es sich dabei höchstens um einen zwar bedeutenden literarischen Impuls handeln kann, das Werk jedoch nur bedingt Schlüsse auf das Leben des Autors zuläßt (vgl. z.B. Segebrecht, S. 107).

Mit autobiographischem Material verflechten sich in den *Elixieren* zahlreiche literarische Motive. Paul Sucher (s. Max Pirker) entdeckte die Parallelen zum Geheimbundroman, ein Gedanke, der sich in Marianne Thalmanns Werk über den Trivialroman zur These verdichtete. Auf eine sicher benützte Quelle verweist Hoffmann selbst (vgl. 198), nämlich den in der Literaturwissenschaft als Schauerroman bekannten *Ambrosio or the Monk* von Matthew Gregory Lewis. Dies Werk erschien erstmals 1795 in London und wurde zwei Jahre später unter dem Titel *Der Mönch* ins Deutsche übersetzt. Auf die Konzeption der *Elixiere* übte außerdem Karl Großes Roman *Der Genius* maßgeblichen Einfluß aus (vgl. u. a. Marianne Thalmann, Klaus Kanzog, Christiane Zehl Romero). Zu erwähnen ist hier auch Schillers Romanfragment *Der Geisterseher*.

Literarische Verwandtschaft mit dem romantischen Schicksalsdrama wird von Ellinger, von Maassen, Harich und anderen Autoren gesehen mit dem Verweis auf die Werke Zacharias Werners und Adolf Müllners.

An nicht-belletristischer Lektüre fand in den *Elixieren* Hoffmanns Beschäftigung mit der zeitgenössischen Psychiatrie reichen Niederschlag. Ohne das Studium der Werke von Kluge, Schubert, Pinel, Cox und Reil und ohne die vielen Gespräche mit den Bamberger Ärzten Marcus und Speyer hätte die dichterische Darstellung des Wahnsinns kaum eine derartige Prägnanz erreicht. Zahlreiche Besuche in der Anstalt St. Getreu dienten Hoffmann bekanntlich der praktischen Anschauung (vgl. AB I C.).

2. Textanalyse

2.1. Fatalismus – Problematisierung einer Zuordnung

Für die Verfechter der Fatalismus-These (s. A.1.) entscheidet sich der Gang des Geschehens bereits mit dem Trank der Elixiere (vgl. Werner, S. 88). Von diesem Moment an ist ihnen Medardus ein dem Teufel Verfallener, einer, der unrettbar dem Bösen zutreiben muß. Müllers Diktum von der „dämonischen Weltanschauung" läßt individuelle Schuld nicht zu oder höchstens diejenige krimineller Passivität. Der ganze Roman erscheint so in der Perspektive einer Art fortschreitender Resignation. Es entsteht ein einseitiges Gefälle, dem ein Gegenpol fehlt. Man spricht denn auch von einem Tiefpunkt in Hoffmanns Schaffen, der in späteren Werken überwunden werde. In der Tat fällt auf, daß Medardus kaum echte Entscheidungen trifft. Er wartet stets, bis sich die Situation so zuspitzt, daß die Dinge von alleine anfangen, ihren Verlauf zu nehmen. So verhält es sich bereits mit der Initialhandlung: Der Absturz des als Mönch verkleideten Grafen erfolgt zwar aus Erschrecken über die plötzliche Erscheinung seines Ebenbildes, jedoch ohne Medardus' aktives Zutun (59). Später, auf dem Schloß des Barons, ist die Verwechslung des Mönchs mit Viktorin auf die mangelnde Wahrnehmung Euphemies zurückzuführen. Obwohl von Reinhold als Prediger aus dem Kapuzinerkloster erkannt und als Beichtvater beim Baron eingeführt, vermeidet es Medardus, Euphemie über ihren Irrtum aufzuklären, und beläßt sie im

Glauben, er sei der verkleidete Geliebte. Durch eine Unterlassung wird er gezwungen, sich die Identität des Grafen Viktorin anzueignen, um sich fortan immer tiefer in Widersprüche zu verstricken. – Fragt man nach seiner Schuld an Euphemies Tod, so stellt sich heraus, daß die Baronin Opfer ihres eigenen gegen Medardus gerichteten Mordplanes wird. Als die Skrupellose den Mönch bedrängt, den Baron umzubringen, gibt Medardus seine wahre Identität preis. Solchermaßen in die Enge getrieben, faßt er zwar den Entschluß, Euphemie zu töten, doch schreitet er nicht zur Tat. Der Zufall verrät ihn, als ihm das mitgebrachte Messer bei der heuchlerischen Liebkosung aus der Tasche fällt. Euphemie wird kurz darauf von dem bereits für Medardus bereitgestellten Gift vernichtet; in unguter Vorahnung vertauscht der Mönch das für ihn bestimmte Weinglas mit demjenigen Euphemies und läßt die dargebotenen Früchte statt im Mund in seinem Mantel verschwinden (76). – Ähnlich wie Euphemie fordert Hermogen den Tod heraus. Als Medardus von Sehnsucht gepackt zum Zimmer Aurelies schleicht, wird er rücklings von Hermogen überwältigt und mit den Zähnen bearbeitet. Medardus glaubt sich in Todesgefahr und zückt gegen den Angreifer das Messer. Er handelt in einer Art Notwehr, obwohl einschränkend gesagt werden muß, daß die Umstände, die zur Tötung führen, wiederum wie bei Euphemie von ihm selbst unfreiwillig herbeigerufen worden sind. – Der Mord an Aurelie schließlich wird vom Doppelgänger vollbracht und soll weiter unten erörtert werden (2.2.).

Werfen wir nun einen Blick auf den Genuß der Elixiere, die folgenschwere Handlung, die den Bund zwischen Medardus und dem Satan besiegeln soll. Der Romanheld erliegt erst der Versuchung, als er schon beinahe nicht mehr an die Wirkung des Tranks glaubt. Glaube bedeute hier jedoch alles, behauptet selbst Cyrillus, der Reliquienwärter (26). Medardus schildert sich im Verlauf der Aufzeichnungen gleichsam als Verführten: Er greift zur geheimnisvollen Flasche, nachdem deren Inhalt von einem Grafen und dessen Hofmeister als feuriger Syrakuser gekostet worden ist. Im Detail betrachtet, vollführt der Mönch das Sakrileg mehr aus quälender Neugier als aus schuldvoller Absicht (36f.). Ähnlich unbedacht, wie er zum Zufallsdelinquenten wird, entzieht sich Medardus jeweils der Justiz. Nicht ohne Stolz rettet er sich durch Glück, phantasievolle Lügengeschichten und Bestechung vor der gerichtlichen Verfolgung. Bei der ersten Paßkontrolle zum Beispiel gibt er sich als unglücklich verliebter Adliger aus, der inkognito reise, um der Versetzung in ein Kloster zu entgehen (81f.). Als Aurelie ihn am Hofe des Fürsten als Mörder ihres Bruders Hermogen erkennt, weiß Medardus sich nach seiner Verhaftung wiederum als ein anderer auszugeben, als er ist. In der Gerichtsverhandlung erzählt er dem Richter die Lebensgeschichte eines polnischen Freundes, als wäre es die seinige, und versucht glaubhaft zu machen, er werde nun mit einem ihm ähnlichen Verbrecher verwechselt (160–163). Nach seinen Papieren befragt, gibt er vor, sie seien in einem Wirtshaus von einem Reiter mit dessen eigenen verwechselt worden. Die fremde Brieftasche, die er noch besitze, enthalte Briefe an einen Grafen Viktorin. Der Leser aber weiß, daß Medardus nach Viktorins Sturz sich dessen Portefeuille angeeignet hat (79). In der Folge wird Medardus von seinem ehemaligen Klosterbruder Cyrillus identifiziert, und sein Polnisch wird als unecht entlarvt. Trotz diesen schwerwiegenden Indizien leugnet Leonard, wie Medardus sich nennt, der Kapuziner-Prediger zu sein. Er wird in den Kerker geworfen. Unter Qualen sinkt er in einen Traum. Im Halbschlaf, zwischen Traum und Erwachen, erscheint ihm der Maler und befiehlt ihm, Reue zu bekennen. Er mahnt Medardus: „Das Werk zu dem du erkoren, mußt du vollbringen zu deinem eigenen Heil." (176) Über diese Anweisung hinaus äußert er sich nicht. Medardus beschließt darauf, ein Geständnis abzulegen im Wissen um seine baldige Verurteilung zum Tode (ebda.). Im letzten Moment jedoch wird er vom Richter auf Befehl des Fürsten freigelassen, weil, wie er erfährt, ein Doppelgänger aufgetaucht sei, der als Täter eher in Frage komme (176f.).

Diese absichtlich ausführlich referierten Beispiele illustrieren das typische Verhalten des Medardus als ein reaktives. Unter Lebensgefahr läßt er sich zu kriminellen Taten und zur Verdrehung der Realität hinreißen. Doch ist damit die Frage nach der Existenz eines allmächtig waltenden Schicksals nicht beantwortet.

Werner sieht zu Recht Lücken in der Durchhaltung des fatalistischen Prinzips (S. 91), doch überzeugt sein Kommentar dazu wenig. Obwohl angeblich in der Hand des Satans, erweckt Medardus wiederholt den Eindruck, als könne er sich dem über ihn waltenden Verhängnis widersetzen. Nachfolgend ein Zitat, das diesen Sachverhalt aus der Perspektive des erzählenden Ichs belegt:

> Die Erkenntnis dieses Zwiespalts, der mein Inneres feindselig trennte, gab mir aber Trost, indem sie mir das allmähliche Aufkeimen eigner Kraft, die bald stärker und stärker werdend, dem Feinde widerstehen, und ihn bekämpfen werde, verkündete. (129, s. auch 118)

Aussagen dieser Art stehen in starkem Kontrast zu Passagen, in denen Medardus, meist als erlebendes Ich, sich selbst anklagt:

> Frevel auf Frevel habe ich gehäuft, dem Bruch des Gelübdes folgte der Mord. (92, s. auch 172)

Wenn sich hier offensichtlich „Widersprüche" ergeben, so sind sie nicht, wie von Werner vorgeschlagen, als „Dilemma" Hoffmanns aufzufassen. – Werner behauptet, Hoffmann hätte damit den „ästhetischen und moralischen Folgerungen einer konsequent fatalistischen Konzeption [...] gleichsam durch die Hintertür" ausweichen wollen, denn der

Autor sei sich zusehends der Tatsache bewußt geworden, daß er Medardus „zur toten Marionette“ degradiere (S. 91). – Die Widersprüche zeugen weit eher von der Dialektik, die der Haltung des Protagonisten durch den Autor zugestanden wird. Schwere seelische Auseinandersetzungen, die im Innern des Medardus toben, werden immer wieder von langen Phasen der Unbekümmertheit abgelöst. Grundsätzlich schwankt Medardus zwischen Selbstverleugnung und Selbstverurteilung. Trotz der schlauen Ränke, die er schmiedet und die es ihm stets wieder gestatten, sich unter Wahrung seines Gesichtes aus der Affäre zu ziehen, läßt er als Ich-Erzähler aus der Retrospektive keinen Zweifel an seiner Schwäche. Er stellt sich in seiner Lebensbeichte weniger als Opfer denn als Versager dar (vgl. 115, 170f., 221, 288).

Der Roman insgesamt läuft auf eine Verurteilung fatalistischer Passivität hinaus. Der Papst, der Medardus in Rom zu sich bittet, spricht:

> [...] der ewige Geist schuf einen Riesen, der jenes blinde Tier, das in uns wütet, zu bändigen und in Fesseln zu schlagen vermag. Bewußtsein heißt dieser Riese. [...] Des Riesen Sieg ist die Tugend. (248, vgl. auch den Dialog mit dem Prior, 224f. oder die Mahnungen des Malers, 175f. z.B.)

Als moralischer Hauptfehler des Medardus wird in der Literaturwissenschaft oft Hochmut genannt (Harich, 1. Bd., S. 286, vgl. auch Ochsner oder Willimczik). Aus Gründen der Selbstüberschätzung greift Medardus ja auch zu den Elixieren. Der Trank soll ihn wie eine Droge vor dem Versiegen seiner Ideen retten und ihm die Beliebtheit als Prediger sichern.

Wenn nun das Werk ausschließlich religiös interpretiert wird, ist Skepsis anzumelden. Ricci und Hewett-Thayer, deren Arbeiten fast gleichzeitig erschienen, betrachten Medardus als eine Figur, die durch katastrophales Fehlverhalten und eine Verkettung unglücklicher Lebensumstände in immer tiefere Sünde gerät. Beide Kritiker deuten den Schluß des Romans im Sinne des neutestamentlichen Erlösungsgedankens. Der von tiefer Reue gepeinigte Medardus finde im Schoß der wiedergefundenen Kirche Absolution und könne danach ruhig und getröstet aus der Welt scheiden. Dies alles trifft zu, erfaßt aber lediglich einen Teilaspekt des Werks, so wie sich gelegentlich deutlich christlich gefärbte Metaphorik nachweisen läßt, beispielsweise als Medardus die bevorstehende Erlösung in einer Art Vision, kurz vor dem Einschlafen, erschaut (258–261, vgl. Ochsner, S. 131f. und Ricci, S. 361ff.). Gegen die Einstufung ‚Klosterroman‘ spricht die Absenz von Glaubenskonflikten. Medardus hadert nicht mit Gott und der Kirche, sondern bestenfalls mit sich selbst und seinem moralischen Ungenügen. Fühlt er sich frei von Reue, so bleibt auch seine Frömmigkeit aus. Daß religiöse Elemente über weite Strecken fehlen, bildet ein Indiz für die Heterogenität des Romans. – Umso mehr erstaunt Werners Versuch, die These vom Fatalismus mit der Unterwerfung des Medardus unter den göttlichen Willen zu bekräftigen. Wenn die Werke des Mönchs tatsächlich Bestandteile des christlichen Heilsplanes wären, wie der Maler andeutet (176) und wie Werner glaubt, dann müßte sich Medardus dennoch um seine Erlösung hart bemühen und könnte sich nicht fatalistisch dem Schicksal überlassen.

In einem allgemeiner gefaßten Bedeutungshorizont diskutieren Segebrecht, Magris und Meixner das Problem der Schuld. Nach Segebrecht besteht das Vergehen des Mönchs nicht im einzelnen Verbrechen, sondern in der fehlenden Einsicht und dem mangelnden Bedenken der Taten (s. S. 199f., vgl. auch Reber). Aus diesem Grund sei dem durch die Form des Romans exemplifizierten autobiographischen Prozedere eine größere Bedeutung beizumessen als einem allfälligen gerichtlichen Verfahren. Ein solches bleibt Medardus mit einer Ausnahme erspart (176ff.). Diese Gerichtsverhandlung bleibt allerdings ohne äußere Konsequenzen für Medardus, setzt in ihm selbst hingegen den Prozeß der Bewußtwerdung in Gang. Die Niederschrift des Vergangenen schließlich dient nicht zuletzt der Etablierung einer Moral. Des Medardus Kampf gilt dabei der Herstellung seiner Integrität gegen ein ihm in die Wiege gelegtes Schicksal. Schreibend versucht er zu verhindern, daß sein Bewußtsein mit seiner Biographie identisch wird (vgl. Magris, S. 66f.), denn

> [...] die Schuld, die Medardus auf sich geladen hat, soll nicht durch Strafmaßnahmen entgolten werden, sondern sie will zuallererst erkannt sein. Darin liegt ihr autobiographischer Sinn. (Segebrecht, S. 200)

Von vergleichbaren Prämissen ausgehend, nennt Claudio Magris den Roman „eine Art ‚Schuld und Sühne‘ des romantischen Zeitalters“ (S. 79, s. auch Fühmann, S. 19).

Die Kategorisierung „Autobiographie“, hier auf den Ich-Erzähler und nicht auf den Autor bezogen, erhellt, wie unzertrennlich Form und Inhalt in diesem Roman miteinander verknüpft sind. Fixpunkt bildet dabei das Doppelgängermotiv. Für Meixner stellt die Einführung des Doppelgängers im Zusammenhang mit Schuld „einen wirkungspsychologischen Kunstgriff“ dar (S. 170). Die verbrecherische Spiegelfigur erlaube dem Leser, „sich mit der Hauptgestalt in gewissem Maße zu identifizieren“ (ebda.). Personale Schuld werde in ein „unbegreifliches Verhängnis und eine unbewußte Verstrickung“ umgedeutet, wodurch die „Voraussetzungen für die Erlösung des Mönchs“ geschaffen würden (ebda.). In solcher Schwarz-Weiß-Optik läßt sich die Rollenverteilung allerdings nicht aufschlüsseln, denn Medardus vergeht sich ja auch. Schließen wir die aus Notwehr begangenen Morde aus, so bleiben immer noch wiederholtes falsches Zeugnis und der Mordversuch an Aurelie, ganz abgesehen von den vielen Übertretungen des Mönchsgelübdes. Wichtig ist, was Meixners Ausführungen implizieren: daß es müßig ist zu fragen, ob der Doppelgänger wirklich als des Medardus Halbbruder betrachtet werden muß, wie der Text des öftern rät. Was es mit der fraglichen Autonomie des Doppelgängers auf sich hat, wollen wir im nächsten Kapitel diskutieren.

2.2. *Zur Konzeption des Doppelgängers*

Die Faszination, die *Die Elixiere des Teufels* auf den Leser ausüben, liegt zu einem großen Teil im Unheimlichen begründet, das die Lektüre dieses Romans evoziert. Für Freud ist E.T.A. Hoffmann „der unerreichte Meister des Unheimlichen in der Dichtung" (S. 257). Freud erklärt sich diese Wirkung im vorliegenden Werk mit einem „ganzen Bündel von Motiven", die alle unter das Doppelgängertum subsumierbar sind. Wir werden im folgenden einzeln auf diese Phänomene zu sprechen kommen. Freud deutet verschiedene Ansätze zur Erschließung des Romans an. Hier ist vorauszuschicken, daß psychoanalytisch orientierte Interpreten zuweilen der Versuchung erliegen, Medardus mit einem realen Analysanden gleichzusetzen (Rank z.B.). Dieser Vorwurf trifft Freud hier ungerechtfertigt, unterscheidet er in diesem Aufsatz doch explizit zwischen dem Unheimlichem des Erlebens und der Fiktion (S. 271). Freud vermutet vorerst in einer textexternen Annäherung an den Roman, daß das Unheimliche durch Assoziationen zustandekomme, deren der Rezipient sich nicht bewußt sei:

> Der Charakter des Unheimlichen kann doch nur daherrühren, daß der Doppelgänger eine den überwundenen seelischen Urzeiten angehörige Bildung ist, die damals allerdings einen freundlicheren Sinn hatte. Der Doppelgänger ist zum Schreckbild geworden. (S. 259)

Behauptet wird hier, daß die Lektüre der *Elixiere* potentielle Bilder archetypischen Inhalts auslöse, ein Gedanke, der bekanntlich Basis der Theorie C. G. Jungs bildet. Freud beruft sich in seiner Annahme auf seinen Zeitgenossen Otto Rank. Nach Rank bedeutete das Bild des Doppelgängers ursprünglich energische Dementierung der Macht des Todes (z.B. S. 142ff., S. 162). Freud geht mit Rank einig, wenn er betont, daß diese Vorstellung auf dem Boden der „uneingeschränkten Selbstliebe [...] des primären Narzißmus" entstanden sei, der Naturvölkern und Primitiven (in der Zivilisationsgesellschaft unter anderen Vorzeichen aber auch Neurotikern) eigen sei. Wahrscheinlich sei die ‚unsterbliche Seele' der erste „Doppelgänger des Leibes" gewesen, und zwar als „Versicherung gegen den Untergang des Ichs" (S. 258), denn wie Rank festhält, nicht das Ende des Lebens fürchtet das Individuum im Tod, sondern „die unausweichliche Vernichtung des Ich" (S. 162). Rank sieht bei anderen Forschern mit „reichem [...] Material" belegt, daß der Schatten zur ursprünglichsten Seelenvorstellung gehört und daß in bildlichen Darstellungen der Naturvölker Schattenbezeichnungen überwiegen (S. 161, vgl. auch S. 141–150).

Während für Rank der Doppelgänger allgemein fast durchwegs narzißtische Selbstliebe verkörpert, wie sie die vorödipale Entwicklungsphase des Ichs charakterisiert, sieht Freud im Doppelgänger der *Elixiere* ein altes Symbol mit Inhalten aus „späteren Entwicklungsstufen des Ichs" versehen. Er verweist auf die Traumsprache der Erwachsenen, in der Verdoppelung des Genitalsymbols mit Abwehr der Kastrationsangst zu tun habe. Diese Angst werde beim gesunden Menschen, dem Knaben notabene, mit der Überwindung des Ödipuskomplexes und damit der Beendigung des primären Narzißmus besiegt. Laut Freud ändert sich in dieser Phase der Entwicklung „das Vorzeichen des Doppelgängers aus einer Versicherung des Fortlebens [...] zum unheimlichen Vorboten des Todes" (S. 258). Der Doppelgänger rufe demnach im Leser Unheimliches hervor, weil er an die in der sexuellen Individuationsphase erlittenen Ängste vor der existentiellen Bedrohung durch die Strafe erinnere. – Ohne zu bestreiten, daß es sich bei dieser Interpretation um eine Hypothese handelt, deren Beweis noch aussteht, wollen wir diese Erklärung des Doppelgängermotivs nicht aus den Augen verlieren. – Die Angst vor dem Tod beim Anblick des Doppelgängers findet sich expressis verbis im vorliegenden Text. Medardus berichtet vor dem Richter von dem verrückten Kapuziner im Försterhaus: „Er hielt mich für seinen Doppeltgänger, dessen Erscheinung ihm den Tod verkünde" (180). Aus der früheren Erzählung wissen wir, daß Medardus es war, der im Traum Todesangst empfand und daß er jetzt das Erlebte vor Gericht uminterpretiert (104 ff.).

Unheimliches im Zusammenhang mit dem Doppelgänger manifestiert sich im Roman erstmals eklatant, als Medardus vor den Augen der anderen sich der Rolle des Grafen bemächtigt und zu sich selber spricht:

> Ich trete an seine Stelle, aber Reinhold kennt den Pater Medardus, den Prediger im Kapuzinerkloster in ...r, und so bin ich ihm das wirklich, was ich bin! – Aber das Verhältnis mit der Baronesse, welches Viktorin unterhält, kommt auf mein Haupt, denn ich bin selbst Viktorin. Ich bin das, was ich scheine, und scheine das nicht, was ich bin, mir selbst ein unerklärliches Rätsel, bin ich entzweit mit meinem Ich! (59)

Aus der Sicht des unbeteiligten Betrachters, der, wie der Leser, Zugang zum Innern des Helden hat, signalisieren diese Worte eine tiefe Identitätskrise des Betroffenen. Die Gedanken des Medardus mahnen an einen Zustand schizophrener Persönlichkeitsspaltung. Der Mönch erscheint als einer, der „an seinem Ich irre wird", „das fremde Ich [ist] an die Stelle des eigenen versetzt" (Freud, S. 257). Nach Meixner bedeutet diese Passage die „Genese des Doppelgängers" (S. 193).

Im weiteren Verlauf des Romangeschehens wird es zusehends schwieriger, den tatsächlichen seelischen Zustand des erzählten Ichs auszumachen. Der vom Wahnsinn gezeichnete Kapuziner im Försterhaus taucht zuerst als Traumgestalt des Medardus auf und verwickelt den Träumenden in einen imaginären Kampf, der an den oben zitierten Rollenkonflikt erinnert. Medardus erwacht über seinem eigenen, für die Verwirrung bezeichnenden Schrei: „Du bist nicht ich, du bist der Teufel" (105). Schlössen der Auftritt des Kapuziners am Mittagstisch und der Kommentar des Försters nicht jeden Zweifel aus, daß hier eine von Medardus unabhängige Figur ins Blickfeld rückt, so müßte man von „Ich-Teilung oder Ich-Vertauschung" reden (Freud, S. 257). Die Frage, wer nun wer sei, wird auf der Wirklichkeitsebene zwar bündig beantwortet, über die Wahnausbrüche des Kapuziners wird berichtet: „Er schien sich dann für den heiligen Antonius zu halten", außerdem bedrohe er dann jeweils die Umwelt mit den Worten: „er sei Graf und gebietender Herr, und er wolle [...] alle ermorden lassen, wenn seine Diener kämen" (110). Doch die Gewißheit, der Kapuziner sei Viktorin, wird kurz darauf wieder relativiert im Bericht des Försters über den Besuch des Fürsten, anläßlich dessen der Kapuziner den Anwesenden ein letztes Mal „einen harten Auftritt" geliefert habe (110f.). Was hier erzählt wird, weist unverwechselbare Parallelen mit den Geschehnissen auf dem Schloß des Barons auf. Mit „lüsternen Blicken" hat Medardus seinerzeit Aurelie verfolgt (vgl. 61–76). Auch er schlich sich über den Korridor zum Zimmer des begehrten Mädchens in der Absicht, die Schlafende zu überraschen. Wenn nun beim Kapuziner von „viehischer Brunst" gesprochen wird (111), so wird ein ähnlicher Zustand, wie er damals Medardus beherrschte, lediglich schonungsloser benannt. Auch diesmal wird der Eindringling von einem Beschützer des jungen Mädchens ergriffen, mit dem Unterschied, daß der Mönch unterliegt. Das Messer, das in des Kapuziners Faust blinkt, ruft die Mordszene mit Hermogen in Erinnerung (76). Danach, als alles überstanden ist, einschließlich schwerer wochenlanger psychischer Ermattung, gibt der Kapuziner in der Schilderung des Försters Züge eines Mönchs und nicht etwa eines Grafen zu erkennen. Er schreitet „ganz nach Klostersitte". Er genießt „nichts als Gemüse, Brot und Wasser". Bisweilen singt er lateinische Lieder und spricht bei Tisch das Gratias (112). In dieser Passage spielt der Roman mit „Ich-Verdopplung" (Freud, S. 257). Es ist die „Wiederkehr des Gleichen" (ebda.), die an zahlreichen anderen Stellen des Werks eine unheimliche Wirkung erzielt. Freud weist auf die „Wiederholung der nämlichen Gesichtszüge, Charaktere, Schicksale, verbrecherischen Taten, ja der Namen durch mehrere aufeinanderfolgende Generationen" (ebda., vgl. z.B. 143ff.). – Merkwürdig beunruhigende Parallelen zu den familiengeschichtlichen Ausführungen des Leibarztes am Fürstenhof (142–149) und zu des Medardus

Leben eröffnen sich bei der Lektüre des eingeschobenen Textes „Pergamentblatt des alten Malers" (228–245). Es berichtet von den Ahnen des Medardus. Deren ältester, Francesko, ist Maler und Schüler von Leonardo da Vinci. Wie die rätselhafte Figur des Revenant (98) versucht er vergeblich, die heilige Rosalia zu malen. Wie Medardus unterliegt er dem Größenwahn. Er will seinen Meister übertreffen. Als ihm das Bild der heiligen Rosalia nicht gelingen will, greift er, wie später Medardus, zur Droge, die ihm seine Freunde als Syrakuser Wein anbieten (229–232). Der Ahne Francesko und seine Nachkommen verwickeln sich in ähnliche Liebesfrevel wie Medardus oder wie die Mitglieder der Familie, von denen der Leibarzt berichtet; auch der Name Aurelie kommt vor. Schwager und Schwägerin verlieben sich ineinander, daneben ereignet sich ohne Wissen der Beteiligten Inzest. – Statt unter dem Gesichtspunkt der Erbsünde betrachtet Freud diese Stellen aus der Perspektive der wenig später von ihm ausgeführten Theorie vom Wiederholungszwang. Unheimliches, dem das Phänomen der Wiederholung zugrundeliegt, erhält seine Wirkung durch eine unbewußte Assoziation mit dem in der Psychopathologie häufigen Zwang zur Wiederholung. Diese Deutung spielt wiederum mit Ängsten aus der Biographie des Rezipienten.

Versuchen wir, der Ursache für die unheimliche Wirkung des Doppelgängers weiter auf den Grund zu gehen, so können wir auf Freuds leserbezogene tiefenpsychologische Erklärungen zwar nicht verzichten, es gilt jedoch zu berücksichtigen, daß nicht nur die Wahl der Motive, sondern auch die Erzähltechnik maßgeblich am Effekt des Unheimlichen beteiligt ist. Hoffmann versteht es meisterhaft, den Leser über die tatsächlichen Vorkommnisse im Ungewissen zu lassen. Er schafft mit Leerstellen Verunsicherung, und zwar so, daß diese Stellen nicht nur Spannung, sondern Beklemmung vermitteln (s. etwa 93 f., 105, 165, 173). Es läßt sich beinahe von einer traumatisierenden Wirkung auf den Leser reden, so wie Meixner sich ausdrückt:

> Hoffmann verwischt die Grenzen zwischen Einbildung und Wirklichkeit in einem Maße, daß das Geschehen wie ein ungeheurer Alptraum erscheint. Er enthüllt das Seelische, und er verbirgt es. (S. 195)

Die folgenden Beispiele illustrieren diesen Tatbestand. Als kaum trennbar von der Figur des Medardus präsentiert sich der Doppelgänger im Gefängnis, als der des Mordes Verdächtigte von seinem durch den Fußboden hervordringenden Ebenbild heimgesucht wird. Es gibt keinen Zeugen der Szene:

> [...] da erhob sich plötzlich ein nackter Mensch bis an die Hüften aus der Tiefe empor und starrte mich gespenstisch an mit des Wahnsinns grinsendem entsetzlichem Gelächter [...] – ich erkannte mich selbst. (172)

Die auch diesmal nicht fehlende rationale Erklärung des Erzählers behebt die Unsicherheit des Lesers nicht gänzlich. Die Begebenheit endet wie folgt: Medardus fällt zunächst in eine Art Ohnmacht, um sich am Morgen angekettet zu finden. Der Kommentar des Kerkermeisters lautet: „Nun wird es der Herr wohl bleiben lassen, an das Durchbrechen zu denken." (Ebda.)

Beim Mord an Aurelie kann der Doppelgänger nicht vollständig von Medardus getrennt werden. Dieser erkennt zwar im Mörder Aurelies seinen „gräßlichen Doppeltgänger", der innere Kampf mit dem kaum besiegbaren Antrieb, der zu jenem Mord führt, tobt jedoch zunächst in Medardus selbst und wird von dem neben ihm stehenden Klosterbruder deutlich registriert (282, 279–281).

Grundsätzlich beruht das Unheimliche in den *Elixieren* weitgehend auf Verheimlichung relevanter Zusammenhänge. Hinzu kommt die wechselnde Kompetenz des Erzählers, die dieses Moment verstärkt. Längst nicht immer spricht der Erzähler als abgeklärtes Ich aus der zeitlichen Distanz. Über weite Strecken des Romans fallen erzählendes und erlebendes Ich zusammen, und man wird als Leser Zeuge direkter Betroffenheit (z.B. 164). Die psychoanalytische Literaturinterpretation macht es sich zur Aufgabe, die ausgesparten Diskurse zu untersuchen und Licht in ein Geschehen zu bringen, das den „Leser bis zuletzt verwirrt" (Freud, S. 257).

Auf Medardus bezogen, sieht Freud im Doppelgänger die Personifikation einer Partialfunktion, die dem Über-Ich und gelegentlich dem Es zuzuordnen ist. Diese beiden Kategorien der Psyche hat Freud allerdings erst etwas später (1923) benannt, in seinem Aufsatz über das Unheimliche sind sie jedoch bereits angelegt. Mit dem Über-Ich ist der Terminus „besondere Instanz" in Verbindung zu bringen (S. 258), mit dem Freud ein Instrument der „Selbstbeobachtung und Selbstkritik" bezeichnet, das sich im nachödipalen Ich langsam herausbilde und die „Arbeit der psychischen Zensur" leiste. Im Normalfall diene diese Kraft als „Gewissen", im pathologischen Fall hingegen werde sie „isoliert, vom Ich abgespalten" (ebda.). Wenn Freud im Verlauf dieser Argumentation auf das Phänomen der Verdrängung zu reden kommt, weist seine Formulierung auf das Es voraus: Dem Doppelgänger werde manches zugewiesen, „was der Selbstkritik als zugehörig zum alten überwundenen Narzißmus der Urzeit" erscheine (ebda.). Ähnlich, nur pragmatischer, äußert sich C. G. Jung zum Doppelgänger des Medardus:

> Aber leider geht es uns allen so, wie dem Bruder Medardus in E.T.A. Hoffmanns *Elixiere des Teufels:* es existiert irgendwo ein unheimlicher, schrecklicher Bruder, unser eigenes, leibhaftes, durch das Blut an uns gebundenes Gegenstück, das alles enthält und boshaft aufspeichert, was wir allzu gerne unter dem Tisch verschwinden ließen. (S. 57)

Legt Freuds Interpretation nahe, den Doppelgänger als Mahnfigur und als Verkörperung verdrängter Triebe zugleich zu deuten, so wird das eigentliche Gewissen durch eine andere Figur des Romans repräsentiert. Dies ist der Maler, wie Susanne Olson einleuchtend darlegt. Bezeichnenderweise wird er von Medardus lange Zeit gefürchtet, bis dieser ihn im Eingeständnis der Schuld als Freund erkennt (Olson, S. 29). Nach Olson sind der Maler wie der Doppelgänger als Teile der Persönlichkeit des Medardus anzusehen; beide treten als eine nach außen projizierte Seite ein und derselben Figur, des Medardus, in Erscheinung.

Otto Rank weist in literarischen Werken einen Zusammenhang zwischen Doppelgängertum und Ödipuskomplex dort nach, wo der Doppelgänger als Verfolger auftritt:

> Daß es tatsächlich der primitive Narzißmus ist, der sich gegen die Bedrohung sträubt, zeigen mit aller Deutlichkeit die Reaktionen, in denen wir den bedrohten Narzißmus mit verstärkter Intensität sich behaupten sehen, sei es in der Form der pathologischen Selbstliebe [...], sei es in der [...] oft bis zum Wahnsinn führenden Angst vor dem eigenen Ich, das im verfolgenden Schatten, Spiegelbild oder Doppelgänger personifiziert erscheint. (S. 164)

Obwohl stets vor Augen zu halten ist, daß Medardus eine fiktionale Figur darstellt, die nie mit solcher Eindeutigkeit ausgestattet ist, wie es vielleicht für lebende Menschen zutrifft, so läßt sich doch in keiner Art bestreiten, daß der Mönch wiederholt eine Art Paranoia erleidet. Nicht nur der Doppelgänger ist mit Wahnsinn geschlagen, Psychosen überfallen auch Medardus in verschiedenen Lebenslagen. Die Möglichkeit, den Doppelgänger geradezu als Angstfigur und Wahnvorstellung des Medardus zu interpretieren, ist nicht von der Hand zu weisen. Der mißglückten Hochzeit mit Aurelie, auf die wir später näher eingehen werden, folgt nicht nur die mönchische Buße, vielmehr findet sich Medardus „in einem öffentlichen Krankenhause" wieder (210). Daß seine „Krisis" erkennbar gewesen sein muß, läßt sich aus den Worten des Arztes und des Geistlichen schließen, die ihn nach dem Erwachen aus dem Koma mit folgenden Worten begrüßen: „Das ist in der Tat erstaunenswürdig, der Blick ist ganz geändert, die Sprache rein, nur matt." (Ebda.) Überdies trifft Medardus hier mit seinem alten Freund Belcampo zusammen, der ihn darüber aufklärt, wie er hierher, ins „Tollhaus", geraten sei (213). – Aus Belcampos Munde übrigens ist eine produktive Einschätzung des Wahnsinns zu vernehmen, die nicht nur dem hier geführten Diskurs um diese Phänomene, sondern dem ganzen Roman zur Differenziertheit gereicht:

> in der Narrheit findest du nur dein Heil, denn deine Vernunft ist ein höchst miserables Ding, und kann sich nicht aufrecht erhalten [...] und muß mit der Narrheit in Kompagnie treten, die hilft ihr auf. (213, s. auch 217ff.)

Immer noch auf das Zitat aus Rank, S. 164, bezogen, ist zu sagen, daß der den Helden bedrängende Doppelgänger mit dem unüberwundenen primären Narzißmus des Medardus in Zusammenhang steht. Auf diesen Prämissen nun lassen sich die Liebesaffären von Medardus einordnen. Nicht allein Hochmut und Überheblichkeit des Predigers sind Ausdruck der bedingungslosen Selbstliebe, sondern auch die unerbittliche Gier, die Medardus zur Vereinigung mit Aurelie drängt und die seine Beziehung mit Euphemie dominiert. Medardus zeigt zunächst einmal kein tiefes Interesse für die Persönlichkeit seiner Angebeteten. Gespräche mit Aurelie finden kaum statt. Medardus verharrt entweder in stummer Entzükkung, oder er versucht, die geliebte Erscheinung mit physischen Liebesbeweisen zu überschütten, ohne sich besonders um Aurelies Wünsche zu bekümmern (184 ff.). Bei den Gefühlen des Medardus handelt es sich um eine Art Obsession; Aurelie wird von ihrem Geliebten nicht als autonomes Wesen betrachtet, vielmehr projiziert er seine eigene Sehnsucht in sie. Damit erweist sich seine Liebe eher als Produkt patriarchalisch-männlicher Imagination von Weiblichkeit denn als bedingungslose Suche nach der Begegnung, die Voraussetzung für eine nicht korrumpierte Liebe wäre. Hierin bildet seine „heilige Scheu" nach der verbotenen Lektüre von Aurelies Brief an die Äbtissin keine Ausnahme (202 f.). Medardus ist ganz einfach überwältigt von der Zartheit und Ahnungslosigkeit, mit der sich seine Braut für ihn, den wahren Übeltäter, entscheidet.

In der Verbindung zu Euphemie spielt überhaupt keine Liebe mit. An Euphemie lebt Medardus possessiv die Frustrationen aus, die in ihm durch die unfreiwillige Distanz zu Aurelie hervorgerufen werden. Das folgende Eingeständnis aus des Medardus Monolog illustriert diesen Sachverhalt deutlich:

> Rasend vor Schmerz und Wollust, brütete ich über Pläne zu Aureliens Verderben und, indem ich Euphemien Wonne und Entzücken heuchelte, keimte ein glühender Haß in meiner Seele empor. [...] Fern von ihr war jede Spur des Geheimnisses, das in meiner Brust verborgen, und unwillkürlich mußte sie der Herrschaft Raum geben, die ich immer mehr und mehr über sie mir anzumaßen anfing. (70)

Im Gegensatz zu Aurelie fehlen Euphemie Züge einer Liebenden. Sie verkörpert durchaus die Rolle einer abgefeimten Kupplerin, und ihr sexuelles Begehren entspringt reiner Herrschsucht. Selbstherrlich, voll Verachtung für die Mitmenschen charakterisiert sie, dem Ich-Erzähler zufolge, sich selbst:

> Nun weißt du alles, Viktorin, [= Medardus] handle und bleibe mein. Herrsche mit mir über die läppische Puppenwelt, wie sie sich um uns dreht. Das Leben muß uns seine herrlichsten Genüsse spenden, ohne uns in seiner Beengtheit einzuzwängen. (68)

Das Bild, das die Baronesse von sich zeichnet, ist Teil der Kritik am Adel, die der Erzähler ausführlicher in der Darstellung des Lebens am fürstlichen Hofe vorbringt (s. 119ff.). Abgesehen davon fällt an den beiden Frauengestalten auf, daß ihre Rollen seltsam schemenhaft gestaltet sind. Meixner stellt sich sogar die Frage, ob es sich hier um zwei voneinander unterscheidbare Figuren handelt, oder ob man die beiden nicht eher als zwei verschiedene Ausformungen der Erlebnismöglichkeit von Liebe betrachten solle, und zieht den Schluß:

> Als Figur der Liebe und der sündhaften Lust treten Aurelie und Euphemie auseinander. (S. 196)

Diese Dichotomie in der Darstellung der Frau ist in der Belletristik ein vertrautes Phänomen. Der psychoanalytisch geschulte Leser nimmt an den Liebesgeschichten des Medardus eine relevante Aussage wahr, die sowohl die geteilten Wunschströme des Mönchs als auch die Rolle des Doppelgängers erhellt. Wie spätestens seit Theweleits *Männerphantasien* (s. AB IV D.2.2.) allgemein bekannt, führen solche Textbeispiele vor, wie sich der narzißtische Mann durch die weibliche Sexualität bedroht fühlt. Das Liebesleben des Medardus spiegelt auf der Ebene der Individualpsychologie die Persönlichkeit des vorödipalen Mannes; denn, wie Rank betont, erwächst der narzißhaften Selbstliebe eine Bedrohung aus ihrem Untergang in der Geschlechtsliebe (S. 164). Wie Meixner festhält, bedeutet die Ich-Verdoppelung in der Figur des Doppelgängers in diesem Zusammenhang „Abwehr einer Auflösung des narzißtischen Selbst" (S. 198), in den Worten Ranks:

> Auf der anderen Seite kehrt aber in denselben Phänomenen der Abwehr auch die Bedrohung wieder, vor der sich das Individuum schützen und behaupten will, und so kommt es, daß der die narzißtische Selbstliebe verkörpernde Doppelgänger gerade zum Rivalen in der Geschlechtsliebe werden muß. (S. 164)

Eine der eindrücklichsten Doppelgängerszenen schließt bezeichnenderweise an die abgebrochene Hochzeit mit Aurelie an. Der Doppelgänger taucht just vor dem Augenblick auf, in dem Leonard/Medardus sein Jawort geben will (206). Was hier mit dem Erscheinen des verurteilten Kapuziners auf dem Schinderkarren thematisiert wird, läßt sich mit einem Ausbruch des schlechten Gewissens über die ja unfreiwillig vollbrachten Mordtaten nur unzureichend erklären.

Hier spricht aus packender Bildlichkeit die Angst des Ich-Verlustes in der Liebe. In dem Moment, da die ersehnte Vereinigung mit Aurelie naht, gerät Medardus in einen Zustand von Panik, der ihn beinahe zum Mörder an Aurelie werden läßt und der ihn zur Flucht zwingt: „Nur der Gedanke, zu fliehen, wie ein gehetztes Tier, stand fest in meiner Seele" (207). Die Flucht vor dem Doppelgänger gelingt aber gerade nicht, Medardus läuft vielmehr dem „Gespenst" unmittelbar entgegen. Als zwingend für unsere Aussage betrachten wir die Art und Weise, wie sich der Doppelgänger des Medardus bemächtigt. Der Kapuziner klammert sich an ihn, umhalst dessen Kehle und stammelt:

> Hi...hi...hi... Brüderlein...Brüderlein, immer immer bin ich bei dir...lasse dich nicht...lasse...dich nicht...Kann nicht lau...laufen...wie du...mußt mich tra...tragen. (207)

Das „grause Gespenst" des Doppelgängers verdeutlicht intensiver als je zuvor eine unteilbare Zusammengehörigkeit mit Medardus. Unübersehbar ist auch die lebensgefährliche Bedrohung, die diese Umarmung provoziert.

2.2.1. *Narzißmus und bürgerlicher Eskapismus*

Wenn wir den Narzißmus des Medardus so ausführlich behandelt haben, geschah dies nicht, um uns dem gegenwärtigen Trend anzuschließen, der in der Rückführung dieses Phänomens auf frühkindliche Unter- oder Überbetreuung durch die Mutter schon sein Genügen findet. Die psychische Konstellation unserer Romanfigur hat mit umfassenderen Mechanismen zu tun als denjenigen, die bei einer solchen Reduktion sichtbar werden. Abgesehen davon, daß dieser frühe Lebensabschnitt in der Beichte des Protagonisten nur andeutungsweise behandelt wird (Medardus schreibt als Erwachsener aus der Perspektive eigener Erinnerung), gehört diese Art von Erklärungen erst dem psychoanalytischen Diskurs des zwanzigsten Jahrhunderts an (vgl. die Arbeiten Margaret Mahlers). Für die Epoche Hoffmanns mögen sie zwar auch, aber nur bedingt, zutreffen. Im übrigen ist auch der Narzißmus des zwanzigsten Jahrhunderts mit Ereignissen der frühen Kindheit nur teilweise erklärt. Eine Rückführung bloß auf die persönliche Biographie des Autors wollen wir zudem unterlassen, da sie nach unserem Literaturverständnis wenig ergiebig ist. Wir werden im folgenden darzulegen versuchen, daß hier ein prägendes historisches Element literarisiert worden ist.

Der Narzißmus des Medardus spiegelt eine nicht-private Sozial-Pathologie der gesellschaftlichen Interaktion wider, subsumierbar unter Freuds Anpassung der Triebstruktur an gesellschaftliche Bedingungen (vgl. Freud, *Neue Folge der Vorlesungen zur Einführung in die Psychoanalyse,* 1933). Nach neueren psychoanalytischen Forschungen tritt Narzißmus als soziales Phänomen auf, wenn das Individuum „entfremdenden Einflüssen [...] ausgeliefert" ist. Unter „Sozial-Narzißmus" wird eine „kollektive Bewußtseinsstruktur" verstanden, die durch ein „instabiles Selbstwertgefühl der jeweiligen Gruppe charakterisiert" sei. Zum Erscheinungsbild gehörten „Allmachtsphantasien und Idealisierungen", mit denen den „Bedrohungen des narzißtischen Gleichgewichts" begegnet würden. Das Ich versuche dann durch „Wiederbelebung des frühkindlichen Narzißmus das Selbst [...] zu stabilisieren." Schübe eines solchen „kollektiven, kompensatorisch-pathologischen Narzißmus" ließen sich insbesondere bei der „Auflösung des Feudalismus [...] und in den Phasen bedeutender Umwälzungen im Zuge [...] kollektiver Kränkungen (kriegerische Niederlagen)" feststellen. (Zitate aus dem Artikel von H.-J. Fuchs in: *Historisches Wörterbuch der Philosophie,* hrsg. von Joachim Ritter und Karlfried Gründer, Bd. 6, Sp. 401ff.)

Die Entstehung der *Elixiere* fiel bekanntlich in die Zeit des schließlich zwar siegreichen, aber entbehrungsvollen Kampfes gegen die napoleonische Fremdherrschaft. Gleichzeitig waren in Preußen die zähen Bemühungen um eine Staatsreform im Gange, an der sich die bürgerlichen Intellektuellen zwar beteiligten, die Führungspositionen wurden jedoch nach wie vor vom grundbesitzenden Adel eingenommen. Der Rückzug auf das emotionale Selbst, wie er an Medardus illustriert wird, ist nach oben referierter Theorie als psychische Reaktion des bürgerlichen Intellektuellen auf die gesellschaftlichen Verhältnisse erkennbar, zumal unser Roman auch die spezifische Problematik des Intellektuellen jener Epoche in nachfolgendem Zusammenhang ausdrücklich formuliert. Im Gespräch mit dem „Privatgelehrten" Leonard/Medardus spricht der Leibarzt des Fürsten, ein Liebling des Hofes:

Sie werden im Zirkel des Hofes manchen bürgerlichen Gelehrten und Künstler bemerkt haben, aber die Feinfühlenden unter diesen, denen Leichtigkeit des innern Seins abgeht, [...] sieht man nur selten. [...] Bei dem besten Willen, sich recht vorurteilsfrei zu zeigen, mischt sich in das Betragen des Adlichen gegen den Bürger ein gewisses Etwas, das wie Herablassung, Duldung [...] aussieht; das leidet kein Mann, der im gerechten Stolz wohl fühlt, wie in adlicher Gesellschaft oft nur er es ist, der sich herablassen und dulden muß. [...] Sie könnten glauben, ich spräche da, als Bürgerlicher, vorgefaßte Meinungen aus. [...] dem ist aber nicht so. Ich gehöre nun einmal zu einer der Klassen, die ausnahmsweise nicht bloß toleriert, sondern wirklich gehegt und gepflegt werden. (190f. – Vgl. auch den Heine-Band der Arbeitsbücher zur Literaturgeschichte, hg. v. Jürgen Brummack, S. 17–22 oder AB I A.)

Ähnlich narzißtisch wie Medardus verhält sich in Hoffmanns Werk der liebende Künstler. Bei der Künstlerliebe handelt es sich allerdings eindeutig um eine als freiwillig empfundene Absage an die praktizierte Liebe. Als ‚Liebe des Künstlers' preist Kreisler den Verzicht (vgl. AB V B.2.3.2.; s. etwa auch die Figur Eduards in der *Fermate,* III/74): Der wahre Künstler trennt sich von seiner Geliebten, und die Erinnerung an sie wird zum kreativen Impuls. Die Liebe des Ahnen Francesko in den *Elixieren* wird gar als eine vom Teufel gesandte Bedrohung dargestellt. Sie lähmt die Schaffenskraft des Malers lange Zeit über den Tod der als mittelalterliche ‚Frau Welt' vorgestellten Geliebten hinaus (233–237). – Ungleich dem Künstler ist Medardus die freie Entscheidung zwischen Liebe und Rückzug auf das Selbst bis zur Einsegnung Aurelies im Kloster (281) nicht vergönnt. Es ist äußerst signifikant, daß der Erzähler Medardus des öftern pathologischen Reaktionen unterwirft, die zur Psychose ausarten (s. z.B. 217). Dies trifft bei dem sich der Liebe versagenden Künstler nicht zu. Im schlimmsten Fall fühlt sich dieser lediglich durch den Wahnsinn bedroht (Kreisler). – Hierin sehen wir, nebenbei bemerkt, ein Gegenargument gegen den Vorschlag, die Konflikte des Medardus unter anderem als Probleme des liebenden Künstlers zu betrachten (vgl. Meixner, S. 167).

Auf Hoffmanns Gesamtwerk bezogen, stellt der in Paranoia mündende Narzißmus des Medardus eine Facette dar, in der bürgerliche Reaktion auf das Zeitgeschehen dialektisch reflektiert ist. Anhand gerade dieses Romans wird klar, daß sich die Kunstwerke den politischen und emotionalen Strömungen ihrer Epoche nicht entziehen können, sie aber in einer je originalen Weise verarbeiten.

Hoffmanns Originalität liegt unter anderem darin, daß er es auch in den *Elixieren* nicht bei der Resignation bewenden läßt. Was Medardus als Schuldigem widerfährt, gilt ebenso für ihn als Kranken. Mit der religiösen Läuterung unter dem Geständnis seiner Taten kehrt Ruhe in seine Seele ein, denn mit der Beichte läuft gleichzeitig ein Prozeß im Sinne einer Selbstanalyse ab. Medardus „erschreibt" sich eine Identität (vgl. Magris), die ihm allerdings nicht erlaubt, den vom fingierten Herausgeber erwähnten Faden (8) zu zerreißen. Wem aber wie Medardus die Durchsicht des Geflechts seiner Verhältnisse gelingt, der befindet sich im Aufbruch zur Selbsthilfe, selbst wenn sich der Tod nicht mehr abwenden läßt.

B. Lebensansichten des Katers Murr nebst fragmentarischer Biographie des Kapellmeisters Johannes Kreisler in zufälligen Makulaturblättern. Herausgegeben von E.T.A. Hoffmann.

1. *Einführende Informationen*

Hoffmanns zweiter Roman galt den Zeitgenossen und nachfolgenden Generationen meist als künstlerische Verirrung. Die arabeske Verschlingung der Autobiographie des Katers mit dem Lebenslauf des Kapellmeisters wurde als willkürliche, ja „selbstmörderische" Spielerei des Verfassers mißverstanden, und weder der philiströse Murr noch der verrückte Kreisler fanden bei der Kritik Zustimmung. Die Tatsache, daß das Buch als Fragment abbricht – daß der Kater plötzlich stirbt und die geheimnisvollen Handlungsfäden des Kreisler-Teils ins Leere zu laufen scheinen, konnte nur zur allgemeinen Frustration beitragen. Die Hoffmann-Renaissance der Jahrhundertwende hat zwar die Figur Kreislers rehabilitiert – Oswald Spengler stellt sie „ebenbürtig neben Faust, Werther und Don Juan“ (*Der Untergang des Abendlandes.* 1. Bd., München 1920, S. 372, Anm. 1) –, aber noch einer der intimsten Hoffmann-Kenner und -Forscher, Hans von Müller, löst rücksichts- und verständnislos den Roman in seine Bestandteile auf und gibt separat ein *Kreisler-Buch* und die *Lebensansichten des Katers Murr* heraus, um Hoffmanns ‚eigentlicher poetischer Intention‘ zu dienen. Erst die neuere Literaturwissenschaft mit ihrem Interesse an Form- und Strukturanalysen hat ernsthaft die komplizierten Erzählstrategien des Romans untersucht und gefunden, daß dieses Buch sich nicht nur durch Tiefe des Gehalts oder Reichtum an Humor, sondern auch durch besondere Artistik und Kunstverstand unter Hoffmanns Werken auszeichnet. Nur die Erkenntnis der Form des Werks erschließt seine volle Bedeutung. Heute gilt der *Kater Murr* weitgehend als Höhepunkt des dichterischen Werks des Autors.

1.1. Texte und Materialien

Lebens-Ansichten des Katers Murr. In: E.T.A. Hoffmann: *Die Elixiere des Teufels. Lebens-Ansichten des Katers Murr,* Ausgabe des Winkler Verlags (= II/293–663); nach dieser Edition wird im folgenden zitiert unter einfacher Nennung der Seitenzahl.

Lebensansichten des Katers Murr ... mit Anmerkungen und Nachwort, hrsg. v. Hartmut Steinecke, Stuttgart 1972, Reclam 153–158. [Enthält wichtige Dokumente zur Entstehungs- und Wirkungsgeschichte; Anmerkungen; ausgewogenes Nachwort, die Beziehung der Handlungsteile erhellend.]

Lebensansichten des Katers Murr ... Frankfurt/M. 1975, insel-taschenbuch 168. [Text mit Illustrationen von Maximilian Liebenwein nach dem 3.Band der Hoffmann-Ausgabe des Insel-Verlages; ohne Nachwort, jedoch mit Anmerkungen.]

E.T.A. Hoffmann: *Kreisleriana.* In: E.T.A. Hoffmann: *Fantasie- und Nachtstükke,* Ausgabe des Winkler Verlags (= I/25–66 und 284–327). [Poetische Entfaltung der Figur des Kapellmeisters Kreisler.]

Müller, Hans von (Hrsg.): Das Kreislerbuch. Texte, Compositionen und Bilder von E.T.A. Hoffmann. Leipzig 1903. [Trotz der wissenschaftlich unzulässigen Auflösung und Neuzusammenstellung von Hoffmanns Texten als Material-Band brauchbar.]

Schnapp, Friedrich (Hrsg.): E.T.A. Hoffmann, (s. Gesamtbibliographie), S. 218–220 und 241–247. [Gibt die Äußerungen Hoffmanns zum *Kater Murr* wieder.]

Schnapp, Friedrich (Hrsg.): E.T.A. Hoffmann in Aufzeichnungen, (s. Gesamtbibliographie). [Verweist S. 850 auf alle wiedergefundenen, abgedruckten Zeugnisse der Zeitgenossen zum *Kater Murr.*]

Wackenroder, Wilhelm Heinrich; Tieck, Ludwig: *Herzensergießungen eines kunstliebenden Klosterbruders* (Berlin 1797), Stuttgart 1977[2], Reclam 7860. – Dieselben: *Phantasien über die Kunst* (Berlin 1799), Stuttgart 1983[2], Reclam 9494/5. [Mehrere Stücke, besonders der Beitrag ‚Das merkwürdige musikalische Leben des Tonkünstlers Joseph Berglinger' in den *Herzensergießungen* und die Aufsätze Berglingers in den *Phantasien* wirken bei Hoffmann in der Gestalt Kreislers und seiner Kunstauffassung nach.]

1.2. Forschungsliteratur

Borcherdt, Hans Heinrich: Der Roman der Goethezeit. Urach 1949, S. 511–522. [Würdigung des *Katers Murr* als „eines der größten Werke deutscher Dichtung" wegen der zeitlosen Figur des „deutschen Musikers" Kreisler (S. 522). In Nachfolge und Variation Harichs Spekulationen über das Ende.]

Daemmrich, Horst S.: E.T.A. Hoffmann: *Kater Murr*. In: Romane und Erzählungen zwischen Romantik und Realismus. Neue Interpretationen, hrsg. von Paul Michael Lützeler, Stuttgart 1983, S. 72–93. [Beginnt mit Forschungsbericht; Deutung des Romans als Werk einer Zeitwende, teilweise recht vage.]

Faesi, Peter: Künstler und Gesellschaft bei E.T.A. Hoffmann. Basel 1975. [Der Verfasser würdigt Kreisler als schaffenden Künstler im Gegensatz zu den Helden anderer Künstlerromane. Der Fragmentcharakter des Romans gilt als notwendig wegen der „unlösbaren Problematik der Künstlerexistenz" (S. 150).]

Frye, Lawrence O.: The Language of Romantic High Feeling. A Case of Dialogue Technique in Hoffmann's *Kater Murr* and Novalis' *Heinrich von Ofterdingen*. In: Deutsche Vierteljahrsschrift für Literaturwissenschaft und Geistesgeschichte 49 (1975), S. 520–545. [Subtile Analyse von Beispielen emotional geladener Dialoge im jeweiligen Bedeutungskontext.]

Gersdorff, Dagmar von: Thomas Mann und E.T.A. Hoffmann. Die Funktion des Künstlers und der Kunst in den Romanen *Doktor Faustus* und *Lebens-Ansichten des Katers Murr*. Frankfurt/M., Bern, Cirencester 1979, Europäische Hochschulschriften 1, 326. [Motivvergleichende Darstellung der künstlerischen Existenz Kreislers und Leverkühns. Strukturbeziehungen der Doppelromane sind nicht berücksichtigt.]

Harich, Walther: E.T.A. Hoffmann, (s. Gesamtbibliographie). [Deskriptive Würdigung des Romans und weitausholender Rekonstruktionsversuch der Personenbeziehungen und Handlungsmotive. Spekulativ!]

Jones, Michael T.: Hoffmann and the Problem of Social Reality. A Study of *Kater Murr*. In: Monatshefte 69,1 (1977), S. 45–57. [Betont den polemischen Charakter des Buchs im Verhältnis zur Realität; sachlich nichts Neues.]

Korff, Hermann August: Geist der Goethezeit, (s. AB III, A.1.2.). [Würdigung des *Kater Murr* als repräsentatives Dokument der Hochromantik und Gipfel des romantischen Subjektivismus.]

Loevenich, Heinz: Einheit und Symbolik des *Katers Murr*. In: Deutschunterricht 16 (1964), S. 72–86. [Zur Einführung in den Roman geschrieben, symbolische Beziehungen zwischen den Handlungssträngen erhellend; schlicht.]

von Matt, Peter: Die Augen der Automaten, (s. Gesamtbibliographie), bes. S. 67–75 und 174–184. [Anregend besonders die Diskussion von Kreisler-Ettlinger und dem Komplex der Künstler-Liebe; Gegenüberstellung von Kreisler und Meister Abraham unter dem Gesichtspunkt von serapiontischer und mechanistischer Kunst.]

Mayer, Hans: Die Wirklichkeit E.T.A. Hoffmanns, (s. Gesamtbibliographie).

Meyer, Herman: E.T.A. Hoffmanns *Lebensansichten des Katers Murr*. In: H'M': Das Zitat in der Erzählkunst. Stuttgart 1967², S. 114–134. [Aufschlußreiche Beobachtungen zum Sprachgebrauch und besonders zum Prinzip des Zitierens in den beiden Romanteilen. Manchmal Hoffmann-fern und normativ in der Bewertung „verballhornter" Zitate.]

Negus, Kenneth G.: Thematic Structure in Three Major Works of E.T.A. Hoffmann. Princeton 1957. [Früher Versuch, die strukturelle und gehaltliche Einheit des Romans nachzuweisen.]

Preisendanz, Wolfgang: Humor als dichterische Einbildungskraft, (s. Gesamtbibliographie).

Ricci, Jean F.A.: E.T.A. Hoffmann, (s. AB III, A.1.2.).

Rosen, Robert S.: E.T.A. Hoffmanns *Kater Murr*. Aufbauformen und Erzählsituationen. Bonn 1970. [Solide Beobachtungen, leicht faßliche, deskriptive Darstellung – ohne viele Schlüsse und Folgerungen.]

Rosteutscher, Joachim: Das ästhetische Idol, (s. Bibliographie zu AB II).

Schenck, Ernst von: E.T.A. Hoffmann, (s. AB III D.1.2.). [Verfasser identifiziert weitgehend Murr mit dem Bürger Hoffmann, Kreisler mit dem Künstler Hoffmann. Oft verliert sich die Darstellung ins Abstrakt-Metaphysische. Kritische Beurteilung der Künstlerliebe.]

Scher, Steven Paul: Kater Murr und Tristram Shandy. Erzähltechnische Affinitäten bei Hoffmann und Sterne. In: Zeitschrift für deutsche Philologie 95 (1976), Sonderheft E.T.A. Hoffmann, S. 24–42. [Nicht so sehr Jean Paul, sondern Sterne sei für Hoffmann von entscheidender Bedeutung gewesen.]

Segebrecht, Wulf: Autobiographie und Dichtung, (s. Gesamtbibliographie). [Versucht, das Verhältnis von Autobiographie, Erzählung und Herausgeberschaft zu klären. Die Ausweglosigkeit der Autobiographie und die Zusammenhanglosigkeit werden durch den Humor versöhnt. Anregende Gegenüberstellung von Ironie und Humor; freilich mit überspitzter Konsequenz: Wegen des realisierten Humors ist der Erzähler die eigentliche Hauptperson.]

Singer, Herbert: Hoffmann. *Kater Murr*. In: Der deutsche Roman vom Barock bis zur Gegenwart, hrsg. von Benno von Wiese, Bd. 1, Düsseldorf 1963, S. 301–328 und 438–40. [Wichtige Analyse mit vielen fruchtbaren Gesichtspunkten, wenn auch nicht durchweg überzeugend. Figur und Welt des Katers werden als bittere Satire gedeutet, Kreisler stelle eine Annihilation der Gesellschaftsprinzipien dar. Der Roman als Ganzes müsse „notwendig und konstitutiv" ein Fragment bleiben.]

Späth, Ute: Gebrochene Identität. Stilistische Untersuchungen zum Parallelismus in E.T.A. Hoffmanns *Lebensansichten des Katers Murr*. Göppingen 1970. [Minutiöse Sprachbeobachtungen mit fachspezifischer Terminologie, wenig ergiebig zum Gesamtverständnis.]

Steinecke, Hartmut: E.T.A. Hoffmanns *Kater Murr*. Zur Modernität eines „romantischen" Romans. In: Jahrbuch des Wiener Goethe-Vereins 81–83 (1977–79), S. 275–289. [Wirkungsgeschichte des Romans sowie vorzügliche Beobachtungen über die artistische Form als Basis seiner Modernität.]

Stone Peters, Diana: E.T.A. Hoffmann. The Conciliatory Satirist. In: Monatshefte 66,1 (1974), S. 55–73. [Betont die zunehmend versöhnliche oder wenigstens vermittelnde Tendenz in Hoffmanns Satire.]
Werner, Hans-Georg: E.T.A. Hoffmann, (s. Gesamtbibliographie). [Verfasser sieht im Zentrum beider Romanteile den sozialen Konflikt von Künstler und Gesellschaft. Die Probleme des Künstlertums und die humoristische Gestaltung kommen dagegen zu kurz.]
Wiese, Benno von: E.T.A. Hoffmanns Doppelroman *Kater Murr*. In: B'v'W': Von Lessing bis Grabbe. Studien zur deutschen Klassik und Romantik, Düsseldorf 1968, S. 248–267. [Einfühlende und überwiegend einleuchtende Interpretation, Konzentration auf Humor.]
Willimczik, Kurt: E.T.A. Hoffmann, (s. AB III D.1.2.).

1.3. Voraussetzungen und Entstehung

1.3.1. Biographische Voraussetzungen

Im *Kater Murr* spiegelt sich, noch intensiver als in den meisten anderen Werken Hoffmanns, das Grunderlebnis seiner Biographie: der Konflikt zwischen dem Künstlertum und den gesellschaftlichen Bedingungen seines Lebens. So reich an plötzlichen Umschwüngen Hoffmanns Leben auch war, nie fand dieser Konflikt eine befriedigende Lösung (vgl. AB I C.).

Aus der Kindheit des Dichters sind besonders die Beziehungen zu dem spießbürgerlich beschränkten Onkel, dem Vormund des Knaben, sowie zu der Lieblingstante Sophie („Tante Füßchen") als Jugenderinnerungen Kreislers in den Roman eingegangen (367ff.). Die Unzufriedenheit des Künstlers Hoffmann über seine bürgerliche Laufbahn als preußischer Verwaltungsbeamter (1796–1806), das Gefühl, sein eigentliches Leben in der Kunst versäumt zu haben, wird im *Kater Murr* ebenfalls auf die Vergangenheit Kreislers übertragen (381f.). – Als der musizierende und dichtende Regierungsrat aber den Dienst quittieren und, aus Not, durch die Kunst sein Auskommen suchen mußte, erlebte er am eigenen Leib alle die Demütigungen, über die Kreisler sich empört, die Mißachtung der Kunst durch die bürgerliche Gesellschaft und die Geringschätzung des Künstlers durch das Publikum. Hoffmanns ebenso heftige wie unrealisierbare Liebe zu seiner Musikschülerin Julia Mark und die kränkenden Erfahrungen, wie die Geliebte von ihm ferngehalten und an einen unsympathischen Ehemann verkuppelt wurde, leben im Roman in doppelter Gestalt nach: emotional in Kreislers Verhältnis zu Julia Benzon, sozial in seiner Beziehung zu der Prinzessin Hedwiga. – Schließlich hat der Dichter auch Erlebnisse aus seiner letzten Lebensperiode, da er, in den Staatsdienst zurückgekehrt, gleichsam ein Doppelleben führte, als gewissenhafter Kammergerichtsrat einerseits und als Bohemien und Poet andererseits, in den Roman aufgenommen. Hoffmanns juristische Integrität sowie seine politische Ablehnung der Demagogenverfolgungen und der Karlsbader Beschlüsse spiegeln sich in der Darstellung der Verfolgung der Katzenburschenschaften.

1.3.2. Herkunft der Figuren

Die Figur des gelehrten Katers hat ein Vorbild im wirklichen Leben. Hoffmann besaß selbst einen Kater Murr, den er für sehr klug hielt und sehr gern hatte. Verschiedentlich identifiziert er in Briefen den Titelhelden des Romans mit diesem Kater. Die „Nachschrift", in der der „Herausgeber" des Romans den Tod des dichtenden Katers anzeigt (663), basiert auf der Tatsache, daß der wirkliche Murr „in der Nacht vom 29. bis zum 30. November" 1821 (vgl. Br II/329f.) gestorben ist. Der Wortlaut dieser Nachschrift ist unmittelbar von der Todesanzeige geprägt, die der Verfasser seinen Freunden Hitzig und Hippel zusandte. Die Hinweise der Nachschrift auf die Fortsetzung des Romans legen nahe, daß der reale Tod von Hoffmanns Kater das Konzept für den geplanten dritten Teil des Buches wesentlich verändert hat. – Literarisch ist die Figur Murrs von Tiecks „gestiefeltem Kater" beeinflußt, auf den Hoffmanns Held sich mehrfach als auf einen berühmten Vorfahren beruft. – Der Dichter hatte aber auch selbst bereits in den *Fantasiestücken* Tiere, z.B. den von Cervantes her bekannten Hund Berganza, zu Protagonisten einer Erzählung gemacht. Vornehmlich kann der Affe Milo aus den *Kreisleriana* (I/297ff.) als Vorläufer des Katers Murr gelten, da in ihm bereits die falsche Bildung und die falsche Kunst, die sich ein Tier anlernt, persifliert werden.

Die Gestalt Kreislers nährt sich, wie wir gesehen haben, weitgehend aus eigenem biographischem Erleben. Dennoch ist es natürlich unzulässig, die Romanfigur mit dem Dichter zu identifizieren, von der einen auf den andern zurückzuschließen oder umgekehrt, wie die ältere Forschung es häufig gemacht hat. Hoffmann liebte es, sich bisweilen hinter der geschaffenen Figur zu verstecken. Er mystifiziert sich selbst als Kreisler im Umgang mit Fouqué und anderen. Im Roman werden mehrere seiner eigenen Kompositionen als Werke Kreislers ausgegeben. Aber Kreisler ist nur eine gedachte Möglichkeit von Hoffmann, *eine* Seite seines Inneren – die bürgerlich-rationale Tendenz und der überlegene Kunstverstand des Dichters sind dem Kapellmeister fremd. – Hoffmann geht mit der Figur Kreislers seit 1810 um. Die *Kreisleriana* von 1814–15 geben sich als eine Sammlung von Aufsätzen aus dem Nachlaß des Kapellmeisters, in denen der Geist des genialen Musikers und sein Leiden unter dem Musikbetrieb, in den er gestellt ist, Ausdruck finden. Aber die Gestalt dieses frühen Kreislers ist nicht einfach identisch mit der des Romans. Sie ist widersprüchlich in sich selbst, vor allem aber erscheint sie noch gefährdeter als die Romanfigur. Der Kapellmeister der *Kreisleriana* ist heimat- und elternlos; er vernichtet seine Werke unmittelbar nach ihrem Entstehen, und er verschwindet ebenso plötzlich aus der Gesellschaft, wie er in ihr aufgetaucht ist, wahrscheinlich in einem Anfall von Wahnsinn.

Neben der biographischen Komponente hat die Gestalt Kreislers aber auch einen literarischen Ursprung. Wackenroders Tonkünstler Berglinger aus den *Herzensergießungen eines kunstliebenden Klosterbruders* hat unverkennbar auf die Gestaltung Kreislers eingewirkt, und diese Verbindung bedürfte einmal einer genaueren Untersuchung. Schon bei Wackenroder wird die Musik als Kunst gepriesen, die gerade durch ihre Unbestimmtheit die höchste Sehnsucht weckt und die Seele ins Unendliche erhebt. Schon Berglinger leidet unter der entwürdigenden Kunstpraxis und der Oberflächlichkeit eines Publikums, das die Kunst nur als gesellschaftliche Zerstreuung, etwa wie Kartenspiel, gelten läßt. Und wie in den *Kreisleriana* oder in dem Gespräch zwischen Kreisler und der Rätin Benzon im Roman wird bei allem Kunstenthusiasmus doch die Möglichkeit erwogen, daß die Musik geheimnisvoll dämonisch und verderblich auf das Gemüt wirkt. Während dieser Gedanke jedoch bei Hoffmann rein psychologisch gefaßt ist, wird er bei Wackenroder ins Soziale gelenkt und führt zu dem in der Romantik sonst noch unbekannten schlechten Gewissen des Künstlers gegenüber der sozialen Welt mit ihren praktischen Verpflichtungen.

1.3.3. Romantradition

So eigenwillig und originell Hoffmanns *Kater Murr* in Form und Gehalt auch erscheint, so vereinigt er doch zumindest drei repräsentative Romantypen seiner Epoche. Die Autobiographie Murrs steht in der Tradition des Bildungsromans oder ist vielmehr eine komische Auseinandersetzung mit dieser Tradition. Schon die Kapitelüberschriften: „die Monate der Jugend" ... „Lebenserfahrungen des Jünglings" ... „die Lehrmonate" ... „die reiferen Monate des Mannes" weisen deutlich auf diese Herkunft. – Der Kreisler-Teil ist die Geschichte eines romantischen Künstlers, aber das Gewebe von geheimnisvollen Beziehungen, in dem sich der Held bewegt und verwirrt, die unheimlichen Geschehnisse von Kindesentführungen und -vertauschungen, von Eifersucht und Mord, die im Hintergrund lauern, stammen aus der Tradition des populären Schauerromans, die Hoffmann bereits in den *Elixieren des Teufels* aufgegriffen und zum psychologischen Romankunstwerk vertieft hatte. – Der arabeske Erzählstil des Ganzen schließlich, die bizarre Ironie und der Humor weisen den *Kater Murr* in die Tradition des humoristischen Romans. Die

Zeitgenossen glaubten besonders die Verwandtschaft mit Jean Paul zu spüren, der Hoffmann einst durch seine Vorrede zu den *Fantasiestücken* in die literarische Öffentlichkeit eingeführt hatte. Neuere Forschungen betonen mehr den Einfluß der Romane Laurence Sternes und entdecken im *Kater Murr* eher Jean Paul-Parodien (vgl. Scher).

1.3.4. Entstehung

In der Einleitung zum zweiten Teil der *Kreisleriana* schreibt der „Herausgeber":

> So scheint auch Kreisler durch eine ganz fantastische Liebe zu einer Sängerin auf die höchste Spitze des Wahnsinns getrieben worden zu sein, wenigstens ist die Andeutung darüber in einem von ihm nachgelassenen Aufsatz, überschrieben: Die Liebe des Künstlers, enthalten. Dieser Aufsatz, sowie mehrere andere, die einen Zyklus des Rein-Geistigen in der Musik bilden, könnten vielleicht bald unter dem Titel: „Lichte Stunden eines wahnsinnigen Musikers", in ein Buch gefaßt, erscheinen. (I/285)

Das Tagebuch vom 8. Februar 1812 erwähnt die Idee eines „musikalischen Romans", und im Mai des gleichen Jahres finden sich verschiedene Hinweise auf die erfolgreich begonnene Arbeit an den *Lichten Stunden* (Tb 547). Wenn man mit dem Herausgeber der Tagebücher schließt, daß der „musikalische Roman" und die *Lichten Stunden* dasselbe Werk sind (was keineswegs zwingend ist, da in den *Kreisleriana* ja von einem Aufsatz-Zyklus die Rede ist), so läge hier der erste Ansatz zu einem Kreisler-Roman vor. Jedenfalls versprach Hoffmann im folgenden Jahr dem Weinhändler und künftigen Verleger Carl Friedrich Kunz gleichzeitig mit Vereinbarungen über die *Fantasiestücke* auch den Verlag der *Lichten Stunden*. Noch am 8. März 1818, als sich das Verhältnis zu Kunz sehr abgekühlt hat, bestätigt der Dichter dieses Versprechen – freilich mit dem Zusatz, daß er das Werk „vor der Hand nicht erscheinen lassen" werde; denn das Buch sei „ganz etwas anders geworden als ich im Sinn hatte" (Br II/159).

Man könnte aus der Schlußwendung schließen, daß die *Lichten Stunden* schon weit gediehen waren. Aber Hoffmann war gewohnt, Werke als nahezu fertig zu versprechen, bevor er sie noch begonnen hatte. Trotz seiner ungeheuren Produktivität vermochte er vereinbarte Termine oft nicht einzuhalten, weil er stets mehr literarische Auftragsarbeiten übernahm, als er bewältigen konnte. Daß bedeutende Partien der *Lichten Stunden* 1818 bereits vorlagen, ist durch nichts zu belegen. Dennoch ist die Vermutung Friedrich Schnapps nicht abwegig: „Was H. davon aufgeschrieben hatte, verwendete er dann für die [...] *Fragmentarische Biographie des Kapellmeisters Johannes Kreisler*" (Br II/159). Die Arbeit an dem Roman begann ein Jahr nach dem Absagebrief an Kunz, und im

Kreisler-Teil des *Kater Murr* finden sich tatsächlich Betrachtungen über die „Liebe des Künstlers", wie sie in den *Kreisleriana* erwähnt wurden. Keineswegs ist es aber berechtigt, das Schicksal Kreislers im *Kater Murr* als Realisierung des aufgegebenen Plans zu interpretieren und von den *Lichten Stunden* her auf den tragischen Ausgang des sieben bis neun Jahre späteren Romans zu schließen.

Hoffmann begann den *Kater Murr,* wie wir aus Briefzeugnissen zwar nicht präzise, aber doch mit Sicherheit entnehmen können, im Frühjahr 1819. Nach wenigen Monaten war der erste Band beendet, so daß er noch vor Ende des Jahres erscheinen konnte. Die Fortsetzung wurde durch eine schwere Erkrankung Hoffmanns, durch die Fülle konkurrierender literarischer Verpflichtungen (es entstanden große Teile der *Serapions-Brüder*, *Klein Zaches*, *Prinzessin Brambilla*, *Meister Floh* und anderes), besonders aber durch die zeitlichen und nervlichen Ansprüche der Mitgliedschaft in der amtlichen Untersuchungskommission zur Ermittlung hochverräterischer Verbindungen aufgehalten. Erst im Sommer 1821 konnte Hoffmann sich wieder der Arbeit am Roman widmen, und vor Weihnachten des gleichen Jahres erschien dann der zweite Band. Die Vollendung des Werks wurde durch Hoffmanns Tod am 25. Juni 1822 verhindert.

2. *Textanalyse*

2.1. *Die Komposition des Doppelromans*

2.1.1. *Der Zusammenhang der beiden Lebensgeschichten*

Der Erzähler Hoffmann ist stets geneigt, mit den Figuren sowie mit dem Leser der eigenen Werke sein Spiel zu treiben. Diese Neigung erreicht im *Kater Murr* einen neuen Höhepunkt. Der Dichter begnügt sich nicht mit der phantastischen Idee, einen Kater als Verfasser seiner Autobiographie vorzustellen, sondern er sucht diese Fiktion fest in der Wirklichkeit zu verankern, indem er selbst – namentlich – in die Rolle des Herausgebers der Biographie eintritt und den wirklichen Verleger des Romans über die ungewöhnliche Autorschaft des von ihm verlegten Buches nachdenken läßt. Und als sei dies nicht genug des bizarren Spiels, kombiniert er die Lebensansichten des Katers mit der Geschichte Kreislers, die beim ersten Zusehen nichts mit dem eigentlichen Roman zu tun hat. Die fiktive Erklärung im Vorwort des Herausgebers, der Kater habe Kreislers Biographie zerrissen, als Löschpapier oder als Schreibunterlage für die eigenen Aufzeichnungen benutzt und die Blätter versehentlich zwischen den Seiten seiner Niederschrift stecken lassen, ist nicht dazu geeignet, die Bedenken des Lesers gegen diese Kombination zu zerstreuen, sondern zu bekräftigen. Die Verbindung wird als bedauerlicher Unfall oder als Willkürakt dargestellt – alle sonst so beliebten Hinweise auf den verborgenen Sinn fehlen –, und es scheint nur Beziehungslosigkeit und Fremdheit zwischen den Teilen zu geben.

Freilich bemerkt der Leser bald, daß die beiden Geschichten doch am selben Ort spielen oder zumindest unter denselben Personen; denn der Besitzer des Katers, vielleicht auch der Freund, der dem Herausgeber das Manuskript seines Zöglings überbringt, ist niemand anders als Meister Abraham, der im Kreisler-Teil als Freund des Kapellmeisters – und als Fürstenberater eine hervorragende Rolle spielt (vgl. Segebrecht, S. 214). Kreisler selbst wird in der Lebensgeschichte Murrs auch zweimal erwähnt; zunächst eher beiläufig als ein Mann, der sich über die witzige Idee, daß ein Kater Gedichte schreibt, amüsieren werde (364); dann aber, am Ende der Autobiographie, als künftige Pflegeperson Murrs während einer geplanten Reise Meister Abrahams. – Umgekehrt wird die Rettung des neugeborenen Kätzchens durch Meister Abraham im ersten Abschnitt der Kreisler-Biographie berichtet.

Doch was bedeuten diese Gemeinsamkeiten? Mit Recht hat man darauf hingewiesen, daß die Personen und ihre Umwelt in den beiden Handlungssträngen recht verschieden aussehen (vgl. Rosen). Meister Abraham ist im Kater-Teil ein mit Respekt behandelter, aber unauffälliger Mann, der als Privatgelehrter ruhig seinen Studien nachzugehen scheint. Er wohnt in einer Gelehrtenwohnung unterm Dach – in einer großen, lebendigen Stadt, und nichts weist über die Grenzen einer bürgerlichen Existenz hinaus. In der Kreisler-Geschichte ist Meister Abraham eine geheimnisumwobene Gestalt, die halb Mechaniker, halb Magier und Hexenmeister, umgeben von optischen und akustischen Apparaten, im Fischerhäuschen des Sieghartsweiler Schloßparks wohnt und bizarr-bedeutend über die Geschicke am fürstlichen Hof wacht. Trotz der personalen Identität bleiben die Bereiche also atmosphärisch und geistig getrennt.

Auch die chronologischen Beziehungen zwischen den Teilen tragen nicht wesentlich zur wechselseitigen Erhellung bei. Die gesamte Murr-Handlung von mehreren Monaten spielt in einer Erzähllücke der Kreisler-Handlung, zwischen dem Fragment, mit dem der zweite Band schließt, und demjenigen, mit dem – wider alle Chronologie – der erste beginnt. Am Ende des Kreisler-Teils ruft Meister Abraham seinen Schützling zum Namenstagsfest der Fürstin eilig aus dem Kloster Kanzheim nach Sieghartsweiler. Am Anfang des Buches berichtet er dem Zurückgekehrten, wie er bei dem verunglückten und längst vergangenen Fest den kleinen Kater gefunden und zu sich genommen habe. Da zur Zeit des Gesprächs der Kater bereits zum „Manne gereift“ ist und zur Vollendung seiner „höheren Bildung“ in den Dienst des Kapellmeisters treten soll, müssen Monate vergangen sein, bevor Kreisler in Sieghartssweiler angekommen ist. Was in dieser Zeit geschah, bleibt jedoch unbestimmt. Es ist nur wahrscheinlich, daß die Verhältnisse am Hof sich nach den Wünschen der Rätin Benzon und gegen die Interessen Kreislers entwickelt haben.

Neben den Entsprechungen von Raum und Zeit fallen eine Fülle von Detailbeziehungen zwischen den verschiedenen Teilen auf. Was sagen diese über den inneren Zusammenhang der beiden Geschichten aus? In unmittelbarer Nachbarschaft wird erzählt, daß der junge Kater und der junge Kreisler eine Ohrfeige von ihrem Oheim erhalten, daß die Verletzungen von Murrs Duellgegner und die des törichten Prinzen Ignaz mit „Hausmitteln" behandelt werden, daß der Kater mit der geliebten Katze Miesmies und Kreisler mit Julia ein bewegendes Duett singen. Fast gleichzeitig reflektieren Murr und Kreisler über die Entstehung des Bewußtseins oder über die Liebe. Murrs siegreich bestandenes Duell erinnert an den mißglückten Mordanschlag auf Kreisler und sein Auftritt in der vornehmen Hundegesellschaft an den Aufenthalt des Kapellmeisters am Sieghartsweiler Hof. – Manchmal begegnen die Motive zuerst im Kater-Teil, manchmal bei Kreisler, ohne daß sich ein leitendes Prinzip erkennen läßt. Häufig scheinen sie ganz beiläufig und ohne tiefere Konsequenz gebraucht, wie sie dem Dichter bei Niederschrift der einzelnen Abschnitte eben einfielen. Aber nie sind sie funktionslos. Sie mögen wenig zum Verständnis der Gesamtkomposition beitragen, dienen aber zumindest erzählstrategisch dazu, das Problembewußtsein des Lesers wachzuhalten und mögliche Sinnstrukturen zu suggerieren.

Bisweilen reichen die Beziehungen jedoch tiefer: die Reflexionen über die Liebe z.B. kontrastieren das verschiedene Wesen der beiden Liebenden; die Erfahrungen der Protagonisten in der vornehmen Gesellschaft gehören zur zentralen satirischen Substanz des Romans. Solche Entsprechungen legen nahe, daß die beiden Geschichten und ihre Helden einander als ganze spiegeln. Und diese Idee wird schließlich durch die wichtigste Parallele zwischen den Erzählsträngen bekräftigt. Der dichtende Kater Murr und der Kapellmeister Johannes Kreisler sind einander als Künstler gegenübergestellt. Die scheinbar durch Abgründe getrennten Romanteile haben letztlich das gleiche Thema: die Einstellung des Künstlers zur Kunst und zur gesellschaftlichen Wirklichkeit. – Wenn die Katerwelt bürgerlich und philisterhaft erscheint, die Kreisler-Welt dagegen phantastisch und exzentrisch, so entspringt dieser Unterschied dem Gegensatz von ursprünglicher Kunst und konventioneller Scheinkunst. Die dauernde Gegenüberstellung der beiden Bereiche entspricht den Hoffmannschen Gepflogenheiten, das Alltägliche und das Wunderbare unmittelbar nebeneinanderzustellen, ineinandergreifen und auseinander hervorgehen zu lassen, so daß hinter scheinbarer Beziehungslosigkeit für den Leser verborgene Zusammenhänge erkennbar werden. Aber was etwa im *Goldnen Topf* als Erkenntnisproblem dargestellt wird, das Herauswachsen des „höheren Lebens" aus dem gewöhnlichen, das wird hier rein artistisch-technisch gestaltet durch die dauernde Verschränkung des wahrhaft Künstlerischen mit dem Trivialen.

2.1.2. *Die Struktur und ihre Bedeutung*

Die Struktur des Romans ist oft charakterisiert worden, freilich häufiger inkorrekt als richtig. Man kann ebensowenig dem Urteil Hans von Müllers zustimmen, daß die Kreisler-Geschichte eine geschlossene Erzählung ist, in der zwischen den Abschnitten jeweils nur wenige verbindende Sätze fehlen, wie man Benno von Wiese rechtgeben kann, wenn er die Unterbrechungen der Handlung als „völlig willkürlich" bezeichnet (S. 250). Die Murr- und die Kreisler-Handlung sind durch das Ineinanderschieben der beiden Bücher fragmentiert, in einzelne Stücke aufgelöst, aber jedes Stück ist weitgehend geschlossen in sich selbst und erzählt – kürzer oder länger – *eine* Erfahrung, *eine* Begegnung oder *einen* zusammenhängenden Komplex. Wenn die Handlung scheinbar an der spannendsten Stelle abbricht, so ist das nur erzählerische Täuschung: in Wirklichkeit beginnt durchaus etwas Neues. – Der wichtigste Unterschied zwischen den Handlungssträngen besteht darin, daß die Abschnitte sich im Kater-Teil zu einem fortlaufenden Kontinuum ergänzen. Jedes Stück schließt sich genau an das vorangehende an, und ein Kater-Enthusiast könnte das ‚Versehen' seines Helden bzw. des Herausgebers rückgängig machen, indem er die Murr-Handlung unter Überschlagung der Kreisler-Stücke als zusammenhängende Lebensgeschichte läse. Jedenfalls beeinträchtigen die Unterbrechungen nicht den eigentlichen Gehalt, sondern nur die Spannung. – Wenn dagegen ein Kreisler-Abschnitt abgebrochen wird, dann setzt der nächste an einer ganz anderen Stelle ein und der Leser weiß nie, was etwa verloren ist. Diese wirklich fragmentarische Erzählweise trägt unmittelbar zu der Atmosphäre des Geheimnisses bei, in der sich Kreislers Leben abspielt.

Der Ich-Erzähler Murr, der jedes Detail seines Lebens für bedeutsam hält – denn „kann [...] wohl einem hohen Genius jemals Unbedeutendes begegnen?" (319) –, der nach dem Vorbild von Plutarch und Cornelius Nepos Generationen von Katerjünglingen zu erziehen hofft, erzählt zuverlässig und in genauer chronologischer Folge die Erlebnisse, Gedanken, Stadien seines Wegs zum „Größten seines Geschlechts" (320). Vor dem Leser rollt sich ein – wenn auch in der zeitlichen Abfolge ungewöhnlicher, so doch wohlgestalteter Entwicklungs- oder Bildungsroman ab: Erwachen in der Welt, moralische und physische Erziehung, Lesen, Schreiben und Dichten, Verhältnis zur Mutter, Jugendfreundschaft mit Ponto, Lümmeljahre, erste Begegnung mit der Welt, Erlernen von Lebensklugheit, Anfeindungen durch eifersüchtige Gelehrte, Liebe, Ehe, Philistertum, Burschenzeit, Verhältnis zur Tochter, Eintritt in die vornehme Welt, Rückzug in Kunst und Wissenschaft. Aus der Spannung zwischen der Natur des Tieres und dem menschlichen Charakter dieses Lebenslaufs ergibt sich die erste Ironisierung der Entwicklung. Eine rein formale Parodie des Entwicklungsromans liegt in den Unterbrechungen durch den Kreisler-Teil vor. Der Ich-Erzähler, der seine Biographie so schön logisch und konsequent ausbreitet, zerstört und zersplittert durch seinen Mißbrauch des Kreisler-Buchs das eigene Werk. Wer die Lebensansichten Murrs aus dem Ganzen löst und separat liest, der bringt sich um diese Perspektive.

Der Kreisler-Teil wäre auch ohne die Verstümmelungen und Unterbrechungen, denen er ausgesetzt wurde, kein glatter, chronologischer Roman. Der Erzähler dieser Lebensgeschichte tritt als „Biograph" auf, der die Informationen, die er „brockenweis" bekommt, sofort verarbeiten muß, ohne das Ganze zu übersehen (336) – oder als „Herausgeber", der zwar wenig weiß, aber vertraut, daß alles zu seiner Zeit an den Tag kommen werde. Die Erzählung beginnt, wie erwähnt, mit der spätesten Szene. Danach stehen zwar alle Stücke von Kreislers Ankunft in Sieghartsweiler bis zu seinem Aufbruch aus dem Kloster in natürlicher zeitlicher Folge, aber durch Gespräche und Gedanken wird immer wieder in die Vergangenheit zurückgeblendet. Während die Gegenwartshandlung nur langsam fortschreitet, werden Kreislers Kindheit enthüllt und Meister Abrahams Jugend; das Verhältnis des alten Fürsten zu Meister Abraham und das des Fürsten Irenäus zur Rätin Benzon; die Kindheit Hedwigs und die Ettlinger-Affäre; schließlich die Vorgeschichte des unheimlichen Prinzen Hektor und seines ebenso bedenklichen Bruders. Die Fülle der Vergangenheitserlebnisse bestimmt die Gegenwart und wird zum Schlüssel für die Zukunft; denn alle Hauptfiguren außer Julia haben eine Vergangenheit, die noch unbewältigt erscheint. So tritt an die Stelle eines kontinuierlichen Erzählfadens die Entwicklung eines verschlungenen Netzes von Beziehungen zwischen den Personen, ihren Begegnungen und ihren Vorgeschichten.

Noch einen weiteren Schluß läßt das Verhältnis von Form und Gehalt der beiden Teile zu: Der Kater Murr ist ein ganz ungewöhnlicher Kater, insofern er dichten und denken kann. Aber da seine Entwicklung doch weitgehend einem menschlichen Lebenslauf gleicht, darf man ihn zugleich mit menschlichen Maßstäben messen. Und aus dieser Perspektive erscheint er als unechter Künstler voller Einbildungen und Prätentionen, als träger Philister und bürgerlicher Pedant, der sich nur als Gelehrter und Dichter aufspielt. Und solche Unbedeutendheit präsentiert sich wichtigtuerisch mit wohlgeordneten Lebensansichten und wird sofort gedruckt. – Kreisler, der wirkliche Künstler, mit Tiefe und echtem Kunstenthusiasmus, wird in einer scheinbar formlosen Biographie, die nie in den Buchhandel gekommen ist, abgebildet, – und nur durch den barbarischen Akt des Katers und das Versehen des Herausgebers gelangt er zufällig als Makulaturblatt des Kater-Buchs unter die Leute. In diesem Mißklang spiegeln sich – tief ironisch – die Weltverhältnisse. – Daß der Autor des Buchs dennoch dem Kreisler-Teil reichlich sechzig Prozent des Gesamtvolumens einräumt (vgl. Rosen, S. 15) und dem ‚eigentlichen' Roman, dem Kater-Buch, nur knapp vierzig Prozent, darf als heimliche Korrektur der gesellschaftlichen Mißverhältnisse angesehen werden und gibt Aufschluß über die poetischen Intentionen des Verfassers.

2.2. Parodie eines Bildungsromans

2.2.0. Vorbemerkung: Kater und Interpreten

Seitdem die Murr-Handlung von der Forschung nicht mehr nur als Erzählvorwand, sondern als genuiner Teil des Romans akzeptiert wird, stellt sich immer wieder die Frage, wie die Rolle des Katers zu beurteilen ist. Da sind zunächst diejenigen Stimmen, die in dem Helden nur die Zielscheibe des Spotts und bitterer Kritik sehen. Bereits Ellinger erkennt – in der Einleitung zum 9. Bande seiner Ausgabe – in Murr den „eingefleischten Philister" (S. 9) und findet, daß Hoffmann „die Tiermaske in der Hauptsache zu satirischen Zwecken benutzt" (S. 8). Singer meint, Hoffmann habe alles daran gesetzt, den Leser gegen Murr einzunehmen (S. 302). Werner und Jones wollen von versöhnlichen Charakterzügen nichts hören; denn in Murr werde die „moralische und künstlerische Korruption" von Hoffmanns Epoche bloßgestellt (Werner, S. 191), „todernst" und in „verheerender Satire" (Jones, S. 56). Dagegen betonen andere Interpreten die Sympathie und das Wohlwollen für den Kater. Von Schenck sieht in Murr die bürgerliche, kompromißbereite Seite des Menschen Hoffmann abgespiegelt. Müller-Seidel nennt im Nachwort unserer Ausgabe den Kater ‚liebenswürdig-selbstgefällig' und erklärt ihn zur „Symbolgestalt des Humors kat'exochen" (684), und Benno von Wiese verteidigt den Helden wegen seiner amüsanten Unbekümmertheit und Problemlosigkeit. – Um der Gestalt des Katers gerecht zu werden, sind seine Persönlichkeit, wie sie sich in der Lebensgeschichte und in der Auseinandersetzung mit der Umwelt spiegelt, sowie seine Einstellung zu sich selbst und zur Wirklichkeit, wie sie in seiner Berichterstattung zum Ausdruck kommt, zu betrachten.

2.2.1. Literatur- und Gesellschaftssatire

Die verschiedenen Stationen von Murrs Lebensweg wurden bereits gesichtet (vgl. 1.3.3. und 2.1.2.). Es ist nicht gerade aufregend, was er erlebt, aber auch nicht so alltäglich, wie die Forschung meint, die einseitig sein Philistertum betont. Auffällig ist freilich, wie wenig er sich verändert und entwickelt. Sobald er lesen und schreiben gelernt hat, vermag er auch zu philosophieren, zu politisieren und zu dichten. Im stolzen Bewußtsein seiner Genialität auf der einen Seite, in geschickter Anpassung an die Umwelt auf der anderen, versteht er es, fast ungehindert seinen literarischen Ambitionen nachzugehen. So entsteht die Zufriedenheit mit sich selbst und seiner Umwelt, die ihn „sehr bald" zu dem „liebenswürdigen gemütlichen Mann" macht, „der ich noch heute bin" (325). Alle Erlebnisse und Abenteuer, durch die er geht, bringen keinen weiteren Fortschritt. Jeder Weg in die Welt – sei es die Welt der Liebe oder der Ehe, der Burschenschaft oder der Hundearistokratie – erscheint als Abweg und endet bald mit der Rückkehr hinter den Ofen bzw. zu den Büchern. Bestenfalls dienen persönliche Erfahrungen dem ehrgeizigen Schriftsteller dazu, seine Ansichten darüber aufzuschreiben. Aber letztlich bedarf er ihrer nicht einmal zu diesem Zweck; denn oft schreibt er seine Bücher, bevor er sich mit einer Sache vertraut gemacht hat: Das Buch über die Pudelsprache entstand, bevor er dieses Idiom gelernt hat, und die Abhandlung über die Liebe ging der Begegnung mit der Geliebten voraus. Murr ist so ‚gebildet', d.h. mit Angelesenem so vollgestopft, daß wirkliche Kenntnisse ihn eher irritieren als fördern.

So ist der Lebenslauf Murrs erneut dazu angetan, sowohl das Prinzip des Entwicklungs- als auch – spezifisch – das des Bildungsromans, denen er formal verpflichtet ist, parodistisch ad absurdum zu führen. Dabei ergibt sich ein durchaus origineller satirischer Ansatz: Murr ist viel zu träge und viel zu sehr ‚Realist', um auf die Dauer eine andere Lebensweise anzunehmen als die angenehmste. Diese philisterhafte Trägheit gewinnt aber erst ihre besondere Note dadurch, daß sie sich geschickt hinter der Fassade von Bildung und Literatur verbirgt. Das Dichten und Denken, der ganze hohe Idealismus, dem der Kater in begeisterten Worten frönt, sind letztlich nur ein bequemer Vorwand, sich dem Lebenskampf zu entziehen und sich die materiellen „Freuden, als da sind Bratfische, Hühnerknochen, Milchbrei etc." (527) zu erhalten. Damit geht Hoffmann über die normale Philister- und Spießerkritik der meisten Romantiker hinaus und weist voraus auf Fontane, bei dem der Bourgeois nicht nur ein Materialist ist, sondern vor allem auch ein verlogener Idealist (vgl. besonders *Jenny Treibel*). – Paradoxerweise ist dieser Materialismus aber auch geeignet, mit den Schwächen Murrs zu versöhnen; denn für den Kater ist Materialismus ein ursprünglicher Instinkt, der hinter aller idealistischen Unnatur zum Vorschein kommt. Deshalb kann der Leser mit Murr einverstanden sein, wenn er den Heringskopf frißt, den er seiner Mutter präsentieren wollte (335), mag der Held selbst auch noch so viel darüber lamentieren oder räsonieren.

Mit der Form des Bildungsromans wird der Bildungsglauben der klassischen Periode ironisiert, das Hinterfragen von Murrs künstlerischen Bemühungen relativiert den klassisch-romantischen Idealismus. Keine der zeitgenössischen Strömungen bleibt von der Literatursatire verschont. In seiner ersten „Vorrede“ spricht Murr als schüchterner, empfindsamer Autor, und zwar mit einer solchen Häufung von Phrasen der Empfindsamkeit (und frühsten Romantik), daß es wirklich nicht des ‚versehentlich‘ mit-abgedruckten „unterdrückten“ Vorworts und des Kommentars des Herausgebers bedürfte, um die modische Heuchelei dieser Ansprache zu entlarven. Das zweite Vorwort mit seinem selbstbewußten Ton ist natürlich ebenfalls eine Parodie: auf Pathos und Geniekult. Durch den ganzen Roman wird sich bei Murr diese Zweiheit von Sentimentalität und Pathos bemerkbar machen (vgl. Steineckes Nachwort zur Reclam-Ausgabe, S. 492).

Die Gesellschaftskritik umfaßt die verschiedensten Bereiche. Immer wieder wird die bürgerliche Moral in Frage gestellt, mehr noch als in den Erlebnissen des Katers durch die Berichte und Erzählungen seines Lehrers in der „Weltklugheit“, des Pudels Ponto. In der Geschichte von den beiden Freunden Formosus und Walter, die einander scheinbar an Edelmut übertreffen, während beide nur den eigenen Vorteil im Auge haben, findet sich das Problem von Murrs falschem Idealismus ins Menschlich-Krasse und Gesellschaftlich-Bedenkliche gesteigert. – Die Ehe erscheint Murr als eine Institution, die zu nichts besser geeignet ist, als die unbequeme Liebe im eigenen Inneren zu ersticken. Aber wiederum übertreffen die Eheerfahrungen des Professors der Ästhetik mit seiner Gattin und dem Baron Alkibiades an satirischer Schärfe die Erlebnisse des Katers. – Das Verhältnis von Bürgertum und Aristokratie ist humorvoll in Murrs Verhältnis zur vornehmen Hundewelt abgespiegelt, und die Satire des Autors trifft beide Seiten: Die aristokratische Welt wird in ihrer ganzen Leerheit und der durch keinerlei Leistungen gerechtfertigten Prätention abgebildet, aber der bürgerliche Gelehrte und Künstler, der sich ihr aus Eitelkeit anzubiedern sucht, ist kaum weniger lächerlich. – Schließlich kommt auch die Opposition zu den herrschenden Klassen nicht ohne Ironie davon; die Katzburschenschaften, die ebenso geräuschvoll wie harmlos gegen die philiströse Bourgeoisie und Aristokratie aufbegehren, erscheinen im komischen Licht, und nur ihre Verfolgung wegen „dämagogischer Umtriebe“ gibt dem ironischen Porträt eine tragische Komponente. Die Satire verlagert sich auf die Verfolger.

2.2.2. Murrs ironischer Anteil

Ist der Kater selbst Satiriker oder ist er nur Objekt der Kritik? Murr versteht es durchaus, über Ponto oder den Professor der Ästhetik ironisch herzuziehen. Aber gewöhnlich stellt er sich, auch als Kritiker, vornehmlich selbst bloß. Er, der sich für die Krone der Schöpfung hält, paßt sich rasch an alles Falsche und Nichtige an. Er verachtet die Kunststücke Pontos vor der Wurstverkäuferin als würdelose Devotion, aber er verzehrt skrupellos die ihm dargebotene Wurst, und als er für die Trauerfeier des verunglückten Muzius Milch besorgen muß, gebraucht er mit Geschick die gleichen Mittel wie jener. – Er glaubt seiner „geistigen Überlegenheit" (640) über die vornehmen Pudel, Windspiele und Möpse sicher sein zu dürfen, hat aber nichts Besseres zu tun, als die Bewunderung dieses Publikums zu suchen und sich durch die Liebe zu dem aristokratischen Windspielfräulein vollends lächerlich zu machen. Seine Eitelkeit ist stets größer als seine Einsicht, und das hohe Selbstgefühl kontrastiert mit seiner Nichtigkeit und Charakterlosigkeit.

Die kater-kritischen Stimmen unter den Interpreten scheinen also recht zu behalten. Und dennoch ist Murr primär ebensowenig Gegenstand wie Urheber der Satire, sondern er ist, vor allem anderen, *Mittel* der satirischen Entlarvung (vgl. Steineckes Nachwort zur Reclam-Ausgabe, S. 498). Die Satire des Buches zielt nicht auf ihn als Figur, sondern auf die Umwelt, die er imitiert und repräsentiert. Diese Unterscheidung ist möglich, weil seine Gestalt nicht wie die Tiere der Fabeldichtung restlos in der menschlichen Rolle aufgeht. Murr ist nicht einfach ein „Bildungsphilister" (Meyer, S. 122), sondern er bleibt ein Kater. Und dieses Katertum versöhnt mit seinen Schwächen (vgl. Müller-Seidel im Nachwort seiner Ausgabe, 684), ja, läßt sonst schwer verzeihliche Charaktermängel als „liebenswürdig" und „amüsant" erscheinen.

Ob der schreibende Kater darüber hinaus Distanz zu sich selbst besitzt und man ihm seine kritisch-ironische Selbstdarstellung zugute halten kann, wie es verschiedentlich geschehen ist (Loevenich, Preisendanz, Daemmrich), bleibe dahingestellt. Sicher gibt Murr, wenn er über das eigene Verhalten reflektiert, bisweilen Irrtümer oder Torheiten zu – besonders dann, wenn ein solches Zugeständnis ihm als moralische Leistung wieder zum Ruhm gereicht (643); aber die wortreichen Tiraden, mit denen er sein Verhalten erklärt und sich selbst ins hellste Licht stellt, der „Lobposaunenton" (450), mit dem er sich der Nachwelt als Zierde seines Geschlechts empfiehlt, sind von ihm nicht ironisch gemeint. Die Darstellung ist für den Leser durchlässig; er erkennt die Nichtigkeit und die Falschheit hinter dem Pathos. Aber es ist nicht der Kater, sondern der Autor, der hinter dem Wortschwall die Wahrheit aufblitzen läßt. Murr selbst bleibt eher naiv – in bewundernswerter Unverschämtheit.

2.3. Der romantische Künstlerroman

2.3.1. Künstler und Gesellschaft

Die Lebensgeschichte Murrs ist äußerlich im gleichen Maße ein Künstlerroman wie die Biographie Kreislers. Aber während wir in Murr dem unglaubwürdigen Künstler begegnen, der sich der Kunst aus Eitelkeit und Bequemlichkeit widmet, ist Kreisler ein authentischer romantischer Künstler, der zur Kunst berufen ist und sich ihr kompromißlos ergibt. Murr mag sich darüber beschweren, daß die Zeitgenossen seine unsterblichen Werke nicht genügend würdigen – das Problem des unverstandenen Künstlers wird auch bei ihm ironisch ins Spiel gebracht –, aber im wesentlichen lebt er mit sich selbst und der bürgerlichen Welt in perfekter Harmonie. Kreisler dagegen bleibt durch seine unkonventionelle Persönlichkeit und den Absolutheitsanspruch seiner Kunst ein exzentrischer Fremdling in der sozialen Welt.

Die gesellschaftliche Realität, mit der der Kapellmeister konfrontiert wird, ist die feudale Welt, die bis zum 18. Jahrhundert Träger und Förderer der Künste war. Diese Welt wird in der Kreisler-Geschichte mit satirischer Schärfe als unzeitgemäß, ja, als unwirklich dargestellt. Der Hof des ‚Fürsten' Irenäus, der seit der Übernahme seines Ländchens durch den benachbarten Großherzog hauptsächlich als Fiktion im Kopfe des ehemaligen Souveräns existiert und nur von denen ernst genommen wird, die sich am falschen Glanz berauschen oder sich vom Mitspielen persönliche Vorteile versprechen, ist eine Karikatur der Scheinhaftigkeit und Sinnentleertheit tradierter sozialer Verhältnisse. Die rigorose Wahrung von Formen und Konventionen muß über die eigentliche Bedeutungslosigkeit und menschliche Unzulänglichkeit der Personen hinwegtäuschen; auf die Spitze getrieben erscheint der Kontrast zwischen hohem Anspruch und realer Nichtigkeit in der Figur des Prinzen Ignaz, der zugleich stolzer Thronfolger und blödsinnig ist.

So lächerlich die falsche feudale Welt anmutet, so gefährlich ist sie doch. Hinter der eher harmlosen Oberfläche lauern Abgründe, spielen sich Machtkämpfe und unmenschliche Intrigen ab. Wer wie Kreisler unbefangen in diese Welt hineintritt, ohne die Konventionen zu achten und sich um die verschiedenen Machenschaften zu kümmern, muß überall anstoßen und stolpern, und selbst Meister Abraham, die einzige Gestalt, die Macht und Menschlichkeit vereinigt, kann ihn nicht vor Unheil bewahren. Der an sich nicht gegen ihn eingenommene Fürst nimmt Anstoß daran, daß der Kapellmeister die Etikette nicht respektiert und ihm ohne Scheu ins Gesicht lacht; die ihm einst wohlgesonnene Benzon empfindet ihn als unbequemen Störenfried ihrer ehrgeizigen Pläne und sucht ihn mit allen Mitteln zu entfernen; Prinz Hektor trachtet ihm unmittelbar nach dem Leben. Ein freier Geist, der „die Ewigkeit der Verträge die [die anderen] über die Gestaltung des Lebens geschlossen, nicht anerkennen" kann (499), der sich weder in der Kunst noch im Leben manipulieren läßt, wird als Bedrohung empfunden, als „ironische Annihilation" des Hofes (Singer, S. 312).

Kreisler ist aus der Kapellmeisterschaft beim Großherzog weggelaufen, weil er die „fade Spielerei mit der heiligen Kunst, [...] die Albernheit seelenloser Kunstpfuscher, abgeschmackter Dilettanten" (357) nicht ertragen konnte. Die Abhängigkeit der Kunst vom Hof, die Erniedrigung des Künstlers zum Offizianten, der den Wünschen und Launen des Fürsten und seiner Spektakelherren zu Dienst sein muß, erscheint ihm tief entwürdigend. Die Musik als höchste menschliche Möglichkeit gewinnt für ihn gleichsam sakrale Bedeutung, und kein Ungeweihter darf über sie verfügen. So vertritt der Held die Emanzipation der Kunst vom Hof und der vornehmen Welt bei gleichzeitiger sozialer Abhängigkeit von der Gesellschaft. Dieser ungelöste Widerspruch wirkt tief verstörend auf ihn.

Für Kreisler besteht das Wesen der Musik in seelischer Bewegung und Transzendenz des Irdischen, ihre Funktion am Hof dagegen ist Unterhaltung. Als der Kapellmeister und Julia in der Abendgesellschaft bei der Rätin Benzon das von ihm komponierte bewegende Abschiedsduett singen und die Anwesenden von der schmerzlichen Leidenschaft und der vollendeten Darbietung der Musik tief erschüttert sind, muß Kreisler sich von der Prinzessin Hedwiga sagen lassen, wie unbillig es sei, „im gemütlichen Zirkel [...] extravagante Sachen aufzutischen, die das Innere zerschneiden" (414). Sie verlangt von der Musik nicht Erschütterung, sondern – feudaler Gewohnheit entsprechend – Ausschmückung der Unterhaltung, Beförderung der Geselligkeit. Kreislers Musikenthusiasmus ist – auch ohne jede polemische Absicht – wie seine ganze Persönlichkeit ein Affront gegen die bestehenden Traditionen.

Wenn der Kapellmeister durch solche Kommentare aus der Seligkeit seines Musikhimmels gerissen wird, zurück in die irdische, d.h. die gesellschaftliche Realität, dann steigt bei ihm „statt des Ausdrucks schwermütiger Sehnsucht [...] ein toll verzerrtes Lächeln [...] bis zum Possierlichen, bis zum Skurrilen" (342) auf, und er fällt mit einer ebenso bizarren wie schneidenden Ironie über sich und seine Umgebung her. Die seltsamen Faxen und Sprünge in Rede und Gebärde, Ausdruck des Mißverhältnisses zwischen Innerem und Außenwelt, wirken hinreichend toll, um ihm den Ruf eines Wahnsinnigen einzutragen. Aber letztlich reagiert er damit nur die Spannungen ab, die er, in der Seele verschlossen, nicht aushalten könnte. Seine ironischen Exaltationen sind kein Ausbruch des Wahnsinns, sondern ein Schutz vor dem Zerbrechen, geradezu die Rettung seines empfindlichen Ichs vor dem Wahnsinn.

2.3.2. *Idealität und Dämonie der Kunst*

Die höchste Kunst, wie sie in diesem Roman verstanden wird, hat keinen Platz in der Gesellschaft, weil sie keine Grenzen akzeptiert. Sie ist weder sozial noch ästhetisch zu integrieren; ihre Idealität besteht gerade in seelischer Entgrenzung. Die Empfindungen, die die Musik weckt, „Trost [...] Hoffnung [...] Sehnsucht [...] unvergängliche Liebe [...] Entzücken ewiger Jugend" (359), entbehren aller Konkretheit. Nur in metaphorischer Bildsprache ist das Musikerlebnis zu beschreiben: die Stimmen erhoben sich „auf den Wellen des Gesanges wie schimmernde Schwäne, und wollten bald mit rauschendem Flügelschlag emporsteigen zu dem goldnen strahlenden Gewölk, bald in süßer Liebesumarmung sterbend untergehen in dem brausenden Strom der Akkorde [...]" (413). Und weil alles Irdisch-Bestimmte in solchem Enthusiasmus zurückbleibt, kann die Kunst metaphysischen oder „metaästhetischen" (Singer) Rang erhalten. Wie für Wackenroders Berglinger, an den Gestalt und Schicksal Kreislers immer wieder erinnern, ist die Musik Offenbarung des höchsten Seins und übernimmt religiöse Funktionen.

Es ist einleuchtend, daß Kreisler abseits von der Welt, im Benediktinerkloster, eine besonders fruchtbare Musikproduktion entfaltet. Wenn der Abt ihm das Kloster als ständiges Asyl anträgt, weil er hier ungestört nach dem „höheren Sein", das ihm die „Bedingung des Lebens" ist (541), streben könne, so hat er – trotz problematischer Hintergedanken – die Situation des Helden richtig erkannt. – Freilich gehört zum Gelingen von Kreislers Kunstschaffen außer der repressionsfreien, harmonischen Umgebung der Abtei auch die ständige Beziehung auf ein Idealbild seiner Kunst. Wie für die Malergestalten Hoffmanns oft das Bild einer idealen Geliebten die Bedingung ihres Schöpfertums ist (vgl. von Matt), so bedarf auch Kreisler eines Engels der Inspiration. Diese Funktion hat Julia, die durch ihren wunderbaren Gesang geradezu zur Musikheiligen stilisiert wird. Als der Kapellmeister das Agnus Dei seines Hochamts komponieren will, erscheint sie ihm im Traum und singt „mit Tönen des Himmels" (538) die vollendete Komposition, so daß er sie nach dem Erwachen nur noch aufzuzeichnen braucht (vgl. das verwandte Erlebnis Raffaels in ‚Raffaels Erscheinung' aus Wackenroders *Herzensergießungen*).

Die Verbindung von Kreisler und Julia steht im Zeichen der berühmt-berüchtigten „Liebe des Künstlers" (431). Dies ist eine Liebe, die nicht nach irdischer Erfüllung trachtet, sondern in der lebendigen Geliebten die Verkörperung eines inneren Ideals sucht, das dann „als Gesang-Bild-Gedicht" (431) aus der „Seele des Künstlers" hervortritt. Prinzessin Hedwiga, die, von geheimer Leidenschaft verstört, sich nach einer derartigen reinen Liebe sehnt, empfindet diese Vorstellung als einen „schönen herrlichen Traum des Himmels", aber eben doch nur „einen leeren Traum"

(432). Ihre Zweifel an der Möglichkeit solcher Liebe werden von manchen Interpreten (vgl. z.B. Singer) geteilt. Für von Schenck ist die Künstlerliebe geradezu eine „dem Dasein ausweichende Selbstliebe und damit Lieblosigkeit, die sich im Nichts verliert" (S. 531). Von Matt dagegen sieht in Kreislers Wissen um die Künstlerliebe seine Auszeichnung vor dem Maler Ettlinger, der sich in die von ihm gemalte Fürstin verliebt hat und an der Vermischung von Ideal und Wirklichkeit wahnsinnig geworden ist, und Daemmrich deutet die Selbstaufopferung der eigenen Person als eine Grundbedingung künstlerischer Berufung.

Wie verbindlich das Konzept der Künstlerliebe ist angesichts der „humoristischen Töne" (431), mit denen es vorgetragen wird, und ob die Beziehung zwischen Kreisler und Julia eine menschlich befriedigende Lösung finden kann, muß wegen des fragmentarischen Zustandes des Romans unentschieden bleiben. Sicher aber wurzelt Kreislers Anfechtung durch den Wahnsinn nicht einfach in der Gefahr einer Ettlingerschen Grenzüberschreitung. Seine „fixe Idee, daß der Wahnsinn auf ihn lauere" (430), nährt sich, jenseits des Liebesproblems, aus dem prinzipiellen Konflikt zwischen seiner Ahnung von einem „Paradies der höchsten Befriedigung" (356) und der notwendigen irdischen Bedingtheit seines Lebens. Deshalb kann er sagen, daß der Grund für seine Flucht „aus der Residenz, unabhängig von allen äußeren Dingen, nur in mir selbst lag" (357). In seiner Empfindlichkeit muß er einen universellen Konflikt tief durchleiden, den andere nicht einmal wahrnehmen. – Die Musik allein erscheint ihm nun als „Engel des Lichts [...], der Macht hat über den bösen Dämon" (356). Sie erlöst ihn aus dem Zwiespalt zwischen den höchsten Träumen des eigenen Inneren und der Außenwelt. Aber die Rätin Benzon hat nicht ganz unrecht, wenn sie gerade die Kunst für seine Gefährdung verantwortlich macht. Die Musik versöhnt den Konflikt ja nicht, sondern sie hebt ihn nur vorübergehend auf, indem sie das Ideal unmittelbar vor die Seele stellt. Nach der Erhebung bricht der Widerspruch erneut und verstärkt auf. Kreisler vermag die musikalische Seligkeit nicht mit dem gewöhnlichen Leben in Einklang zu bringen; sein Musikenthusiasmus macht ihn notwendig zum Zerrissenen und Gefährdeten in der Welt.

2.4. Der Geheimnisroman

Während die Grundkonstellation des Kreisler-Romans und der geistige Gehalt von der Künstlerproblematik bestimmt sind, beruht das handlungsmäßige Interesse weitgehend auf dem Komplex von verborgenen Beziehungen und geheimnisvollen Geschehnissen. Hoffmann hat zwar keinen Schauerroman in die Künstlergeschichte eingebaut, aber er hat – ebenso wie Tieck *(Sternbald)*, Brentano *(Godwi)* oder Eichendorff *(Ah-*

nung und Gegenwart), nur in der Kraßheit der Motive noch über solche Vorbilder hinausgehend – das Geheimnis-Schema dieses Genres der Unterhaltungsliteratur in seinen Roman integriert. – Wir haben bereits gesehen (vgl. 2.1.2.), daß fast alle Figuren auf eine unbewältigte Vorgeschichte zurückblicken. Um die Gegenwartsereignisse ganz zu verstehen, müßte der Leser wissen, was früher geschehen ist, aber die Informationen, die er erhält, reichen nur aus, ihn auf weitere Aufklärung gespannt zu machen. Das Erzählinteresse richtet sich ebenso auf die Vergangenheit wie auf die Zukunft, die am Ende als integrales Ganzes zusammenfallen sollten.

Es gibt zwei geheimnisvolle Zirkel, den Hof von Sieghartsweiler und den neapolitanischen Kreis um Prinz Hektor und Cyprian. Diese Kreise sind bereits vor dem Beginn der Haupterzählung verknüpft durch die Geliebte der neapolitanischen Brüder, die offensichtlich aus der Umgebung des Fürsten Irenäus kommt (trotz des Namens Angela Benzoni aber nicht die Tochter der Benzon zu sein scheint – s. u.), in der Gegenwart durch die Werbung Hektors um Hedwiga. – Nur die Figur des Meisters Abraham scheint über Geheimnisse aus beiden Kreisen zu verfügen. Aber sein Einfluß ist begrenzt. In Sieghartsweiler steht ihm als feindliches Gegenprinzip – wie das Äpfelweib im *Goldnen Topf* dem Archivarius Lindhorst (s. AB III A.2.3.) – die Rätin Benzon gegenüber, die ebensoviel von ihm weiß wie er von ihr, die ihm aus skrupellosem Machtdrang seine geliebte weissagende Chiara entführt hat und nun zu Lasten von Julia und Hedwiga – die eine soll einen Blödsinnigen, die andere einen Mörder heiraten – ihre makabren Herrschaftsgelüste zu befriedigen sucht.

Über die genaueren Zusammenhänge läßt sich viel spekulieren. Walther Harich hat versucht, unter Beziehung auf die *Elixiere* und andere Werke Hoffmanns sowie unter Berücksichtigung von Lebensgeschichten, die der Dichter kannte, die verschlungenen Fäden zu entwirren und die zu erwartende Lösung des Romans im dritten Teil aufzuweisen. Obwohl sein Verfahren vielfach kritisiert wurde, haben sich doch zahlreiche seiner Kombinationen am Leben erhalten. So gilt noch bei Singer Kreisler als außerehelicher Sohn der Fürstin und Ettlingers und als rechtmäßiger Thronerbe, der im Zentrum des ganzen Geheimniskomplexes steht. Solche Zusammenhänge sind weder zu beweisen noch zu widerlegen. Es wäre freilich zu bedenken, ob sie nicht von der zentralen Kunstproblematik Kreislers ablenken und die Lebensgeschichte des Künstlers entwerten würden.

Nur an einer Stelle läßt sich ein geheimnisvolles Motiv herauslösen und mit großer Sicherheit aufklären. Es ist ganz offensichtlich, daß die Prinzessin Hedwiga ein Fremdling in ihrer Familie ist. Immer wieder bricht eine seltsame Leidenschaftlichkeit ihrer Natur durch die Etikette, die ihr anerzogen ist. Verschiedentlich fällt sie in somnambule Zustände. Irenäus ist ratlos, wie die Fürstin und er zu einer solchen Tochter kommen.

Und auch die Benzon grübelt vergeblich über das Rätsel dieses Wesens; denn sie hält Hedwiga für *ihre* Tochter mit dem Fürsten. Sie hat offensichtlich das eigene uneheliche Kind, bevor es in die Fremde geschickt wurde, mit dem der Fürstin vertauscht. Was sie nicht ahnt, ist, daß diese Vertauschung von einer weiteren überholt wurde. Schon Ellinger vermutete – in der Einleitung zum 9. Band seiner Ausgabe (S. 16) – in Hedwiga die Tochter Chiaras und Meister Abrahams. Offensichtlich hat die entführte Chiara ihr Kind an diesen Platz geschmuggelt und vermag auch in Krisensituationen über Hedwiga zu wachen. Von ihr, dem ehemaligen Zigeunermädchen, hat die Prinzessin die gelbliche Farbe, die Elektrizität der Berührung, das spontane Verständnis des neapolitanischen Tanzes und das prophetische Durchschauen von Hektors Leidenschaft für Julia.

Aus dem wenigen Bekannten mit einiger Gewißheit die Auflösung des ganzen Netzes von Geheimnissen zu rekonstruieren, erscheint unmöglich. Aber was sollte aus Kreisler werden? Die ältere Forschung hat unter Berufung auf Eduard Hitzig (vgl. Hitzig, 2. Teil, S. 144f.) meist vorausgesetzt, daß er im Wahnsinn enden werde. Aber seit Hans Mayers Bedenken (S. 135) wird diese Theorie immer häufiger in Frage gestellt. Mit Recht betont Steinecke im Nachwort der Reclam-Ausgabe (S. 468 und 507), daß es für ein solches Ende keinerlei stichhaltige Belege gibt. Höchstens aus den *Kreisleriana* und dem früheren Plan zu den *Lichten Stunden eines wahnsinnigen Musikers* kann man eine solche Absicht entnehmen. Aber diese Werke sind keineswegs verbindlich für den späteren Roman. – Kaum weniger problematisch erscheint es jedoch, den Roman als „vollendetes Fragment" zu etikettieren, das nicht vollendet werden *konnte,* eine Ansicht, zu der Singer und von Wiese neigen. Die Tatsache, daß nach unserem Urteil keine der vorgeschlagenen Lösungen wirklich plausibel erscheint (Singer), genügt nicht, dem Dichter zu unterstellen, daß er den Roman nicht sinnvoll zu Ende gebracht hätte. Freilich, daß wir die vorliegenden Teile des Buchs auch ohne das Ende als ein überzeugendes künstlerisches Gebilde lesen können, hat sich längst erwiesen.

2.5. Die Synthese des Humors

Der Kater-Teil des Romans war als parodistisch-satirische Darstellung literarischer und gesellschaftlicher Wirklichkeit erschienen. Die Doppelnatur des Helden als Kater und Spiegelbild menschlicher Schwächen gewährleistete den ironisch-amüsanten und versöhnlichen Ton der darin enthaltenen Kritik. Der Kreisler-Teil ist eine Künstler- und Intrigengeschichte, die ans Tragische grenzt. Auch dieser Teil ist reich an ironischen Sprach- und Anschauungsformen, aber wie wir beobachtet haben, ist die Ironie vornehmlich ein Schutzmechanismus des verletzlichen Kapellmeisters gegen die kunstfeindliche Welt. Die Forschung der letzten zwanzig

Jahre hat immer wieder auf die Bedeutung des Humors als strukturbildendes Element von Hoffmanns Roman hingewiesen (Preisendanz, Müller-Seidel, Segebrecht, Steinecke, von Wiese). Aber was berechtigt eigentlich dazu, den *Kater Murr* ein humoristisches Buch zu nennen?

Man hat gesagt, daß Hoffmann die Begriffe Humor und Ironie „durchweg als Synonyma" gebrauche (Singer, S. 317). Sollte das richtig sein, dann erledigte sich die Frage rasch: Eben die Ironie machte das Buch zum ‚humoristischen Roman'. Eine solche Auffassung kann sich zwar auf verschiedene Textstellen berufen, in denen die Wörter geradezu austauschbar erscheinen: Kreislers „bittere Ironie" (342) oder „herzzerschneidende Ironie" (351) wird bei anderer Gelegenheit „Humor" (414), „springender Humor" (416), „schneidender Humor" (427) oder „schalkisch scheinender Humor, von dem mancher sich oft verwundet fühle" (464) genannt. Dennoch enthält der Roman auch genauere Unterscheidungen zwischen den beiden Begriffen: An zentraler Stelle erklärt Kreisler der Rätin Benzon:

> Und der tiefe Schmerz dieser Sehnsucht mag nun wieder eben jene Ironie sein, die Sie Verehrte! so bitter tadeln, nicht beachtend, daß die kräftige Mutter einen Sohn gebar, der in das Leben eintritt wie ein gebietender König. Ich meine den Humor, der nichts gemein hat mit seinem ungeratenen Stiefbruder, dem Spott! (352)

Und mit Beziehung auf Meister Abraham wird ein oberflächlicher Begriff des Humors, der in der Nähe „des verhöhnenden Spottes" steht – wir dürfen dafür wohl Ironie sagen –, unterschieden vom „tiefern Humor", der „aus der tieferen Anschauung des Lebens in all seinen Bedingnissen" (394) entspringt. Offensichtlich hat Preisendanz recht, wenn er feststellt, daß Ironie und Humor bei Hoffmann oft benachbart sind, aber daß der Humor eigentlich die Folge, die positive Bewältigung der Ironie ist:

> Die Ironie ist die von schmerzhafter Sehnsucht getriebene Negation der gegebenen Wirklichkeit, sie ist [...] die Antithese der prosaischen Positivität; der Humor aber ist die poetische Synthese, in der die Wahrheit der Negation und die Wahrheit der Positivität vermittelt und aufgehoben werden kann. (S. 74; vgl. auch AB III D.2.4.)

Es ist wohl offenbar, daß in diesem Sinn weder Murr noch Kreisler Humoristen sind; denn beide haben nicht die Freiheit, die Bedingtheit des Gewöhnlichen zugleich zu akzeptieren und sich darüber zu erheben, das Begrenzte mit dem Unbegrenzten zu versöhnen. Murr richtet sich in der Welt der Normalität behaglich ein, ohne etwas zu vermissen; Kreisler leidet vornehmlich an dieser Welt und sucht die reine Idealität.

Wenn Müller-Seidel im Nachwort unserer Ausgabe den Kater „die Symbolgestalt des Humors kat'exochen" (684) nennt, so kann das nicht heißen, daß dem Helden selbst die humoristische Weltbetrachtung gegeben wäre, sondern nur, daß der Autor an ihm die Möglichkeit einer Vermittlung zwischen Trivialität und Liebenswürdigkeit, die Relativierung einseitiger Kategorien demonstriert. Und wenn Kreisler von dem Humor spricht, der aus der Ironie hervorgeht, so kann das ebensowenig heißen, daß in ihm selbst dieser Humor verwirklicht wäre. Von Wiese folgert hier zu rasch von dem Wissen um den Humor und von seiner Inanspruchnahme durch Kreisler auf die Realisierung des Prinzips bei ihm. Der Kapellmeister besitzt ein reiches Gemüt. Meister Abraham spricht von dem „Geist der wahren Liebe", der in ihm wohnt, und sogar von seinem „Scherz, der sich aus der tiefern Anschauung des menschlichen Seins erzeugt" (499). Es ist nicht eindeutig, was diese „tiefere Anschauung" bedeutet: die Antithese zur vordergründigen Wirklichkeit oder darüber hinaus die Vermittlung zwischen dem Bedingten und dem Unbedingten. Im letzteren Fall könnte man schließen, daß Hoffmann wirklich daran gedacht hat, Kreisler mit diesem echten Humor zu begaben. Aber die Gestalt des Kapellmeisters, wie wir sie vor uns sehen, kommt nicht über die Negation des widerständigen Gegebenen hinaus und ist deshalb primär Ironiker (vgl. Preisendanz, Steinecke).

Der eigentliche Spielraum des Humors im *Kater Murr* (darauf zielen die Ausführungen Müller-Seidels, Segebrechts und Steineckes) liegt nicht im Gemüt der Figuren, sondern im Erzähler E.T.A. Hoffmann selbst. Dadurch, daß der Dichter die beiden Romanhandlungen miteinander verschränkt, das Philisterhafte mit dem Idealischen vermittelt, schafft er die humoristische Synthese der in den Gestalten und im Geist der Romanteile noch unvereinbaren Positionen. Keine „Erzähler-Figur" (Müller-Seidel, Segebrecht), weder der Ich-Erzähler des Kater-Teils noch der Biograph der Kreisler-Geschichte, nicht einmal der „Herausgeber", der trotz seiner namentlichen Identität mit dem Dichter bereits eine fiktiv begrenzte Rolle spielt, ist der eigentliche Humorist, sondern der Autor selbst, der das raffinierte Formkunstwerk geschaffen hat, der alle Willkür, alle Beschränktheit der anderen Erzähler zu seinem Ziel gebraucht. Und dem Autor am nächsten steht der Leser, der aus dem scheinbar willkürlichen Ineinandergreifen der Teile die humoristische Vermittlung des Getrennten erkennen kann und soll.

VI. Schriften zur Musik

1. Einführende Informationen

Obwohl es Hoffmann trotz allen Bemühungen nicht gelang, als Komponist und Kapellmeister Karriere zu machen, ist sein Leben und Schaffen von nichts anderem so nachhaltig geprägt wie von der Musik. Aufgewachsen unter der Obhut eines musikbegeisterten Oheims, früh von guten Lehrern im Klavier- und Violinspiel sowie im Generalbaß ausgebildet, verfügte er über eine weitreichende Werkkenntnis und über ein Handwerk, das er als Achtzehnjähriger in eigenen Klavierstücken und Liedern und bereits 1799 in einem ersten Singspiel – *Die Maske,* komponiert auf einen eigenen Text – erprobte. Die solide Grundlage befähigte ihn zu einer langjährigen erfolgreichen Rezensententätigkeit für die damals angesehenste deutsche Musikzeitschrift, die Leipziger ‚Allgemeine Musikalische Zeitung'. Die Liste seiner bezeugten und erhaltenen Kompositionen, von denen ihm die Oper *Undine* den größten Ruhm einbrachte, umfaßt 85 Werke (vgl. Allroggen 1970). Als Klavier- und Gesangslehrer war er in Bamberg geschätzt, als Kapellmeister zumindest während seiner Dresdner und Leipziger Tätigkeit bei der Secondaschen Truppe geachtet. Das musikalische Siegel, das er seinem Namen aufdrückte, ist der aus Verehrung für Mozart gewählte Vorname Amadeus. Schließlich ist das Werk des Schriftstellers weit über die Rezensententätigkeit hinaus von musikalischer Thematik und vom eigenen Musikerlebnis gekennzeichnet.

Hoffmanns vielfältige Beschäftigung mit der Musik gilt in mehrerer Hinsicht als widersprüchlich. Besondere Schwierigkeiten hat es dem Verständnis immer wieder bereitet, daß Hoffmann als Komponist sich Gluck, Mozart und italienischen Traditionen angeschlossen, als Schriftsteller aber eine zukunftweisende Ästhetik der romantischen Musik entworfen habe. Somit seien hier „zwei heterogene Welten" aufeinandergestoßen (Greeff, S. 256). Auch daß Hoffmann die „klassischen" Sinfonien Beethovens als Inbegriff der „Romantik" in der Musik aufgefaßt habe, galt lange Zeit als Widerspruch und Mißverständnis (vgl. Gustav Bekking, *Zur musikalischen Romantik,* in: Deutsche Vierteljahrsschrift für Literaturwissenschaft und Geistesgeschichte 2 [1924], S. 592). Ferner wurde es als widersprüchlich empfunden, daß Hoffmann einerseits den Aufstieg der modernen Instrumentalmusik in den Werken Haydns, Mozarts und Beethovens erkannt und gegen alle Kritik verteidigt habe, andrerseits aber als strenger Verfechter der altitalienischen Kirchenmusik und damit als Vorkämpfer der reaktionären Reformbestrebungen des „Cäcilianismus“ in Erscheinung getreten sei (vgl. Geck, S. 62ff.). Schließlich ist Hoffmanns ästhetischen Entwürfen ein Mangel an gedanklicher Genauigkeit vorgeworfen worden, denn die doppelte Bestimmung der Musik, die sich in seinen Schriften finde – einmal als eines in der Natur verborgenen Geheimnisses, dann wieder als Erregerin von Gefühlen, die „mit nichts Irdischem hienieden verwandt“ sind (vgl. von Matt, S. 1f.) – entstamme unterschiedlichen Weltvorstellungen und sei in sich selber widersprüchlich.

Es kann in dieser einführenden Skizze zu Hoffmanns musikalischen Schriften weder darum gehen, die Leistungen des Komponisten zu würdigen und mit denen des Musikschriftstellers in Beziehung zu setzen, noch darum, Hoffmanns Rezensententätigkeit insgesamt – das Schwergewicht lag zunächst auf Werkbesprechungen, in der späteren Berliner Zeit auf Aufführungsberichten – in ihren Voraussetzungen und Entwicklungen darzulegen. Stellvertretend sollen unter einigen Gesichtspunkten damaliger Kunstauffassung zwei zentrale Texte erörtert werden, die in besonderer Weise dazu geeignet sind aufzuzeigen, daß Hoffmanns Musikästhetik eher der fruchtbare und gelungene Versuch einer Vermittlung zwischen unterschiedlichen Theorien und Anschauungen als eine in sich selber widersprüchliche Konstruktion ist.

Die Bedeutung der beiden Texte – es handelt sich um die Rezension der fünften Sinfonie Ludwig van Beethovens und um den Aufsatz über *Alte und neue Kirchenmusik* – wurde dadurch von Hoffmann selber hervorgehoben, daß er sie unter Auslassung der Notenbeispiele und Kürzung der analytischen Teile später wiederverwandte: die Besprechung der Sinfonie zusammen mit einer Rezension Beethovenscher Klaviertrios unter dem Titel ‚Beethovens Instrumentalmusik‘ in den *Kreisleriana* des ersten Bandes der *Fantasiestücke* (I/41–49), *Alte und neue Kirchenmusik* zusammen mit einer Besprechung von Beethovens C-dur-Messe im zweiten Band der *Serapions-Brüder* (III/406–415). In diesen Texten bringt Hoffmann zwei der für seine Musikästhetik maßgeblichen musikalischen Gattungen, die Sinfonie und die Vertonung der Messe, zur Sprache. Zu ergänzen wäre das Bild um die Oper. Dies ist im Rahmen des hier zur Verfügung stehenden Raumes umso weniger möglich, als sich die Betrachtung nicht auf einen einzigen repräsentativen Text beschränken könnte. Neben dem Dialog *Der Dichter und der Komponist* (III/76–96) und der Erzählung *Don Juan* (I/67–78) wären aus den Schriften zur Musik zumindest die *Nachträglichen Bemerkungen über Spontinis Oper ‚Olympia‘* (Va/354–395) heranzuziehen. Immerhin ergibt sich auch in dem vorliegenden Zusammenhang die eine und andere Gelegenheit, Hoffmanns Auffassung der Oper mitzuberücksichtigen.

1.1. *Texte und Materialien*

Textgrundlage: Schriften zur Musik, Ausgabe des Winkler Verlags (= Va). Nach dieser Ausgabe wird zitiert unter einfacher Nennung der Seitenzahl.

Für Hoffmanns musikalische Werke sei vor allem verwiesen auf:

Allroggen, Gerhard: E.T.A. Hoffmanns Kompositionen. Ein chronologisch-thematisches Verzeichnis seiner musikalischen Werke mit einer Einführung. Regensburg 1970, Studien zur Musikgeschichte des 19. Jahrhunderts 16. [Ausführlicher Werkkatalog mit einer wertvollen Einführung in Hoffmanns musikalischen Stil, der – etwa gegen Greeff – in seiner selbständigen Bedeutung herausgearbeitet wird.]

Allroggen, Gerhard: Art. Hoffmann, E.T.A. In: The New Grove Dictionary of Music and Musicians, Bd. 8, London 1980, S. 618–626. [Knappe Einführung, übersichtliches Werkverzeichnis und detaillierte Bibliographie bis 1976 zu Hoffmann als Musiker und Musikschriftsteller.]

Hoffmann, E.T.A.: Ausgewählte musikalische Werke. Hrsg. v. Georg von Dadelsen u.a. Mainz 1970ff. [Enthält v.a.: Bd. 1–3: *Undine,* Bd. 4/5: *Die lustigen Musikanten,* Bd. 6–8: *Liebe und Eifersucht,* Bd. 9: *Die Brautnacht* aus der Musik zu Zacharias Werners *Kreuz an der Ostsee,* Bd. 10: *Messe, 6 Canzoni, Miserere,* Bd. 11: Es-dur-Sinfonie, 5 Klaviersonaten, Bd. 12: Harfenquintett, Klaviertrio.]

Supplement: Der Musiker E.T.A. Hoffmann. Ein Dokumentenband. Hrsg. v. Friedrich Schnapp. Hildesheim 1981.

Reichardt, Johann Friedrich: Musikalisches Kunstmagazin. 2 Bde, Berlin 1782 u. 1791.

Rochlitz, Friedrich: Ernst Theodor Wilhelm Hoffmann. In: Für Freunde der Tonkunst. Bd. 2, Leipzig 1825, S. 3–34.

Wackenroder, Wilhelm Heinrich; Tieck, Ludwig: *Phantasien über die Kunst,* (s. AB V B.1.1.).

1.2. *Forschungsliteratur*

Allroggen, Gerhard: Die Opern-Ästhetik E.T.A. Hoffmanns. In: Beiträge zur Geschichte der Oper. Regensburg 1969, S. 25–34. [Gute, knappe Einführung vor dem Hintergrund der romantischen Kunstanschauung.]

Dahlhaus, Carl: E.T.A. Hoffmanns Beethoven-Kritik und die Ästhetik des Erhabenen. In: Archiv für Musikwissenschaft 38 (1981), S. 79–92. [Aufschlußreiche Herleitung von Hoffmanns Ästhetik der romantischen Musik aus Theorien der Ode und der Sinfonie.]

Ehinger, Hans: E.T.A. Hoffmann als Musiker und Musikschriftsteller. Olten, Köln 1954. [Mehr darstellende als interpretierende Einführung in Hoffmanns Beziehungen zur Musik.]

Geck, Martin: E.T.A. Hoffmanns Anschauungen über Kirchenmusik. In: Beiträge zur Geschichte der Musikanschauung im 19. Jahrhundert. Regensburg 1965, S. 61–71. [Zu einseitige Betonung von Widersprüchen zwischen Hoffmanns Auffassungen der Kirchen- und der Instrumentalmusik.]

Greeff, Paul: E.T.A. Hoffmann als Musiker und Musikschriftsteller. Köln, Krefeld 1948. [Das musikdramatische Werk wird zu einseitig als Vorstufe zu Wagners Gesamtkunstwerk betrachtet, sonst brauchbare Einführung.]

Kindermann, Jürgen: Romantische Aspekte in E.T.A. Hoffmanns Musikanschauung. In: Beiträge zur Geschichte der Musikanschauung im 19. Jahrhundert. Regensburg 1965, S. 51–59. [Knappe, zwischen Wackenroders und Hoffmanns Musikverständnis nicht genügend differenzierende Darstellung.]

Kron, Wolfgang: Die angeblichen Freischütz-Kritiken E.T.A. Hoffmanns. München 1957. [Überzeugend geführter Nachweis, daß Hoffmann die Berliner Aufführungen von Webers *Freischütz* entgegen früheren Auffassungen nicht besprochen hat.]

Lichtenhahn, Ernst: Zur Idee des goldenen Zeitalters in der Musikanschauung E.T.A. Hoffmanns. In: Brinkmann, (s. Gesamtbibliographie), S. 503–511. [Versuch einer Vermittlung zwischen Kirchenmusik- und Instrumentalauffassung v.a. von Novalis aus.]

von Matt, Peter: Die Augen der Automaten, (s. Gesamtbibliographie).

Miller, Norbert: E.T.A. Hoffmann und die Musik. In: Akzente 24 (1977), S. 114–135. [Das Verhältnis von Oper und Instrumentalmusik wird scharfsinnig aber zu einseitig auf seine Widersprüchlichkeit in Hoffmanns Denken und Komponieren hin untersucht.]

Rohr, Judith: E.T.A. Hoffmanns Theorie des musikalischen Dramas. Untersuchungen zum musikalischen Romantikbegriff im Umkreis der Leipziger ‚Allgemeinen Musikalischen Zeitung'. Baden-Baden 1985. [In ausführlichen Herleitungen und Vergleichen, bis hin zu Richard Wagners Theorie des Gesamtkunstwerks, wird die Opernästhetik als für Hoffmanns Musikauffassung zentral dargestellt.]

Schnaus, Peter: E.T.A. Hoffmann als Beethoven-Rezensent der ‚Allgemeinen Musikalischen Zeitung'. München, Salzburg 1977. [Ausführliche Darstellung der Beethoven-Auffassung vor dem Hintergrund der zeitgenössischen Kritik und, historisch zu wenig vermittelt, dem heutigen Beethovenbild.]

(Für vollständigere Angaben und insbesondere zur Literatur über Hoffmanns musikalische Werke vgl. Allroggen 1970 u. 1980.)

2. Textanalysen

2.1. Rezension der fünften Sinfonie von Ludwig van Beethoven

Die Besprechung von Beethovens c-moll-Sinfonie gehört zu Hoffmanns frühen Texten für die Leipziger ‚Allgemeine Musikalische Zeitung'. Als Mitarbeiter dieses Blattes war er 1809 mit der Erzählung *Ritter Gluck* zum ersten Mal in Erscheinung getreten. Von den Kompositionen, die ihm daraufhin zur Besprechung zugesandt wurden, wählte er zwei Sinfonien von Friedrich Witt aus, den man heute als Verfasser der lange Zeit Beethoven zugeschriebenen sogenannten „Jenaer" Sinfonie kennt. Dem Herausgeber der Zeitung, Friedrich Rochlitz, dürfte an Hoffmanns Rezensionen neben der schon im *Ritter Gluck* bezeugten Bildkraft der Sprache vor allem aufgefallen sein, daß sich hier ein Kritiker zu Wort meldete, der für eine in beispiellosem Aufstieg begriffene, dem Verständnis aber noch weithin Schwierigkeiten bereitende musikalische Gattung ein adäquates Beurteilungsmuster gefunden hatte: Hoffmann nennt zu Beginn der ersten Witt-Rezension die Sinfonie „gleichsam *die Oper* der Instrumente" (19) und hebt sie als „Drama" ab von der früheren Hauptgattung selbständiger Orchestermusik, dem Concerto grosso, dem er eine „steife, langweilige Form" vorwirft (20). Mit dem „dramatischen" Verständnis der Sinfonie war eine Möglichkeit gegeben, die verwirrende Vielfalt und Gegensätzlichkeit der musikalischen Gedanken, die seit Haydn die Gattung prägten, als eine Art von Handlung, d.h. durch innere Zusammenhänge vermittelt vorzustellen. Beethovens Sinfonien, denen damals besonders häufig ein Mangel an Ordnung vorgeworfen wurde, konnten auf diese Weise vielleicht dem Hörer nähergebracht werden. Dies mag sich Rochlitz überlegt haben, als er bei Hoffmann Mitte Juni 1809 anfragte, ob er die neuesten Sinfonien Beethovens rezensieren wolle (vgl. Hoffmanns entsprechende Tagebuchnotiz [Tb 98] und Zusage [Br I/ 291 f.]). Jedenfalls erinnerte sich Rochlitz später, von Hoffmann eine Besprechung der fünften Sinfonie weniger in Form einer „eigentlichen Recension" als vielmehr in Form „einer Phantasie über diese Phantasie" erwartet zu haben (S. 21). Gewiß zu Recht traute er dem Verfasser des *Ritter Gluck* zu, eine Beethoven-Sinfonie gleichsam opernartig erzählen zu können.

Bis zur Abfassung oder Fertigstellung seines Aufsatzes benötigte Hoffmann fast ein Jahr: Im Mai 1810 sandte er den Text an Rochlitz, im Juli rückte ihn dieser in die ‚Allgemeine Musikalische Zeitung' ein. Ob Rochlitz seine Erwartungen übertroffen oder getäuscht sah, ist schwer zu sagen; eine bloße Phantasie über eine Phantasie hatte Hoffmann jedenfalls nicht geliefert. Der Aufsatz, von dem Hoffmann selber bemerkt, daß er „die Grenzen der gewöhnlichen Beurteilungen" überschreite (34), ist zwar in seiner metaphorischen Sprache, der bilderreichen Schilderung musikalischer Eindrücke, durchaus von dichterischer Phantasie erfüllt, darüber hinaus aber vereinigt er die Grundlegung einer allgemeinen Ästhetik der Instrumentalmusik mit einer detaillierten Werkanalyse. In dieser dreifachen Schichtung lag die Neuheit des Textes; sie hat das Sprechen über Musik und insbesondere das Beethoven-Bild über Robert Schumann und Richard Wagner hinaus entscheidend beeinflußt.

Die Bestimmung der Musik als „Kunst durch Töne Empfindungen auszudrücken" (Heinrich Christoph Koch, *Musikalisches Lexikon*, Frankfurt 1802, Sp. 992), war um 1800 allgemein anerkannt und wird auch von Hoffmann nicht preisgegeben. „Liebe und Wehmut tönen in holden Stimmen" in Mozarts Sinfonien (35); der ganze erste Satz der Beethoven-Sinfonie spricht den „Charakter ängstlicher, unruhvoller Sehnsucht" aus (39), und ähnlich heißt es von einer bestimmten Stelle im

Andante, die „unruhvolle Sehnsucht, welche das Thema in sich trug", werde „bis zur Angst gesteigert" (46). Beim letzten Satz ist die Rede vom „prächtigen, jauchzenden Thema", dessen letzte Wiederholung zum Schluß führe, der zunächst aber „durch manche prächtige, jubelnde Figuren aufgehalten" werde (49).

Sofern jedoch in der Definition vom Empfindungsausdruck die aus der Nachahmungstheorie stammende Auffassung noch enthalten ist, Inhalt der Musik seien in jedem Fall bestimmbare Gefühle, distanziert sich Hoffmann von ihr. Hier muß etwas weiter ausgeholt werden. Im Zeitalter der Nachahmungstheorie, musikgeschichtlich gesprochen vom Barock bis in den Ausgang des 18. Jahrhunderts, verstand man unter Musik in erster Linie Vokalmusik. Die Aufgabe des Komponisten bestand im musikalischen Umsetzen, Nachahmen der im Text ausgedrückten Leidenschaften oder „Affekte". Von der Arie als der textlich-musikalischen Grundeinheit zumal der ernsten Oper wurde Einheit des Affekts oder zumindest eine psychologisch einleuchtende Verbindung leidenschaftlicher Zustände gefordert. Im Lichte dieser Ästhetik erschien eine Instrumentalmusik, die „für sich allein gieng" (Reichardt, Bd. 1, S. 25), pointiert gesagt als textlose Abart, als auf ihre Art zwar kunstvolle, letztlich aber zweitrangige, defiziente Form von Musik. Auch für sie galt jedoch weithin die Forderung nach der Einheit des Affekts. Der Komponist instrumentaler Werke hatte seine musikalischen Ausdrucksmittel so zu ordnen, als vertone er einen imaginären Arientext. Aus dieser Auffassung erklärt sich die Kritik, welche den Sinfonien zumal der Wiener Klassik, die sich immer weniger an diesen Vorstellungen orientierten, einen Mangel an innerer Ordnung vorwarf. Reichardt, der in Berlin eine Zeitlang Hoffmanns Lehrer gewesen war, sagt:

> Freude und Traurigkeit konnten nur der Inhalt der bessern Instrumentalmusik seyn, und beide mußten bald ihre besondere Vortragsarten erhalten. Anstatt nun in jeder Vortragsart auf die schwereren Nüancirungen dieser Leidenschaften zu denken, und die, trotz ihrer großen Schwierigkeit bey Musik ohne Worte, zu erhalten zu suchen, oder anstatt sich jedesmal mit dem Ausdruck und der Darstellung Einer dieser Leidenschaften zu begnügen, vermischte man sie beide auf eine höchst unschickliche Art, um bey jeder Ausübung beide Vortragarten zu zeigen. So entstanden die höchst unnatürlichen *Sonaten, Symphonien, Konzerte* und andre Stücke unsrer neuern Musik. (Bd. 1, S. 25)

Daß die engen inhaltsästhetischen Normen, wie Reichardt sie anwandte, der neuen Instrumentalmusik nicht gerecht wurden, erkannte nicht erst Hoffmann. So wurde einerseits, noch innerhalb der normativen Musterpoetik des 18. Jahrhunderts, die Sinfonie mit ähnlichen Vorstellungen verbunden wie die Ode. Die der Ode wesentliche Ordnung beschrieb Moses Mendelssohn im 275. Literaturbrief (zit. nach Dahlhaus, S. 81 f.) als die der „begeisterten Einbildungskraft"; denn wie in dieser müßten auch in der Ode „die Begriffe nach einander den höchsten Grad der Lebhaftigkeit erlangen", während die „Mittelbegriffe" oft übersprungen würden, woraus denn „die anscheinende Unordnung" entstehe, die man der Ode zuschreibe. Entsprechend heißt es in Sulzers *Allgemeiner Theorie der Schönen Künste* zur Sinfonie:

> Die Allegros der besten Kammersymphonien enthalten große und kühne Gedanken, freye Behandlung des Satzes, anscheinende Unordnung in der Melodie [...] plötzliche Übergänge und Ausschweifungen von einem Ton zum andern, die desto stärker frappiren, je schwächer oft die Verbindung ist. (Zit. nach Dahlhaus, S. 81)

Andrerseits entwickelte sich in der frühen Romantik eine Auffassung, nach welcher die Instrumentalmusik nicht mehr als Vermittlung von begrifflich festlegbaren Inhalten erschien, sondern als eine höhere oder ursprüngliche Sprache, die sich der rationalen Erfassung entziehe. So ist von der Musik als „allgemeiner", „universeller" oder „n-Sprache" bei Friedrich Schlegel, Johann Wilhelm Ritter und Novalis die Rede, und in einem ‚Symphonien' überschriebenen Beitrag Ludwig Tiecks in den *Phantasien über die Kunst* Wackenroders heißt es:

> In der Instrumentalmusik aber ist die Kunst unabhängig und frei, sie schreibt sich nur selbst ihre Gesetze vor, sie phantasiert spielend und ohne Zweck, und doch erfüllt und erreicht sie den höchsten, sie folgt ganz ihren dunkeln Trieben und drückt das Tiefste, das Wunderbarste mit ihren Tändeleien aus [...]. Der Komponist hat hier ein unendliches Feld, seine Gewalt, seinen Tiefsinn zu zeigen; hier kann er die hohe poetische Sprache reden, die das Wunderbarste in uns enthüllt, und alle Tiefen aufdeckt, hier kann er die größten, die groteskesten Bilder erwecken und ihre verschlossene Grotte öffnen, Freude und Schmerz, Wonne und Wehmut gehen hier nebeneinander [...]. (S. 110)

Hoffmann übernimmt ein Stück weit sowohl die an der Odentheorie orientierte Auffassung als auch die frühromantische Konzeption. Auf jene als auf eine poetische Theorie, die nach dem Zusammenhang zwischen Darstellungsgegenstand und Darstellungsmitteln fragt, gründet sich Hoffmann dort, wo er die „anscheinende Unordnung" – er spricht vom „vollstimmigen Zusammenklange aller Leidenschaften" in Beethovens Instrumentalmusik (36) – kompositionstechnisch genau untersucht und von der motivisch-thematischen Verwandtschaft der Sätze aus als innere Einheit begründet. Bei Tieck fällt demgegenüber ja auf, daß er viel stärker vom subjektiven Eindruck, dem „in uns" Enthüllten und den erweckten Bildern ausgeht, daß er zwar vom Tiefsinn des Komponisten spricht, sich aber auf keine analytischen Erörterungen einläßt und dort, wo am ehesten ein Hinweis auf die kompositorische Verfahrensweise zu erwarten wäre, bloß das spielende Phantasieren und die „Tändeleien" in Anschlag bringt. Dies ist mit Hoffmanns Auffassung unvereinbar; für ihn entfaltet [...] nur ein sehr tiefes Eingehen in die innere Struktur Beethovenscher Musik *die* hohe Besonnenheit des Meisters, welche von dem wahren Genie unzertrennlich ist und von dem anhaltenden Studium der Kunst genährt wird. (37)

Trotzdem schließt sich Hoffmann an Tieck an, und zwar sowohl hinsichtlich der Bestimmung der Instrumentalmusik, in der „die Kunst unabhängig und frei" sei, als auch hinsichtlich der wirkungs- und gefühlsästhetischen Betonung subjektiven Erlebens. Beides erlaubt Hoffmann, die an der Odentheorie orientierte Auffassung der Sinfonie nun ihrerseits ein entscheidendes Stück weit hinter sich zu lassen. Denn in dieser Theorie war ja die Vorstellung, Instrumentalmusik drücke begrifflich faßbare Gefühle aus, nicht preisgegeben; jedenfalls reichte sie zumal Beethovens Sinfonien gegenüber, wie zahlreiche frühere Kritiken zeigen, als Erklärungsmuster nicht mehr aus. Denn gerade auch von dieser Seite verlautete, was Hoffmann ausdrücklich ablehnt, Beethovens Werke seien „nur Produkte eines Genies, das, um Form und Auswahl der Gedanken unbesorgt, sich seinem Feuer und den augenblicklichen Eingebungen seiner Einbildungskraft überließ" (36f.). Obwohl die poetische Theorie den Blick auch auf die musikalischen Darstellungsmittel richtete, war sie Beethoven gegenüber weitgehend ratlos. Dies läßt sich damit erklären, daß die kompositionstechnischen Korrelate bestimmter Empfindungen viel einseitiger in thematischen Gestalten, Melodien gesucht wurden, als es Beethovens eigentümliche Technik der offeneren Motivbildung und -entwicklung zuließ. Damit sei wenigstens andeutend darauf hingewiesen, daß in Hoffmanns Vorgehen der Verzicht auf begriffliche Fassung bestimmter Gefühlsinhalte und die Schärfung des Blicks für Beethovens neuartiges kompositorisches Verfahren eng aufeinander bezogen sind. Gerade darin liegt Hoffmanns besonderes Verdienst, dem Beethoven-Verständnis den Weg geebnet zu haben.

Der Vorstellung Tiecks, daß die Kunst in der Instrumentalmusik „unabhängig und frei" sei, entspricht Hoffmanns Bestimmung, nach welcher die Musik dem Menschen „ein unbekanntes Reich" aufschließe, „eine Welt, die nichts gemein hat mit der äußeren Sinnenwelt, die ihn umgibt, und in der er alle durch Begriffe bestimmbaren Gefühle zurückläßt, um sich dem Unaussprechlichen hinzugeben" (34). Besonders zu beachten ist dabei zweierlei: einmal, daß Hoffmann auf diese Weise festlegen möchte, wie alle Musik – also auch Vokalmusik – ihrem Wesen nach beschaffen sein und im Hörer wirken sollte, zum andern, daß er nicht von vornherein jeder Art von Instrumentalmusik den Rang einer „selbständigen Kunst" (34) zugesteht. So sagt er von der Vokalmusik:

In dem Gesange, wo die hinzutretende Poesie bestimmte Affekte durch Worte andeutet, wirkt die magische Kraft der Musik, wie das Wunder-Elixier der Weisen, von dem etliche Tropfen jeden Trank köstlich und herrlich machen. Jede

Leidenschaft – Liebe – Haß – Zorn – Verzweiflung etc. wie die Oper sie uns gibt, kleidet die Musik in den Purpurschimmer der Romantik, und selbst das im Leben Empfundene führt uns hinaus aus dem Leben in das Reich des Unendlichen." (34f.)

Von hier aus zeigt sich übrigens, daß schon die Auffassung der Sinfonie als „Oper der Instrumente" nicht einfach Bestimmbarkeit der Affekte meint. Auf der andern Seite verurteilt Hoffmann mit aller Deutlichkeit eine Instrumentalmusik, in der der Komponist – in der Art von Programmusik – bestimmte Begebenheiten oder auch nur begrifflich eindeutig faßbare Gefühle darstellen wollte, wie dies etwa im damals beliebten Genre der „Schlachtsinfonien" der Fall war:

Dittersdorfs Symphonien der Art, sowie alle neuere *Batailles des trois Empereurs* etc. sind, als lächerliche Verirrungen, mit gänzlichem Vergessen zu bestrafen. (34)

Gegenüber Tieck, der eher dazu neigte, zwischen Instrumental- und Vokalmusik eine grundsätzliche Trennung vorzunehmen, versteht Hoffmann die Musik als eine ideale Einheit, deren „eigentümliches Wesen" er in verschiedenen Werken und Werkgattungen in unterschiedlichem Maße, in den Sinfonien Haydns, Mozarts und Beethovens aber am reinsten verwirklicht sieht.

Wenn sich Hoffmann auch in der wirkungsästhetischen Formulierung empfangener Eindrücke an Tieck anschließt und die Eindrücke in Bilder faßt, so entsteht dennoch kein ‚Programm'. Vielmehr fällt auf, daß die Bilder wenig konkret sind und dort, wo sie der sinnlichen Realität am nächsten kommen, dem Bereich des erhabenen Naturschauspiels angehören. So heißt es vom zweiten Thema des ersten Satzes, es trete ein „wie eine freundliche Gestalt, die glänzend, die tiefe Nacht erleuchtend, durch die Wolken zieht" (40), und im Bild vom „Reich des Ungeheueren und Unermeßlichen", das Beethovens Instrumentalmusik insgesamt öffne, malt Hoffmann „glühende Strahlen" und „Riesenschatten" (36). Sprache und Bilder gehören dem Traum- und Märchenhaften an; ihr Realitätsbezug ist ein scheinbarer, wesentlich ist die „Wirksamkeit der Sprache in mir", wie es Novalis im *Monolog* ausdrückt (*Schriften*, Bd. 2 [s. AB III A.2.2.], S. 672f.).

Endgültig über die ältere Theorie der Sinfonie, aber auch über Wakkenroder und Tieck hinaus geht Hoffmann mit der grundlegenden Bestimmung der Musik als romantischer Kunst. Von derjenigen Art der Instrumentalmusik, die er in der modernen Sinfonie verwirklicht sieht, bemerkt er, sie sei die „romantischste aller Künste, – fast möchte man sagen, allein *rein* romantisch" (34). Dieser Bestimmung fügt er in der Textfassung der *Fantasiestücke* erklärend bei: „denn nur das Unendliche ist ihr Vorwurf" (I/41). Deutlich ist damit eine Beziehung hergestellt zur

Auffassung des Romantischen, wie sie in der Zeitschrift ‚Athenäum' formuliert worden war. Die bereits zitierte Stelle von der romantisierenden Funktion der Musik in der Oper und eine verwandte Stelle in den *Serapions-Brüdern,* wo es heißt, daß die Sprache im Gesang „höher potenziert" sei und sich so „ein romantisches Sein" erschließe (III/84), lassen sich vergleichen mit dem Novalis-Fragment, nach welchem das „Romantisieren" darin bestehe, „dem Gemeinen einen hohen Sinn, dem Gewöhnlichen ein geheimnißvolles Ansehn, dem Bekannten die Würde des Unbekannten, dem Endlichen einen unendlichen Schein" zu geben (*Schriften,* Bd. 2, S. 545).

Eine direkte Abhängigkeit Hoffmanns von diesem Novalis-Fragment soll damit nicht behauptet werden; das Fragment wurde erst 1901 von Heilborn veröffentlicht. Mit Novalis-Schriften wie auch Werken Wakkenroders und Tiecks war Hoffmann aber seit seiner Warschauer Zeit vertraut, und aus früheren Bänden der ‚Allgemeinen Musikalischen Zeitung' konnte er eine Reihe von Texten kennen, die den Romantik-Begriff des ‚Athenäum'-Kreises in die Reflexion über Musik und Musikgeschichte eingebracht hatten. Zumal gegenüber der Kritik, Hoffmann habe die „klassische" Sinfonie Beethovens als „romantisch" mißdeutet, ist dieser Zusammenhang wichtig. Der Gegensatz zwischen ‚klassisch' und ‚romantisch' bezeichnete ja im historischen Verständnis zunächst den Gegensatz zwischen dem heidnisch Antiken und dem christlich Abendländischen. In der Theorie der Dichtung und der bildenden Künste erwies er sich so als fruchtbar; der Musikästhetik schien er sich jedoch zu verweigern, da eine lebendige Anschauung der antiken Musik nicht zu gewinnen war. Ergab sich deshalb aus diesen Voraussetzungen einerseits die Tendenz, die Musik schlechthin als romantische Kunst zu bezeichnen, so suchte man andrerseits doch die begrenzten Kenntnisse griechischer Musik und außerdem im Analogieverfahren die an den andern Künsten festgestellten Merkmale für eine musikästhetische Konstruktion nutzbar zu machen. Daraus entstand die Auffassung, die alte Musik sei in ihrer primär melodisch-rhythmischen Ausprägung die naturbezogene, materiellere und sinnlichere, die moderne Musik dagegen als harmonische Kunst die geistigere. Größere praktische Bedeutung gewann der Gegensatz zwischen dem Klassischen und dem Romantischen erst dort, wo er – freilich noch nicht im heutigen Sinne – innerhalb der abendländischen Musikgeschichte angewandt wurde. Die Möglichkeit hierzu war in der Konstruktion von vornherein dadurch gegeben, daß das Begriffspaar – wie schon sein Vorbild in Schillers Entgegensetzung des Naiven und Sentimentalischen – nicht nur historische Kategorien, sondern auch außergeschichtliche oder geschichtlich wiederholbare Seinsweisen und Stile bezeichnen konnte. So findet sich 1805/06 in der ‚Allgemeinen Musikalischen Zeitung' (Bd. 8, Sp. 582) eine Gegenüberstellung, die von vornherein die Antike ausklammert, das „Alterthum“ der Musik ins 17. Jahrhundert verlegt – als Beispiel wird der italienische Kirchenmusiker Gregorio Allegri genannt – und „das moderne – wem es besser lautet: das romantische Zeitalter für die Tonkunst“ mit „der freyen Ausbildung der Instrumentalmusik“ beginnen läßt.

Hoffmann verbindet die beiden Betrachtungsweisen: Im Sinne einer Gegenüberstellung des Antiken und Modernen ist die Aussage zu verstehen, die Musik sei „die der Plastik geradezu entgegengesetzte Kunst“ (34). Demgegenüber tendiert seine Vorstellung, daß erst in den modernen Sinfonien Haydns, Mozarts und Beethovens die Musik „*rein* romantisch“ geworden sei, zu der relativen Unterscheidung im Sinne des Zitats aus der ‚Allgemeinen Musikalischen Zeitung‘. Diese doppelte Perspektive ist für Hoffmanns Musikästhetik insgesamt und – wie im folgenden Kapitel gezeigt wird – für das Verständnis seiner Kirchenmusik-Auffassung von Bedeutung. Was die Musik Beethovens betrifft, so wäre es jedenfalls verfehlt, Hoffmanns Bestimmung des „romantischen“ Charakters einem späteren musikgeschichtlichen Verständnis entsprechend als Aussage über die kompositorische Gestaltung zu verstehen, so als ginge es um die Abgrenzung romantischer Auflösungstendenzen in Form und Harmonik gegenüber klassischer Dichte, Klarheit und Ausgewogenheit. Hoffmann bestimmt den romantischen Charakter der Sinfonie Beethovens von der Frage nach dem Empfindungsausdruck her und gelangt aus dieser Sicht zu einer Metaphysik der absoluten Kunst. Vollkommene Geschlossenheit der Form und dichter Beziehungsreichtum der Motive sind Voraussetzungen der besonderen Wirkung dieses Werks, von dem Hoffmann zusammenfassend sagt, „daß es genial erfunden und mit tiefer Besonnenheit ausgeführt, in sehr hohem Grade die Romantik der Musik ausspreche“ (50).

2.2. *‚Alte und neue Kirchenmusik‘*

Der Titel des Aufsatzes, den Hoffmann 1814 für die ‚Allgemeine Musikalische Zeitung‘ schrieb und 1819 mit Änderungen in den zweiten Band der *Serapions-Brüder* aufnahm, bezeichnet einen Gegensatz zwischen historischen Erscheinungsformen, die dadurch, daß die leitmotivisch wiederholte Klage über den „Verfall des wahren Kirchenstils“ (223) zwischen sie gesetzt ist, zugleich die Pole eines Wertungssystems darstellen. Seine Idealvorstellung sieht Hoffmann in der altitalienischen Kirchenmusik verwirklicht; insbesondere ist für ihn „der hohe, einfache Stil Palestrinas der wahrhafte, würdige Ausdruck des von der inbrünstigen Andacht entzündeten Gemüts“ (216). Seine Kritik gilt dagegen Werken der Gegenwart, den „abgeschmackten, seichten, kraftlosen Kirchenkompositionen, wie sie der Verfasser in neuester Zeit in den Kirchen des katholischen, südlichen Deutschlands, und in Böhmen und Schlesien hörte" (229). Aber selbst von Haydn und Mozart sagt Hoffmann, daß sie „sich nicht rein erhielten von dieser ansteckenden Seuche des weltlichen, prunkenden Leichtsinns"; entsprechend seien Mozarts Messen „beinahe seine schwächsten Werke" (227).

Diese Kritik hat zu der Erklärung geführt, hinter der Auffassung, daß die Geschichte der Kirchenmusik die Geschichte ihres Verfalls sei, stehe die von Wackenroder übernommene Vorstellung vom vergangenen „goldenen, wahrhaft romantischen Zeitalter" und von der zu fliehenden philiströsen, unheiligen Gegenwart. Als Musiker habe Hoffmann den Aufstieg der Musik in den Instrumentalwerken Haydns, Mozarts und Beethovens erkannt, der Kirchenmusik-Aufsatz aber zeige eine Entscheidung „gegen die Sache und für das System". So könne kein Zweifel herrschen, daß der Geschichtsideologe Hoffmann dieses Urteil dem Musiker Hoffmann abgetrotzt habe (Geck, S. 62f.).

Tatsächlich bereitet Hoffmanns Text Schwierigkeiten: die Stilkriterien zur Unterscheidung guter und schlechter Kirchenmusik scheinen zu einseitig aus Werken der Vergangenheit bezogen, die grundsätzliche Trennung geistlicher und weltlicher Kompositionsmittel ist von vornherein prekär, und durch die Gegenüberstellung von „innbrünstiger Andacht" und „prunkendem Leichtsinn" droht der Diskurs von einer historisch-ästhetischen auf eine moralische Ebene verschoben zu werden. Letzteres könnte allenfalls darin eine Erklärung finden, daß Hoffmann zur Zeit der Erstfassung des Aufsatzes die *Elixiere des Teufels* in Arbeit hatte und dadurch in hohem Grade sensibilisiert war für jede Inkongruenz von innerer Haltung und Erscheinungsweise. Wie die Äbtissin dem Mönch Medardus, der durch teuflische Mittel als Heiliger erscheint, ins Gewissen redet, erinnert in der Grundhaltung wie im Vokabular an Hoffmanns Vorwürfe gegen die moderne Kirchenmusik:

> Deine Worte kommen nicht aus dem andächtigen ganz dem Himmlischen zugewandten Gemüte, Deine Begeisterung war nicht diejenige, welche den Frommen auf Seraphsfittichen emporträgt, daß er in heiliger Verzückung, das himmlische Reich zu schauen vermag. Ach! – Der stolze Prunk Deiner Rede, Deine sichtliche Anstrengung, nur recht viel Auffallendes, Glänzendes zu sagen, hat mir bewiesen, daß Du, statt die Gemeinde zu belehren und zu frommen Betrachtungen zu entzünden, nur nach dem Beifall, nach der wertlosen Bewunderung der weltlich gesinnten Menge trachtest. (II/39)

Entsprechend geht es Hoffmann im Kirchenmusik-Aufsatz immer wieder darum, die Werke hervorzuheben, die „das Gepräge der Wahrhaftigkeit und kein ängstliches Streben nach sogenannter Wirkung" (218) zeigen:

Jede äußere Anregung, jedes kleinliche Bemühen um irdischen Zweck, jedes eitle Trachten nach Verwunderung und Beifall, jedes leichtsinnige Prunken mit erworbener Kenntnis, führt zum Falschen, zum Unwürdigen. Nur in dem wahrhaft frommen, von der Religion entzündeten Gemüt wohnen die heiligen Gesänge, die mit unwiderstehlicher Macht die Gemeinde zur Andacht entflammen. (231)

Dennoch ist der Vorwurf, Hoffmann korrumpiere hier die Musikästhetik (Geck, S. 67) und opfere die „Sache“ dem ideologischen „System“, zu radikal. Zunächst ist zu betonen, daß die Vorstellung vom Verfall der Kirchenmusik sich primär nicht an frühromantischen Ideen, sondern an musiktheoretischen Auffassungen des 18. Jahrhunderts orientiert. Zu deren Grundlagen gehörte die Unterscheidung der musikalischen Schreibarten in Kirchen-, Kammer- und Theaterstil, mithin auch die Kritik an der Vermischung der Stile. So heißt es in Sulzers *Allgemeiner Theorie der schönen Künste,* der „sogenannte figurirte Gesang“ sei der ursprüngliche Choral in ausgezierter Form, „von dem gegenwärtig so viel Mißbrauch gemacht wird, daß man oft sich bey der Kirchenmusik besinnen muß, ob man in der Kirche, oder in der Oper sey“ (vgl. Lichtenhahn, S. 505). Entsprechend sagt Hoffmann: „Aus der Kirche wanderte die Musik in das Theater, und kehrte aus diesem, mit all dem nichtigen Prunk, den sie dort erworben, dann in die Kirche zurück.“ (223) Die Kritik erwächst zunächst also aus handwerklich-technischen, nicht aus ideologischen Erwägungen. Wenn Hoffmann zur musikgeschichtlichen Entwicklung überdies bemerkt, „daß beinahe in eben dem Grade, als die Instrumentalmusik stieg, der Gesang vernachlässigt wurde“ (230), so weist er damit auf ein Problem hin, das aus der Forderung nach kirchenmusikalischer Textvermittlung heraus immer wieder diskutiert wurde. Durchaus an der Praxis orientiert ist Hoffmanns Vorbehalt schließlich dort, wo er Eigenarten der Instrumentenbehandlung, die für Oper und Sinfonie typisch sind, als für den Kirchenraum akustisch ungeeignet erklärt (vgl. 232). Die ideologisch unverfängliche, funktional und musikalisch-technisch begründete Seite des Urteils darf nicht übersehen werden.

Ferner ist hervorzuheben, daß Hoffmann keine Rückkehr zur Kompositionsart Palestrinas fordert, wie dies später in der kirchenmusikalischen Restaurationsbewegung – etwa im Rahmen des 1868 gegründeten ‚Allgemeinen deutschen Cäcilienvereins‘ – üblich wurde. Für Hoffmann ist es vielmehr „gewiß, daß dem heutigen Komponisten kaum eine Musik anders im Innern aufgehen wird, als in dem Schmuck, den ihr die Fülle des jetzigen Reichtums gibt“ (232).

Auch die „fromme Haltung“, die Hoffmann vom Komponisten fordert, sollte nicht in einem zu engen Sinne verstanden werden; sie ist nur eine besondere Form der inneren Disposition, die Hoffmann als Voraussetzung jeder künstlerischen Gestaltung ansieht. In der Rezension der fünften Sinfonie heißt es: „Tief im Gemüte trägt Beethoven die Romantik der Musik, die er mit hoher Genialität und Besonnenheit in seinen Werken ausspricht.“ (37) Inneres Durchdrungensein, geniale Erfindung und besonnene Ausführung müssen im Schaffensprozeß zusammenkommen; fehlt eines dieser Momente, so mißlingt das Kunstwerk, bleibt es wirkungslos oder kann es gar nicht ins Leben treten. Der Mangel an Besonnenheit ist die Defizienz, die Hoffmann zumal in der Figur des Kapellmeisters Kreisler gestaltet hat. Mangel an Genialität als Grund des Mißlingens läßt sich dagegen aus Hoffmanns Kritik an Kompositionen Johann Friedrich Reichardts ablesen, dessen Verstand „nur zu geneigt“ sei, „die Phantasie zügeln zu wollen, die, jede Fessel zerreißend, sich im kühnen Fluge emporschwingt, und, wie in bewußtloser Begeisterung, die Saiten anschlägt, welche, aus einem höhern, wunderbaren Reiche herabtönend, in unserm Innern widerklingen“ (203). Als Mangel an innerem Durchdrungensein läßt es sich schließlich verstehen, wenn Hoffmann einem Musiker zum Vorwurf macht, die Töne nur in ihrer Materialität, d.h. als auf mathematischen Zahlenverhältnissen beruhende Schwingungen und Schwingungsverhältnisse, oder aber als bloßes Mittel zur Demonstration virtuoser Fertigkeit aufzufassen. Jenes ist die Vertiefung in „harmonische Künsteleien“, durch welche die Musik „zur spekulativen Wissenschaft entstellt“ werde (214). Als Hinweis auf bloßes Virtuosentum läßt sich hingegen die Bemerkung verstehen, die „neue Kunst“ Haydns, Mozarts und Beethovens sei in die Hände der „Falschmünzer“ geraten, die „ihrem Rauschgolde das Ansehen der Gediegenheit geben wollten“ (230).

Bei allen Unterschieden zwischen Hoffmanns Auffassung der Kirchen- und der Instrumentalmusik, Palestrinas und Beethovens, zeichnen sich so auch Gemeinsamkeiten ab. Genauerer Aufschluß über das Verhältnis der verbindenden und trennenden Momente läßt sich aus der Bestimmung der Musik als „romantischer“ Kunst gewinnen.

Deutlicher als in der Beethoven-Rezension sagt Hoffmann im Kirchenmusik-Aufsatz, daß die Musik „ihres eigentümlichen Wesens halber“ nicht „der antiken Welt, wo alles auf sinnliche Verleiblichung ausging“, sondern „dem modernen Zeitalter“ angehöre (212). Antike und Moderne setzt er dabei ausdrücklich gleich mit Heidentum und Christentum. Das „eigentümliche Wesen“ wird in folgender Formulierung bestimmt: „Keine Kunst geht so rein aus der innern Vergeistigung des Menschen hervor, keine Kunst bedarf so nur einzig reingeistiger ätherischer Mittel, als die Musik.“ (212) In dieser Bestimmung sind Hoffmanns Idealvorstellungen der Kirchen- wie der Instrumentalmusik verbunden. Das gemeinsame Merkmal auf technischer Ebene ist die Harmonik. Die Auffassung, daß nur die europäischen Völker eine mehrstimmige Musik ausgebildet hätten, war verbreitet; als auch in Romantikerkreisen viel gelesener Gewährsmann läßt sich Rousseau mit seinem *Dictionnaire de Musique* anführen. Ein Beispiel für die Zusammenschau von musikalischer Erscheinungsform und geistigem Gehalt, die Hoffmanns Auffassung nahesteht, findet sich sodann in A. W. Schlegels *Kunstlehre* (hrsg. v. Edgar Lohner, Stuttgart 1963, S. 221), wo es heißt, die Harmonie sei „das eigentlich mystische Prinzip in der Musik, welches nicht auf den Fortschritt der Zeit seine Ansprüche auf mächtige Wirkung baut, sondern die Unendlichkeit in dem unteilbaren Momente sucht". Ähnlich ist für Hoffmann die Harmonie „Bild und Ausdruck der Geistergemeinschaft, der Vereinigung mit dem Ewigen, dem Idealen, das über uns thront und doch uns einschließt" (215).

Wie sich das Gemeinsame von Kirchen- und Instrumentalmusik aus Hoffmanns allgemeiner Bestimmung der Musik als romantischer Kunst ablesen läßt, so findet sich für das Trennende ein Erklärungsmuster in dem Gegensatz von „Altertum" und „romantischem Zeitalter", wie er schon vor Hoffmann als Gegensatz innerhalb der abendländischen Musikgeschichte angewandt wurde (vgl. oben 2.1.). Für Hoffmann liegt ein wesentlicher Unterschied zunächst darin, daß Palestrinas Kirchenmusik das Alte und Ursprüngliche, Beethovens Sinfonie aber das Neue und Zukunftweisende ist. Auch das „Reingeistige" der beiden Musikarten faßt Hoffmann in verschiedene Begriffe: einerseits als „religiöser Kultus" und „Schöpferlob" (212), andrerseits als „Reich des Ungeheueren und Unermeßlichen" (36). Diese Unterscheidung verbindet er ferner eng mit dem Gegensatz des Vokalen und Instrumentalen. Palestrinas „einfache, würdevolle Werke" seien, so glaubt Hoffmann, „bloß für Singstimmen, ohne Begleitung irgendeines Instruments" geschrieben, „denn unmittelbar aus der Brust des Menschen, ohne alles Medium, ohne alle fremdartige Beimischung, sollte das Lob des Höchsten, Heiligsten strömen" (215). Die Sinfonie hingegen konnte ihr „Reich des Unendlichen" erst erschließen, als sich die Musik vom Wort und damit von der menschlichen Stimme vollständig gelöst hatte.

Offensichtlich geht es Hoffmann insgesamt darum, nicht die eine dieser Formen musikalischer Einholung des Geistigen gegen die andere herabzusetzen, sondern – und das hatte vor ihm in dieser Weise niemand geleistet – jede in ihrer Eigenart und dennoch als verwandt zu begründen. Aber es ist nicht zu überhören, daß Hoffmann „jener alten, wahrhaft heiligen, von der Erde verschwundenen Musik" (228) nachtrauert und daß er andrerseits die Musik Beethovens bei aller Begeisterung immer wieder als ängstigend und bedrohlich empfindet. In den *Briefen über Tonkunst in Berlin* vom Spätherbst 1814 äußert er bedauernd und beunruhigt, „daß die Instrumentalmusik, immer kecker, immer kühner beschwingt, mit starken, gewaltigen Fittigen den Gesang zu Boden schlägt" (280).

Die Frage, die Hoffmann mit der Feststellung der *Briefe* verbindet, ob nämlich diese Entwicklung nicht „ein besonderes Zeichen der Zeit“ sei, führt zu einem letzten, hier nur kurz zu streifenden, an anderer Stelle etwas ausführlicher behandelten Aspekt (vgl. Lichtenhahn). Die alte Kirchenmusik und die neue Instrumentalmusik stehen für Hoffmann nicht in der Musikgeschichte gleichsam statisch nebeneinander, sie sind vielmehr in eine umfassendere geschichtliche Entwicklung einbezogen und durch diese vermittelt. Dabei ergibt sich ein Bild, das an das triadische Geschichtsverständnis des Novalis erinnert: Einem vergangenen goldenen Zeitalter ist eine Periode des Zerfalls gefolgt; die menschliche Hoffnung aber, gestärkt durch Anzeichen in der Gegenwart, richtet sich auf ein künftiges goldenes Zeitalter. Hoffmanns Bild der Palestrinazeit trägt die Züge eines paradiesischen Zustandes, und vom „Verfall“ bis hin zu den „kraftlosen“ Produkten ist ausführlich die Rede. Er sieht diese Entwicklung in Parallele „mit der sogenannten, allen tieferen religiösen Sinn tötenden Aufklärerei“ (227), findet also eine „tiefere Ursache [...] in der Tendenz der Zeit überhaupt“ (210). Während aber zum Beispiel Friedrich Schlegel, was die Musik betrifft, an diesem Punkte Halt macht – in den Kölner Vorlesungen über Propädeutik und Logik sagt er, sie sei „ihrer hohen Bestimmung ganz entgegen in eine leere, kindische Spielerei ausgeartet“ (*Kritische Ausgabe*, Bd. 13, München, Paderborn, Wien, Zürich 1964, S. 218) –, bricht für Hoffmann eine „Morgenröte [...] herrlich hervor in unserer verhängnisvollen Zeit“. Die „gewaltigen Revolutionen“ seien zwar „ein verwüstender Sturm“ gewesen, „aber dieser Sturm hat die finstern Wolken auseinander getrieben“ (211). Und es ist „der forttreibende Weltgeist selbst“, der den „Glanz der mannigfachen Instrumente [...] in die geheimnisvolle Kunst des neuesten, auf innere Vergeistigung hinarbeitenden Zeitalters geworfen hat“ (232).

Hoffmanns Auffassung der Musik und ihrer geschichtlichen Entwicklung – dies wollte die vorliegende Skizze aufzeigen – ist viel weniger von Widersprüchen geprägt, als oft angenommen wird. Eher erscheint sie als der freilich oft recht kühne Versuch, verschiedenste Traditionen und Denkmodelle, von der spätbarocken Handwerkslehre und Poetik bis zur frühromantischen Kunstanschauung und dem triadischen Geschichtsbild, zu einem Ganzen zusammenzufassen und immer wieder sowohl am eigenen Musikerlebnis wie am strukturanalytischen Befund zu erhärten. Abschließend sei aber noch einmal darauf hingewiesen, daß die Skizze unvollständig ist und der Erweiterung um Hoffmanns Opernästhetik bedürfte. Andeutungsweise nur soviel: Wenn Hoffmann am späten 18. Jahrhundert die „Verrücktheit“ kritisiert, „in der der Opiumrausch für Begeisterung gilt“ (211), so bringt er damit einen Zwiespalt zur Sprache, der ihm selber keineswegs fremd ist. Im Bereich der Musikauffassung und Musikthematik zeigt sich dies vor allem in dem Ängstigenden, das für ihn neben dem Erhebenden von der Instrumentalmusik ausgeht. Was dieser letztlich fehlt, ist die Verankerung im Irdischen und Sinnlichen, wie ja auch das künftige goldene Zeitalter, wie es Novalis entwirft, darin seine „Harmonie" hat, daß es – nach Hans-Joachim Mähls Formulierung (*Die Idee des goldenen Zeitalters im Werk des Novalis,* Heidelberg 1965, S. 306) – als „die Wiederkehr der alten Verbundenheit von Geist und Natur, von übersinnlicher und sinnlicher Welt" auf höherer Stufe erscheint. Dies leistet die Oper als romantisierte Wirklichkeit für Hoffmann zumal in der Form, die ihr Mozart gegeben hat, in höherem Maße als die reine Instrumentalmusik. Von hier aus wird denn auch verständlich, daß für Hoffmann nicht die Sinfonie, sondern die Oper Zentrum und Ziel des eigenen kompositorischen Schaffens war.

VII. Zur Rezeption Hoffmanns

1. Deutschland

In einem einführenden Essay zum Katalog der Ausstellung ‚E.T.A.Hoffmann und seine Zeit', die das Berlin Museum 1976 veranstaltet hat, spricht Hans Mayer von der „bis heute nachwirkende[n] Verkennung des Schriftstellers Hoffmann im deutschen öffentlichen Bewußtsein" (S. 14) und erläutert diese Verkennung auf folgende Weise:

> Der Autor des Märchens vom *Goldnen Topf*, eines unerschöpflichen Meisterwerkes der deutschen Literatur, gehört zusammen mit Lenz und Jean Paul, Grabbe wie Büchner zu jenen unerquicklichen Autoren, denen sich der Beherrscher des Deutschen Seminars als Forscher nicht zuwenden mochte. Dergleichen überließ man den Privatdozenten oder Privatgelehrten. Die Hoffmann-Forschung verdankt alles zwei Männern ohne Amt und Lehrstuhl: den Hans von Müller und Friedrich Schnapp.
>
> Bis heute gilt Hoffmann bei uns als skurriler Sonderfall der deutschen Literatur und nicht als das, was er gewesen ist: nämlich als einer der folgenreichsten Erneuerer und Umwerter. (S. 14f.)

Obwohl es erfreulicherweise Anzeichen gibt, daß das hier entworfene Bild in jüngster Zeit mehr und mehr seine Gültigkeit verliert, trifft Mayers Charakterisierung für die Vergangenheit fast uneingeschränkt zu. Gerade im Bereich der älteren Literaturwissenschaft lassen sich – sieht man von der kleinen Schar der Hoffmann-Enthusiasten wie Ellinger, von Müller, von Maassen, Harich und Schnapp ab – Verkennung und Verachtung des Schriftstellers Hoffmann nicht übersehen. August Friedrich Christian Vilmar etwa gesteht in seiner 1845 erstmals und dann immer wieder nachgedruckten *Geschichte der Deutschen National-Litteratur* Hoffmann manche gelungene Darstellung zu, befindet aber dennoch, daß dessen Werke

> noch weit weniger als Jean Pauls Werke künstlerischen Genuß gewähren und den Ruhm künstlerischer Vollendung errungen haben. [...] Wer seinem *Kater Murr*, seinen *Teufelselixieren*, seinem *Nußknacker* und *Mäusekönig* [!] Geschmack abgewinnen kann, für den ist schwerlich Schiller und Goethe noch vorhanden, geschweige denn ein Nibelungenlied oder ein Homer. (Jubiläums Ausgabe, 25. Auflage, Marburg 1901, S. 465)

Noch schroffer ist das Urteil von Georg Gottfried Gervinus, dessen Porträt des Autors in der *Neuere[n] Geschichte der poetischen National-Literatur* (2. Teil, Leipzig 1842) man nur als eine böswillige Karikatur Hoffmanns bezeichnen kann. Dieser führte, Gervinus zufolge, ein grundsätzlich lüderliches Leben; seine excitirten Nerven, die ihn mit Todesgedanken quälten und ihm Gespenster und Doppelgänger zeigten, reizte er mit Wein und Nachtarbeiten, unachtsam, daß ihm ein mäßiges Leben für Geist und Körper das zuträglichste war. So ward sein Leben und Ende eine schauderhafte Warnungstafel, wie seine Schriften, die nach den Worten einer englischen von Göthe empfohlenen Beurtheilung, fieberhafte Träume eines kranken Gehirnes sind, gleich den Einbildungen, die ein unmäßiger Gebrauch des Opiums hervorbringe. Die Schilderungen des Wahnsinns, die Zerrbilder des Lebens wurden die Lieblingsgegenstände seiner Darstellung; die äußere Natur, jede einfache Existenz, das ‚Mottengeschmeiß' der alltäglichen Menschen mishagte ihm [...] Gespräche über Politik, Staat, selbst Religion haßte er frühe und immer; keine Lectüre bildete ihn [...]. (S. 684f.)

Dieses schiefe, entstellende Porträt, das in geradezu demagogischer Weise Verhaltensformen und Äußerungen von Gestalten des Autors diesem selber anlastet, beschwört ein Klischee herauf, das um 1840 bereits Tradition besaß und das seine Verbreitung – wenn auch keineswegs ausschließlich – dem mächtigen Einfluß *Goethes* verdankt. Für den von Gervinus erwähnten Weimarer Gewährsmann war Hoffmann eine exemplarische Verkörperung des Romantischen, das mit dem Krankhaften zu identifizieren sei (s. die Mitteilung gegenüber Eckermann; 2. April 1829). Bei Gelegenheit einer Rezension von Walter Scotts Artikel ‚On the Supernatural in fictitious Composition' (s. unten AB VII 4.) zitiert Goethe die von Gervinus wieder aufgenommenen Sätze Scotts und bekräftigt dessen Kritik an Hoffmann noch durch den Zusatz:

Wir können den reichen Inhalt dieses Artikels unsern Lesern nicht genugsam empfehlen: denn welcher treue, für Nationalbildung besorgte Teilnehmer hat nicht mit Trauer gesehen, daß die krankhaften Werke des leidenden Mannes [d.i. Hoffmann; U. St.] lange Jahre in Deutschland wirksam gewesen und solche Verirrungen als bedeutend-fördernde Neuigkeiten gesunden Gemütern eingeimpft worden. (*Werke*. Hrsg. v. Ernst Beutler [Artemis-Ausgabe], Bd. XIV, S. 928)

Goethes Urteil ist allerdings aufschlußreicher in bezug auf Hoffmann als das des Goethe-Anhängers Gervinus. Zum einen hält es – durchaus zutreffend – die Hoffmannsche Eigentümlichkeit „der Verbindung des Unmöglichen mit dem Gemeinen, des Unerhörten mit dem Gewöhnlichen" (S. 929) fest – eine Verbindung freilich, von der Goethe meint, daß sie in erster Linie ihm selber, nicht aber Hoffmann gelungen sei. Zum andern wird in der Rezension deutlich, warum Goethe von einer Beschäftigung mit den Werken Hoffmanns dringend abrät. Nicht ohne Nachdruck zitiert er den warnenden Satz Scotts: „Wir müssen uns von diesen Rasereien lossagen, wenn wir nicht selbst toll werden wollen." (Ebda., S. 927) Angst vor der Gefahr, angesichts der Hoffmannschen Texte jeglichen Halt zu verlieren, und Abwehr dieser Angst sind die vorherrschenden Motive. Daß eine solche Angst bei Werken wie dem *Sandmann* oder den *Elixieren* durchaus begründet ist, kann kaum geleugnet werden. Goethe selber hatte offensichtlich diese Wirkung bei der Lektüre des *Meister Floh* (s. den Brief an den Großherzog Carl August v. 12. August 1822) und erst recht beim Lesen des *Goldnen Topfs* (s. AB III A.) an sich registriert. So wie er bei sich eine krankmachende Wirkung verspürte, so fürchtete er auch die Ansteckung anderer Leser und anderer Autoren.

Die Urteile der übrigen zeitgenössischen Autoren deutscher Sprache sind in ihrer Tendenz nahezu ausnahmslos überwiegend skeptisch bis ablehnend. Am krassesten ist wohl die Meinung Wilhelm *Grimms:* „Widerwärtig ist mir dieser Hoffmann mit all seinem Geist und Witz von Anfang bis zu Ende" (zit. nach Thurau, S. 246). Aber selbst die von Hoffmann verehrten Dichter Jean Paul und Ludwig Tieck zeigen sich außerordentlich reserviert.

Jean Paul, dessen distanziert-ironisches Urteil im Zusammenhang mit der *Prinzessin Brambilla* schon zitiert wurde (s. AB III D.1.), schrieb zwar – wenn auch in einem seltsam verhaltenen und nur halb lobenden Tone – die Vorrede zu den *Fantasiestücken,* äußerte sich aber in Briefen an Heinrich Voß recht geringschätzig über den Autor (s. *Sämtliche Werke.* Hist.-krit. Ausgabe, 3. Abt., 8. Bd., Hrsg. v. Eduard Behrend, Berlin 1955, S. 22, 27, 133f. und 164) und bekannte in Gesprächen sogar seinen „ordentlichen Widerwillen" an den Büchern Hoffmanns (so gegenüber Ludwig Rellstab, s. *Jean Pauls Persönlichkeit in Berichten der Zeitgenossen.* Hrsg. v. Eduard Behrend, Berlin, Weimar 1956, S. 272).

Tiecks Einstellung zu Hoffmann ist uns – mehr oder weniger sicher verbürgt – durch dessen Biographen Rudolf Köpke überliefert:

> Hoffmann [...] hatte etwas Unheimliches, und fürchtete sich zuletzt selbst vor seinen eigenen Gespenstern. Die Dichtung ist bei ihm zur Caricatur geworden, und obgleich er manches gut zu erzählen weiß, sind seine Erzählungen doch fast alle fratzenhaft. (*Ludwig Tieck. Erinnerungen aus dem Leben des Dichters nach dessen mündlichen und schriftlichen Mittheilungen.* 2. Theil, Leipzig 1855, S. 206)

Dieses Urteil und auch eine weitere Charakteristik (s. ebda., S. 43f.) verdecken durch ihren herablassenden Tonfall, daß Tieck sich Hoffmann bei manchen seiner Werke durchaus auch als Vorbild nahm (s. Sakheim, S. 13f. und von Maassen, S. 193f.). Auffällig an Tiecks Kritik gegenüber Hoffmann ist auch, wie wenig genau zwischen dem Werk und der Person des Autors unterschieden wird. Offensichtlich hat letzterer – mehr als andere Dichter – seine Bewunderer und Kritiker immer wieder durch sein Verhalten und seine Erzählweise zu einer solchen Vermischung herausgefordert. Nicht zufällig ist der Dichter Hoffmann sehr häufig zu einer dichterischen Figur geworden (s. hierzu Albert Ludwig).

Hegel erwähnt in seinen Vorlesungen über die Ästhetik mehrfach den Namen Hoffmann in einem abwertenden Sinne. Wie Tieck spricht er vom Fratzenhaften der Hoffmannschen Produktionen (*Werke in 20 Bänden* [s. AB III A.1.3.], Bd. XI, S. 215 und Bd. XIII, S. 289), und wie Goethe zählt er den Autor zu den Kranken und stellt ihn in die Nachbarschaft zu Kleist. Er tadelt Hoffmanns Beschreibung nicht-erklärbarer Phänomene und dämonischer Vorgänge vom Standpunkt eines Klassizismus aus, der sich durch die „unentzifferbare Wahrheit des Schauerlichen" (Bd. XIII, S. 314) beunruhigt und bedroht fühlt. Apodiktisch erklärt er:

> Aus dem Bereiche der Kunst aber sind die dunklen Mächte gerade zu verbannen, denn in ihr ist nichts dunkel, sondern alles klar und durchsichtig [...]. (Bd. XIII, S. 314f.)

Ist es bei Hegel (und Goethe und dem alten Tieck) der Klassizismus, der die Irritation gegenüber Hoffmann hervorruft und zu massiver Abwehr herausfordert, so glauben sich Brentano und Eichendorff im Namen der katholischen Religion zu einer rigorosen moralischen Verurteilung berechtigt.

Von *Brentano* existiert ein unvollendeter und nicht abgesandter Brief an Hoffmann vom Januar 1816, also aus der Zeit kurz vor der Hin- und Rückwendung zum Katholizismus. Das – zumindest im ersten Teil – recht wirre Schreiben gipfelt in der Behauptung, Hoffmann gehe allzu unernst, allzu frivol mit seinen Fähigkeiten um. Nach der vorwurfsvollen Frage:

> Lieber Hofmann [!], warum haben Sie den armen Spiecker [d.i. Erasmus Spikher aus den *Abenteuern der Silvester-Nacht;* U.St.] seine Unschuld nicht wieder finden lassen, und zwar durch Jesum [...]. (Br II/82)

kommt Brentano zu einem Resümee, das die Komik im Werke Hoffmanns nur noch als Indiz, als obligaten, wenn auch völlig vermessenen Ausdruck einer zutiefst verzweifelten Epoche gelten läßt:

> Die witzigen gaukelnden sogenanten [!] Humoristen treten immer in der Litteratur ein, vor der Hungersnoth. Es ist das Henckersmahl, der letzte Schmaus des Verlohrnen Sohnes. (Br II/83)

Brentanos Abrechnung mit Hoffmanns Werken ist mindestens ebenso sehr eine Abrechnung mit seinen eigenen früheren Arbeiten. Beide erscheinen sie ihm jetzt als frivole, gottlose, nur sich selber bespiegelnde Gebilde, welche die Hungernden nicht sättigen, sondern „mit Manna todzuschlagen" versuchen (ebda.).

Religiös motiviert wie Brentanos Urteil ist auch die Charakteristik Joseph von *Eichendorffs,* die in manchem fast wörtlich an Brentanos Kritik anknüpft:

Immer deutlicher und entschiedener löst sich das religiöse Element von der Phantasie, und weil diese, so isoliert, notwendig in leere Spielerei oder Verzerrung verfliegt, so zieht das religiöse Gefühl sich immer scheuer in sich selbst zurück, bis beide allmählich einander fremd und daher unbequem und störend, ja zuletzt feindlich gegenüberstehen. Die daraus entspringende innere Ungenüge, um so stechender, je schärfer die Zerklüftung hervortritt, wird nun [...] gar bald zur Zerrissenheit, bis dann auch das Bewußtsein jener Ungenüge schwindet, und diese endlich nur noch als ein bloßes ästhetisches Kunststück wohlgefällig sich selbst bespiegelt.

Das treffendste Bild dieses Ausganges bietet *Hoffmann* dar. (*Werke und Schriften.* Hrsg v. Gerhart Baumann und Siegfried Grosse, 4. Bd., Stuttgart 1958, S. 384)

Eichendorff, der – wie Brentano – auch persönlich mit Hoffmann bekannt gewesen war (s. AB II B.1.3.), veröffentlichte seine Kritik mehr als 30 Jahre nach der Begegnung und nahm sie dann nochmals 10 Jahre später in seine *Geschichte der poetischen Literatur Deutschlands* von 1857 auf. Während bei Brentanos Behauptung eines Zusammenhangs von Witz und Verzweiflung die eigene Betroffenheit spürbar und damit auch ein Moment zutreffender Kritik am Humor Hoffmanns erkennbar wird, fehlen in Eichendorffs Charakteristik fast alle Hinweise auf eine ehemalige Gefährdung des Kritikers und auf eine einstige geistige Verwandtschaft mit der kritisierten Position. Entsprechend verständnislos und schief fallen darum auch die Urteile über Hoffmann aus. Dieser sei in allen Bereichen ein völliger Dilettant gewesen, der sich „vor jedem Zustande von Begeisterung sorgfältig zu verwahren" gesucht habe (ebda., S. 386). Religion und Politik hätten ihn nicht interessiert; sittliche Würde, Mut und moralische Kraft seien bei ihm nicht vorhanden gewesen. Diese nachweisbar falschen Vorwürfe komplettiert Eichendorff schließlich noch durch die Behauptung, der Autor sei immer mehr zum haltlosen Trinker geworden (S. 389).

Als unerträgliche Zumutung wurden die Werke Hoffmanns jedoch nicht nur vom Standpunkt des Katholizismus und des Klassizismus aus verurteilt. Auch ein Autor wie Ludwig *Börne* reagiert auf sie kaum anders als Eichendorff und Goethe. In zwei Rezensionen – die eine, ‚Humoralpathologie' betitelte, über den *Kater Murr* und die andere über die *Serapions-Brüder* – mißbilligt er die beunruhigende, zerstörerische Kraft, die von den Schriften Hoffmanns ausgehe. Auch er benützt das Prädikat des ‚Kranken', und zwar für den Hoffmannschen Humor, den er eine „mißtönende Weise" nennt, die in allen Werken des Verfassers „uns beleidigend entgegenklingt", und den er als „beständig darüber herziehende, naßkalte, nebelgraue, düstere und anschauernde Witterung" zu erfassen sucht (*Sämtliche Schriften.* Hrsg. v. Inge und Peter Rippmann, 2. Bd., Dreieich 1977, S. 451). Statt Genuß zu bereiten, verbreiteten die

Werke Hoffmanns nichts als Angst, Furcht und Schrecken, und dies umso mehr, als es in ihnen keinen Dichter, keinen Erzähler gebe, an dessen Besonnenheit der Leser eine „Brustwehr“, d.h. einen Halt fände, der „ihn vor dem Herabstürzen sichert, wenn ihn beim Anblicken der tollen Welt unter seinen Füßen der Schwindel überfällt“ (ebda., S. 560).

Freilich bleibt Börne – im Gegensatz zu seinen konservativeren Autoren-Kollegen – auf dieser Position nicht stehen. Statt bloß zu klagen und eine andere, die Daseinsstabilität weniger untergrabende Literatur zu verlangen, erkennt er, daß das Peinigende, beispielsweise im *Kater Murr,* nicht auf eine etwaige persönliche Bosheit des Verfassers zurückgeführt werden kann und darum diesem auch nicht angelastet werden darf:

> Ich gestehe es offen, daß dieses Werk mir in der innersten Seele zuwider ist, mag man es auch eben so kindisch finden, ein Buch zu hassen, das einem wehe tat, als es kindisch ist, einen Tisch zu schlagen, woran man sich gestoßen. (Ebda., S. 451)

Weil die Werke Hoffmanns wiedergeben, was tatsächlich existiert, komme ihnen zwar keine Schönheit, wohl aber Richtigkeit zu. Sie seien keine Dichtungen; weder seien sie mehr, noch weniger: „sie sind ein anderes“ (S. 560), nämlich wissenschaftliche Schriften in ästhetischer Aufmachung.

Heinrich *Heine* knüpft in vielem unmittelbar an die Äußerungen seines großen Gegenspielers an. Unter den bedeutenderen zeitgenössischen Autoren deutscher Sprache ist er, neben den jüngeren Friedrich Hebbel und Gottfried Keller, der einzige, der Hoffmanns Außerordentlichkeit nicht nur erkennt, sondern auch – zumindest in der dem Exil vorausgehenden Phase – zu schätzen weiß. In den *Briefen aus Berlin* von 1822 bekundet er seine große Sympathie für Hoffmann. Seine teilweise recht strenge Kritik einzelner Werke begründet er mit dem Hinweis, daß er „diesen Schriftsteller [...] zu sehr liebe und verehre, um schonend von ihm zu sprechen“ (*Sämtliche Werke* [s. AB III D.1.], 7. Bd., S. 580; ähnlich S. 595) . Er betont die Originalität Hoffmanns und den fundamentalen Unterschied zwischen diesem Autor und Jean Paul (ebda., S. 595 f.). Die Sympathie erklärt sich bis zu einem gewissen Grade aus der Tatsache, daß Heine sich als ‚Zerrissenen‘ empfand und damit als Wahlverwandten Hoffmanns betrachtete (vgl. Siebert, S. 8 ff.). Auch in der 1832/33 verfaßten *Romantischen Schule* ist – bei aller inzwischen hinzugewonnenen Selbständigkeit und Distanz zu Hoffmann – die ursprüngliche Hochschätzung noch spürbar. Die Schilderung beginnt mit jener berühmten, vielzitierten Äußerung: „seine Werke sind nichts anders als ein entsetzlicher Angstschrei in zwanzig Bänden“ (5. Bd., S. 301). Es folgt eine vergleichende Darstellung der Eigentümlichkeiten Hoffmanns und derjenigen des Novalis. Beiden Autoren sei gemeinsam, daß ihre Poesie „eigentlich eine Krankheit“ gewesen sei (S. 302). Wenn Heine auch damit ein

Prädikat aufgreift, das Scott, Goethe und Börne gebraucht hatten und das, wie gezeigt wurde, auch später als Argument zur Abqualifizierung der Dichtung Hoffmanns herhalten mußte, so kommt doch dieser Charakterisierung in der *Romantischen Schule* eine besondere Stellung zu. Bei der Kennzeichnung des Hoffmannschen Oeuvres als einer Krankheit vermeidet Heine nämlich ausdrücklich eine moralische Abwertung, indem er sich selbst als Kranken in seine Argumentation miteinbezieht:

> Aber haben wir ein Recht zu solchen Bemerkungen, wir, die wir nicht allzusehr mit Gesundheit gesegnet sind? Und gar jetzt, wo die Litteratur wie ein großes Lazarett aussieht? Oder ist die Poesie vielleicht eine Krankheit des Menschen, wie die Perle eigentlich nur der Krankheitsstoff ist, woran das arme Austertier leidet? (S. 302)

Heines Kritik an Hoffmann bezieht sich demnach nicht auf das Kranksein allgemein, sondern auf die Art der Krankheit. Hoffmanns *Fantasiestücke* hätten die Flamme des Fiebers, während die Dichtung des Novalis durch die Farbe der Schwindsucht charakterisiert sei. Dieser Differenz entspricht Heines Einschätzung, Hoffmann – im Unterschied zu Hardenberg – nicht zur romantischen Schule zu rechnen (eine Einschätzung, die später vor allem von marxistischen Literaturhistorikern, allen voran von Georg Lukács übernommen wurde; s. weiter unten 1.1.) und ihm dem Frühromantiker gegenüber den Vorzug einzuräumen:

> Die eigentlichen Geistreichen und die poetischen Naturen wollten nichts von ihm wissen. Diesen war der Novalis viel lieber. Aber, ehrlich gestanden, Hoffmann war als Dichter viel bedeutender als Novalis. Denn letzterer mit seinen idealischen Gebilden schwebt immer in der blauen Luft, während Hoffmann mit allen seinen bizarren Fratzen sich doch immer an der irdischen Realität festklammert. (S. 301)

Den Gegensatz zwischen den fieberhaften Werken Hoffmanns und den schwindsüchtigen Hardenbergs erläutert Heine daraufhin mit der respektlosen Erzählung von den beiden Schwestern aus dem „Hannövrischen": die eine, die dicke Postmeisterin, deren einziges Vergnügen in der Lektüre Hoffmannscher Romane bestand, und die andere, Sophia mit Namen, die für Novalis schwärmte und in dessen Manier zu dichten versuchte. Die erstere wechselte von den Romanen zum „Branntewein" über und kam immer mehr herunter; die zweite starb ihrem Idol nach. Sieht man einmal von den etwas indezenten Anspielungen auf Hoffmanns Neigung zum Alkohol und auf Hardenbergs, bzw. Sophie von Kühns tödliche Krankheit ab, so bleibt von der kommentarlos endenden, aber gleichwohl parabolisch gemeinten Erzählung ein zumindest zwiespältiges Bild von Hoffmann zurück. Dieser Autor wird zwar nach wie vor von Heine geschätzt, aber seine Werke sind durch „Branntewein" ersetzbar und können selbst den gesündesten Leser zugrunderichten. Sie sind ansteckend wie ein Fieber; ihrem gefährlichen Sog kann man sich nur schwer entziehen (vgl. auch ebda., S. 319).

Die meisten der hier erwähnten skeptischen bis ablehnenden Kritiken stammen aus einer Zeit, da die Werke Hoffmanns beim deutschsprachigen Publikum sich außerordentlicher Beliebtheit erfreuten. Ihnen wären noch die Rezensionen in zeitgenössischen Zeitschriften an die Seite zu stellen (s. hierzu Steinecke), die für die Aufnahme Hoffmanns bei den Lesern wohl bedeutsamer gewesen sein dürften als die Urteile der heute noch berühmten Autoren. Deren Äußerungen wurden, worauf Steinecke nachdrücklich hinweist (S. 14), zunächst kaum beachtet. Sie dürften sich jedoch mittelbar (im Fall Goethes etwa durch dessen Einfluß auf die ‚Jenaische Allgemeine Zeitung' und im Fall Jean Pauls durch dessen Beziehungen zu Heinrich Voß, dem Kritiker des ‚Morgenblatts für gebildete Stände') auf jene Rezensionen ausgewirkt haben. Die im Verhältnis zur Kritik weitaus stärkere Hochschätzung Hoffmanns beim lesenden Publikum hat sich jedenfalls bis zu Beginn der dreißiger Jahre erhalten. Für Karl Gutzkow etwa ist Hoffmann noch in den Jahren 1821 bis 1829 „der Matador des Tages, der Gefeierte bei allen Hofräten" (*Werke.* 7. Teil, hrsg. v. Reinhold Gensel, Berlin, Leipzig, Wien, Stuttgart o.J., S. 199). Erst in den späten Dreißigern und in der Zeit vor und nach 1848 nimmt die Beliebtheit Hoffmanns beim lesenden Publikum rapide ab. Franz Grillparzer nennt in seiner 1853 verfaßten Selbstbiographie Hoffmann „eine mit Unrecht vergessene Zelebrität" (*Sämtliche Werke.* 4. Bd., hrsg. v. Peter Frank und Karl Pörnbacher, München 1965, S. 139). Mit der Einbuße an Popularität ändert sich auch der Kanon der Werke, die als besonders schätzenswert und als repräsentativ für Hoffmann gelten. Hatten sich die Zeitgenossen des Autors besonders von den *Elixieren,* den *Nachtstücken* und dem *Kater Murr* herausfordern lassen, so verschiebt sich jetzt die Aufmerksamkeit auf Erzählungen wie *Das Majorat, Das Fräulein von Scuderi* und *Meister Martin der Küfner und seine Gesellen.* Der versierte und zugleich außerordentlich biedere Hitzig hatte als erster einen solchen Umschwung des Publikumsgeschmacks vorausgeahnt und noch zu Lebzeiten Hoffmanns diesen unter Berufung auf die Romane Scotts für eine weniger phantastische und weniger unheimliche Schreibart zu gewinnen versucht (s. AB III D. 1.). In die gleiche Kerbe schlug Willibald Alexis (= Wilhelm Häring) mit seinem Essay über die Dichtungen Hoffmanns, den Hitzig 1823 in seine Biographie *Aus Hoffmanns Leben und Nachlaß* aufnimmt (s. dort 2. Tl., S. 348 f.). Das Hoffmann-Bild von Alexis sollte sich als ungeheuer folgenreich und zählebig erweisen. Dessen Lieblingswerken zollt auch Eichendorff in seiner vernichtenden Kritik von 1857 einigen Respekt (*Werke und Schriften,* 4. Bd., S. 390), und noch in Ricarda Huchs Gegenüberstellung der „nüchternen" und der „exotischen" Erzählungen (s. AB IV B. 1. und

C. 1.) ist das von Alexis propagierte Hoffmann-Bild wirksam. Ja, noch in allerjüngster Zeit ist versucht worden, die feste Verankerung einer Erzählung wie der des *Fräuleins von Scuderi* im gymnasialen Lektürekanon auf den Einfluß des Willibald Alexis zurückzuführen (so von Wührl; s. AB IV B.).

Daß dessen Autorität in bezug auf Hoffmann zumindest außerhalb des Schulbuchbereichs gebrochen wurde, ist nicht erst, wie Mayer (1976, S. 16) annimmt, dem Expressionismus zu verdanken. Die Wiederentdekkung des „exotischen", die Sicherheit des Lesers untergrabenden Autors, dessen Werke besonders wegen ihrer bedrohlichen Wirkung geschätzt werden, ist vor allem ein Verdienst Franz *Bleis,* der gerade das von den Autoren des Biedermeier und der Restauration verdrängte Gefährliche und Bedrohende anerkennend hervorgehoben hat. In pointierter Absetzung von Goethe und wohl in Anlehnung an französische Vorbilder hat er ein Hoffmann-Bild entworfen, das der Bewertung des Willibald Alexis diametral widerspricht:

> Der echte Hoffmann ist in seinen kurzen Geschichten, jenen, welchen das Prädikat ‚morbid', das ihnen Goethe verachtungsvoll gegeben hat, allein zukommt. In der Morbidität liegt seine künstlerische Größe; das andere ist jeu d'esprit. (*Ernst Theodor Amadeus Hoffmann. Eine Fußnote.* In: *Die Insel* [1899/1900] Ndr. Frankfurt/M. 1981, S. 354)

An Bleis Neueinschätzung der Werke Hoffmanns knüpfen die Expressionisten an. Belegen ließe sich dies anhand der von Heinrich Eduard Jacob herausgegebenen Zeitschrift ‚Der Feuerreiter'. Die „Dem Andenken E.T.A. Hoffmanns" zu dessen 100. Todestag gewidmete Sondernummer (1. Jahrgang, Juni 1922, Heft 6) soll – so befindet einleitend der Herausgeber – die Jugend zu Wort kommen lassen. Dankbar blicke „sie dem Meister ins Gesicht und möchte in *seinem* Chaos die Problematik des *eigenen* ehren" (Ndr. Nendeln 1970, S. 193). Jacob eröffnet seine Widmung zugleich mit einem Dank an die Hoffmann-Philologie, „die nun seit 25 Jahren den Schutt von Hoffmanns Werk und Leben räumt" (ebda.), und nimmt zugleich zwei wissenschaftliche Beiträge von Hans von Müller und Walther Harich in die Sondernummer auf.

Eine solche gemeinsame Bemühung von Dichtern und Literarhistorikern um das Werk des Autors ist in der Geschichte der Hoffmann-Rezeption eine Ausnahme geblieben. Zumeist, ja fast immer waren es die Dichter, die den Literaturwissenschaftlern meinungsbildend vorausgingen. Im 20. Jahrhundert haben sie – im deutlichen Unterschied zum 19. – durchwegs positiv auf die Schriften des Autors reagiert. Die zustimmenden bis enthusiastischen Stellungnahmen wie auch die produktiven Auseinandersetzungen und Weiterführungen Hoffmannscher Eigentümlichkeiten finden sich in der Literatur dieses ganzen Jahrhunderts verbreitet.

In den Werken so unterschiedlicher Autoren wie Paul Scheerbart, Oskar Panizza, Franz Kafka, bei Arno Schmidt und – um jüngste Beispiele zu nennen – in Peter Henischs *Hoffmanns Erzählungen. Aufzeichnungen eines verwirrten Germanisten* (München 1983), in Zsuzsanna Gahses *Berganza* (München 1984) und Irmtraud Morgners *Amanda. Ein Hexenroman* (Darmstadt, Neuwied 1984) – ließen sich Hoffmannsche Elemente oder gar Zitate aus dem Werk des Dichters ohne viel Mühe nachweisen. Sie alle würden von der anhaltenden Aktualität und auch der Modernität Hoffmanns ein gutes Zeugnis ablegen können.

Die Literaturwissenschaftler haben sich – und darin hat der eingangs zitierte Hans Mayer sicherlich recht – nur sehr zögernd dieses positive Verhältnis zu den Werken Hoffmanns zu eigen gemacht. Wenn dieser noch vor wenigen Jahren vor dem Vorwurf des Trivialen in Schutz genommen werden mußte (s. Werner, 1978), so ist das auf den Einfluß der deutschen Klassiker zurückzuführen. Solange deren Stilideal übernommen und, zur abstrakten Norm gemacht, auf die Hoffmannschen Texte projiziert wurde und solange man an der klassizistischen Forderung nach einer heiteren, das ‚delectare' einlösenden Kunst festhielt, blieb den Werken Hoffmanns die fällige Anerkennung versagt. Erst in allerjüngster Zeit scheint sich hier wirklich eine umfassende Umwertung und Neubewertung des Autors anzubahnen.

1.1. Exkurs: Hoffmann in der marxistischen Literaturwissenschaft

Bekanntlich hat Karl Marx keine konsistente und zusammenhängende Kunsttheorie hinterlassen. Aber die von ihm und Friedrich Engels überlieferten verstreuten Bemerkungen über Kunst und Literatur sowie vor allem die von ihnen entwickelte dialektisch-materialistische Geschichtsauffassung bilden die Grundlagen, auf die sich bis heute jede marxistische Literaturgeschichtsschreibung beruft. Trotz z.T. recht gravierender Unterschiede im einzelnen ist allen materialistischen Kunsttheorien Marxscher Provenienz ein stark normativer Grundzug eigentümlich, der sich besonders auf die beiden Forderungen nach realistischer Darstellung und nach Parteilichkeit (für die Klasse des Proletariats als der Trägerin des geschichtlichen Fortschritts) bezieht.

Diesen Kriterien schien die Literatur der Romantik in keiner Weise zu genügen. Jedenfalls war das die Auffassung von Georg Lukács, der die restaurativen, ja reaktionären Tendenzen der romantischen Literatur immer wieder einer herben Kritik unterzogen hat. Aus der allgemeinen Romantik-Schelte klammerte Lukács jedoch Person und Werk E.T.A. Hoffmanns ausdrücklich aus. Für ihn gehörte dieser (wie schon für Heine; s.o.) nicht zur romantischen Schule (s. *Deutsche Realisten des 19.Jahrhunderts.* In: G' L': *Deutsche Literatur in zwei Jahrhunderten*

(= *Werke*, Bd. 7.). Neuwied, Berlin 1964, S. 190). Er schätzte den Autor besonders wegen dessen Philisterkritik. Die Tatsache, daß das Prinzip einer mimetischen Wirklichkeitswiedergabe bei Hoffmann immer wieder zugunsten des Phantastischen eingeschränkt wird, erklärte Lukács aus den Besonderheiten der deutschen Situation, die – im Gegensatz zur französisch-englischen Wirklichkeit – „eine rein realistische Gestaltung nicht zugelassen hätte" (ebda. S. 191). Im Unterschied zum Wunderbaren bei Eichendorff handele es sich bei Hoffmann um eine „prägnante Realistik aller Einzelerscheinungen inmitten der phantastischen Geschehnisse", die in besonders eindrucksvoller Weise die kapitalistische Wirklichkeit in ihrer Gespensterhaftigkeit entlarve (ebda., S. 242; vgl. auch Lukács' *Skizze einer Geschichte der neueren deutschen Literatur*. Berlin 1953, S. 57).

Lukács kann sich in seiner Vorliebe für Hoffmann auf Marx selber berufen. Aus den Erinnerungen der Enkelin Eleanor Marx-Aveling wissen wir, daß Marx nicht nur ein faszinierender Geschichtenerzähler in der Art Hoffmanns war (s. Karl Marx/Friedrich Engels: *Über Kunst und Literatur*. Moskau 1937, S. 212ff.), bekannt ist auch, daß er dessen Erzählungen – allen voran *Klein Zaches* – außerordentlich schätzte (s. Siegbert S. Prawer: *Karl Marx and World Literature*. Oxford 1976, S. 373 und 410f. wie auch Fühmann, S. 115).

Ähnlich wie Marx und Lukács haben auch Walter Benjamin, Ernst Bloch, Ernst Fischer (*Von der Notwendigkeit der Kunst*. Dresden 1961², S. 50ff.) und Hans Mayer (1959/80) aus ihrer Bewunderung des „eigentümlichen Realismus Hoffmanns" (*Das Prinzip Hoffnung*. Frankfurt 1959, S. 455) keinen Hehl gemacht und dessen „satirischen Tiefblick" (Benjamin, S. 648) gerühmt. Hoffmanns Sonderstellung gegenüber anderen Autoren der Romantik kommt in der marxistischen Literaturwissenschaft u.a. auch in Klaus Peters Abriß der DDR-Romantikforschung zum Ausdruck. Will man Peter glauben, so ist die 1962 erstmals erschienene Dissertation von Hans-Georg Werner das in der DDR bis 1980 „einzige, einem Romantiker allein gewidmete Buch" (Einleitung zu *Romantikforschung seit 1945*. Hrsg. v. Klaus Peter, Königstein/Ts. 1980, S. 25). Wie prekär und umstritten jedoch die Einstellung zu Hoffmann in der DDR immer noch ist, zeigt selbst noch das Buch von Hans- Georg Werner, das auch in seiner 2. Auflage mit Lukács hart abrechnet und dessen Rede von Hoffmann als einem Autor „mit neuartig suggestivem Realismus" als „Fehlurteil" abqualifiziert (S. 223).

2. *Rußland und die Sowjetunion*

Die deutsche Literatur hatte im Rußland des 18. Jahrhunderts einen schweren Stand, da, besonders in Adelskreisen, der Einfluß des Französischen vorherrschend war. Während für Petersburg dieser Einfluß auch noch nach 1800 bestimmend blieb, entwickelte sich Moskau mehr und mehr zu einem Zentrum des Interesses für die deutsche Kultur. Charles E. Passage hat die wachsende Bedeutung der deutschen Literatur an vier Entwicklungsstufen festgemacht, für die jeweils bestimmte Werke charakteristisch gewesen seien: die *Räuber* Schillers, der *Werther* und der *Wilhelm Meister* Goethes und schließlich die Erzählungen Hoffmanns (1963, S. 221). Letzterer sei unter allen deutschsprachigen Autoren – mit Einschluß der beiden Weimarer Klassiker! – der bekannteste und der einflußreichste geworden (ebda., S. 238). Die Hoffmann-Mode habe zeitweise die Form eines Kultes angenommen, der das ganze öffentliche Leben der Epoche durchdrungen habe (so Gorlin, S. 60).

Das erste Werk Hoffmanns, das ins Russische übersetzt wurde, und zwar schon im Todesjahr des Autors, war das *Fräulein von Scuderi.* Bei der Wahl gerade dieser Erzählung mag nicht nur das französische Kolorit der Handlung eine Rolle gespielt haben, sondern auch der Umstand, daß in der Geschichte das Unheimliche und Phantastische in einer weniger krassen Form zutage tritt als in anderen Werken des Dichters (s. oben AB VII 1.). Zwischen 1822 und 1830 erscheinen noch sieben weitere Erzählungen Hoffmanns auf Russisch, dann aber beginnt geradezu ein Übersetzungs-Boom, so daß bis etwa 1845 die meisten dichterischen Werke – auch der *Kater Murr* – auf Russisch vorliegen.

In der frühen Phase der Rezeption wird Hoffmann vor allem als Dichter-Philosoph in der Nachfolge Schellings geschätzt (s. Gorlin, S. 62), erst später wird auch seine Kenntnis der menschlichen Psyche, seine Fähigkeit, seelische Abgründe zu schildern, und schließlich der Reichtum seiner Phantasie bewundert. Norman W. Ingham zufolge beginnt der Enthusiasmus für Hoffmann mit dem Jahre 1830, flaut dann ab und stellt sich in den Jahren 1836–1840 wiederum ein im Zusammenhang mit einer Neueinschätzung des Autors. Nach 1845 hat der Name ‚Hoffmann' deutlich an Faszinationskraft eingebüßt. Die auf zwölf Bände berechnete erste Gesamtausgabe bleibt in den Jahren 1873/74 nach vier erschienenen Bänden stecken. Erst im Zuge des neu erwachenden Interesses um die Jahrhundertwende erscheint eine vollständigere Gesamtausgabe in acht Bänden (1896/97; s. hierzu Cheauré, S. 20f.).

In der Geschichte der Hoffmann-Kritik gibt es im 19. Jahrhundert nur einen einzigen Höhepunkt, und dieser besteht in der Auseinandersetzung der russischen revolutionären Demokraten mit dem Autor vor und nach 1840. Neben den zerstreuten und zunehmend an Einsicht und Prägnanz gewinnenden Äußerungen Wissarion Belinskijs (s. Düwel, S. 640ff.) ist hier in erster Linie an den Aufsatz des jungen Alexander Herzen aus dem Jahre 1836 zu denken. Dieser in der Zeitschrift ‚Teleskop' erschienene Beitrag darf mit Fug und Recht der Charakteristik Heines von E.T.A.

Hoffmann an die Seite gestellt werden. Obwohl Herzen – und zwar besonders im biographischen Teil seines Essays – stark von den Erinnerungen Hitzigs abhängig ist und dadurch dessen Klischees von der Trunksucht und dem exzentrischen Wesen des Autors nicht ganz entgehen kann (s. Ingham, S. 197), liefert er ein einfühlsames und treffendes Bild des Dichters. Er hebt besonders die kritische Funktion des Humors bei Hoffmann hervor und charakterisiert diesen selber als einen wahrhaft originellen Dichter:

> Beherrscht von einer grenzenlosen Phantasie, mit starker und tiefer Seele, Künstler im vollen Sinne des Wortes, hat er mit kühner Feder irgendwelche Schatten, irgendwelche Gespenster gezeichnet [...]. Die alltägliche, öde Ordnung der Dinge bedrängte Hoffmann allzu sehr; er vernachlässigte die klägliche plastische Wahrheitstreue. Seine Phantasie kennt keine Grenzen; er schreibt im Fieber, bleich vor Entsetzen, zitternd vor seinen eigenen Erfindungen [...]. (Zit. nach Düwel, S. 639)

Besonders lobt Herzen die Erzählungen *Die Jesuiterkirche in G.* und den *Magnetiseur*; von den Hoffmannschen Gestalten schätzt er den Nathanael aus dem *Sandmann*, den Medardus aus den *Elixieren* und allen voran den Kreisler aus dem *Kater Murr*. Was Herzen offenbar bei Hoffmann zu wenig ausgeprägt sieht, ist dessen sozialpolitisches Engagement (vgl. Passage, 1963, S. 177).

Nach Passage läßt sich die Aneignung der Werke Hoffmanns durch die russischen Autoren ganz allgemein als ein Prozeß beschreiben, bei dem die romantischen Elemente zugunsten der realistischen abgeschwächt werden. Neben dieser generellen Differenz, die den stärkeren gesellschaftlichen Bezug der russischen Literatur gegenüber dem deutschen Vorbild deutlich macht, lassen sich an jenem Abhängigkeitsverhältnis noch andere Momente hervorheben. Passage hat sie als unterschiedliche Verfahrensweisen der Adaption Hoffmannscher Eigentümlichkeiten zu klassifizieren versucht (1963, S. 225 ff.). Er unterscheidet

1) die pure Nachahmung ohne tieferes Erfassen des Geistes der Vorlage (Beispiel: Anton Pogorelskij [Pseudonym für Alexej Perowskij]: *Der Doppelgänger oder meine Abende in Kleinrußland* [1828]),
2) die Transponierung des Hoffmannschen Erzählstoffes in russische Verhältnisse (Beispiel: Alexander Puschkin: *Das einsame Haus auf der Basiliusinsel* [1829]),
3) den Ausbau Hoffmannscher Episoden und Motive (Beispiel: Nikolaj Polewoj: *Das Glück des Wahnsinns* [1833]),
4) das freie Schalten mit einzelnen Motiven und die Zusammenlegung von Episoden und Charakteren (Beispiel wie unter 2) und
5) die Anspielung auf einzelne Motive Hoffmanns (Beispiel: Nikolaj Gogol: *Der Mantel* [1842]).

Zu den überzeugendsten Leistungen kreativer Aneignung Hoffmannscher Erzählkunst zählt Passage Puschkins *Die Pique-Dame* (1834), die Erzählungen Gogols und Wladimir Fedorowitsch Odojewskijs, der übrigens als „Russischer Hoffmann" oder als „Hoffmann II" bezeichnet wurde (Ingham, S. 193), und vor allem das Werk Fedor Michailowitsch Dostojewskijs (Passage, 1954, S. 176f.; vgl. hierzu jedoch Ingham, S. 12).

Mit dem Auftreten der Symbolisten ist das vorübergehende Desinteresse an Person und Werk Hoffmanns in Rußland verschwunden. 1914 erscheint die erste russische Monographie über den Autor (von Serge Ignatov); gleichzeitig wird die Zeitschrift ‚Die Liebe zu den drei Orangen' gegründet. Herausgeber ist der Gozzi- und Hoffmann-Verehrer Wsewolod Emiljewitsch Meyerhold, der sich in Anlehnung an die Gestalt aus *Die Abenteuer der Silvester-Nacht* Doktor Dapertutto nannte. Die Zeitschrift enthält eine Beitragsserie unter dem Titel ‚Hoffmaniana', die sich geradezu überschwenglich dem Autor widmet und vor allem dessen Bedeutung für die Bühne hervorhebt (s. Cheauré, S. 24ff.). Schon durch Petr Iljitsch Tschaikowskijs Ballett *Nußknacker* (Uraufführung 1892), dessen Text auf Hoffmann und Dumas den Älteren zurückgeht, war der Akzent bei der Rezeption nachdrücklich auf die theatralische Verwendbarkeit der Werke Hoffmanns gelegt worden. 1915 wurde *Die Brautwahl* als Schauspiel in Moskau herausgebracht. Die bedeutendsten Dramatisierungen Hoffmannscher Erzählungen wurden jedoch an der *Prinzessin Brambilla* (1920) und an *Signor Formica* (1922) vorgenommen. Verantwortlich für die – außerordentlich erfolgreichen – Inszenierungen am Moskauer Kammertheater war der Regisseur Alexander Tairow (s. hierzu ausführlich die Arbeit von Cheauré).

Wie deutlich wird, hatte die Oktoberrevolution das Interesse und den Enthusiasmus für Hoffmann nicht beseitigt. Das zeigt sich auch an der Tatsache, daß sich im Winter 1921 in Petrograd eine Gruppe junger Autoren zusammenfand, die sich in Anlehnung an ihr erklärtes Idol die ‚Serapionsbrüder' nannten. Mit diesem Zusammenschluß hebt, wie Wulf Becker-Glauch – freilich leicht übertreibend – behauptet, „die stärkste Wirkung E.T.A.Hoffmanns in Rußland an" (S. 46). Über die Zahl der Mitglieder des Bundes gehen die Angaben auseinander. Nach Marc Slonim (*Die Sowjetliteratur. Eine Einführung*. Stuttgart 1972, S. 112) zählten die Lyriker Nikolaj Tichonov und Elizaweta Polonskaja (die einzige ‚Schwester'!), die Literaturkritiker Ilja Grucdev und Viktor Schklovskij sowie die Prosaschriftsteller Konstantin Fedin, Wsewolod Iwanow, Michail Sostschenko, Nikolaj Nikitin, Michail Slonimskij, Veniamin Kaverin, Lew Lunc und Wladimir Pozner zu den Gründungsmitgliedern. Nach Becker-Glauch gehörten jedoch auch Boris Pilnjak, Ewgenij Samjatin, Leonid Maximowitsch Leonov und Ilja Grigorjewitsch Ehrenburg zu den

‚Serapionsbrüdern'. Wie der Zusammenschluß der Gruppe nur sehr lokker war, so waren auch ihre künstlerischen Zielvorstellungen nicht einheitlich und für alle gleichermaßen verbindlich (s. hierzu Victor Erlich: *Russischer Formalismus*. München 1964, S. 168). Obwohl keineswegs gegen die Revolution eingestellt, waren die ‚Serapionsbrüder' keine Parteimitglieder.

> Die Betonung der formalen und technischen Aspekte der Kunst, das Recht des Dichters auf Träume und Erfindungen, der Widerstand gegen den vulgären Anspruch der Gesellschaft – das alles fand im Manifest der Gruppe Ausdruck. (Slonim, S. 114)

Aus diesem Manifest, das von Lunc verfaßt worden war, seien hier die wichtigsten programmatischen Äußerungen zitiert:

> Jeder von uns hat seine Ideologie, seine politischen Überzeugungen; jeder tut, wie ihm beliebt. Im Leben, in unseren Erzählungen, Geschichten und Dramen. Wir alle zusammen, wir, die Bruderschaft, verlangen nur das eine: daß der Ton nicht falsch klingt. Daß wir an das Werk glauben, gleichgültig welcher Art es ist. (Zit. nach Becker-Glauch, S. 48)

Den letzten Sätzen, die deutlich an die von Theodor als Mindestanforderung vorgeschlagene Verpflichtung in Hoffmanns *Serapions-Brüdern* (II/56; s. AB II B.) anklingen, folgt eine Präzisierung:

> Wir sind für den Eremiten Serapion. Wir glauben, daß literarische Phantastereien eine Art Wirklichkeit sind. Wir wollen keinen Utilitarismus. Wir schreiben nicht für die Propaganda. Die Kunst ist real wie das Leben selbst, und so wie das Leben selbst ist sie ohne Ziel und ohne Sinn, weil sie existieren muß. (Zit. nach Becker-Glauch, S. 49)

Es dürfte evident sein, daß eine solche Haltung schon in der noch jungen Sowjetunion Argwohn und Mißtrauen hervorrufen mußte. Trotz der Unterstützung der Gruppe durch Maxim Gorkij gerieten die ‚Serapionsbrüder' zunehmend in den Verdacht, einem bürgerlichen Subjektivismus das Wort zu reden. Die wachsende Ablehnung Hoffmanns und der Hoffmann-Anhänger in der Ära Stalins dokumentiert sich etwa in den beiden Auflagen der Großen Sowjetenzyklopädie. Während in der ersten von 1930 der Autor noch ausführlich behandelt ist, wird er in der zweiten von 1952 kurz als „reaktionärer Romantiker" abgetan, der „den sich in Deutschland ausbreitenden kapitalistischen Tendenzen" nichts anderes habe entgegenstellen können „als unbegründete Phantastik und Idealisierung des mittelalterlichen Zunftwesens" (zit. nach Cheauré, S. 33). Den absoluten Tiefpunkt in der Beurteilung markiert die Rede Andrej Alexandrowitsch Schdanovs, in der die Anhänger Hoffmanns gleichsam zu Staatsfeinden erklärt werden:

Überflüssig zu betonen, daß der Stammbaum der Akmeisten [d.s. die Gegenspieler der Symbolisten in den zwanziger Jahren; U.St.] und der ‚Serapionsbrüder' auf die gleichen Ahnherren zurückführt. Der gemeinsame Stammvater der Serapionsbrüder und der Akmeisten ist E.Th.A. Hoffmann, einer der Begründer der Dekadenz und des Mystizismus der aristokratischen Salons. (*Über Kunst und Wissenschaft*. Berlin 1951, S. 22)

Es muß jedoch abschließend vermerkt werden, daß sich inzwischen einiges an der offiziellen Literaturpolitik gegenüber E.T.A. Hoffmann geändert hat. 1962 und 1972 erschienen neue Werkausgaben des Autors in hohen Auflagen und 1976 wurde der 200. Geburtstag Hoffmanns mit einer Ausstellung und einem Gedenkabend in Moskau gefeiert. Turajews Mitteilung scheint demnach zuzutreffen, wenn er seinen Bericht aus der Sowjetunion mit der Überschrift versieht: „Wachsendes Interesse für E.T.A. Hoffmann".

3. *Frankreich*

In keinem Lande – nicht in Deutschland und auch nicht in Rußland – konnten Hoffmann und sein Werk einen solch ungeheuren Erfolg erringen wie in Frankreich. Bekanntlich zählt er ja heute noch dort, zusammen mit Goethe und Heine, zu den bekanntesten, ‚größten' deutschsprachigen Autoren. Die begeisterte Aufnahme seiner Erzählungen mußte schon im 19. Jahrhundert verblüffend wirken, und dies umso mehr, als die ersten französischen Ausgaben keineswegs sonderlich früh erschienen (dänische und schwedische Übersetzungen etwa lagen schon 1818 bzw. 1819 vor) und die Rezeption Hoffmanns in Frankreich obendrein anfangs unter einem Unstern zu stehen schien. Der erste Hoffmann-Text nämlich, der in französischer Sprache veröffentlicht wurde, erschien 1823 in arg entstellter Form unter dem Titel *Olivier Brusson* und enthielt keinerlei Hinweise, daß es sich dabei um eine Adaption des *Fräuleins von Scuderi,* bzw. um die Bearbeitung einer Erzählung E.T.A. Hoffmanns handelte (s. hierzu Köhler, 1982 und AB IV B.).

Die außerordentliche Resonanz, die Hoffmann mit seinen Werken in Frankreich fand, hat auch den Literaturhistorikern viel zu denken gegeben. Die völkerpsychologisch, nationalistisch oder gar rassistisch argumentierenden Interpreten gerieten sichtlich in Verlegenheit, wenn sie zu erklären hatten, warum ein solcher Erfolg ausgerechnet einem Autor beschieden war, der in Königsberg geboren wurde. Wichtiger als diese problematischen, wenn auch populären Bemühungen waren und sind jene Versuche, die das Faktum der Hoffmann-Begeisterung in Frankreich mit historischen, geistesgeschichtlichen und geschmackssoziologischen Argumenten verständlich machen wollen. So hat man etwa darauf hingewiesen, daß es Mme de Staël in besonderem Maße gelungen war, mit ihrem Buch *De l'Allemagne* (1810/13) das Interesse der französischen Leser auf die deutsche Literatur zu lenken (Berczik, S. 8). Man hat auf die Rolle des Serapionsbruders und Freundes Johann Ferdinand Koreff als „Wegbereiter Hoffmanns in Frankreich" (Köhler, 1980; Breuillac, 1906, S. 431) aufmerksam gemacht. Man hat zeigen können, daß das französische Publikum vor allem durch die Werke Jacques Cazottes und Charles Nodiers und deren Handhabung des Wunderbaren besonders empfänglich geworden war für die Hoffmannsche Phantastik (Castex, S. 25 ff.; Breuillac, 1906, S. 454 f.). Und man hat betont, daß die Veröffentlichung der Übersetzungen zahlreicher Werke Hoffmanns in außerordentlich rascher Abfolge vorbereitet und begleitet war von unzähligen Kommentaren in Zeitschriften und Zeitungen (Breuillac, 1906, S. 430 und vor allem grundlegend und sehr ausführlich Teichmann, 1961). Wenn auch diese publizistische Schützenhilfe, die den Werken Hoffmanns zugute kam, ihrerseits klärungsbedürftig ist, so bleiben doch jene Begründungsversuche für das Hoffmann-Fieber der Jahre nach 1830 beherzigenswert. Hinzuweisen wäre ferner auch auf die Vertrautheit des Publikums mit dem Genre der ‚Gothic novel' und auf die wachsende Beliebtheit der historischen Romane in der Art Walter Scotts bei den französischen Lesern. Beide Gattungen scheinen in Hoffmanns Werk zusammengefaßt und fortgeführt. Schließlich wären alle diese erklärenden Hinweise noch zu ergänzen durch den Einbezug außerliterarischer Faktoren, der Tätigkeit etwa der Illuminierten (insbesondere der Mme de Krüdener in Paris), der Heilerfolge der Mesmer-Anhänger und Swedenborgianer sowie des Aufsehens und der Skandale, die durch Abenteurer und Scharlatane wie Casanova, Saint-Germain und Cagliostro hervorgerufen worden waren (s. Breuillac, 1906, S. 451 f. und Castex, S. 13 ff.). Solche Faktoren wären von Bedeutung für eine Erkundung der Mentalität in der Restaurationsepoche der Bourbonen und in der Zeit der Julimonarchie des Bürgerkönigs Louis Philippe, einer Mentalität, die dann in Beziehung gesetzt werden müßte zu dem, was um 1830 als ‚hoffmannesque' gegolten hat. Es ist ja auffällig, daß die von Hoffmann selber geschätzten Autoren Tieck und Novalis im Frankreich dieser Jahre keine auch nur vergleichbare Aufmerksamkeit gewinnen konnten. Weder das Märchenhafte Hardenbergs noch das Wunderbare Tiecks (zu dessen Rezeption s. Teichmann, 1961, S. 85 ff.) wirkten derart faszinierend auf das französische Publikum wie das Phantastische Hoffmanns. Dieses wird sogleich als etwas Einzigartiges, Noch-Nie-Dagewesenes angesehen, das zur Kennmarke des neuen Idols wird. Von Jean-Jacques Ampères erstem Artikel über Hoffmann im ‚Globe' vom 2. August 1828 angefangen, bis zum Vorwort des Hoffmann-Enthusiasten Jules Janin in dessen 1832 erschienenen *Contes fantastiques et contes littéraires* – Janin spricht vom „Meister Hoffmann, der uns eine unbekannte Poesie offenbart hat" (Ausg. v. Jean Decottignies, Paris, Genève 1979, S. 3f.; Übersetzung: U.St.) – gibt es eine ganze Reihe ähnlicher Versuche, das neuartige Phänomen einzukreisen und zu definieren (s. Teichmann, 1961, S. 19f.; Breuillac, 1906, S. 429f. und 440ff.). Dieses sogenannte ‚merveilleux naturel', ein gewöhnliches, alltägliches Wunderbares, bildet eindeutig den Brennpunkt der ersten großen Hoffmann-Begeisterung in Frankreich vom Juli 1830 bis Dezember 1833 (vgl. das mit ‚Vogue d'Hoffmann Le Fantastique' überschriebene dritte Kapitel Teichmanns).

Eine vergleichsweise einfache Erklärung für die ungeheure Wirkung Hoffmanns hat Philarète Chasles im Jahre 1860/61 vorgelegt. Für diesen Kritiker ist der in Frankreich so erfolgreiche Autor eine Erfindung seines Übersetzers François Loève-Veimars; der wirkliche E.T.A. Hoffmann sei ein Trinker, ein Kranker und moralisch fragwürdiger Mensch mit mäßigen Fähigkeiten gewesen:

> Loève machte sich an die Arbeit, tilgte die groben Züge, stufte die Halbschatten ab, kürzte die Längen, unterdrückte die Dummheiten, milderte die Gewalttätigkeiten ab und dichtete, unter dem Schein einer Übersetzung, einen neuen Hoffmann, der in Paris Furore machte. Man erfand für diesen Erfolg ein Wort: das *Phantastische*. (*Études sur l'Allemagne au XIXe siècle*. Paris 1861, S. 94 [Übersetzung: U.St.]; vgl. auch S. 176)

Chasles hat mit seiner These heftigen Widerspruch ausgelöst, und das nicht nur wegen seiner offen zur Schau gestellten Geringschätzung der Person Hoffmanns. Man hat auch eingewandt, daß der Enthusiasmus für den deutschen Autor nicht vollständig auf die Übersetzungsleistung Loève-Veimars zurückführbar sei. Immerhin war Loève-Veimars nicht der einzige und auch nicht der erste, der Hoffmann-Texte ins Französische übertrug. Am Anfang steht vielmehr ein Anonymus, von dessen Namen wir bloß den Buchstaben R sicher kennen. Seiner Übersetzung *Mademoiselle de Scudéry* [!], *histoire du temps de Louis XIV* in der ‚Bibliothèque universelle de Genève' 37 (janvier-février 1828, S. 94–116 und 192–220) folgten noch im selben Jahre französische Ausgaben der *Irrungen* und *Geheimnisse*, des *Barons von B.*, der *Elixiere des Teufels* (letztere in der Übersetzung von Jean Cohen) und eines Auszugs aus dem *Goldnen Topf* (Übersetzer: Saint-Marc Girardin). Erst mit *Gluck, souvenirs de 1809*, veröffentlicht am 14. Juni 1829 in der ‚Revue de Paris', tritt der Übersetzer Loève-Veimars auf den Plan. In der Folge bringt er seine vier Bände *Contes fantastiques* bei dem Pariser Verleger Eugène Renduel heraus, die später, um 16 Bände erweitert, als *Œuvres complètes d'Hoffmann* weitergeführt werden (der letzte, der 20. Band, enthält eine Adaption der Hitzigschen Biographie). Die mit Vignetten Tony Johannots und einem umstrittenen – weil Hoffmann-kritischen – Vorwort von Walter Scott (zu dessen Einschätzung s. AB VII.4.) versehene Ausgabe sollte jedoch schon bald Konkurrenz erhalten: 1830 erschien die Übersetzung Théodor Toussenels (mit den Bänden 5–12), 1836 die vierbändige Henry Egmonts (nach Teichmann, 1961, S. 221 f., die beste aller zeitgenössischen Übersetzungen) und 1838 die achtbändige von Emile de La Bédollière. Von all diesen z.T. fragmentarisch gebliebenen Ausgaben, denen später noch die Teilübersetzungen von Xavier Marmier und von Champfleury folgten, ist die Übertragung von Loève-Veimars zweifellos die eleganteste, die einflußreichste und die am meisten gelesene. Daß sie nicht die genaueste ist, dürfte gleichfalls erwiesen sein. In der Sekundärliteratur wird immer wieder – seit Gustav Thurau – beispielhaft auf jenen Monolog des Anselmus aus den *Erscheinungen* verwiesen, den Loève-Veimars brutal durch die Kurzfassung ersetzt hat: „Er [d.i. Anselmus; U.St.] murmelte unverständliche Sätze." (S. Thurau, S. 242) Aber auch genauere vergleichende Sprachuntersuchungen wie die von Holtus und Teichmann (1961, S. 202–218) kommen zu dem Schluß, daß zwischen deutschem Original und französischer Übersetzung ein großer Unterschied besteht. Chasles hat demnach mit seiner Behauptung, daß nicht dem wirklichen, sondern dem von Loève-Veimars propagierten Hoffmann der Erfolg in Frankreich gebühre, nicht völlig unrecht. Sieht man von der durch Hitzigs Lebensdarstellung beeinflußten, abschätzigen Kennzeichnung des Autors als des „Trinkers von Königsberg" (S. 177) ab, so ähnelt das Urteil von Chasles auf verblüffende Weise dem Fazit der Stiluntersuchung Teichmanns:

> Loève-Veimars hat einen französisierten Hoffmann verbreitet, aber – gestehen wir es offen – das war die einzige Weise, ihn akzeptabel zu machen. Dank Loève-Veimars hat die Generation um 1830 mehr von Hoffmann gelesen als von Goethe. (S. 218 [Übersetzung: U.St.]; vgl. auch Breuillac, 1906, S. 433 und noch schärfer: Braak, S. 272)

Freilich ist gegen eine allzu strikte Reduktion des Hoffmannschen Erfolges auf die Leistung Loève-Veimars einzuwenden, daß der Autor, wie schon gesagt, bis in die jüngste Gegenwart hinein zu den bekanntesten deutschen Dichtern in Frankreich gerechnet wird, obwohl die momentan im Buchhandel verbreitete Ausgabe *Hoffmann intégrale des contes et récits* (Paris, phébus/verso 1979 ff.) nicht mehr den Text Loèves bringt. Sie stellt vielmehr eine von Albert Beguin und Madeleine Laval veranstaltete Neuübertragung dar, die sich entgegen der Praxis des älteren Übersetzers strikt um eine möglichst textgetreue Erfassung des Hoffmannschen Originals bemüht.

Der ersten großen Welle der Hoffmann-Begeisterung, bei der der Autor als Inaugurator einer neuen Gattung, eben der des Phantastischen, gefeiert wurde, folgten Perioden eines reflektierteren Hoffmann-Verhältnisses. Zugleich änderte sich auch der angegebene Grund, um dessentwillen der Dichter besonders bewundert wurde. Statt der Phantastik seiner Erzählungen wird vermehrt sein Verhältnis zur Musik gepriesen, ebenso der künstlerische Wert seiner Werke, seine Darstellung des Künstlertums (insbesondere bei der Kreisler-Figur) und schließlich sein tatsächliches Leben, das als Inbegriff einer romantischen (und unglücklichen) Künstlerexistenz verstanden wird. Mitte der fünfziger Jahre läßt die Beliebtheit Hoffmanns etwas nach zugunsten der Faszination, die der vergleichsweise radikalere und moderner wirkende Edgar Allan Poe ausübt, dessen Erzählungen in der Übersetzung Baudelaires ab 1848 erscheinen. Doch verschwindet das Interesse an dem Autor auch in der zweiten Hälfte des 19. Jahrhunderts keineswegs. Man wendet sich jetzt vermehrt den pathologischen Zügen seines Werks und vor allem seines Lebens zu – so etwa Arvède Barine, die den Einfluß des Weins auf die Phantasietätigkeit und die künstlerische Produktion Hoffmanns untersucht (*Névrosés*. Paris 1898, S. 3–58).

Von den zahlreichen französischen Schriftstellern, die sich im Laufe des 19. Jahrhunderts an Hoffmanns Werken begeisterten und von diesen beeinflussen ließen, können hier nur die wichtigsten kurz aufgeführt werden. Allen voran ist hier Balzac zu nennen. Der Autor der *Comédie humaine* hat sich zwar bekanntlich in einem Brief an Mme Hanska nicht gerade emphatisch über Hoffmann geäußert. Am 2. November 1833 schrieb er:

> Ich habe alles von Hoffmann gelesen, er ist nicht so gut wie sein Ruf; er hat etwas, aber nichts Besonderes; über Musik kann er gut reden; aber er versteht weder etwas von der Liebe noch von Frauen; er verursacht überhaupt kein Grauen, es ist unmöglich, mit physischen Begebenheiten Grauen zu erregen. (Lettres à Madame Hanska. Tome I, 1832–1840, Paris 1967, S. 109; [Übersetzung: U. St.])

Doch trotz der hier demonstrierten reservierten Haltung läßt sich der Einfluß Hoffmanns auf Balzac nicht übersehen (s. hierzu v. a. Baldensperger, S. 104 ff., Castex, S. 168–213 und Laubriet), und zwar nicht nur in den frühen Werken wie in *L'Elixir de longue vie* (1829), sondern ebenso in Erzählungen, die nach jener brieflichen Äußerung entstanden sind wie etwa *Gambara* oder *Massimilla Doni*, deren Eigentümlichkeiten ohne die *Kreisleriana* kaum vorstellbar sind.

Von George Sand, die in *Le Secrétaire intime* deutlich von Hoffmanns *Kater Murr* beeinflußt ist (s. Breuillac, 1907, S. 85), gibt es eine Art Liebeserklärung an Hoffmann, und zwar in *Les lettres d'un voyageur* von 1834 ff. (1836; *Œuvres autobiographiques II*. Hrsg. v. Georges Lubin, Paris 1971, Bibliothèque de la Pléiade 227, S. 916) sowie ein Plädoyer in den postum veröffentlichten *Entretiens journaliers avec le [...] docteur Piffoël,* bei dem sie sich gegen alle Versuche zur Wehr setzt, die Hoffmann ins Lager der Unzurechnungsfähigen abdrängen und ihn auf diese Weise ‚unschädlich' machen wollen:

Niemals ist der menschliche Geist freier und reiner in die Welt des Traums eingedrungen, niemand ist mit mehr Logik, Sinn und Verstand durch die Extravaganzen der poetischen Induktion gegangen, keiner hat sich weniger seiner Imagination überlassen. Und dennoch war die Imagination sein Lebenselement, seine reale Welt, das eigentliche Feld seines Denkens. Wenn die Schädellehre recht hat, dann war die Fähigkeit zum Wunderbaren seine dominierende Begabung. Aber was man auch immer gesagt und welche törichte Übertreibung man auch immer über seine Sitten publiziert hat, [...] die Beschaffenheit seiner Schriften und die innere Logik seines persönlichen Handelns beweisen, daß sein Geist vollkommen gesund gewesen ist. (Ebda., S. 984; Übersetzung: U. St.)

Neben Balzac und George Sand zählen auch Prosper Merimée, Théophile Gautier, Gérard de Nerval und Barbey d'Aurevilly zur „poetischen Familie Hoffmanns" – so der Ausdruck Sainte-Beuves in seinem Artikel über *Charles Nodier* von 1840 (*Œuvres II*. Hrsg. v. Maxime Leroy, Paris 1951, Bibliothèque de la Pléiade 88, S. 327). Breuillac hat im zweiten Teil seiner Abhandlung gezeigt, wie viel die genannten Autoren ihrem deutschen Vorbild zu verdanken haben; gleichzeitig hat er jedoch betont, daß sie alle, wie auch die Romantiker Lamartine, de Vigny, Musset und Hugo, keineswegs dem Einfluß Hoffmanns vollständig und auf Dauer erlegen sind.

Aus der zweiten Hälfte des 19. Jahrhunderts sind vor allem zwei – wenn auch unterschiedlich gewichtige – Ereignisse aus der Hoffmann-Rezeption hervorzuheben. Das eine ist die – allerdings schon ab 1845 belegbare – Beschäftigung *Baudelaires* mit dem Werk des Autors, die in *De l'essence du rire* von 1855 gipfelt, wo Hoffmann als Ästhetiker von hohem Rang, insbesondere als absolut verbindlicher Theoretiker des Komischen dargestellt wird (s. hierzu AB III D.). Das andere Ereignis ist die bis zur Gegenwart hin außerordentlich erfolgreiche Oper *Hoffmanns Erzählungen* von Jacques Offenbach aus dem Jahre 1881, deren Libretto auf das fünfaktige Drama *Les Contes d'Hoffmann* (1851) von J. Barbier und M. Carré zurückgeht. Die Oper, der im Olimpia-Akt der *Sandmann*, im Giuletta-Akt die *Abenteuer der Silvester-Nacht* und im Antonia-Akt der *Rat Krespel* zugrundeliegt, zeigt in ihrer Mischung von Biographie und Dichtung eine nicht bloß für die französische Rezeption der zweiten Hälfte des 19. Jahrhunderts charakteristische Haltung auf. Eine solche Vermischung hat vielmehr bis in die allerjüngste Gegenwart das Verhältnis zu Hoffmann ganz wesentlich bestimmt. Ja, man darf vermuten, daß gerade in der sorglosen Vermischung der beiden Bereiche ‚Person' und ‚Werk' einer der Hauptgründe zu suchen ist, daß die Hoffmann-Forschung – von Ausnahmen abgesehen – immer noch nicht das Niveau erreicht hat, das bei andern Autoren von vergleichbarem Rang festgestellt werden kann.

4. *England und USA*

In England und den Vereinigten Staaten fanden die Werke E.T.A. Hoffmanns lange Zeit weit geringere Verbreitung als in Frankreich. Im 19. Jahrhundert gelangten zunächst die *Elixiere, Das Fräulein von Scuderi, Das Majorat* und *Der goldne Topf* an ein englisches Lesepublikum. Später kamen *Nußknacker und Mausekönig, Der Sandmann, Meister Martin* und *Meister Floh* hinzu. Hoffmanns Roman erreichte seine Popularität aufgrund seiner Gemeinsamkeiten mit der Tradition der Gothic Novel, dem englischen Schauerroman. Im Land von Anne Radcliffe, Mary W. Shelley, Horace Walpole und Matthew Gregory Lewis, und auch in Nordamerika, stießen die rätselhaften Verwicklungen im Leben des Mönchs Medardus auf großes Interesse. *Der goldne Topf* wurde im englischen Sprachraum durch Carlyles sorgfältige Übertragung bekannt. Daß die Werke E.T.A. Hoffmanns in Zeitschriften diskutiert wurden, bezeugt die Studie von Morgan und Hohlfield. Sie listet 16 Artikel auf, die im untersuchten Zeitraum von 1824–1848 in England erschienen sind.

Die im 19. Jahrhundert allgemein aber doch eher ungünstige Beurteilung Hoffmanns durch die englischsprachige Literaturkritik ist auf das Urteil Sir Walter Scotts zurückzuführen, das ja auch für die deutsche Rezeption verhängnisvoll wurde. Eingebettet in eine Diskussion über das Übernatürliche in der Literatur wird Hoffmanns Werk in der ‚Foreign Quarterly Review' (1827) einer harschen Kritik unterzogen. Das Maß, das Scott ansetzt, ist die Dichtung Shakespeares. Was dem Genius Shakespeares gelungen sei, hätte sich bei jedem gewöhnlicheren Dichter als lächerlich erwiesen, zum Beispiel redende Gespenster (S. 276). Großes Lob zollt Scott Fouqué: Dieser sei im Gegensatz zu anderen Romantikern um einen mythologischen und historischen Hintergrund seiner Figuren bemüht (S. 289). Scott verurteilt allgemein diejenige phantastische Literatur, die lediglich auf die Evozierung von Überraschung und Schrecken abziele. Und gerade dies wirft er Hoffmanns Werk vor. Während etwa bei Jonathan Swift das Schauerliche als eine Art Eintrittsgeld betrachtet werden könne, wofür man hernach philosophische Überlegungen und moralische Wahrheit vermittelt bekomme, werde man bei Hoffmann, im *Sandmann* zum Beispiel, mit Verzerrungen und phantastischen Extravaganzen abgespeist. Diese würden eher den Mediziner als den Literaturkritiker auf den Plan rufen. Scott beklagt ausdrücklich, daß Hoffmann kaum realistische Schilderungen der napoleonischen Kriegsschauplätze hinterlassen habe, die dieser ja aus unmittelbarer Anschauung gekannt haben müsse. Stattdessen hätte man gerne auf einige seiner grotesken Dichtungen verzichtet (S. 299). Scott verkennt die Intention des Dichters völlig. Seine Reaktion verrät nebenbei generelle Furcht vor der Verunsicherung anhand nicht rational erklärbarer, unheimlicher Phänomene. Im übrigen preist Scott Hoffmann als geniales Talent, dessen mißgeleiteten Weg er bedauert. Er unterläßt es nicht, auf die ungünstigen Lebensumstände dieses „unfortunate man of genius" hinzuweisen und die in Hoffmanns Werk angeblich eingegangene Empfänglichkeit für Hochstimmung und Depression auf die ungesicherte Existenz, das unstete Leben, Alkohol- und Tabakgenuß des Autors zurückzuführen (S. 301). – Scott ließ sich in seinen Gedanken offensichtlich von Hitzigs Hoffmann-Biographie beeinflussen; wie Hitzig vermengte er Werk und Leben des Dichters (vgl. AB VII 3.). Sowohl Scott als auch Carlyle schätzten von Hoffmanns Werken besonders *Das Majorat*, darin speziell die Darstellung des nüchtern überlegenden gereiften Justitiarius.

Von den englischsprachigen Dichtern des 19. Jahrhunderts, auf die das Werk E.T.A.Hoffmanns Faszination ausübte, sind in erster Linie Charles Dickens und Edgar Allan Poe zu nennen. In Dickens' Werk läßt etwa die Verwendung des Gespenstischen Rückschlüsse auf die Erzählungen Hoffmanns zu. Bei beiden Autoren tritt Unheimliches häufig im Zusammenhang mit einem Unbehagen an der sozialen Wirklichkeit auf (s. z.B. den ghost walk auf dem Gut der Familie Dedlock in *Bleak House*). Ähnlich wie Hoffmanns Werk sind überdies die Romane von Dickens mit einer Fülle von skurrilen Figuren bevölkert, hinzu kommen die sprechenden Namen, mit denen beide Autoren auf unnachahmliche Weise menschliches Verhalten und gesellschaftliche Realität ironisieren.

Der Einfluß Hoffmanns auf Poe ist am ehesten in der Erzählung *The Fall of the House of Usher* (1839) nachvollziehbar, ihr hat *Das Majorat* Pate gestanden. Aller Wahrscheinlichkeit nach fand Poe den Zugang zu Hoffmanns Dichtung über Scott. Er ließ sich von dessen Lob über *Das Majorat* inspirieren, verwandte aber das dieser Erzählung auch innewohnende Phantastische nun als konstitutives Element. Scotts Kritik machte er sich gewissermaßen in umgekehrtem Sinn zu eigen. Von der Lippe bezweifelt, ob Poe das Werk Hoffmanns aus eigener Lektüre gekannt habe, zumal der jüngere Dichter den älteren niemals ausdrücklich erwähne (S. 525, 534). Außerdem verrieten Sprache und Erzählstruktur kaum Ähnlichkeiten zwischen den Werken der beiden Autoren (ebda.). Was Poe mit Hoffmann eng verbinde, sei die Gestaltung des Schreckens, „der in der Psyche seinen Sitz" hat. Wie Hoffmann evoziert Poe Unheimliches durch Bilder und Vorstellungen, wie sie Träumen und psychotischen Schüben entspringen (vgl. Dieckmann, S. 278).

Im 20. Jahrhundert gewann Hoffmann im englischen Sprachraum erstmals große Aufmerksamkeit anläßlich seines hundertjährigen Todestages 1922. Bis etwa 1960 blieb die Betonung des biographischen Hintergrundes bei der Beurteilung von Hoffmanns Werk vorherrschend. Danach verlegten sich englische und amerikanische Interpretationen auf die Untersuchung einzelner Phänomene wie ästhetischer Aspekte, Humor, Ironie und Satire oder psychoanalytischer Inhalte.

4.1. Exkurs: Hoffmann in der bildenden Kunst

Elke Riemer zufolge gehört Hoffmann „zu den meist illustrierten Autoren der Weltliteratur" (1978[2], S. XI). Unter den vielen z.T. hervorragenden Illustratoren seiner Erzählungen und Romane verdient vor allem einer ein ganz besonderes Interesse: Hoffmann selber. Von ihm, der in den außergewöhnlichsten Situationen zu zeichnen anfing und dabei auch Dosen, Aktendeckel, Speisekarten und Briefbögen nicht verschmähte, sind leider viele Blätter verlorengegangen. Zu den überlieferten Entwürfen, die als Illustrationen zu eigenen Werken gelten dürfen, gehören u.a. die Zeichnung zum *Sandmann*, die sich in jüngster Zeit vor allem bei psychoanalytisch und diskursanalytisch orientierten Untersuchungen als außerordentlich hilfreich für die Interpretation jener Erzählung erwies (s. die in AB IV A. genannten Aufsätze von Kittler und Lehmann, denen jeweils auch eine Reproduktion der Zeichnung beigegeben ist), ferner die Vignetten für die mit Beiträgen von Hoffmann, Fouqué und Contessa ausgestatteten *Kinder-Mährchen* (1816/17) sowie die Deckelzeichnungen für *Klein Zaches* und *Kater Murr*. Die mit Abstand eindrucksvollste Illustration ist jedoch die letzte von Hoffmanns Hand erhaltene: Sie zeigt die Figur Kreislers und sollte den Umschlag des 3. Bandes von *Kater Murr* zieren (s. Abb. 28 bei Riemer, 1978[2], S. 274). Eine ähnlich ausdrucksstarke und zugleich das Wesen einer Hoffmannschen Erzählfigur genau erfassende Zeichnung sucht man wohl in Deutschland während des ganzen 19. Jahrhunderts vergeblich. Am ehesten ließe sich ihr noch das Ölbild des Pater Medardus von Karl Blechen aus dem Jahre 1826 an die Seite stellen (Abb. 62 bei Riemer, 1978[2], S. 291).

Von den Illustratoren, die in der Regel die Erzählungen der Almanache, also auch Hoffmannsche Erzählungen, mit Bildern ausschmückten, seien hier nur Karl Wilhelm Kolbe und Johann Heinrich Ramberg genannt. Ersterer, ein Schüler Chodowieckis, fertigte die Kupfer der Erstdrucke von *Signor Formica* und *Meister Martin* an. Die Niederschrift dieser Erzählung wie auch die von *Doge und Dogaresse* geht auf Anregungen durch Bilder Kolbes zurück, der Hoffmanns besondere Hochschätzung genoß. Letzterer hingegen erregte durch eine platte und sensationslüsterne Illustration zum Erstdruck der *Scuderi* Hoffmanns Unwillen (s. Br II/200), schuf jedoch wenig später für den Erstdruck der Erzählung *Der Elementargeist* im ‚Taschenbuch zum geselligen Vergnügen auf das Jahr 1822' einen Kupferstich, dessen Qualität der der Erzählung in nichts nachsteht (s. Abb. 60 bei Riemer, 1978[2], S. 289). Die übrigen Illustrationen von deutschsprachigen Ausgaben Hoffmannscher Erzählungen im 19. Jahrhundert wirken – mit Ausnahme der unserer Ausgabe beigefügten Holzstiche Theodor Hosemanns – allzu brav und ahnungslos im Verhältnis zur Abgründigkeit der Texte.

Es zeigt sich hier, daß die Geschichte der Illustrationen Hoffmannscher Werke mit der allgemeinen Wirkungsgeschichte übereinstimmt und deren Verlauf zugleich bestätigt. Generell kann man behaupten, daß das Verständnis für Hoffmann nach 1830 mehr und mehr schwindet. Nur dort, wo sich der Autor in historisierendem Gewande zeigt und wo das Bedrohliche seiner Schriften verdeckt ist, kann er noch mit dem Interesse von Lesern in Deutschland rechnen. Dieser Phase entspricht zugleich auch eine der Verkennung und Verharmlosung von seiten seiner Illustratoren (etwa Joseph von Führichs und Moritz von Schwinds; s. die Abb. 74 und 75 bei Riemer, 1978^2, S. 296). Beide Phasen gehen um die gleiche Zeit – nämlich um die Jahrhundertwende – zu Ende. In Frankreich hingegen finden sich – parallel zu der anhaltenden Bewunderung der Werke Hoffmanns – von den dreißiger Jahren an das ganze 19. Jahrhundert hindurch immer wieder kongeniale Illustratoren (Tony Johannot, Eugène Delacroix, Jean Gigoux, Bertall [= Charles Albert Arnoux], Paul Gavarni, Etienne David, Valentin Foulquier, Adolphe Lalauze).

Vergleichbare Leistungen kommen in Deutschland erst zu Beginn des 20. Jahrhunderts zustande. Es sind Graphiken des späten Jugendstils und vor allem des Expressionismus, in denen es gelingt, das scheinbar bloß Biedermeierliche Hoffmannscher Texte zu zersetzen. An erster Stelle müssen hier die Arbeiten Hugo Steiner-Prags, Alfred Kubins und Karl Georg Hemmerichs genannt werden (über den zuletzt Genannten, der trotz seiner weitgehenden Unbekanntheit wohl der bedeutendste Hoffmann-Illustrator dieses Jahrhunderts ist, s. Riemer, 1978^2, S. 40 ff. und die Abb. S. 29 ff. und 115). Ausgezeichnete Illustrationen zu Hoffmannschen Erzählungen haben aber auch Karl Thylmann, Karl Rössing, Richard Hadl, Erwin Barta, Carl M. Schultheiss und Paul Scheurich geliefert. Unter den Graphikern, die Hoffmannsche Werke nach dem 2. Weltkrieg illustriert haben, wären vor allem Joseph Hegenbarth, Eberhard Brucks und vielleicht auch Walter Wellenstein hervorzuheben. Letzterer hat die von Klaus Kanzog herausgegebene Hoffmann-Ausgabe des de Gruyter Verlags (Berlin 1955–1962) mit 670 Federzeichnungen versehen, die – Riemer zufolge (1978^2, S. 47) – durch Phantasie und gute Kenntnis der Werke des Autors auffallen.

Eine Sonderstellung innerhalb der Geschichte der Hoffmann-Illustrationen nimmt das Bild von Paul Klee *Hoffmanneske Märchenszene* (1921) ein (Abb. 95, S. 305 bei Riemer, 1978^2). Diese Farblithographie illustriert nichts, sondern bedarf selber der Illustrationen und Erklärungen (s. Walter und Riemer, 1978^2, S. 54 ff.).

Neben den Illustrationen, die Hoffmanns Werk ausgelöst hat, sei abschließend noch kurz auf die Abbildungen verwiesen, die der Person Hoffmanns gelten. Auch hier haben die Zeichnungen des Autors einen Qualitätsmaßstab gesetzt, den spätere Künstler nur schwer einhalten konnten. Zu denjenigen, die den unabänderlichen Nachteil eines Verzichts auf das Originalmodell durch eine hohe zeichnerische Qualität kompensieren konnten, gehören Adolph von Menzel mit seiner Steinzeichnung von 1835 und die beiden zeitgenössischen Graphiker Horst Janssen und Michael Mathias Prechtl.

Bibliographie zu Arbeitsbereich VII

Castein, Hanne: Christa Wolfs *Neue Lebensansichten eines Katers*. Ein Beitrag zur Hoffmann-Rezeption in der DDR. In: MHG 29 (1983), S. 45–53. [Hinweise auf die Rezeption Hoffmanns bei Anna Seghers, Christa Wolf sowie bei Johanna und Günter Braun.]

Elling, Barbara: Der Leser E.T.A. Hoffmanns. In: Journal of English and Germanic Philology 75 (1976), S. 546–558. [Gibt neben Hinweisen auf den idealen und impliziten Leser eine Skizze über die Aufnahme der Hoffmannschen Erzählungen beim realen Leser.]

Ellinger, Georg: E.T.A. Hoffmann, (s. Gesamtbibliographie), S. 181–194.

Fühmann, Franz: Fräulein Veronika Paulmann, (s. AB III A.1.2.).

Goedeke, Karl: Grundriß, (s. Gesamtbibliographie).

Günzel, Klaus: E.T.A. Hoffmann, (s. Gesamtbibliographie).

Harich, Walther: E.T.A. Hoffmann und die Expressionisten. In: Der deutsche Gedanke. Zeitschrift für Außenpolitik, Wirtschaft und Auslands-Deutschtum 4 (1927), S. 86–93. [Sieht in den besten Leistungen Hoffmanns den Expressionismus vorweggenommen: Hier wie dort handele es sich um eine ahistorische, antirealistische Dichtungskonzeption.]

Ludwig, Albert: E.Th.A. Hoffmanns Gestalt in der deutschen erzählenden Dichtung. In: Archiv für das Studium der neueren Sprachen und Literaturen 79 (1924), Bd. 147, S. 1–29. [Trotz der Beliebtheit des Sujets eigne sich das Leben des Dichters nicht für eine romanhafte Gestaltung.]

Maassen, Carl Georg von: Hoffmann im Urteil seiner Zeitgenossen I. In: C'G'v.M': Der grundgescheute Antiquarius. Freuden und Leiden eines Büchersammlers. [...]. Hrsg. v. Alfred Bergmann, Frechen 1966, S. 180–195. [Hebt das durchwegs Abfällige und Verständnislose in den Urteilen der heute noch berühmten Zeitgenossen Hoffmanns hervor und glaubt zugleich eine zunehmende Umdeutung der Schriften des Autors vom Humoristischen zum Unheimlichen wahrnehmen zu können.]

McGlathery, James M.: Mysticism, (s. Bibliographie zu AB II), S. 14–39. [Themenspezifischer und überdies sehr einseitiger Überblick über die Hoffmann-Rezeption in den wichtigsten Ländern.]

Mayer, Hans: Die Wirklichkeit E.T.A. Hoffmanns, 1959/1980, (s. Gesamtbibliographie).

Mayer, Hans: Hoffmanns Erzählungen, 1976. In: Wirth, Irmgard, (s. Gesamtbibliographie).

Mueller-Sternberg, Robert: Zuviel Wirklichkeit. E.T.A. Hoffmann in der DDR. In: Deutsche Studien 14 (1976), S. 285–292. [V. a. gegen Fühmann gerichteter Beitrag, dessen Verfasser Literaturwissenschaft als ‚Kalten Krieg' betreibt.]
Mulot, Arno (Hrsg.): Im Urteil der Dichter. Die deutsche Literatur von Lessing bis Hauptmann. München 1957, S. 160–166. [Bringt ausschnittsweise Urteile über Hoffmann von Friedrich Gottlob Wetzel, Ludwig Börne, Willibald Alexis, Paul Ernst und Werner Bergengruen.]
Riemer, Elke: E.T.A. Hoffmann und seine Illustratoren, 1978[2], (s. Gesamtbibliographie).
Riemer, Elke: E.T.A. Hoffmann und seine deutschen Illustratoren, 1976. In: Wirth, Irmgard, (s. Gesamtbibliographie).
Sakheim, Arthur: E.T.A. Hoffmann, (s. Gesamtbibliographie), S. 1–87. [Trotz mancher laxer und schiefer Beurteilung und trotz kleiner Fehler im einzelnen immer noch lesenswerte Gesamtdarstellung der Rezeptionsgeschichte Hoffmanns.]
Salomon, Gerhard: E.T.A. Hoffmann, (s. Gesamtbibliographie).
Schnapp, Friedrich (Hrsg.): E.T.A. Hoffmann in Aufzeichnungen, (s. Gesamtbibliographie).
Steinecke, Hartmut: ‚Der beliebte, vielgelesene Verfasser ...'. Über die Hoffmann-Kritiken im ‚Morgenblatt für gebildete Stände' und in der ‚Jenaischen Allgemeinen Literatur-Zeitung'. In: MHG 17 (1971), S. 1–16. [Betont das niedrige Niveau dieser zumeist anonym erschienenen Kritiken.]
Teichmann, Elizabeth: Von Hoffmanns Erzählungen zu *Hoffmanns Erzählungen*. In: MGH 22 (1976), S. 36–52. [Stellt das Libretto von Barbier/Carré, dessen Vertonung durch Offenbach und die Neubearbeitung durch Walter Felsenstein ins Zentrum.]
Voerster, Jürgen: 160 Jahre, (s. Gesamtbibliographie).
Werner, Hans-Georg: E.T.A. Hoffmann, 1971, (s. Gesamtbibliographie).
Werner, Hans-Georg: Der romantische Schriftsteller, 1978, (s. Gesamtbibliographie).
Wührl, Paul-Wolfgang: Madame kann nicht sterben, (AB IV B.1.2.).

Über die Beziehungen Hoffmanns zu einzelnen deutschsprachigen Autoren und Künstlern

Contessa
Pankalla, Gerhard: Karl Wilhelm Contessa und E.T.A.Hoffmann. Motiv- und Form-Beziehungen im Werk zweier Romantiker. Würzburg 1938.
Fontane
Helmke, Ulrich: Theodor Fontane und E.T.A.Hoffmann. In: MHG 18 (1972), S. 33–36.
Halbe
Hoefert, Sigfrid: E.T.A.Hoffmann und Max Halbe. Ein Beitrag zur Wirkungsgeschichte des ostpreußischen Romantikers. In: MHG 13 (1967), S. 12–19.
Hauff
Haußmann, Johann F.: E.T.A.Hoffmanns Einfluß auf Hauff. In: Journal of English and Germanic Philology 16 (1917), S. 53–66.

HEINE

Siebert, Wilhelm: Heinrich Heines Beziehungen zu E.T.A. Hoffmann. Marburg 1908, Beiträge zur deutschen Literaturwissenschaft 7.

Uhlendahl, Heinrich: Fünf Kapitel über H. Heine und E.T.A. Hoffmann. Phil. Diss. Münster 1919.

Clasen, Herbert: Heinrich Heines Romantikkritik. Tradition – Produktion – Rezeption. Hamburg 1979, Heine-Studien, S. 117–123.

HESSE

Helmke, Ulrich: Anmerkungen zu Hermann Hesse und E.T.A. Hoffmann. In: MHG 19 (1973), S. 61–66.

JEAN PAUL

Fife, Robert Herdon: Jean Paul Friedrich Richter und E.T.A. Hoffmann. A Study in the Relations of Jean Paul to Romanticism. In: Publications of the Modern Language Association 22 (1907), S. 1–32.

KAFKA

Loeb, Ernst: Bedeutungswandel der Metamorphose bei Franz Kafka und E.T.A. Hoffmann, (s. AB III C.1.2.).

Struc, Roman: Zwei Erzählungen von E.T.A. Hoffmann und Kafka. Ein Vergleich. In: Revue des Langues vivantes 34 (1968), S. 227–238.

Woellner, Günter: E.T.A. Hoffmann und Franz Kafka, (s. AB III A.1.2.).

Krolop, Bernd: Versuch einer Theorie des phantastischen Realismus. E.T.A. Hoffmann und Franz Kafka. Frankfurt/M., Bern 1981, Europäische Hochschulschriften 1,404.

KLEE

Walter, Jürgen: ‚Hoffmanneske Märchenszene' – E.T.A. Hoffmann und Paul Klee. In: Antaios 9 (1967/68), S. 466–482.

THOMAS MANN

Koelb, Clayton: Mann, Hoffmann and ‚Callot's Manner'. In: The Germanic Review 52 (1977), S. 260–273.

von Gersdorff, Dagmar: Thomas Mann und E.T.A. Hoffmann, (s. AB V B.1.2.).

PANIZZA

Benjamin, Walter: E.T.A. Hoffmann und Oskar Panizza. In: W'B': Gesammelte Schriften II.2, [s. AB III B.2.3.], S. 641–648.

RAABE

Fehse, Wilhelm: Raabe und E.Th.A. Hoffmann. In: Raabestudien. Wolfenbüttel 1925, S. 143–153.

Schultz, Werner: Einwirkungen des ‚Romantikers' E.T.A. Hoffmann auf den ‚Realisten' Wilhelm Raabe. In: Jahrbuch der Raabe-Gesellschaft 1976, S. 133–150.

ARNO SCHMIDT

Petzel, Jörg: E.T.A. Hoffmann und Arno Schmidt. In: MHG 26 (1980). S. 88–98.

STORM

Schuster, Ingrid: Theodor Storm und E.T.A. Hoffmann. In: Literaturwissenschaftliches Jahrbuch der Görres-Gesellschaft 1970, S. 209–223.

TIECK

Jost, Walter: Von Ludwig Tieck zu E.T.A. Hoffmann. Studien zur Entwicklungsgeschichte des romatischen Subjetivismus. Frankfurt/M. 1921.

Richard Wagner

von Wolzogen, Hans: E.T.A. Hoffmann und Richard Wagner: Harmonien und Parallelen. Berlin 1906, Deutsche Bücherei 63.

Zur Rezeption in Rußland und in der Sowjetunion

Becker-Glauch, Wulf: E.T.A. Hoffmann in russischer Literatur und sein Verhältnis zu den russischen Serapionsbrüdern. In: MHG 9 (1962), S. 41–54. [Überblick, der die starke Verwurzelung Hoffmanns im Denken russischer Schriftsteller, v.a. bei Dostojewskij und den Serapionsbrüdern aufzeigt.]

Cheauré, Elisabeth: E.T.A. Hoffmann. Inszenierungen seiner Werke auf russischen Bühnen. Ein Beitrag zur Rezeptionsgeschichte. Heidelberg 1979, Beiträge zur neueren Literaturgeschichte, 3. Folge, 50. [Behandelt die Dramatisierung der *Brautwahl,* der *Brambilla,* des *Signor Formica* und des *Nußknacker*; empfehlenswert v.a. wegen des Bild- und Textmaterials zur Aufführungsgeschichte.]

Drohla, Gisela (Hrsg.): Die Serapionsbrüder von Petrograd. Übersetzung von G'D'. Frankfurt/M. 1982, suhrkamp taschenbuch 844. [Auswahlband von Erzählungen und programmatischen Essays mit biographischen Notizen und (zu) kurzem Nachwort.]

Düwel, Wolf: Das Hoffmann-Bild der russischen revolutionären Demokraten. In: Aufbau. Kulturpolitische Monatsschrift 13 (1957), Heft 12, S. 639–644. [Widmet sich neben Alexander Herzen v.a. Wissarion Grigorjewitsch Belinskij und beschreibt den Versuch dieser Kritiker, die Hoffmannsche Phantastik aus einer gesellschaftskritischen Perspektive heraus zu interpretieren.]

Gibelli, Vincenzo: E.T.A. Hoffmann. Fortuna di un poeta tedesco in terra di Russia. Milano 1964. [Nach Ingham, S. 261, oberflächliche Darstellung und nur begrenzt empfehlenswert.]

Gorlin, Michel: Hoffmann en Russie. In: Revue de littérature comparée 15 (1935), S. 60–75. [Legt das Schwergewicht auf die Darstellung des 19. Jahrhunderts, das 20. wird nur durch einen kurzen Hinweis auf Alexander Blok und Andrej Bely gestreift.]

Ingham, Norman W.: E.T.A. Hoffmann's Reception in Russia. Würzburg 1974, colloquium slavicum 6. [Gründliche und genaue Rezeptionsgeschichte bis ca. 1845.]

Michailow, Anatoli: E.T.A. Hoffmann in Rußland. In: MHG 22 (1976), S. 58–60. [Kurzer, allzu unkritischer Überblick.]

Passage, Charles E.: Dostoevski the Adapter. A study in Dostoevski's Use of The Tales of Hoffmann. Chapel Hill 1954, University of North Carolina Studies in Comparative Literature 10. [Sieht in Dostojewskij den bedeutendsten aller russischen ‚Hoffmannisten', der sein Vorbild – wie sonst nur noch Puschkin – ganz und gar erfaßt, ja der es überrundet habe: die *Elixiere* seien „silver", die *Brüder Karamazov* aber „gold" (S. 175).]

Passage, Charles E.: The Russian Hoffmannists. The Hague 1963, Slavistic Printings and Reprintings 35. [Übersichtliche Darstellung der Rezeptionsgeschichte bis hin zu Dostojewskij mit einem vielleicht allzu ausgeprägten Hang zur Klassifizierung und zur Ausrichtung auf jene Schlußfigur.]

Podolski, A.: E.T.A. Hoffmann in der russischen Kritik. In: Sowjetunion heute 7

(1962), Heft 17, S. 24. [Stellt die Aufnahme Hoffmanns in Rußland als eine dem weltliterarischen Niveau dieses Autors angemessene Rezeption dar.]

Turajew, Sergej: Wachsendes Interesse für E.T.A. Hoffmann. In: MHG 23 (1977), S. 57–59. [Informativ im zweiten Teil über die jüngste Rezeptionsgeschichte; der erste Teil ist eine entstellende und z. T. fehlerhafte Darstellung.]

Žitomirskaja, Zinaida Viktorovna: È.T.A. Gofman i russkaja literatura. In: Z'V'Ž': È.T.A. Gofman. Bibliografija russkich perevodov i kritičeskoj literatury. Moskau 1964, S. 5–28. [Grundlegende Bibliographie mit kurzer deutscher Zusammenfassung.]

Zur Rezeption in Frankreich

Berczik, Árpád: E.T.A. Hoffmann en France. In: Acta romanica 4 (1977), S. 7–21 a. [Überblick ohne zusätzlichen Informationswert gegenüber den älteren einschlägigen Arbeiten.]

Braak, S.: Introduction à une étude sur l'influence d'Hoffmann en France. In: Neophilologus 23 (1938), S. 271–278. [Tritt rigoros für eine Trennung von Person und Werk Hoffmanns ein und betont in der Nachfolge Chasles' die grundsätzliche Differenz zwischen dem wahren und dem von Loève-Veimars geschaffenen Hoffmann.]

Breuillac, Marcel: Hoffmann en France. Etude de Littérature comparée. In: Revue d'Histoire littéraire de la France 13 (1906), S. 427–457 und 14 (1907), S. 74–105. [Überblick von den Anfängen bis zur Rezeption durch Maupassant; die spezifische Ausprägung des Phantastischen durch Hoffmann wird als Kriterium verwendet, um die Abhängigkeit anderer Autoren von dem deutschen Vorbild feststellen zu können.]

Castex, Pierre-Georges: Le Conte fantastique en France de Nodier à Maupassant. Paris 1951. [Sieht das Phantastische in der Regel mit krankhaften Bewußtseinszuständen verbunden und bescheinigt den französischen Nachahmern Balzac, Gautier und Merimée eine im Vergleich zu ihrem Vorbild Hoffmann bewußtere Handhabung der formalen Mittel.]

Guichard, Léon: Autour des *Contes d'Hoffmann*. In: Revue de littérature Comparée 27 (1953), S. 136–147. [Erläutert die Konkurrenzsituation bei den Ausgaben von Renduel und Lefebvre und bringt zusätzliche Belege für das Hoffmann-Fieber in Frankreich um 1830.]

Holtus, Günter: Die Rezeption E.T.A. Hoffmanns in Frankreich. Untersuchungen zu den Übersetzungen von A.-F. Loève-Veimars. In: MHG 27 (1981), S. 28–54. [Kommt zum Schluß, daß Hoffmanns Texte und Loève-Veimars Übersetzungen grundsätzlich nicht gleichgesetzt werden dürfen.]

Köhler, Ingeborg: Ein Wegbereiter Hoffmanns in Frankreich: Der Doktor Koreff. In: MHG 26 (1980), S. 69–72. [Skizzenhafte Darstellung des bewegten Lebenslaufs dieses Hoffmann-Freundes.]

Köhler, Ingeborg: Erstes Auftreten, 1982, (s. Bibliographie in AB IV B.1.2.).

Von der Lippe, George B.: La Vie de l'artiste fantastique: The Metamorphosis of the Hoffmann-Poe Figure in France. In: Canadian Review of Comparative Literature 6 (1979); S. 46–63. [Die aus Werk und Biographie seltsam gemischte Hoffmann-Figur präge zugleich das Poe-Bild und lebe in Frankreich als Verkörperung des phantastischen Künstlers fort.]

Miller, Norbert: E.T.A. Hoffmanns doppelte Wirklichkeit, (s. Bibliographie in AB III A.). [Sieht in Nodiers und Baudelaires Werken zwei exemplarische Formen der Rezeption, die, wenn auch auf Mißverständnissen Hoffmanns beruhend, diesem doch einen Platz in der Dichtungstradition der europäischen Moderne zuweisen könnten; anregender Aufsatz!]

Pankalla, Gerhard: E.T.A. Hoffmann und Frankreich. Beiträge zum Hoffmann-Bild in der französischen Literatur des 19. Jahrhunderts. In: Germanisch-Romanische Monatsschrift 27 (1939), S. 308–318. [Ganz und gar von Breuillacs Untersuchung abhängiger Aufsatz, freilich aus deutscher Sicht geschrieben und Breuillac an nationalistischer Tendenz überbietend.]

Schönherr, Kurt: Die Bedeutung E.T.A. Hoffmanns für die Entwicklung des musikalischen Gefühls in der französischen Romantik. Phil. Diss. München 1930/31. [Weist v.a. auf Hoffmann als Wegbereiter Richard Wagners in Frankreich hin. Während Hoffmann über die Musik zur phantastischen Dichtung gekommen sei, seien die französischen Autoren über Hoffmanns phantastische Dichtung zur Musik gelangt.]

Smith, Albert B.: Variations on a Mythical Theme: Hoffmann, Gautier, Queneau and the Imagery of Mining. In: Neophilologus 63 (1979), S. 179–186. [Vergleich der *Bergwerke zu Falun* mit *Le Preneur de rats de Hameln* und einem surrealistischen Text Raymond Queneaus.]

Teichmann, Elizabeth: La Fortune d'Hoffmann en France. Genève, Paris 1961. [Untersucht chronologisch die Rolle der Zeitungen, Zeitschriften und Almanache bei der Ausbreitung des Hoffmann-Fiebers in den Jahren zwischen 1826 und 1840 und arbeitet die Akzentverschiebungen im Bilde des Autors heraus.]

Thurau, Gustav: E.T.A. Hoffmanns Erzählungen in Frankreich. In: Festschrift für Oskar Schade, dargebracht von seinen Schülern und Verehrern. Königsberg 1896, S. 239–288. [Noch immer lesenswerte, gute Überblicksdarstellung.]

Über die Beziehungen E.T.A. Hoffmanns zu einzelnen französischen Autoren:

Balzac

Baldensperger, Fernand: Orientations étrangères chez Honoré de Balzac. Paris 1927, S. 99–118 und 147f.

Laubriet, Pierre: Influences chez Balzac, Swedenborg et Hoffmann. In: Les Etudes Balzaciennes 5/5 (1958), S. 160–180.

Wais, Kurt: Le roman d'artiste: E.T.A. Hoffmann et Balzac (1). In: La Littérature narrative d'imagination des genres littéraires aux techniques d'expression. Colloque de Strasbourg, 23–25 avril 1959, Paris 1961, S. 137–155.

Baudelaire

Giraud, Jean: Charles Baudelaire et Hoffmann le fantastique. In: Revue d'Histoire littéraire de la France 26 (1919), S. 412–416.

Köhler, Ingeborg: Baudelaire et Hoffmann. Stockholm 1979, Acta Universitatis Upsaliensis. Studia Romanica Upsaliensis 27.

Lloyd, Rosemary: Baudelaire et Hoffmann: Affinités et Influences. Cambridge, London, New York, Melbourne 1979.

Gautier

Payr, Bernhard: E.T.A. Hoffmann und Théophile Gautier. Ein geisteswissenschaftlicher Beitrag zur vergleichenden Literaturgeschichte. Phil. Diss. Leipzig 1927, Borna-Leipzig 1927.

MUSSET

Giraud, Jean: Alfred de Musset et trois romantiques allemands: Hoffmann, Jean-Paul, Henri Heine. In: Revue d'Histoire littéraire de la France 18 (1911), S. 297–334.

Jeune, Simon: Une étude inconnue de Musset sur Hoffmann. In: Revue de littérature Comparée 39 (1965), S. 422–427.

Mandach, André de: E.T.A. Hoffmanns und Jules Barbiers Darstellungen des musikalischen Robotmädchens ‚Olimpia', die Vorlagen zu Alfred de Mussets ‚Blandine'. In: Zeitschrift für französische Sprache und Literatur 78 (1968), S. 54–68.

NERVAL

Dubruck, Alfred: The Fantastic Tale: Nerval and Hoffmann. In: A'D': Gérard de Nerval and the German Heritage. The Hague 1965, S. 43–72.

Malandin, Gabriele: Récit, miroir, histoire – Aspects de la relation Nerval-Hoffmann. In: Romantisme 20 (1978), S. 79–93.

VERNE

Compère, Daniel: Le Château des Carpathes de Jules Verne et E.T.A. Hoffmann. In: Revue de littérature Comparée 45 (1971), S. 595–600.

Zur Rezeption in England und in den USA

Barine, Arvède: Névrosés. Hoffmann – Quincey – Edgar Poe – G. de Nerval. Paris 1898. [Befaßt sich mit angeblicher Alkohol- und Opiumsucht der betreffenden Autoren in bezug auf ihr Werk.]

Carlyle, Thomas: German Romance. Translation from the German with Biographical and Critical Notices. Vol. II, London 1898. [Orientiert sich am Urteil Hitzigs und kritisiert Hoffmann vom Standpunkt puritanischen Moralempfindens.]

Cobb, Palmer: The influence of E.T.A. Hoffmann on the Tales of Edgar Allan Poe. Chapel Hill 1908 (Ndr. New York 1963). [Bemerkenswerter Interpretationsversuch vor der Wiederentdeckung E.T.A. Hoffmanns im englischen Sprachraum.]

Dieckmann, Liselotte: E.T.A. Hoffmann and Edgar Allan Poe. Verwandte Sensibilität bei verschiedenem Sprach- und Gesellschaftsraum. In: Viktor Lange; Hans-Gert Roloff (Hrsgg.): Dichtung, Sprache, Gesellschaft. Akten des IV. Internationalen Germanisten-Kongresses 1970 in Princeton. Frankfurt/M. 1971, S. 273–280. [Während bei Hoffmann das Grauenerweckende in einen sozialen Kontext eingebunden sei, werde bei Poe das verlassene Mansion zum Symbol der Verlassenheit überhaupt.]

Dose, Claus Dieter: The Reception of E.T.A. Hoffmann in the United States 1940–1976. Phil. Diss. New York 1980. [Bündelt und interpretiert die verschiedenen Richtungen der neueren wissenschaftlichen Rezeption Hoffmanns in den USA.]

McGlathery, James: Mysticism and Sexuality, (s. Bibliographie zu AB II), S. 15–18.

Gruener, Gustav: Notes on the influence of E.T.A. Hoffmann upon Edgar Allan

Poe. In: Publications of the Modern Language Association of America 19 (1904), S. 1–25. [Äußert erstmals die Vermutung, Poe habe Hoffmann über Scott kennengelernt; zieht Parallelen zwischen Hoffmann und Poe am Beispiel des *Fall of the House of Usher*.]

Gudde, Erwin G.: E.T.A. Hoffmanns Reception in England. In: Publications of the Modern Language Association of America 41 (1926), S. 1005–1010. [Diskutiert Scotts and Carlyles Einschätzung Hoffmanns im Hinblick auf dessen spätere Rezeption.]

Von der Lippe, George B.: The Figure of E.T.A. Hoffmann as Doppelgänger to Poe's Roderick Usher. In: Modern Language Notes 92 (1977), S. 525–534. [Vertieft Grueners These und weist in Roderick Usher Züge der von Hitzig vermittelten und von Scott, Carlyle und Longfellow romantisierten Auffassung über den biographischen Hoffmann nach.]

Morgan, Bayard Quincy; Hohlfield, Alexander Rudolf (Hrsgg.): German Literature in British Magazines 1750–1860. Madison, Wisconsin: Univ. of W. Press 1949.

Sakheim, Arthur: E.T.A. Hoffmann, (s. Gesamtbibliographie), S. 44–54. [Berücksichtigt neben den Argumenten Scotts und Carlyles auch mögliche Einflüsse auf Dickens und Oscar Wilde, Washington Irving und Poe.]

Scott, Sir Walter: Miscellaneous Works. Edinburgh 1861, Vol. 13, S. 270–331.

Zylstra, Henry: E.T.A. Hoffmann in England and America. Phil. Diss. Harvard 1940. [Wichtige Studie, die in den USA und England maßgeblich zum wachsenden Interesse an Hoffmann beigetragen hat.]

Zur Rezeption in anderen Ländern

China

Yushu, Zhang: In China wird E.T.A. Hoffmann entdeckt. In: MHG 26 (1980), S. 73–75.

Dänemark

Greene-Gantzberg, Vivian: E.T.A. Hoffmann in Dänemark. In: MHG 28 (1982), S. 50–71.

Italien

Erné, Nino: Hoffmann in Italien. In: MHG 16 (1970), S. 19–27.

Erné, Nino: Der italienische Hoffmann. In: MHG 17 (1971), S. 72–79.

Japan

Mackawa, Mitisuke: Japanische Übersetzer als Wegbereiter der Dichtung E.T.A. Hoffmanns. In: MHG 10 (1963), S. 16–19.

Polen

Buddensieg, Hermann: E.T.A. Hoffmann und Polen. In: Mickievicz-Blätter 4 (1959), S. 145–191.

Lindken, Hans-Ulrich: Polnische E.T.A. Hoffmann-Bibliographie. In: MHG 20 (1974), S. 74–75.

Schweden

Ljungdorff, Vilhelm: E.T.A. Hoffmann och ursprunget till hans konstnärskap. Phil. Diss. Lund 1924.

Spanien

Tietz, Manfred: E.T.A. Hoffmann und Spanien. In: MHG 26 (1980), S. 51–68.

Synoptische Tabelle zu Hoffmann und seiner Zeit

Die chronologische Übersicht soll Leben und Werk Hoffmanns in einen historischen, geistes- und wissenschaftsgeschichtlichen Zusammenhang einordnen und mag zugleich als Ergänzung zu AB I dienen. Aufgenommen wurden Daten aus folgenden Bereichen:

1. Hoffmanns Leben und Werk
2. Literatur, Kritik, Publizistik
3. Musik, Bildende Kunst, Theater
4. Philosophie, Geistesgeschichte
5. Politik, Sozialgeschichte
6. Wirtschaft, Technik, Naturwissenschaft

1776

1. Am 24. Januar wird Ernst Theodor Wilhelm Hoffmann in Königsberg als drittes Kind des Hofgerichts-Advokaten Christoph Ludwig und dessen Frau (und Cousine) Lovisa Albertine Hoffmann, geb. Doerffer geboren.
2. Johann Martin Miller: *Siegwart. Eine Klostergeschichte.*
5. Unabhängigkeitserklärung der (13) Vereinigten Staaten von Amerika.
6. James Cooks dritte Weltreise (/79). Adam Smith: *Inquiry into the Nature and Causes of the Wealth of Nations.*

1777

2. Carlo Gozzi: *Theatralische Werke* (/79). *Karl Wilhelm Contessa; *Friedrich H. K. v. Fouqué; *Heinrich von Kleist.

1778

1. Scheidung der Eltern. Hoffmann zieht mit der Mutter zu seiner Großmutter Louise Sophie Doerffer.
2. *Clemens Brentano.

1780

1. *Isaak Elias Itzig (ab 1809: Julius Eberhard Hitzig).
4. *Gotthilf Heinrich Schubert.
6. Antoine Laurent Lavoisier korrigiert die Stahlsche Verbrennungstheorie.

1781

1. *Maria Thekla Michaelina Rorer-Trzcińska.
2. *Adalbert Chamisso; †Gotthold Ephraim Lessing.
3. *Karl Friedrich Schinkel.
4. Immanuel Kant: *Kritik der reinen Vernunft.*
5. Christian W. Dohm: *Über die bürgerliche Verbesserung der Juden.*

1782

1. Hoffmann besucht die reformierte Burgschule in Königsberg.
4. Johann Nicolaus Martius/Johann Christian Wiegleb: *Unterricht in der natürlichen Magie* (2. Aufl.).

1783

1. *Johann Ferdinand Koreff.
4. Karl Philipp Moritz: ‚Magazin zur Erfahrungsseelenkunde' (/93).

1784

2. †Denis Diderot.
3. *Ludwig Devrient.

1786

2. *Ludwig Börne.
3. *Carl Maria von Weber; Wolfgang Amadeus Mozart: *Die Hochzeit des Figaro.*
5. †Friedrich II. von Preußen.

1787

1. Beginn der lebenslangen Freundschaft mit Theodor Gottlieb Hippel, dem Neffen des gleichnamigen Romanschriftstellers.
3. Mozart: *Don Giovanni.*

1788

2. *Joseph von Eichendorff.
3. Mozart: *Jupitersinfonie.*
4. Kant: *Kritik der praktischen Vernunft.*

1789

5. Beginn der Französischen Revolution.

1790

1. Musikunterricht bei dem Domorganisten Christian W. Podbielski und Zeichenunterricht bei Johann Christian (?) Saemann.
3. Mozart: *Cosi fan tutte.*
4. Kant: *Kritik der Urteilskraft;* †Johann Bernhard Basedow.
5. †Joseph II.

1791

2. Karl Grosse: *Der Genius* (/95).
3. Mozart: *Die Zauberflöte;* †Mozart; *Giacomo Meyerbeer.
6. Heinrich Nudow: *Versuch einer Theorie des Schlafs;* Luigi Galvani: *De viribus electricitatis in motu musculari commentarius.*

1792

1. Beginn des Jura-Studiums an der Universität Königsberg.
2. †Jacques Cazotte.
5. Frankreich wird Republik; 1. Koalitionskrieg gegen Frankreich (/94).

1794

1. Liebe zu der zehn Jahre älteren Dora Hatt (= „Cora"), der Hoffmann Musikstunden erteilt.
2. Georg Christoph Lichtenberg: *Ausführliche Erklärung der Hogarthischen Kupferstiche.*
4. Johann Gottlieb Fichte: *Grundlage der gesamten Wissenschaftslehre.*
5. Sturz Maximilien de Robespierres; Ende der Terreur-Herrschaft.

1795

1. Erstes juristisches Examen. Hoffmann wird Auskultator am Königsberger Obergericht. Arbeit an den verschollenen Romanen *Cornaro* und *Der Geheimnisvolle.*
2. Johann Wolfgang von Goethe: *Wilhelm Meisters Lehrjahre* (/96); Jean Paul: *Hesperus;* Matthew Gregory Lewis: *Ambrosio or the Monk.*
5. Direktorium in Frankreich (/99). †Alexander Graf Cagliostro (= Giuseppe Balsamo).

1796

1. Tod der Mutter. Versetzung an das Gericht in Glogau. *Julie Mark.

1797

1. Tod des Vaters; Beginn der Freundschaft mit Johannes Hampe.

2. *Heinrich Heine; Wilhelm Wackenroder/Johann Ludwig Tieck: *Herzensergießungen eines kunstliebenden Klosterbruders;* Tieck: *Der gestiefelte Kater.*
3. *Franz Schubert.
4. Friedrich Wilhelm Joseph Schelling: *Ideen zu einer Philosophie der Natur.*
5. Regierungsantritt Friedrich Wilhelms III.

1798

1. Verlobung mit der Cousine Wilhelmine Constantine Doerffer (= „Minna"). Zweites juristisches Examen in Glogau. Ernennung zum Referendar. Musikunterricht bei Johann Friedrich Reichardt.
2. Die Zeitschrift ‚Athenäum', Hauptorgan der frühromantischen Bewegung, erscheint (/1800); Tieck: *Franz Sternbalds Wanderungen.* †Wackenroder.
3. Joseph Haydn: *Die Schöpfung.* Francisco José de Goya y Lucientes: *Caprichos.*
4. Schelling: *Von der Weltseele.*

1799

1. Dichtung und Komposition des Singspiels *Die Maske.*
2. †Lichtenberg. Frühromantischer Kreis in Jena (/1800).
3. *Eugène Delacroix.
5. Konsularverfassung in Frankreich; Napoleon erster Konsul. 2. Koalitionskrieg gegen Frankreich (/1802).
6. Johann Christian Reil: *Über Erkenntnis und Kur der Fieber* (/1815); Forschungsreisen Alexander von Humboldts (/1804); erste Dampfmaschine in Berlin. Erfindung des Steindrucks durch Aloys Senefelder.

1800

1. Drittes juristisches Examen. Assessor am Obergericht in Posen. Bekanntschaft mit Jean Paul.
2. Jean Paul: *Titan* (/03).
5. Friede von Lunéville. Fichte: *Der geschlossene Handelsstaat.*
6. Kontakttheorie Alessandro Voltas über die Entstehung von Elektrizität. †Wiegleb.

1801

2. †Novalis.
3. †Daniel Nikolaus Chodowiecki.
6. Philippe Pinel: *Philosophisch-medizinische Abhandlung über Geistesverirrungen oder Manie.*

1802

1. Ernennung zum Regierungsrat. Auflösung der Verlobung mit Minna Doerffer;

Heirat mit Maria Thekla Michaelina Rorer-Trzcińska (= „Mischa"). Wegen der Karikaturaffäre strafversetzt nach Płock.
2. Novalis: *Schriften.*
5. Friede von Amiens.

1803

1. *Schreiben eines Klostergeistlichen an seinen Freund in der Hauptstadt* erscheint in der Zeitschrift ‚Der Freimüthige'.
2. Zacharias Werner: *Die Söhne des Thales* (/04); †Johann Gottfried Herder.
5. Reichsdeputationshauptschluß.
6. Johann Christian Reil: *Rhapsodien über die Anwendung psychischer Kurmethoden auf Geisteszerrüttungen.*

1804

1. Versetzung als Regierungsrat nach Warschau. Bekanntschaft mit Hitzig.
2. *Nachtwachen* von Bonaventura; Brentano: *Ponce de Leon;* Gotthilf Heinrich Schubert: *Die Kirche und die Götter.* *Eduard Mörike. *George Sand.
4. †Kant.
5. Kaiserkrönung Napoleons; code civil (Napoléon) im französischen Machtbereich.
6. Netzstrickmaschine von Joseph Marie Jacquard. †Wolfgang von Kempelen.

1805

1. Geburt der Tochter Cäcilia. Musik zu Werners Schauspiel: *Das Kreuz an der Ostsee.*
2. †Friedrich Schiller; *Adalbert Stifter.
5. 3. Koalitionskrieg.

1806

1. Einzug der Franzosen in Warschau: Hoffmann verliert seine Beamtenstelle.
2. Ludwig Achim von Arnim/Clemens Brentano: *Des Knaben Wunderhorn* (/08). †Gozzi.
5. 4. Koalitionskrieg (/07); Kontinentalsperre; Ende des ‚Heiligen Reiches Deutscher Nation'. Gründung des Rheinbunds.
6. Gotthilf Heinrich Schubert: *Ahndungen des Lebens* (/07); Henrik Steffens: *Grundzüge der philosophischen Naturwissenschaft.*

1807

1. Übersiedlung nach Berlin. Tod der Tochter. Versuch, die künstlerische Tätigkeit zum Hauptberuf zu machen; extreme Notlage: „Seit fünf Tagen habe ich nichts gegessen, als Brod – so war es noch nie!" (Br I/242).
4. Georg Wilhelm Friedrich Hegel: *Phänomenologie des Geistes.*

5. Friede von Tilsit. Beginn der preußischen Reformen. Fichte: *Reden an die deutsche Nation.*
6. Erstes Dampfschiff von Robert Fulton.

1808

1. Komposition der Oper *Der Trank der Unsterblichkeit.* Übersiedlung nach Bamberg und Engagement am dortigen Theater. Nach dem Anfangsmißerfolg als Orchesterleiter nur noch als Theaterkomponist tätig.
3. Ludwig van Beethoven: *5. Sinfonie.*
6. Gotthilf Heinrich Schubert: *Ansichten von der Nachtseite der Naturwissenschaft.*

1809

1. Aufgabe der Tätigkeit am Bamberger Theater. Hoffmann gibt Musikstunden. Bekanntschaft mit Carl Friedrich Kunz. *Ritter Gluck.*
2. *Edgar Allan Poe.
3. *Felix Mendelssohn-Bartholdy; *Frédéric Chopin; †Haydn.
4. Adam Müller: *Die Elemente der Staatskunst.*
5. 5. Koalitionskrieg.

1810

1. Unter Franz von Holbein erneut am Bamberger Theater tätig in den unterschiedlichsten Aufgabenbereichen.
2. Kleist: *Das Käthchen von Heilbronn; Erzählungen* (/11); Friedrich Laun/Johann August Apel: *Das Gespensterbuch* (/12); James Beresford: *Menschliches Elend* (dt. v. Adolph Wagner).
3. *Robert Schumann. †Philipp Otto Runge.
4. Gründung der Berliner Universität.
6. Johann Wilhelm Ritter: *Fragmente aus dem Nachlaß eines jungen Physikers.*

1811

1. Wachsende Leidenschaft zu seiner Gesangsschülerin Julie Mark.
2. †Kleist.
5. Eröffnung des ersten Turnplatzes durch Friedrich Ludwig Jahn in Berlin.
6. Maschinenstürmer in England (Ludditen). Carl Alexander Ferdinand Kluge: *Versuch einer Darstellung des animalischen Magnetismus.*

1812

2. von Holbein legt die Intendanz des Bamberger Theaters nieder. Hoffmann erneut stellungslos: „höchste Geldnoth" (Tb 177). Höhepunkt und katastrophales Ende der Beziehung zu Julie Mark.
2. Tieck: *Phantasus* (/16).

4. Hegel: *Wissenschaft der Logik* (/16).
5. Rußlandfeldzug des französischen Heeres. Judenemanzipation in Preußen.

1813

1. Vertragsabschluß mit Kunz. Annahme der Kapellmeisterstelle in Dresden bei Joseph Seconda. Wechselnder Aufenthalt in Dresden und Leipzig. Zeuge der kriegerischen Ereignisse um Dresden.
2. Mme de Staël: *De l'Allemagne.* *Friedrich Hebbel.
3. *Richard Wagner.
5. Sogenannte ‚Befreiungskriege' (/15). Völkerschlacht bei Leipzig. Verfassungsversprechen Friedrich Wilhelm III.
6. †Reil.

1814

1. Entlassung durch Seconda. Rückkehr in den preußischen Staatsdienst durch Hippels vermittelnde Hilfe. Tätigkeit am Kammergericht in Berlin. *Fantasiestücke in Callots Manier* (/15).
2. Chamisso: *Peter Schlehmils wundersame Geschichte.*
3. †Johann Friedrich Reichardt.
5. Verbannung Napoleons auf Elba. Wiener Kongreß (/15).
6. Gotthilf Heinrich Schubert: *Die Symbolik des Traumes.*

1815

1. Einzug in die Taubenstraße 31. Freundschaft mit Devrient. *Die Elixiere des Teufels* (/16).
5. Rückkehr Napoleons; Schlacht bei Waterloo; Verbannung nach St. Helena. ‚Heilige Allianz' zwischen Preußen, Österreich und Rußland.
6. Chamissos Weltumseglung (/18). †Franz Anton Mesmer.

1816

1. Hoffmann wird Kammergerichtsrat und Wirkliches Mitglied des Kriminal-Senats. Jahresgehalt 1000 Rth. Erfolgreiche Uraufführung der *Undine. Nachtstücke* (/17).
2. Goethe: *Italienische Reise.*
3. Schinkel: Hauptwache in Berlin (/18).

1817

1. Brand des Schauspielhauses. Zerstörung der *Undine*-Dekorationen.
5. Wartburgfest der Burschenschaften.

1818

1. *Seltsame Leiden eines Theater-Direktors.* Neukonstitution des Freundeskreises als Serapionsbund.
5. *Karl Marx.

1819

1. Gehaltserhöhung auf 1300 Rth. Mitglied der ‚Immediat-Untersuchungskommission zur Ermittlung hochverräterischer Verbindungen und anderer hochverräterischer Umtriebe'. Krankheit. *Klein Zaches. Die Serapions-Brüder* (/21).
2. †August Friedrich Ferdinand von Kotzebue.
3. *Gustave Courbet.
4. Arthur Schopenhauer: *Die Welt als Wille und Vorstellung* (/44).
5. Karlsbader Beschlüsse im Anschluß an Kotzebues Ermordung; Abbruch der Reformen in Preußen; Verschärfung des innenpolitischen Klimas.

1820

1. Gehaltszulage von 300 Rth. *Prinzessin Brambilla.*

1821

1. Erneute Krankheit. Tod von Hoffmanns Kater Murr.
2. *Charles Baudelaire.
3. Weber: *Der Freischütz.*
4. Hegel: *Grundlinien der Philosophie des Rechts.*
5. †Napoleon.

1822

1. Beginn der tödlichen Erkrankung. Beschlagnahme des Manuskripts von *Meister Floh;* Einleitung eines Disziplinarverfahrens gegen Hoffmann wegen der Knarrpanti-Episode. *Meister Floh* (ohne Knarrpanti-Episode). *Kater Murr. Des Vetters Eckfenster.* 25. Juni: Tod Hoffmanns; 28. Juni: Begräbnis auf dem Friedhof der Jerusalem-Gemeinde am Halleschen Tor.

Gesamtbibliographie

Die folgende Liste enthält keineswegs sämtliche in diesem Arbeitsbuch erwähnten Titel. Noch viel weniger erfaßt sie alle Primär- und Sekundärwerke E.T.A. Hoffmanns. Sie soll vielmehr eine repräsentative Auswahl wichtiger Titel aus dem Gesamtbereich der Hoffmann-Forschung aufführen. Die im Arbeitsbuch verwendeten Abkürzungen werden jeweils am Ende der bibliographischen Angaben in den eckigen Klammern mitgeteilt.

1. Ausgaben

Hoffmann, E.T.A.: [Werke in nicht-numerierten Einzelbänden]. Nach dem Text der Erstdrucke und Handschriften unter Hinzuziehung der Ausgaben von Carl Georg von Maassen und Georg Ellinger hrsg. v. Walter Müller-Seidel und Friedrich Schnapp mit Illustrationen v. Theodor Hosemann. München: Winkler Verlag 1960–1981. [Nach dieser Ausgabe bzw. der textidentischen Sonderausgabe der Wissenschaftlichen Buchgesellschaft, Darmstadt, wird hier zitiert, wobei in Anlehnung an die in der neueren Sekundärliteratur übliche Praxis folgende künstliche Numerierung der Bände vorgenommen wird:]

– *Fantasie- und Nachtstücke.* Nachwort v. Walter Müller-Seidel, Anmerkungen v. Wolfgang Kron. München 1960/Darmstadt 1976 [= I].

– *Die Elixiere des Teufels. Lebensansichten des Katers Murr.* Nachwort v. Walter Müller-Seidel, Anmerkungen v. Wolfgang Kron. München 1961/Darmstadt 1969 [= II].

– *Die Serapions-Brüder.* Nachwort v. Walter Müller-Seidel, Anmerkungen v. Wulf Segebrecht. München 1963/Darmstadt 1976 [= III].

– *Späte Werke.* Nachwort v. Walter Müller-Seidel, Anmerkungen v. Wulf Segebrecht. München 1965/Darmstadt 1969 [= IV].

– *Schriften zur Musik.* Nachwort und Anmerkungen v. Friedrich Schnapp. München 1977/Darmstadt 1978 [= Va].

– *Nachlese.* Nachwort und Anmerkungen v. Friedrich Schnapp. München/Darmstadt 1981 [= Vb].

E.T.A. Hoffmanns Sämtliche Werke. Historisch-kritische Ausgabe mit Einleitungen, Anmerkungen und Lesarten v. Carl Georg von Maassen. Bd. 1–4, 6–10, München, Leipzig und Berlin 1908–1928. [Unvollständig gebliebene, dennoch weiterhin maßgebliche Ausgabe; auch in bibliophiler Hinsicht außerordentlich gelungen.]

E.T.A. Hoffmanns Werke. Hrsg. v. Georg Ellinger. 15 Teile, 2., verbesserte Auflage, Berlin, Leipzig o.J. [1927]. [Kritische Ausgabe auf den jeweils letzten Fassungen Hoffmanns beruhend, unentbehrlich vor allem wegen des Anmerkungsapparats im 15. Teil und der zahlreichen Register und Literaturverzeichnisse.]

Weitere Ausgaben, die noch vielfach verbreitet sind (chronologisch geordnet):

E.T.A. Hoffmann's Werke. 15 Theile. Hrsg. und mit einem Nachwort versehen v. Robert Boxberger. Berlin: Gustav Hempel o.J. [1879–1883]. [Vollständiger und korrekter als die drei vorausgegangenen Ausgaben bei Georg Reimer (1844/45; 1857 und 1871/73); die musikkritischen Arbeiten fehlen, ebenso ein editorischer Bericht des Herausgebers.]

E.T.A. Hoffmann's Sämtliche Werke in fünfzehn Bänden. Hrsg. und mit einer biographischen Einleitung versehen v. Eduard Grisebach. Leipzig: Max Hesse's Verlag 1900. [Erste Ausgabe, die die Texte Hoffmanns in der heute allgemein anerkannten Anordnung, nämlich chronologisch, wiedergibt und dadurch den „Stufengang" der Entwicklung des Autors erkennen lassen möchte. Die Orthographie ist nach den Putkamerschen Regeln modernisiert. Nützlich ist noch immer das Namen- und Sachregister.]

Ernst Theodor Amadeus Hoffmanns sämmtliche Werke. Serapions-Ausgabe in vierzehn Bänden. Hrsg. v. Leopold Hirschberg. Berlin, Leipzig: de Gruyter 1922. [Benützt die Druckplatten der Reimerschen Ausgabe von 1871/73, ergänzt durch ein Druckfehler-Verzeichnis. Die Bände 13 und 14 enthalten dann als Nachlese, chronologisch geordnet, zusätzliche Texte und Dokumente von Hoffmann. Besonders empfehlenswert heute nur noch wegen des reichen Bildmaterials.]

E.T.A. Hoffmanns Sämtliche Werke. Tagebücher/Briefe. Hrsg. und eingeleitet v. Rudolf Frank. 11 Bände, München, Leipzig: Rösl Verlag 1924. [Bibliophile Ausgabe ohne kritischen Apparat, „für die breite Öffentlichkeit" gedacht, nach – fragwürdigen – Gattungsgesichtspunkten geordnet.]

E.T.A. Hoffmann: *Dichtungen und Schriften sowie Briefe und Tagebücher.* Gesamtausgabe in fünfzehn Bänden. Hrsg. und mit einem Nachwort versehen v. Walther Harich. Weimar: Erich Lichtenstein Verlag 1924. [Zerschlägt die Anordnung der von Hoffmann veranstalteten Sammelausgaben und ordnet die Texte – auf höchst problematische Weise – neu; auch bei der Wahl der jeweiligen Textgrundlage sind die Entscheidungen Harichs nicht immer akzeptierbar.]

E.T.A. Hoffmann: *Poetische Werke.* Hrsg. v. Klaus Kanzog. Mit Federzeichnungen v. Walter Wellenstein. 12 Bände. Berlin: de Gruyter 1957–1962. [Im Aufbau deutlich an Grisebach, Ellinger und von Maassen anknüpfend; ein geplanter 13. Bd. mit einem Motivregister ist bisher noch nicht erschienen. Außergewöhnlich ist vor allem die reizvolle Illustration der Bände.]

E.T.A. Hoffmann: *Poetische Werke.* 6 Bände, Berlin: Aufbau-Verlag 1958. [Empfehlenswerte Leseausgabe ohne wissenschaftlichen Apparat, jedoch mit Anmerkungen und Zeittafel von Gerhard Seidel sowie dem – häufig nachgedruckten – großen Hoffmann-Essay von Hans Mayer. Textgrundlage bildet die 2. Auflage der Edition Ellingers, deren Vollständigkeit hier jedoch nicht angestrebt ist.]

Hoffmanns Werke in drei Bänden. Hrsg. v. d. Nationalen Forschungs- und Gedenkstätten der klassischen deutschen Literatur in Weimar. Ausgewählt und eingeleitet v. Gerhard Schneider. Berlin, Weimar: Aufbau-Verlag 1963, Bibliothek der Klassiker. [Knappe und preiswerte Auswahl mit einer Einleitung, die dem Autor gegenüber deutliche, wenn auch differenzierte Vorbehalte zum Ausdruck bringt.]

E.T.A. Hoffmanns Werke. 4 Bände, Frankfurt/M.: Insel 1967. [Folgt dem Text der Ausgabe des Aufbau-Verlages von 1958 und übernimmt auch den Essay von Hans Mayer; die Auswahl legt besonderen Nachdruck auf das Spätwerk Hoffmanns.]

E.T.A. Hoffmann: *Gesammelte Werke in fünf Bänden.* Hrsg. v. Martin Hürlimann. Zürich: Atlantis Verlag, Lizenzausgabe Herrsching: Manfred Pawlak 1982. [Pseudobibliophile Ausgabe mit problematischer und problematisch angeordneter Auswahl; nicht empfehlenswert.]

E.T.A. Hoffmann: *Gesammelte Werke in Einzelausgaben.* Textrevision und Anmerkungen v. Hans-Joachim Kruse, Redaktion: Rudolf Mingau. Berlin, Weimar 1976ff. [Die auf zwölf Bände angelegte Ausgabe ist noch nicht abgeschlossen und soll auch die juristischen Schriften, die Tagebücher und die Briefe enthalten. Jeder Band enthält umfangreiche Anmerkungen und Kommentare zur Entstehung und Wirkung.]

2. *Bibliographien, Verzeichnisse und Forschungsberichte*

Goedeke, Karl: Grundriß zur Geschichte der deutschen Dichtung aus den Quellen. 2. Aufl. Bd. 8, Dresden 1905, S. 468–506 und 713f.; Nachträge: Bd. 11/I, Berlin 1951, S. 503 und 612 sowie Bd. 14, Berlin 1959, S. 352–490 und 1008–1014. [Der Biographie, die das Leben Hoffmanns relativ vorurteilslos, dessen Werke jedoch voller klassizistischer Vorbehalte darstellt, folgen einzelne Bibliographien über bibliographische und biographische Hilfsmittel, über die Rezeption Hoffmanns, über die gedruckten Briefe, Schriften und Übersetzungen.]

Salomon, Gerhard: E.T.A. Hoffmann. Bibliographie. Nachdruck der 2. Auflage v. 1927, Hildesheim, Zürich, New York 1983. [Auf Goedekes Arbeit basierend; enthält Primär- und Sekundärliteratur von 1803 bis 1871 unter Berücksichtigung englischer und v.a. französischer Übersetzungen mit Titel- und Namenregister.]

Allroggen, Gerhard: E.T.A. Hoffmanns Kompositionen. Ein chronologisch-thematisches Verzeichnis seiner musikalischen Werke mit einer Einführung. Regensburg 1970, Studien zur Musikgeschichte des 19. Jahrhunderts 16, (s. AB VI 1.1.).

Voerster, Jürgen: 160 Jahre E.T.A. Hoffmann-Forschung 1805–1965. Eine Bibliographie mit Inhaltserfassung und Erläuterungen. Stuttgart 1967. [Unentbehrliches Grundlagenwerk der Hoffmann-Forschung; gibt über Ausgaben, Kompositionen, biographische Quellen und literarhistorische Arbeiten (zu Werken, Quellen, Motiven und Stoffen), über die Rezeption Hoffmanns sowie über dessen Tätigkeiten Auskunft.]

Kanzog, Klaus: Grundzüge der E.T.A. Hoffmann-Forschung seit 1945. Mit einer Bibliographie. In: MHG 9 (1962), S. 1–30.

Kanzog, Klaus: E.T.A. Hoffmann-Literatur 1962–1965. Eine Bibliographie. In: MHG 12 (1966), S. 33–39.

Kanzog, Klaus: E.T.A. Hoffmann-Literatur 1966–1969. Eine Bibliographie. In: MHG 16 (1970), S. 28–40.

Kanzog, Klaus: Zehn Jahre E.T.A. Hoffmann-Forschung. E.T.A. Hoffmann-

Literatur 1970–1980. Eine Bibliographie. In: MHG 27 (1981), S. 55–103. [Die Kanzogschen Beiträge stellen fortlaufende, sich ergänzende Bibliographien zur Forschung dar und enthalten – mit Ausnahme des frühesten – keine Forschungsberichte.]

Steinecke, Hartmut: Zur E.T.A. Hoffmann-Forschung. In: Zeitschrift für deutsche Philologie 89 (1970), S. 222–234.

Steinecke, Hartmut: E.T.A. Hoffmann. Dokumente und Literatur 1973–1975. In: Zeitschrift für deutsche Philologie 95 (1976), Sonderheft E.T.A. Hoffmann, S. 160–163.

3. *Teilsammlungen, Quellen und Dokumente*

E.T.A. Hoffmanns Briefwechsel. Gesammelt und erläutert v. Hans v. Müller und Friedrich Schnapp. Hrsg. v. Fr'Sch', 3 Bde., München 1967–1969 [= Br I–III].

Hoffmann, E.T.A.: Tagebücher. Nach der Ausgabe Hans v. Müllers mit Erläuterungen hrsg. v. Friedrich Schnapp. München, Darmstadt 1971 [= Tb].

Schnapp, Friedrich (Hrsg.): E.T.A. Hoffmann. München 1974, Dichter über ihre Dichtungen 13. [Sammelt, nach einzelnen Werken geordnet, chronologisch die Äußerungen Hoffmanns zu seinen eigenen Werken; solides Werk mit umfangreicher Zeittafel und Namenregister.]

Schnapp, Friedrich (Hrsg.): Der Musiker E.T.A. Hoffmann. Ein Dokumentenband (Selbstzeugnisse, Dokumente und zeitgenössische Urteile). Hildesheim 1981.

Müller, Hans von (Hrsg.): Handzeichnungen E.T.A. Hoffmanns im Faksimiledruck. Mit einer Einleitung: E.T.A. Hoffmann als bildender Künstler. Neudruck der Ausgabe von 1925, Textrevision von Friedrich Schnapp. Hildesheim 1973. [Gute Wiedergabe von 50 Zeichnungen.]

Piana, Theo: E.T.A. Hoffmann als bildender Künstler. Berlin 1954, Berlin in der Kunst 3. [Umfangreiche, wenn auch drucktechnisch miserable Sammlung der bildnerischen Werke Hoffmanns.]

Hoffmann, E.T.A.: Juristische Arbeiten. Hrsg. und erläutert von Friedrich Schnapp. München 1973. [Erstmalige Zusammenstellung aller erhaltenen juristischen Arbeiten, insbesondere der Dokumente zu Hoffmanns Tätigkeit als Mitglied der Immediat-Untersuchungs-Kommission 1819/20.]

Hippel, Theodor Gottlieb von: Erinnerungen an Hoffmann. In: Müller, Hans von (Hrsg.): Hoffmann und Hippel. Das Denkmal einer Freundschaft. Berlin 1912, S. 1–35. [Neben den Berichten von Hitzig und Kunz die wichtigste biographische Quelle; gilt zugleich als die zuverlässigste.]

[Hitzig, Julius Eduard:] Aus Hoffmann's Leben und Nachlaß. Hrsg. v. dem Verfasser des Lebens-Abrisses Friedrich Ludwig Zacharias Werners. 2 Teile, Berlin 1823. [Wichtige, für die Wirkungsgeschichte Hoffmanns folgenreiche Biographie des Freundes und Serapionsbruders.]

Funck, Z. [= Carl Friedrich Kunz]: Aus dem Leben zweier Dichter: Ernst Theodor Wilhelm Hoffmann's und Friedrich Gottlob Wetzel's. Leipzig 1836, S. 1–172. [Für die Bamberger Zeit bedeutsame, wenn auch höchst unzuverlässige Biographie des ersten Verlegers von Hoffmann.]

Schnapp, Friedrich (Hrsg.): E.T.A. Hoffmann in Aufzeichnungen seiner Freunde und Bekannten. Eine Sammlung von Fr'Sch'. München 1974. [Genauer, zuverlässiger und ungeheuer materialreicher Band; unerläßlich nicht nur für die Rezeptionsforschung, sondern für jede intensivere Beschäftigung mit Hoffmann.]

Wittkop-Ménardeau, Gabrielle (Hrsg.): E.T.A. Hoffmanns Leben und Werk in Daten und Bildern. Frankfurt/M. 1968. [Enthält eine Auswahl aus den Tagebüchern und Briefen, historische Zeugnisse und einen umfangreichen Bildteil; die Aufnahme von Freuds Abhandlung über ‚Das Unheimliche' erscheint etwas unmotiviert.]

Wirth, Irmgard (Hrsg.): E.T.A. Hoffmann und seine Zeit. Gemälde. Graphik. Dokumente. Bilder. Photographien. Ausstellungskatalog des Berlin Museums. Berlin 1976. [Empfehlenswert v.a. wegen seines Bildmaterials, das hervorragend und z.T. farbig reproduziert worden ist.]

Günzel, Klaus (Hrsg.): E.T.A. Hoffmann. Leben und Werk in Briefen, Selbstzeugnissen und Zeitdokumenten. Berlin 1976. [Reich bebilderte Zusammenstellung von Dokumenten und Briefausschnitten, die, mit zusätzlichen Kommentaren versehen, ein sympathisches, wenn auch vielleicht allzu schlichtes Porträt Hoffmanns ergeben.]

4. Periodica

Mitteilungen der E.T.A. Hoffmann-Gesellschaft. Bamberg 1 (1938/39), 2 [= 4 Hefte in 3] (1940–43), 6 (1958) – 29 (1983). [= MHG; Organ der Gesellschaft, das zunehmend seinen provinziellen Charakter verloren hat und jährlich wichtige Aufsätze, Rezensionen, Bibliographien und Dokumente zum Thema ‚Hoffmann' veröffentlicht.]

5. Wichtige allgemeine Sekundärliteratur

Brinkmann, Richard (Hrsg.): Romantik in Deutschland. Ein interdisziplinäres Symposion. Sonderbd. der ‚Deutschen Vierteljahrsschrift für Literaturwissenschaft und Geistesgeschichte'. Stuttgart 1978. [Enthält eine Reihe wichtiger Aufsätze zu Hoffmann auch aus nicht-literaturwissenschaftlicher Perspektive.]

Ellinger, Georg: E.T.A. Hoffmann. Sein Leben und seine Werke. Hamburg und Leipzig 1894. [Pionierwerk der Hoffmann-Forschung, das freilich v.a. die realistischen Züge im Werk des Autors herausstreicht und gegenüber den phantastischen und unheimlichen deutliche Vorbehalte zeigt.]

Freud, Sigmund: Das Unheimliche (1919). Studienausgabe. Hrsg. v. Alexander Mitscherlich, Angela Richards und James Strachey, Bd. 4, Frankfurt/M. 1970, S. 241–274. [Klassische Abhandlung über die Genese von Kastrationsängsten, dargelegt an den Doppelgängergestalten Hoffmanns und exemplifiziert v.a. an einer Interpretation des *Sandmann*. Die Machart und die Erzählweise der Hoffmannschen Werke bleiben bei Freud jedoch weitgehend unbeachtet.]

Harich, Walther: E.T.A. Hoffmann. Das Leben eines Künstlers. 2 Bde., Berlin o.J. [1920]. [Gegenstück zu Ellingers Biographie – ungenauer als diese, jedoch mit einem feineren Gespür für das Außerordentliche des Künstlers Hoffmann. Dieser wird geradezu als ein Vorläufer des Expressionismus gefeiert.]

Köhn, Lothar: Vieldeutige Welt. Studien zur Struktur der Erzählungen E. T. A. Hoffmanns und zur Entwicklung seines Werkes. Tübingen 1966, Studien zur deutschen Literatur 6. [Genaue Strukturanalyse, durchgeführt auch an Werken, die bisher weniger beachtet worden sind. Sieht mit Recht in der Nicht-Eindeutigkeit der Hoffmannschen Texte die Modernität des Autors begründet.]

McGlathery, James (Hrsg.): [E. T. A. Hoffmann-Sonderheft]. Journal of English and Germanic Philology 75 (1976). [Jubiläumsheft zum 200. Geburtstag mit geschichtsphilosophischen, literatursoziologischen und psychologischen Beiträgen zum Werk Hoffmanns.]

Matt, Peter von: Die Augen der Automaten. E. T. A. Hoffmanns Imaginationslehre als Prinzip seiner Erzählkunst. Tübingen 1971, Studien zur deutschen Literatur 24. [Geglückter Versuch, aus Hoffmanns Werken eine immanente Poetik des Autors zu erstellen.]

Mayer, Hans: Die Wirklichkeit E. T. A. Hoffmanns (1959). In: Peter, Klaus (Hrsg.): Romantikforschung seit 1945. Meisenheim 1980, S. 116–144, Neue Wissenschaftliche Bibliothek 93. [Der immer wieder neu aufgelegte Aufsatz hat nicht nur in der DDR, wo er zuerst – als Einleitung in die sechsbändige Werkausgabe des Aufbau-Verlages – erschienen ist, die Hoffmann-Forschung revolutioniert. Die zwei grundverschiedenen Wirklichkeiten, die alltägliche und die phantastische, werden als notwendige Einheit verstanden, kraft derer es Hoffmann gelungen sei, Gesellschaftskritik zu üben und den Zustand der Entartung und Überreife schon in statu nascendi aufzuzeigen.]

Müller, Hans von: Gesammelte Aufsätze über E. T. A. Hoffmann. Hrsg. v. Friedrich Schnapp. Hildesheim 1974. [Enthält zahlreiche Arbeiten zumeist positivistischer Natur des neben Schnapp verdienstvollsten Hoffmann-Forschers.]

Prang, Helmut (Hrsg.): E. T. A. Hoffmann. Darmstadt 1976, Wege der Forschung 486. [= Prang; enthält zentrale Aufsätze der Hoffmann-Forschung wie die von Preisendanz, Just und Segebrecht.]

Preisendanz, Wolfgang: Humor als dichterische Einbildungskraft. Studien zur Erzählkunst des poetischen Realismus. München 1963, Theorie und Geschichte der Literatur und der schönen Künste 1, S. 47–117. [Das Hoffmann-Kapitel ist die grundlegende Arbeit über Wesen und Gestaltung des Humors bei dem Dichter.]

Riemer, Elke: E. T. A. Hoffmann und seine Illustratoren. 2. Aufl., Hildesheim 1978. [Grundlegend für die Rezeption Hoffmanns in der bildenden Kunst; übersichtlich, informativ, mit zahlreichen Abbildungen in technisch einwandfreier Qualität.]

Safranski, Rüdiger: E. T. A. Hoffmann. Das Leben eines skeptischen Phantasten. München, Wien 1984. [Engagierte Darstellung, die das schwer Faßbare, Zerrissene als Qualität, als Signum der Modernität des Autors interpretiert. Die lebendig geschriebene, auch für den Nicht-Germanisten gut lesbare Biographie enthält zahlreiche Analysen einzelner Werke. Insgesamt: ein ‚Harich' für die achtziger Jahre!]

Sakheim, Arthur: E. T. A. Hoffmann. Studien zu seiner Persönlichkeit und seinen Werken. Phil. Diss. Zürich 1908, Leipzig 1908. [Empfehlenswert v. a. wegen seines rezeptionsgeschichtlichen Teils.]

Scher, Steven Paul (Hrsg.): Zu E. T. A. Hoffmann. Stuttgart 1981. Literaturwissenschaft-Gesellschaftswissenschaft 54. [Aufsatzsammlung, die ärgerlicherweise einen großen Teil der in den von Prang und Steinecke herausgegebenen Auswahlbänden publizierten Beiträge noch einmal abdruckt.]

Segebrecht, Wulf: Autobiographie und Dichtung. Eine Studie zum Werk E. T. A. Hoffmanns. Stuttgart 1967, Germanistische Abhandlungen 19. [Wichtige Studie, die allen allzu planen Rückschlüssen vom Werk Hoffmanns auf dessen Leben das Handwerk legen könnte.]

Segebrecht, Wulf: E. T. A. Hoffmann. In: von Wiese, Benno v. (Hrsg.): Deutsche Dichter der Romantik. Ihr Leben und Werk. Berlin 1971, S. 391–415. [Trotz des Fehlens detaillierter biographischer Angaben ausgezeichnete Einführung in Leben und Werk Hoffmanns.]

Steinecke, Hartmut (Hrsg.): Sonderheft E. T. A. Hoffmann. Zeitschrift für deutsche Philologie 95 (1976). [Jubiläumsheft mit Forschungsbericht und Beiträgen v. a. zu einzelnen Werken (*Goldner Topf, Brambilla, Das öde Haus*).]

Sucher, Paul: Les Sources du Merveilleux chez E. T. A. Hoffmann. Paris 1912. [Noch immer brauchbares Standardwerk über Hoffmanns Beziehungen zu naturphilosophischen, mythologischen und mesmerischen Theorien.]

Werner, Hans-Georg: E. T. A. Hoffmann. Darstellung und Deutung der Wirklichkeit im dichterischen Werk. 2. Aufl., Berlin, Weimar 1971, Beiträge zur deutschen Klassik. [Gründliche und differenzierte Gesamtdarstellung, die Hoffmann als einen der Romantik verhafteten Künstler schildert, der darum nicht Realist sein könne.]

Werner, Hans-Georg: Der romantische Schriftsteller und sein Philister-Publikum. Zur Wirkungsfunktion von Erzählungen E. T. A. Hoffmanns. In: Weimarer Beiträge 24 (1978), S. 87–114. [S. AB II A.]

Personenregister

Berücksichtigt sind alle im Text und in den Bibliographien vorkommenden Namen. Nicht erfaßt ist die Zeittafel. Seitenzahlen in Kursivdruck verweisen auf bibliographische Angaben.

Adorno, Theodor Wiesengrund 186
Aichinger, Ingrid *136*
Aikin, John 21
Alewyn, Richard *155,* 158–160
Alexis, Willibald 153, 265 f.
Allegri, Gregorio 251
Allroggen, Gerhard 241, *243, 301*
Ampère, Jean-Jacques 274
Anz, Thomas 52, *59*
Apel, Friedmar *65*
Arndt, Ernst Moritz 183
Arndt, Johann *25*
Arnim, Achim v. 180, 182–184
Arouet, François-Marie s. Voltaire
Arnoux, Charles Albert 282
Artelt, Walter *32*
d'Aurevilly, Barbey 278

Baldensperger, Fernand 277, *288*
Balsamo, Giuseppe s. Cagliostro, Alexandro Graf v.
Balzac, Honoré 277 f., *288*
Barbier, Jules 278
Barine, Arvède 277, *289*
Barta, Erwin 282
Bartels, Ernst Daniel August 29, 43
Barthel, Karl Werner 153, *155*
Basedow, Johannes Bernhard 23 f., 93
Battie, William 21
Baudelaire, Charles 22, 115, 277 f., 288
Bayer, Erich 16
Beardsley, Christa Maria *87*
Beck, Carl 179, *180*
Becker-Glauch, Wulf 271 f., *286*
Becking, Gustav 241
Beethoven, Ludwig van 167, 241 f., 244 f., 249–252, 254 f.
Béguin, Albert 24, *32,* 276
Belgardt, Raimund *136*
Belinskij, Wissarion 269, 286
Benjamin, Walter 97, 124, 268, *285*
Benz, Ernst *32*
Benz, Richard *66, 75, 181*
Berczik, Árpád 274, *287*
Beresford, James 72
Bergengruen, Werner 169, *170,* 284
Bergeron, Louis *18*
Bernhardi, August Ferdinand 38
Bertall s. Arnoux, Charles Albert
Blankenburg, Martin *136,* 141
Blechen, Karl 281
Blei, Franz 266
Bloch, Ernst 268
Boehm, Felix *155,* 165
Böhme, Hartmut *136*
Böhme, Helmut 15 f., *18*
Börne, Ludwig 262–264
Bollnow, Otto Friedrich *66,* 75–78
Borcherdt, Hans Heinrich *218*
Bourke, Thomas 46 f., *59*
Bousquet, Jacques *33*
Bovenschen, Silvia 186
Boyen, Hermann v. 16
Braak, S. 276, *287*
Brantly, Susan *136*
Brentano, Clemens 30, 43 f., 92, 236, 261 f.
Breughel, Pieter (der Jüngere) 53 f.
Breuillac, Marcel 274–276, 278, *287*
Brinkmann, Richard *303*
Brown, John 29, 43, 140

Brucks, Eberhard 282
Brummack, Jürgen 13, *19,* 215
Bruning, Peter *66*
Büchner, Georg 258
Buddensieg, Hermann *290*
Busch, Ernst *33*

Cagliostro, Allessandro Graf v. 140, 274
Calderon de la Barca, Pedro 42
Callot, Jacques 50–52, 54, 59, 121–123
Campe, Joachim Heinrich 23f., 93
Carlyle, Thomas 64, 279f., *289*
Carré, Michel 278
Casanova de Seingalt, Giacomo 274
Cäsar (preuß. Rittmeister a.D.) 99
Casper, Bernhard *60*
Castein, Hanne *283*
Castex, Pierre-Georges 274, 277, *287*
Cazotte, Jacques 274
Cervantes Saavedra, Miguel de 221
Chambers, Ross 118
Chamisso, Adelbert v. 38, 43f., 55, 102, 171
Champfleury 276
Chasles, Philarète 275f.
Cheauré, Elisabeth 269, 271f., *286*
Chiari, Pietro 122, 132
Chodowiecki, Daniel 281
Clasen, Herbert *285*
Cobb, Palmer *289*
Cohen, Jean 275
Conrad, Horst *155,* 159, 162
Contessa, Carl Wilhelm Salice 55, 88f., 281, 284
Cosimo II. 121
Coulomb, Charles Auguste de 32
Cox, Joseph Mason 22, 43, 201
Cramer, Karin *196*
Cramer, Thomas *100*
Creutzer, Georg Friedrich 26
Cronin, John D. *181,* 186

Daemmrich, Horst S. *56, 60, 66, 87,* 96f., *100, 181,* 194f., *196, 218,* 232, 236
Dahlhaus, Hans *243,* 246f.
Dahmen, Hans 25, *33, 60, 66,* 72, 75
Dante, Alighieri 189
Darnton, Robert 30, *33*
David, Etienne 282
Delabroy, Jean *136*
Delacroix, Eugène 282
Deleuze, Gilles 191
Devrient, Ludwig 18, 39, 132
Dickens, Charles 189, 280
Diderot, Denis 42
Dieckmann, Liselotte 280, 289
Diez, Max *66*
Dittersdorf, Karl Ditters v. 249
Doerffer, Johann Ludwig 36
Doerffer, Johanna Sophie 36
Doerffer, Minna 36
Doerffer, Otto Wilhelm 36, 220, 241
Doerffer, Sophie 36, 220
Dose, Claus Dieter *289*
Dostojewskij, Fedor Michailowitsch 271, 286
Drohla, Gisela *286*
Dubruck, Alfred *289*
Dümmler, Ferdinand 102
Dürer, Albrecht 171, 177
Düwel, Wolf 269f., *286*
Dufay, Charles François 31
Dumas, Alexandre (Père) 271

Ebert, Johann Arnold 52
Eckermann, Johann Peter 75, 132, 259
Egli, Gustav *66, 72,* 117, *118*
Egmont, Henri 276
Ehinger, Hans *243*
Ehrenberg, Ilja Grigorjewitsch 271
Eichendorff, Joseph v. 47, 55, 174, 236, 261f., 265, 268
Eilert, Heide 116f., *118,* 122f., 132
Elardo, Ronald J. *100, 181*
Elias, Norbert 23, *33,* 192
Elling, Barbara *136, 196, 283*
Ellinger, Georg *44,* 73, 86, *87,* 99, *100,* 116, *118,* 127, 168, *170, 181, 196,* 201, 229, 238, 258, *283, 303*
Ellis, John M. *136, 155,* 160f., 165
Engelhardt, Dietrich v. *33*

Engels, Friedrich 267f.
Enslen, Johann Karl 140
Erlich, Viktor 272
Erné, Nino *290*
Ettelt, Wilhelm *45*

Faesi, Peter *218*
Fedin, Konstantin 271
Fehse, Wilhelm *285*
Felzmann, Fritz *100*
Fernow, Karl Ludwig 123
Fichte, Johann Gottlieb 23, 78, 145
Fife, Robert Herdon *285*
Fingerhut, Margret und Karlheinz *154,* 162
Fischer, Ernst 268
Fischer, Otokar *60*
Fontane, Theodor 230, 284
Foucault, Michel *33,* 152
Foulquier, Valentin 282
Fouqué, Friedrich de la Motte 38, 43f., *55,* 88, 123, 221, 279, 281
Frank, Manfred *137*
Franklin, Benjamin 31
Freud, Sigmund 52, 58, *60, 137,* 151, 180, 188, 194, *197,* 206–211, 214, *303*
Freund, Winfried *155,* 163
Friedrich II 13, 28
Friedrich Wilhelm II 14
Friedrich Wilhelm III 14, 134, 163f.
Fritz, Horst *100,* 108
Frye, Lawrence O. *218*
Fuchs, Hans-Jürgen 215
Fühmann, Franz 48, *66,* 98, *100, 170, 197,* 205, *283*
Führich, Joseph v. 282
Funck, Z. s. Kunz, Carl Friedrich
Furet, François *18*

Gahse, Zsuzsanna 267
Galvani, Luigi 31
Gautier, Théophile 278, 288
Gavarni, Paul 282
Geck, Martin 242, *243,* 252f.
Gendolla, Peter *137,* 140
Gerber, Ernst Ludwig 43
Gerber, Richard *155,* 159
Gersdorff, Dagmar v. *218, 285*
Gervinus, Georg Gottfried 258f.
Gibelli, Vincenzo *286*
Gigoux, Jean 282
Girardin, Saint-Marc 275
Giraud, Jean *137, 288f.*
Girndt-Dannenberg, Dorothee *60*
Gloor, Arthur 47, *60, 118*
Gluck, Christoph Willibald 241
Gneisenau, August Wilhelm Graf Neidhardt v. 16
Goedeke, Karl *283, 301*
Goethe, Johann Wolfgang v. 19f., 42, 44, 48, 64, 75, 92, 97, 109, 123, 132f., 258–262, 264–266, 269, 273
Gogol, Nikolaj 270f.
Goldoni, Carlo 122
Goldstein, Moritz 55, *60*
Gorkij, Maxim 272
Gorlin, Michel 269, *286*
Gorski, Gisela *155,* 166
Gozzi, Carlo 42, 73, 122, 132, 271
Grabbe, Christian Dietrich 258
Graepel, Johann Gerhard 37, 220
Grahl-Mögelin, Walter *60*
Gravier, Maurice *118,* 121
Gray, Stephen 31
Greeff, Paul 241, *243*
Greene-Gantzberg, Vivian *290*
Grillparzer, Franz 265
Grimm, Jacob 94
Grimm, Reinhold *118,* 123f.
Grimm, Wilhelm 94, 260
Große, Karl 201
Grucdev, Ilja 271
Gruener, Gustav *289*
Guattari, Félix 191
Günzel, Klaus *45, 283, 301*
Gudde, Erwin G. *290*
Gugitz, Gustav 41
Guichard, Léon *287*
Gutzkow, Karl 265

Hadl, Richard 282
Häring, Wilhelm s. Alexis, Willibald

Halbe, Max 284
Haller, Albrecht v. 28
Hamburger, Käthe 180, *181*
Hanska, Eva 277
Hardenberg, Friedrich v. s. Novalis
Hardenberg, Karl August v. 13, 15f., 29, 134
Harich, Walther 38, 45, 64, *66*, 74, 86, 95, 116f., *118*, 125, 135, *137*, 153, 168, 170, 175, 178, 195, *197*, 200f., 204 *218*, 237, 258, 266, *283*, *303*
Harper, Anthony *66*
Hartung, Günter *137*
Hatt, Dora 36
Hauff, Wilhelm 284
Hausmann, Johann Friedrich Ludwig 183
Haußmann, Johann F. *284*
Haxthausen, Werner v. *55*
Haydn, Joseph 167, 241, 245, 249, 251f., 254
Hayes, Charles 137
Hebbel, Friedrich 180, 183–185, 263
Hebel, Johann Peter 180, 182–185
Hegel, Georg Wilhelm Friedrich 74, 97, 260
Hegenbarth, Joseph 282
Heilborn, Ernst 250
Heine, Heinrich 44, 115, 191, 215, 263f., 267, 269, 273, 285
Heine, Roland *67*, 84
Heinisch, Klaus J. *181*
Helmke, Ulrich *45*, *284f.*
Hemmerich, Karl Georg 282
Henisch, Peter 267
Herder, Johann Gottfried 24
Herrmann, Ulrich 22
Hertz, Neil *137*
Herz, Henriette 17
Herzen, Alexander 269f.
Herzfeld, Hans 16f., *18*
Hesse, Hermann 285
Hewett-Thayer, Harvey W. *87*, 89, *170*, *197*, 200, 204
Himmel, Hellmuth *155*, 166f.
Hindemith, Paul 153
Hippel, Theodor Gottlieb v. 35f., *45*, *55*, 64, 221, *302*
Hitzig, Julius Eduard 35, 37–39, 42, *45*, *55*, 89, 101f., 115, *118*, 121, 169, 199f., 221, 238, 265, 270, 280, *302*
Hoefert, Sigfrid *284*
Hoffmann, Cäcilia 37
Hoffmann, Christoph Ludwig 35
Hoffmann, Ernst Fedor *137*
Hoffmann, Johann Ludwig 36
Hoffmann, Lovisa Albertine 36
Hoffmann, Michaelina 36f.
Hofmannsthal, Hugo v. 180
Hogarth, William 50f.
Hohlfield, Alexander Rudolf 279, *290*
Holbeche, Yvonne *155*, 163, 166
Holbein, Franz v. 38, 40, 102
Holtus, Günter 276, 287
Homer 258
Honthorst, Gerard van 53
Horn, Franz 38
Hosemann, Theodor 282
Hubatsch, Walther 14
Huber, Ernst Rudolf 22, *33*
Huch, Ricarda *87*, 153, *156*, 169, *170*, *181*, *265*
Hufeland, Christoph Wilhelm 28, 43
Hugo, Victor 278
Humboldt, Wilhelm v. 22, 134
Hunter Lougheed, Rosemarie 41
Husson, Jules François Felix s. Champfleury

Iffland, August 36, 43
Ignatov, Serge 271
Ingham, Norman W. 269–271, *286*
Iwanow, Wsewolod 271

Jacob, Heinrich Eduard 266
Jaffé, Aniela *67*, *77*
Jahn, Friedrich Ludwig 39, 163f.
Janin, Jules 274
Janssen, Horst 283
Jaquet-Droz, Pierre 140
Jean Paul 36, 43, 51f., 102, 115f., 116, 222f., 258, 260, 263, *265*, *285*

Jebsen, Regine *118*, 121, 125, 130
Jennings, Lee *100*
Jentsch, Ernst 58, *60*, 151
Jesus von Nazareth 94, 97
Jeune, Simon *289*
Johannot, Tony 275, 282
Jones, Michael T. *218*, 229
Jost, Walter *87*, 89, 285
Jung, Carl Gustav 25, 194, *197*, 206, 210
Just, Klaus Günther *67*, 75, 78, *101*, 112

Kafka, Franz 285
Kahrmann, Cordula *181*, 184f.
Kalfus, Richard *197*
Kamptz, Karl Albert v. 39, 164
Kanne, Johann Arnold 26, 72, 77–79
Kant, Immanuel 23, 43
Kanzog, Klaus 46f., *60*, *156*, 161, *197*, 201, 282, *301*
Kappeler, Max 29
Kaufmann, Friedrich 140
Kaufmann, Johann Georg 140
Kaverin, Veniamin 271
Kayser, Wolfgang *137*, 151
Keller, Gottfried 263
Kempelen, Wolfgang von 18, 140
Kesselmann, Heidemarie *101*
Kind, Friedrich 124
Kindermann, Jürgen *244*
Kircher, Athanasius 29
Kittler, Friedrich A. *137*, 152, 281
Klee, Paul 282, 285
Klein, Johannes *156*
Kleist, Heinrich v. 30, 123, 261
Klingemann, August 41
Klinke, Otto *197*
Kluge, Carl Alexander Ferdinand 29, 33, 43, 84, 201
Koch, Heinrich Christoph 123f., 245
Köhler, Ingeborg *156*, 273f., *287f.*
Köhn, Lothar *58*, *61*, 109, 137, 168, *170*, 171–175, 179, 195f., *197*, *304*
Koelb, Clayton *285*
Köpke, Rudolf 260
Köpp, Claus Friedrich *118*, 130
Kohlschmidt, Werner 47
Kolb, Peter 168f., *170*
Kolbe, Karl Wilhelm 170, 281
Korff, Herrmann August *67*, 75, 116, *119*, 124f., *218*
Koselleck, Reinhart 15f., *18*, *33*
Kotzebue, August v. 39, 43
Koreff, Johann Ferdinand 29, 38, *55*, 121, 274
Kovach, Thomas A. *156*
Kralowsky, Friedrich 42, 158, 183
Krauss, Wilhelmine *119*
Kreplin, Dietrich *137*, 140
Krolop, Bernd *285*
Kron, Wolfgang 51, *244*
Krüdener, Barbara Juliane v. 274
Kubin, Alfred 282
Kühn, Sophie v. 264
Kunz, Carl Friedrich 26, 35, 38, 40, 42, *45*, 48, 54, 70, 72, 89, 171, 199f., 223, *302*
Kunz, Josef *156*, 160
Kuttner, Margot *61*, *197*

Lacan, Jacques 152
Lalauze, Adolphe 282
Lamartine, Alphonse de 278
Langen, August 46, *61*
Laubriet, Pierre 277, *288*
Laval, Madeleine 276
La Bedollière, Emile de 276
La Vallière, Louise Françoise de 163
Lavater, Johann Kaspar 20, 30
Lawrence, David Herbert 190
Lawson, Ursula D. *138*
Lea, Sidney L.W. (jr.) *181*, 187, 189
Lechner, Wilhelm *33*
Lehmann, Hans-Thies 135, *138*, 150, 281
Lenk, Elisabeth *33*
Lenz, Jakob Michael Reinhold 258
Leonov Leonid Maximowitsch 271
Lepenies, Wolfgang 141
Lersch, Philipp *34*
Lewis, Matthew Gregory 201, 279
Leyel, Adam 182
Lichtenhahn, Ernst *244*, 253, 256

Lindken, Hans-Ulrich 65, 153, *154, 290*
Lion, Ferdinand 153
Ljungdorff, Vilhelm *290*
Lloyd, Rosemary *288*
Lockemann, Fritz *61*
Loeb, Ernst *101,* 110, *285*
Loecker, Armand de *67,* 72, 86, *87,* 90, 96, 98, 100, *101,* 103, 107
Löffler, Peter *119*
Loève-Veimars, François 275 f.
Loevenich, Heinz *218,* 232
Lohner, Edgar *255*
Lorenz, Emil 180, *181,* 182, 188 f.
Louis XIV 163
Louis Philippe 274
Ludwig, Albert 260, *283*
Ludwig, Otto 153
Lüthi, Max *87,* 89
Lukács, Georg 264, 267 f.
Lunc, Lew 271 f.

Maassen, Carl Georg v. 50, 52, 99, *101,* 102, 135, 139–141, 153, 168 f., *170,* 171, 194 f., *197,* 201, 258, 260, *283, 299*
McGlathery, James M. 30, *45, 61, 67,* 73, 83, *197, 283, 289,* 304
Mackawa, Mitisuke *290*
Magris, Claudio 41, *88, 119, 170,* 178, *181,* 187, *197,* 205, 216
Mähl, Hans-Joachim 257
Mahlendorf, Ursula *138*
Mahler, Margaret 214
Malandin, Gabriele *289*
Mandach, André de *289*
Mann, Thomas *285*
Marcus, Adalbert Friedrich 38, 151, 201
Mark, Julia 37 f., 73, 186, 199 f., 220
Marmier, Xavier 276
Marmontel, Jean-François 74
Marsch, Edgar *156,* 164
Martello, Pier Jacopo 122
Martini, Fritz *67, 99, 101*
Martius, Johann Niklaus 104
Marx, Karl 166, 264, 267 f.
Marx-Aveling, Eleanor 268
Massey, Irving 138
Matt, Peter v. *61, 67,* 78, 83, *138, 181, 197, 218,* 235 f., 242, *244, 304*
Matzker, Reiner 67
Max, Frank Rainer *119,* 123
May, Joachim *119*
Mayer, Hans 48, *101,* 108 f., *181,* 190, 195, *197, 219,* 238, 258, 266–268, *283,* 304
Meixner, Horst 195, *197,* 205, 207, 209, 213, 216
Mendelssohn, Moses 246
Menzel, Adolph v. 283
Merimée, Prosper 278
Merkel, Franz Rudolf *34*
Mesmer, Franz Anton 27–29, 140
Metternich, Klemens Wenzel Lothar Fürst 164, 177
Meyer, Friedrich Lorenz 158
Meyer, Herman *156,* 160, 219, 232
Meyerhold, Wsewolod Emiljewitsch 271
Michailow, Anatoli *286*
Miller, Norbert 65, *68, 244, 288*
Molinari, Aloys 41
Monro, John 21
Morgan, Bayard Quincy 279, *290*
Morgner, Irmtraud 267
Moritz, Karl Philipp 19–21, 43, 92, 123, 192
Motekat, Helmut *138*
Mozart, Wolfgang Amadeus 167, 241, 245, 249, 251 f., 254, 257
Mühlher, Robert *45,* 64, *68,* 76, 119
Müller, Adam 162
Müller, Hans v. 35 f., 40, 42, *44,* 85 f., *88,* 90, 94, 96, 168, *170,* 195, *197,* 217, 227, 258, 266, *302, 304*
Müller, Helmut 46–48, *61*
Müller-Seidel, Walter 46 f., 86 f., *88,* 99, *101,* 165, 194, 229, 232, 239 f.
Mueller-Sternberg, Robert *284*
Müllner, Adolf 201
Mulot, Arno *284*
Murhard, Friedrich Wilhelm August 43
Musset, Alfred de 278, 289

Nadler, Josef 46
Napoleon Bonaparte 13f., 16, 37, 71, 102, 134, 279
Naumann, Dietrich *156,* 159f.
Negus, Kenneth *68,* 86, *88,* 94, *181, 197, 219*
Nehring, Wolfgang 65, *68, 119,* 126, 194f., *197,* 200
Nepos, Cornelius 227
Nerval, Gérard de 278, 289
Neubauer, John 180, *181,* 189
Nikitin, Nikolaj 271
Nipperdey, Otto 180, *181,* 190
Nipperdey, Thomas 18, *19f.*
Nock, Francis J. *61*
Nodier, Charles 274, 278
Novalis 24, 43f., 48, 53, 72, 75, 83, 89, 92–94, 145, 159, 174, 187–190, 247, 249f., 256f., 263f., 274
Nudow, Heinrich 43
Nygaard, L. C. *68*

Obermeit, Werner 20f., *34, 138,* 141, 152
Ochsner, Karl *68, 198,* 204
Odojewskij, Wladimir Fedorowitsch 271
Oetzel, August *55*
Offenbach, Jacques 278
Ohl, Hubert *61*
Olson, Susanne *198,* 211
Osthus, Gustav *34, 68,* 78

Palestrina, Giovanni Pierluigi da 253f., 256
Panizza, Oskar 267, 285
Pankalla, Gerhard K. *88,* 89, *284, 288*
Paracelsus, Theophrastus v. Hohenheim 29
Passage, Charles E. 269–271, *286*
Payr, Bernhard *288*
Perowskij, Alexej 270
Pestalozzi, Johann Heinrich 22, 24
Peter, Klaus 268
Petzel, Jörg *285*
Pfeiffer, Johannes *181*
Pfeiffer-Belli, Wolfgang *198*
Pfotenhauer, Helmut *61*
Pfuel, Ernst v. *55*
Pfuel, Friedrich v. *55*
Piana, Theo *44, 302*
Pikulik, Lothar *53, 61, 68, 75,* 83
Pilnjak, Boris 271
Pinel, Philippe 20–22, 43, 201
Pirker, Max 195, *198,* 200
Pitaval, Gayot de 158
Placidus s. Sankt Eustachius
Planta, Urs Orland v. 86, *88,* 89, 90, 94f., 97
Platon 42
Plutarch 227
Podolski, A. *286*
Poe, Edgar Allan 277, 280
Pogorelskij, Anton s. Perowskij, Alexej
Polewoj, Nikolaj 270
Polonskaja, Elizaweta 271
Post, Klaus D. *156,* 160f., 166
Pozner, Wladimir 271
Prätorius, Michael 123
Prang, Helmut *304*
Prawer, Siegbert Salomon *62, 138,* 268
Prechtl, Michael Mathias 283
Preisendanz, Wolfgang *68,* 115, *119,* 131, *138, 219,* 232, 239f., *304*
Psaar, Werner *156,* 161
Pückler-Muskau, Hermann Fürst v. 99, 102
Puschkin, Alexander 270f.

Raabe, Wilhelm 285
Radcliffe, Anne 279
Raff, Dietrich *198*
Ramberg, Johann Heinrich 281
Rang, Martin 23, *34*
Rank, Otto 194, *198,* 206f., 211–213
Reber, Natalie *198,* 205
Reddick, John *68,* 76
Reden, Friedrich Wilhelm v. 14
Reichardt, Johann Friedrich 243, 246, 254
Reil, Johann Christian 22, 26, 28, 43, 201
Reimann, Olga *69,* 75, 86, 99, *101,* 102

Reimer, Georg 41, *55*
Reinert, Claus *157*, 163
Reiß, Gunter *181*
Rellstab, Ludwig 260
Rembrandt Harmenesz van Rijn 53 f.
Renduel, Eugène 275
Requadt, Paul *119*
Ricci, Jean F.-A. *69*, 75, 168, *170*, *198*, 204, *219*
Richter, Jean Paul Friedrich s. Jean Paul
Richter, Carl Friedrich Enoch 170
Riemer, Elke 281 f., *284*, *304*
Ritter, Johann Wilhelm 24, 247
Ritzler, Paula *34*
Robert, Ludwig *55*
Rochlitz, Friedrich 40, 50, *243*, 244 f.
Rockenbach, Nikolaus *69*
Rohr, Judith *244*
Rorer-Trzcińska, Marianna Thekla Michaelina s. Hoffmann, Michaelina
Rosen, Robert S. *219*, 225, 229
Rosenplüt, Hans 174
Rössing, Karl 282
Rosteutscher, Joachim *62*, *219*
Rotermund, Erwin *62*
Rousseau, Jean-Jacques 22 f., 42, 90, 92, 94, 255
Rüdiger, Horst *45*
Ruisdael, Jacob van 145
Rusack, Hedwig Hoffmann *119*

Safranski, Rüdiger *45*, *198*, *304*
Sainte-Beuve, Charles Augustin de 278
Saint-Germain 274
Saint-Martin, Louis Claude Marquis de 26
Sakheim, Arthur *69*, 75, 86, *88*, *170*, 172, 260, *284*, *290*, *304*
Salomon, Gerhard *284*, *301*
Salzmann, Christian Gotthilf 23
Samjatin, Ewgenij 271
Sand, George 277 f.
Sankt Eustachius 167
Sauder, Gerhard 27, *34*
Sauer, Lieselotte *138*, 140
Schäfer, Ludger *198*
Scharnhorst, Gerhard Johann David v. 16
Schau, Peter 100, *101*, 108 f.
Schaukal, Richard v. *69*, 116, *120*, 125
Schdanov, Andrej Alexandrowitsch 272
Scheerbart, Paul 267
Schelling, Friedrich Wilhelm Joseph v. 23 f., 30, 72, 77, 84, 94
Schenck, Ernst v. 46 f., *62*, *99*, *101*, 117, *120*, 125, *182*, *219*, 229, 236
Scher, Steven Paul *219*, 223, *304*
Scherer, Michael *182*
Scheuerl, Hans 22, 24, *34*
Scheuner, Ulrich *157*, 162
Scheurich, Paul 282
Schillemeit, Jost 41
Schiller, Friedrich 43, 48, 109, 190, 201, 250, 258, 269
Schklovskij, Viktor 271
Schlegel, August Wilhelm 44, 255
Schlegel, Friedrich 24, 44, 48, 247, 256
Schluchter, Manfred *181*
Schmerbach, Hartmut 46, *62*
Schmidt, Arno 267, 285
Schmidt, Jochen *69*, 85, *138*
Schmidt-Biggemann, Wilhelm *139*, 140
Schnapp, Friedrich 35, 39, *44*, 55, *62*, 64, *65*, *69*, 72, *87 f.*, 89, *100*, 103, *117 f.*, *120*, *136*, *154*, *170*, *180*, 194, *196*, *217*, 223, *243*, 258, *284*, *302 f.*
Schnaus, Peter *244*
Schneider, Albert *120*
Schneider, Peter *157*, 165
Schönhaar, Rainer *157*
Schönherr, Kurt *288*
Schopenhauer, Arthur 30
Schröder, Thomas *120*, 121
Schubert, Gotthilf Heinrich 23–27, 30, 43, 52 f., 72, 77–81, 83 f., 94, 99, 102 f., 109, 128, 182–184, 201
Schütz, Christel *62*

Schütze, Stephan 152
Schultheiss, Carl M. 282
Schultz, Werner *285*
Schulz, Gerhard *19*
Schulze, Friedrich 158
Schumacher, Hans *69,* 86, *88, 95*
Schumann, Robert 245
Schumm, Siegfried *56, 62, 120,* 131
Schuster, Ingrid *285*
Schwind, Moritz v. 282
Scott, Walter 44, 115f., 153, 259, 264f., 274f., 279f., *290*
Sdun, Winfried 52, *62,* 116, *120,* 121, 123
Seconda, Joseph 38, 199
Seegemund, Georg 55
Segebrecht, Wulf *34, 45,* 54, 58, *63, 101,* 103, 114, *139,* 151, 168, 170, *198,* 200, 205, *219,* 225, 239f., *305*
Seneca, Lucius Annaeus 42
Serafino da Montegranaro 55, 57
Shakespeare, William 42, 123, 279
Shelley, Mary W. 279
Siebert, Wilhelm 263, *285*
Simmel, Georg 142
Singer, Herbert *219,* 229, 234–239
Škreb, Zdenko *157,* 159
Slessarev, Helga *120,* 125
Slonim, Marc 271f.
Slonimskij, Michaíl 271
Smith, Albert B. *288*
Sostschenko, Michaíl 271
Spallanzani, Lazzaro 140
Späth, Ute *219*
Spener, Jacob 19
Spengler, Oswald 217
Speyer, Friedrich 38, 201
Spontini, Gaspare 242
Spranger, Eduard 22, 24, *34*
Stael-Holstein, Anne Louise Germaine de 273
Stalin, Josif Wissarionowitsch 272
Starobinski, Jean 120, 122
Steffens, Henrik 94
Stegmann, Inge *34, 69, 139*
Stein, Heinrich Friedrich Karl Reichsfreiherr v. 13–16, 134
Steinecke, Hartmut 56, *63, 219,* 231f., 238–240, 265, *284, 302, 305*
Steiner-Prag, Hugo 282
Sterne, Laurence 42, 223
Stone Peters, Diana *220*
Storm, Theodor 285
Stradal, Marianne *63*
Strohschneider-Kohrs, Ingrid *63,* 117, 120, 125–127, 129–131
Struc, Roman *285*
Sucher, Paul *69, 182,* 195, 200, 305
Sulzer, Johann Georg *53*f., 247, 253
Swift, Jonathan 279
Symanski, Johann Daniel 58

Tairow, Alexander 271
Tatar, Maria M. 69, *139*
Tecchi, Bonaventura *101,* 103, *121, 182*
Teichmann, Elizabeth 274–276, *284, 288*
Thalmann, Marianne *65, 69, 75, 88,* 89f., 92, *95*f., *157,* 165, 195, *198,* 200f.
Theweleit, Klaus 188, 191f., 213
Thiele, Carl Friedrich 121
Thurau, Gustav 260, 276, 288
Thylmann, Karl 282
Tichonov, Nikolaj 271
Tieck, Ludwig 38, 43f., 88f., 92, 94, 96, 102, 171, 183f., *217,* 236, *243,* 247–251, 260f., 274, 285
Tietz, Manfred *290*
Tismar, Jens 65, *70,* 75, *88,* 98
Todorov, Tzvetan 59, 63
Toggenburger, Hans 41, *55, 58, 63*
Toussenel, Théodor 275f.
Tschaikowskij, Petr Iljitsch 271
Turajew, Sergej 273, *287*

Uber, Wolfgang *139, 182,* 190, 192
Uhlendahl, Heinrich *285*

Varnhagen, Rahel 17
Vasari, Giorgio 123
Vaucanson, Jacques de 140
Veit, Philipp 38

Verne, Jules 289
Vietta, Silvio *139*
Vigny, Alfred de 278
Vilmar, August Friedrich Christian 258
Vinci, Leonardo da 209
Voerster, Jürgen *284, 301*
Volkmann, Johann Jacob 123
Volta, Alessandro, Graf v. 31f.
Voltaire 123, 158
Vom Hofe, Gerhard *70,* 85
Von der Lippe, George B. 280, *287, 290*
Voß, Heinrich 86, 260, 265

Wackenroder, Wilhelm Heinrich 43f., 171, *217,* 222, 235, *243,* 247, 249f., 252
Wagenseil, Johann Christoph 43, 158, 171, 174
Wagner, Adolph 72, 117, 127
Wagner, Richard 245, 286
Wagner-Régeny, Rudolf 180
Wais, Kurt *288*
Walpole, Horace 279
Walter, Eugen *157,* 161, 163
Walter, Jürgen *101,* 111f., 282, *285*
Wawrzyn, Lienhard *139*
Weber, Bernhard Anselm 36
Weber, Max 192
Weber, Samuel *139*
Weidekampf, Ilse *34*
Weiss, Hermann F. *157,* 161, 163
Wellenstein, Walter 282
Werner, Hans-Georg 48–50, *63, 88,* 95, 98, *101,* 108, *121,* 168f., *170,* 177, *182,* 195, *198,* 200f., 203f., *220,* 229, 267f., *284, 305*
Werner, Zacharias 22, 36, 43, 201
Wetzel, Friedrich Gottlob 64
Wiegleb, Johann Christian 43, 103f.
Wieland, Christoph Martin 102
Wiese, Benno von *220,* 227, 229, 239f.
Wilhelm v. Birkenfeld, Herzog von Bamberg 14
Willimczik, Kurt *121,* 204, *220*
Wilmans, Friedrich 39, 153
Winter, Ilse 51f., *55–59, 63, 170,* 173, 175
Witt, Friedrich 244f.
Wittkop-Ménardeau, Gabrielle *45*
Wöllner, Günter *70,* 86, *88,* 89, *285*
Wolfart, Karl Christian 28
Wolff, Pius Alexander 132
Wolzogen, Hans v. *286*
Wright, Elizabeth, *182,* 196, *198*
Wührl, Paul-Wolfgang 64, *65, 70,* 71, 75, *88,* 94f., *101,* 106, 108f., 153f., *157,* 266, *284*

Young, Edward 52
Yushu, Zhang *290*

Zehl Romero, Christiane 195, *198,* 201
Zimmermann, Eberhard August Wilhelm v. 158
Žitomirskaja, Zinaida Viktorovna *287*
Zylstra, Henry *290*

Buchanzeigen

Deutsche Schriftsteller im Porträt

Band 1: *Das Zeitalter des Barock*
Herausgegeben von Martin Bircher.
1979. 194 Seiten mit 88 Abbildungen. Paperback

Band 2: *Das Zeitalter der Aufklärung*
Herausgegeben von Jürgen Stenzel.
1980. 203 Seiten mit 90 Abbildungen. Paperback

Band 3: *Sturm und Drang, Klassik und Romantik*
Herausgegeben von Jörn Göres.
1980. 287 Seiten mit 132 Abbildungen. Paperback

Band 4: *Das 19. Jahrhundert. Restaurationsepoche – Realismus – Gründerzeit*
Herausgegeben von Hiltrud Häntzschel.
1981. 200 Seiten mit 89 Abbildungen. Paperback

Band 5: *Jahrhundertwende*
Herausgegeben von Hans-Otto Hügel.
1983. 207 Seiten mit 89 Abbildungen. Paperback

Band 6: *Expressionismus und Weimarer Republik.*
Herausgegeben von Karl-Heinz Habersetzer.
1984. 208 Seiten mit 89 Abbildungen. Paperback

„Ungewöhnlich an diesem Unternehmen ist zweierlei: Neben den bekannten und längst kodifizierten Dichtern und Schriftstellern haben auch die poetae minores, Publizisten, Kolportageautoren, Essayisten und Verfasser philosophischer Prosa Aufnahme gefunden, und jedem kurzen monographischen Artikel ist ein zeitgenössisches Porträt beigestellt, dessen Aussagekraft oftmals unmittelbarer und weitreichender erscheint als die beste Beschreibung."

Frankfurter Allgemeine Zeitung

Beck'sche Schwarze Reihe